W9-AGB-813
BÜCHER

Von Andreas Feininger erschienen in der Reihe
HEYNE RATGEBER folgende Titel:

4475 Farbfotolehre
4544 Die Hohe Schule der Fotografie
4571 Farbfotokurs
4590 Kompositionskurs der Fotografie
4624 Richtig sehen – besser fotografieren
4863 Licht und Beleuchtung in der Fotografie

WILHELM HEYNE VERLAG
MÜNCHEN

HEYNE RATGEBER
Nr. 08/4761

Titel der amerikanischen Originalausgabe
THE COMPLETE PHOTOGRAPHER, REVISED EDITION
Deutsche Übersetzung von Heinrich Freytag, Thomas M. Höpfner, Gerhard Juckoff,
Walther Schwerdtfeger

10. Auflage

Copyright © 1978 by Andreas Feininger
Copyright © 1979 der deutschen Ausgabe by Econ Verlag GmbH, Düsseldorf und Wien
Genehmigte, ungekürzte Taschenbuchausgabe
Printed in Germany 1995
Umschlaggestaltung: Atelier Ingrid Schütz, München
Bildteil: RMO, München
Satz: G. Appl, Wemding
Druck und Bindung: Ebner Ulm

ISBN 3-453-41431-4

Inhaltsverzeichnis

Lieber Leser, liebe Leserin!

Sie mögen sich zu Recht fragen, ob man wirklich ein so umfangreiches Buch wie dieses braucht, um gute Fotos zu machen. Schließlich funktionieren ja heutzutage die meisten Fotoapparate halb- oder vollautomatisch, Elektroblitze dosieren computergesteuert die notwendige Lichtmenge, mit immer lichtstärkeren Objektiven und empfindlicheren Filmen kann man praktisch bei allen Lichtverhältnissen noch fotografieren, und das Filmentwickeln mit Uhr und Thermometer ist heutzutage so einfach wie Eierkochen. Und wer sich nicht selbst mit dem Entwickeln und Vergrößern abmühen will, kann das einem der zahlreichen Fotofachgeschäfte oder einem Versand-Fotoservice überlassen.
Außerdem liegt jeder neuen Kamera, jedem Elektronenblitz, Belichtungsmesser, Filter, Farb-Analyser und sonstigem Gerät sowie jedem Film, Fotopapier, Entwickler und anderem Fotomaterial eine ausführliche Gebrauchsanweisung der Herstellerfirma bei, so daß eigentlich gewährleistet sein sollte, daß Ihre Aufnahmen gelingen. Wozu dann noch dieses voluminöse Buch?
Ich will es Ihnen sagen: Weil eben ein himmelweiter Unterschied besteht zwischen einem Foto, das lediglich »technisch einwandfrei« ist, und einem solchen, das die Bezeichnung gut oder ausgezeichnet verdient, ein Bild, das man vielleicht sogar als außergewöhnlich in der Erinnerung behält. Ein technisch einwandfreies Foto ist scharf, richtig belichtet, sachgemäß entwickelt und vergrößert – weiter nichts. Bei aller technischen Vollendung kann es das langweiligste Bild der Welt sein – vielleicht weil das Motiv unglücklich gewählt oder schlecht getroffen ist und keinerlei Eindruck hinterläßt. Selbst ein technisch ausgefuchster Fotograf wird oft genug von seinen Aufnahmen enttäuscht sein, *wenn er es nicht versteht, seine technischen Möglichkeiten mit den bildmäßigen Anforderungen des Motivs und der beabsichtigten Aussage in Einklang zu bringen.* Mit anderen Worten: Er muß jeden Schritt des fotografischen Prozesses nicht nur *technisch* beherrschen, sondern auch *schöpferisch* zu nutzen wissen – von der Motivwahl in bezug auf fotogene Eigenschaften bis zum Anfertigen des Diapositivs oder der Vergrößerung.

Schöpferische Handhabung der Mittel heißt also richtige Entscheidungen treffen. Fast immer hat der Fotograf die Wahl zwischen mehreren Motiven oder wenigstens zwischen unterschiedlichen Auffassungen ein und desselben Bildgegenstandes. Unter den dargebotenen Möglich-

keiten muß er also die herausfinden, die seiner Vorstellung am besten entsprechen, das heißt, er hat freie Hand, auf jede nur erdenkliche Weise sein Motiv auf Film und Papier zu bannen. Allerdings werden die Ergebnisse nicht immer von gleicher Ausdruckskraft sein. So wirkt z. B. der Bildgegenstand aus größerer Entfernung ganz anders als von nahem: Bei großem Abstand erscheint er als Bestandteil seiner Umgebung, bei geringem mehr oder weniger ausschnitthaft verdichtet. Ferner macht es einen großen Unterschied, ob er von vorne oder mehr oder weniger von der Seite fotografiert wird, von oben oder von unten oder gar von der Rückseite. Hinzu kommt die folgenschwere Wahl zwischen Normal-, Weitwinkel- und Teleobjektiven verschiedener Brennweiten, mit deren Hilfe das Motiv jeweils in einer ganz bestimmen Perspektive dargestellt werden kann. Durch mehr oder weniger starkes Abblenden kann man den Tiefenschärfenbereich wunschgemäß vergrößern oder verkleinern. Und von der Belichtungszeit hängt es ab, ob die Bewegung eines Bildobjektes »eingefroren« oder durch Verwischung betont wird.
In der Schwarzweißfotografie kann man die Umsetzung von Farben in Grauwerte mit Hilfe von Fabfiltern wesentlich beeinflussen. In der Farbfotografie können geeignete Filter den Gesamtfarbton des Dias wunschgemäß verändern. Wichtig ist auch, wie man das Motiv beleuchtet, ob von vorn, von der Seite oder von hinten, von oben oder von unten. Man kann mit direktem oder indirektem, kontraststarkem oder diffusem Licht arbeiten und demgemäß entsprechend härtere oder weichere Schattierungen erhalten. Man kann auch den Film als Gestaltungsmittel einsetzen und je nach Wunsch entweder einen grobkörnigen, hochempfindlichen Film, einen verhältnismäßig feinkörnigen Allzweckfilm oder einen extrem feinkörnigen Film, der nahezu kornfreie Vergrößerungen oder Dias erlaubt, verwenden. Eine weitere Möglichkeit der Kontrolle ist die Filmentwicklung. Je nachdem, ob normal, länger oder kürzer entwickelt wird, entstehen normale, kontrastreichere oder kontrastärmere Negative. Zudem hat man die Wahl zwischen Normalentwicklern, Schnellentwicklern und Feinkornentwicklern. Beim Kopieren und Vergrößern schließlich kann man durch Benutzen eines weichen, normalen oder harten Fotopapiers den Gesamtkontrast der Aufnahme variieren und außerdem die Kontrastwerte einzelner Partien durch »Abwedeln« beeinflussen. Und schließlich macht es auch einen Unterschied, ob eine Farb- oder Schwarzweißaufnahme gemacht wird. Erwägungen dieser Art sollten es klarmachen, daß der Fotograf über nahezu unbegrenzte Möglichkeiten verfügt, eine beabsichtigte Bildwirkung und Aussage zu verwirklichen,

vor allem, wenn man bedenkt, daß jede der obengenannten Techniken mit einer, mit mehreren oder mit allen anderen kombiniert werden kann. Um jedoch die Fülle der Gestaltungsmittel voll ausnutzen zu können, muß der Fotograf ihre Anwendungsmöglichkeiten und Grenzen genau kennen. Er muß wissen, was ausführbar ist und was nicht geht.

Doch selbst das bietet keine Gewähr dafür, daß eindrucksvolle Bilder gelingen. Denn zum fototechnischen Wissen muß sich künstlerisches Feingefühl gesellen, das intuitive Erfassen der besten Möglichkeiten im rechten Augenblick. Denn in der Fotografie gilt ebenso wie auf allen anderen Gebieten schöpferischer Gestaltung der Grundsatz:

»Know-how« – die Beherrschung der Mittel – ist wertlos ohne »Know-why«, Erkenntnis der Gründe und Zusammenhänge.

Erst wenn Technik und Kunst zusammenwirken, erwächst aus der Sachkenntnis praktischer Erfolg.

In diesem Buch habe ich alles zusammengetragen, was mir wichtig erscheint, um wirklich gute Fotos zu machen. Denn Fotografen, die nur daran interessiert sind, mit technisch makellosen Aufnahmen zu glänzen, auf denen die abgebildeten Objekte »erkennbar« sind, brauchen dieses Buch nicht. Genauer gesagt, sie brauchen überhaupt keine Lehrbücher, denn alles für sie Wissenswerte steht bereits in den Gebrauchsanweisungen, die jedem Fotoartikel kostenlos beigefügt sind. Wenn Sie aber in der Fotografie mehr sehen als nur eine angenehme Wochenendbeschäftigung, dann werden Sie verstehen, warum dieses Buch so umfangreich sein muß, und werden seine Ausführlichkeit schätzen lernen.

Es soll Ihnen helfen, aussagestarke, ästhetisch reizvolle und gefühlsmäßig ansprechende Fotos zu machen. Sie erfahren alles, was Sie zur Erzielung optimaler Bildeffekte wissen müssen: Wann ein Weitwinkel- oder Teleobjektiv günstiger ist, ob Sie ein Rot- oder Blaufilter brauchen, wann feinkörnige und wann hochempfindliche Filme vorzuziehen sind, ob Sie sich für Licht von vorn, von der Seite oder von hinten und für direkte oder indirekte Beleuchtung entscheiden sollten. Sie können nachlesen, wann eine große oder kleine Blende und wann eine kurze oder lange Verschlußzeit angebracht ist. Zudem erfahren Sie Wissenswertes über gradlinige, zylindrische und sphärische Perspektive, wann ein Ausschnitt einer Gesamtansicht vorzuziehen ist, wofür

Sie eine farbige oder eine Schwarzweißdarstellung wählen sollten und vieles mehr.
Wenn Sie also Fotos machen wollen, die nicht nur technisch befriedigend sind, sondern außerdem visuell informieren, grafisch faszinieren, gefühlsmäßig ansprechen und alles in allem dem Motiv gerecht werden, dann wird Ihnen die Vollständigkeit dieses Werkes lieb sein. Es enthält die Essenz dessen, was ich während meiner 20jährigen Tätigkeit als Redaktionsfotograf bei der LIFE gelernt habe. Nun liegt es an Ihnen, was Sie daraus machen.

Andreas Feininger

Zu diesem Buch:

Ein zeitgemäßes fotografisches Handbuch erfordert einen Text, der auf die letzten Richtungen in der Fotografie eingestellt ist, zu denen ich u. a. folgende zähle:

1. Die wachsende Vorliebe für Farbe

Das größte Hindernis für die Arbeit mit Farbe, die niedrige Filmempfindlichkeit, ist beseitigt, und der Traum vom Sofortfarbbild ist dank Polaroid und Kodak Wirklichkeit geworden. Infolgedessen ist die Popularität der Farbfotografie enorm gestiegen.

2. Die Verbesserung des Service

Vorbei ist die Zeit, in der ein Fotoamateur entweder seinen Film selbst entwickeln oder ihn einer Drogerie anvertrauen mußte, um sich dann mit zweitklassigen Ergebnissen zu begnügen. Wer keine Lust zu Dunkelkammerarbeit hat, kann sich heute die Dienste hochqualifizierter Fotolabors in seiner Nähe zunutze machen oder seine Filme an einen Versand-Fotoservice einschicken. Fehlende Dunkelkammereinrichtungen oder labortechnisches Unvermögen sind also kein Hemmnis mehr für ernsthafte fotografische Arbeit.

3. Die Automatisierung der Geräte und Verfahren

Die zur Herstellung von Fotos notwendigen Apparate und Prozesse werden fortlaufend verbessert und automatisiert. Für Fotografen heißt das: Auch mit verhältnismäßig geringen Erfahrungen auf fototechnischem Gebiet können Sie technisch einwandfreie Resultate erzielen. Infolgedessen kann sich der moderne Fotograf fast ausschließlich auf die viel wesentlicheren Aspekte der Motivwahl, auf Inhalt und Aussage seiner Bilder konzentrieren.

Im Hinblick auf diese Fortschritte mußten die Schwerpunkte im vorliegenden Buch neu gesetzt werden. Folgendes schien mir besonders wichtig:

1. Statt der Schwarzweiß- steht die Farbfotografie im Vordergrund.

2. Besonders ausführlich werden die Probleme behandelt, die nur der Fotograf selbst lösen kann. Alles, was auch Fotofachdienste erledigen können, ist demgegenüber von geringerer Bedeutung. Der Raum, der durch die entsprechend knappere Erläuterung der Dunkelkammerarbeit eingespart wird, ist den Fragen der Ausrüstung und Aufnahmetechnik gewidmet.

Waren früher technische Probleme der Hauptinhalt von Fotolehrbüchern, so ist heute ihre Hauptaufgabe, die schöpferische Seite der Fotografie, ihre visuelle und emotionale Wirkung auf den Betrachter zu behandeln.

Dieses Buch beginnt mit einer Besprechung von Kameras, Filmen, Entwicklern usw., sein Aufbau ist also etwa dem eines kompletten Foto-Fernkurses vergleichbar. Aber der Vergleich hinkt, denn der vorliegende Text ist im Gegensatz zum oft sehr simplen Inhalt von Anfängerlehrbüchern auch für Fortgeschrittene und Profis gedacht. Aus diesem Grund habe ich die »So-wird's-gemacht«-Illustrationen weggelassen, von denen andere Autoren ernsthaft glauben, sie seien eine Hilfe für den Lernenden. Mir erschienen sie als Lehrmittel sehr fraglich, da sie nicht mehr bieten als eine unnötige Wiederholung der im Text gegebenen Anweisungen und Erläuterungen. Andererseits habe ich besonderen Wert darauf gelegt, durch Abbildungen alles das zu veranschaulichen, was mit Worten nur unzureichend klargemacht werden kann – zum Beispiel die Wirkung verschiedener Filter auf Schwarzweiß- und Farbfilme, wie man die Perspektive einer Aufnahme kontrollieren kann oder wie man durch richtig gewählte Papiergradation in Verbindung mit längerer oder kürzerer Belichtung unterschiedliche Effekte in der Vergrößerung erzielt usw. Derlei Bilder wird man in den meisten Lehrbüchern vergeblich suchen. Meiner Ansicht nach sind sie jedoch unentbehrlich für jeden schöpferisch orientierten Lichtbildner.

Für kurzlebige Informationen ist ebenfalls kein Platz. Dazu zähle ich u. a. Listen der DIN-Werte von Filmen, Tabellen der Leitzahlen von Elektronenblitzen und Anleitungen für die Spezialentwicklung von Farbfilmen wie beispielsweise Kodak E-4 oder E-6. Solche Informationen sind Sache der Fachzeitschriften und Gebrauchsanweisungen der Herstellerfirmen. Sie sind zwar unentbehrlich, aber so zeitgebunden, daß sie unter Umständen bereits bei Erscheinen eines neuen Buches

überholt sind. Infolgedessen findet der Leser in diesem Fotoführer nur Tips und Ratschläge, auf die er sich verlassen kann.
Was dieses Buch ungewöhnlich macht, ist sein umfassender Inhalt, der bei weitem den aller gängigen Fotolehren übertrifft, die wohl über das WIE der Fotografie Aufschluß geben, ihre Leser jedoch auf der Suche nach dem WANN und WARUM im dunkeln lassen. Ich bin zutiefst davon überzeugt, daß *mehr* als nur technisches Können dazugehört, *eindrucksvolle* Fotos zu machen. Deshalb habe ich ganze Kapitel solchen meist stiefmütterlich behandelten, aber unumgänglichen und faszinierenden Themen gewidmet wie dem fotografischen Sehen, den fotogenen Eigenschaften und Verfahren, dem Wesen der Farbe und der Farbwahrnehmung, dem Begriff und den Mitteln fotografischer Kontrolle, den Symbolen in der Fotografie, der Komposition, der Originalität, dem Stil und anderen gestalterischen Aspekten des Fotografierens. Denn nur wer sich dieser Phasen in der Fotografie bewußt ist, wer im rechten Augenblick intuitiv das WARUM und WAS erfaßt, kann jemals wirkungsvolle und vielleicht sogar einmalige Fotos machen.

Ihre Einstellung zur Fotografie

Bitte lesen Sie dieses Kapitel besonders sorgfältig.
Es enthält den Schlüssel zum Erfolg.

Sie wollen also Fotografieren lernen – womöglich sogar meisterhafte Bilder machen. Und wie die meisten Anfänger in der Fotografie glauben Sie wahrscheinlich, der Schlüssel zum Erfolg liege in der Beherrschung der Fototechnik. Das ist nun leider bestenfalls eine Halbwahrheit, im schlimmsten Fall ein sicherer Weg zum Mißerfolg. Diese Feststellung haben Sie wahrscheinlich nicht erwartet, und sie bedarf einer Erklärung:

Meiner nicht unbeträchtlichen Erfahrung nach gibt es zwei Arten von Fotografen: Solche, die an den technischen Aspekten des Fotografierens interessiert sind, und andere, für die das Bild das Wichtigste ist. Die einen, zu denen leider die meisten Amateure gehören, sind vernarrt in Präzisionskameras, funkelnde Objektive, Feinkornentwickler usw. Sie haben die beste Ausrüstung, das letzte Kameramodell, die lichtstärksten Objektive und alles nur erdenkbare Zubehör. Sie sind wandelnde Lexika fototechnischen Wissens und besonders stolz darauf, aus einem Kleinbildnegativ eine »kornfreie« 40 × 50-Vergrößerung herausholen zu können. Außerdem sind sie genau auf dem laufenden über die Vor- und Nachteile der verschiedenen »Systemkameras« und geben ihre eigene Kamera regelmäßig in Zahlung für das jeweils neueste Modell (wobei sie den finanziellen Verlust mit Würde tragen). Aber sie haben oft keine Ahnung, was sie überhaupt fotografieren sollen, und machen selten Aufnahmen, die der Mühe wert sind.

Die anderen fotografieren um der Bilder willen, genauer gesagt, der Motive wegen, an denen sie interessiert sind. Im Gegensatz zu den Erstgenannten, die nur von der Technologie fasziniert sind, gilt ihr Interesse bestimmten Motiven – Menschen, Naturobjekten, Landschaften, Straßenszenen, Bauwerken, Insekten, Vögeln usw. Solche Motive begeistern sie, sie möchten sie im Bild festhalten und damit besitzen, nach Hause mitnehmen, immer wieder betrachten und ihre Freude daran mit anderen Menschen teilen. Nur weil ihnen andere visuelle Gestaltungsmittel wie Malen oder Zeichnen fremd sind oder nicht praktikabel erscheinen, verfallen sie auf das Medium der Fotografie. Und da sie einsehen, daß technisch einwandfrei Fotos das Motiv ihrer Wahl zwangsläufig *besser* wiedergeben als mangelhafte Ausführungen, lassen sie sich auch auf die technische Seite der Fotografie ein. Trotz allem sind aber sie die besseren Fotografen, auch wenn sie kein tieferes Interesse am Medium der Fotografie äuße n, denn sie verstehen Aufnahmen zu machen, die den Betrachter fesseln. Wenn Sie, lieber Leser, zu dieser zweiten Gruppe gehören, dürften wir gut miteinander auskommen.

Bevor wir jedoch zur Sache kommen, muß ich Sie in Ihrem eigenen Interesse bitten, noch etwas Geduld zu haben. Denn in den Köpfen der meisten Leute spucken leider zu viele Vorurteile über die Fotografie. Sie bedürfen einer Korrektur, wenn die zukünftige Entwicklung eines Fotojüngers nicht ernsthaft gefährdet sein soll. Darum bitte ich Sie, nachfolgende Überlegungen zu beachten.

Technik und Kunst. Ein eindrucksvolles Foto ist fast immer das Ergebnis einer glücklichen Synthese von technischem Können und schöpferischem Einfühlungsvermögen. Kunst, so wie ich den Begriff hier verwende, fängt bei der Wahl des Motivs im Hinblick auf seine fotogenen Eigenschaften an. (Natürlich gibt es auch andere Erwägungen, z. B. bei all den Fotos, die unter die Rubrik »*Erinnerungsschnappschüsse*« fallen – künstlerisch uninteressante und für den Außenstehenden meist recht langweilige Bilder.) Hat man ein geeignetes Motiv gefunden, dann sollte man vor allem auf eine gute Komposition der Bildelemente achten und dafür sorgen, daß der Bildgegenstand sich optisch wirkungsvoll darbietet. Als nächstes sollte man die Beleuchtung wählen, die der Natur des Motivs, der Vorstellung des Fotografen und der beabsichtigten Bildaussage am besten entspricht. Zur Kunst der Fotografie gehört fernerhin eine grafisch ansprechende Wiedergabe. Und schließlich trägt dazu auch die inhaltliche Bedeutung, der Informationswert und die gefühlsmäßige Wirkung des Bildes bei. Leider denken die meisten Fotoamateure darüber gar nicht oder nur ungenügend nach. Sie reagieren normalerweise nur auf »technische« Fehler – merken, daß ein Foto unscharf ist, wo es scharf sein sollte, grobe statt feiner Kornstruktur aufweist, grau in grau oder zu kontrastreich oder farbstichig ist usw. Die Bedeutung schöpferischer Intuition im fotografischen Gestaltungsprozeß – der »Kuß der Muse« – berührt sie nicht. Sie halten ein Foto für gelungen, wenn seine technische Ausführung einwandfrei ist, mag auch das aufgenommene Motiv abgedroschen und fad und seine Wiedergabe in grafischer Hinsicht langweilig sein. Mit anderen Worten: Sie meinen, *technische* Vollendung sei das A und O des Fotografierens, und sie schließen ihre Augen vor der Notwendigkeit *künstlerischer* Gestaltung. Die aus dieser Haltung resultierende Flut langweiliger Fotos unterstreicht sehr eindrücklich meinen Grundsatz:

Technik allein ist wertlos, solange sie nicht durch Kunst ergänzt wird.

Die große Illusion. Viele Leute glauben, Fotografie sei ein Medium für naturgetreue Reproduktion. Dieser weitverbreitete Trugschluß erklärt, warum so viele Fotos mittelmäßig oder schlecht sind. Auch bei blühendster Phantasie können Fotos nicht als naturgetreue Repräsentanten des aufgenommenen Gegenstandes gelten, denn eine naturgetreue Reproduktion entspricht in allen Einzelheiten dem Original. Aber die Wirklichkeit ist dreidimensional, während die Abbildung nur zwei Dimensionen hat – Raum und Tiefe fehlen. Bewegung – augenfälligster Aspekt des wirklichen Lebens – kann auf dem Foto nur als Stillstand wiedergegeben werden. Wo in Wirklichkeit alles farbig erscheint, gibt die Schwarzweißaufnahme nur Grautöne wieder. Von Lichtquellen und ihrem Leuchten und Strahlen bleibt im Foto nur noch ein weißer »Farb«-Fleck. Und so weiter.
Die Schlüsse, die daraus zu ziehen sind, liegen auf der Hand: Ein Foto kann seiner Beschaffenheit nach nie wirklich »naturalistisch« sein. Folglich ist es sinnlos, ihm Eigenschaften zuzuordnen, die jenseits seines Wiedergabevermögens liegen. Statt dessen sollten Fotografen alle Mittel und Wege ausschöpfen, die ihnen eine ständig verfeinerte Technik bietet, um aufsehenerregende Bilder zu schaffen. Nur auf diese Weise können sie althergebrachte Motive neuartig und interessant gestalten, Verborgenes sichtbar machen und unsere Sinne für visuelles Erleben schärfen. Wir dürfen nicht vergessen, daß wir mit Illusionen zu arbeiten gezwungen sind, daß wir Raum und Tiefe, Farbe (im Schwarzweißbild) und Bewegung, Lichtstrahlung und Lebendigkeit nur symbolisch darstellen können.
Wie man das dann macht – durch Perspektive und kontrollierte Verjüngung, selektive Tiefenschärfe und bestimmte Kombinationen von Blende und Verschlußzeit, Objektive verschiedener Brennweiten, Farbfilter, Blitzlichter, Stroboskopenblitze usw. –, wird später erläutert. Zunächst ist wichtig, daß der Lernende gleich zu Beginn seiner Karriere alle stereotypen und veralteten Ansichten davon, »wie ein Foto sein muß«, ablegt. Denn es gibt eine ganze Reihe von antiquier-

ten Tabus, von denen ein moderner Fotograf sich frei machen muß, wie beispielsweise die Meinung, daß konvergierende Senkrechte bei Gebäudeaufnahmen stets von Übel sind (obwohl Konvergenz die völlig normale Manifestation der Perspektive in der Vertikalen ist); daß alle Weitwinkelobjektive »verzerren« (tatsächlich ist diese Verzerrung ein Symbol für Nähe); daß die sphärische Perspektive eines 180-Grad-Fischaugenobjektivs »unnatürlich« ist (obgleich viele Vögel, Fische und Insekten in genau dieser Weise sehen); daß Farbfotos nur dann »natürlich« wirken, wenn sie in exakt dem Licht aufgenommen werden, auf dessen Farbtemperatur der Film abgestimmt ist (entspräche das der Wahrheit, müßten alle Fotos, die im goldenen Nachmittagslicht oder im rötlichen Licht bei Sonnenuntergang gemacht werden, »unnatürlich« sein); daß Lichthöfe und Überstrahlungen, die durch direkten Lichteinfall ins Objektiv verursacht werden, eo ipso Fehler sind, die es um jeden Preis zu vermeiden gilt (und doch symbolisieren sie in grafisch eindrucksvoller Weise das Leuchten und Strahlen des Gegenlichtes); daß Teleobjektive den Raum »verdichten« und eine übertriebene Form der Perspektive schaffen (aber wenn wir durch ein kleines, rechteckiges Loch in einem Karton blicken, sehen wir die Perspektive in gleicher Weise, nur daß wir uns dessen auf Grund des relativ begrenzten Blickfeldes normalerweise nicht bewußt werden); daß die Grobkörnigkeit eines Fotos immer ein Fehler ist (obgleich sie am richtigen Platz ein Gestaltungsmittel zur symbolischen Darstellung bestimmter Eigenschaften des Motivs sein kann, die sonst gar nicht oder nur unvollkommen wiederzugeben sind); daß Verwischung ein Zeichen von schlechter Aufnahmetechnik ist (obgleich gerade sie wohl am zwingendsten den Eindruck von Bewegung symbolisiert) – und so geht es weiter. Ich werde später ausführlich auf die Symbolik in der Fotografie zu sprechen kommen.

Man hat die Wahl. Sobald der Durchschnittsamateur auf ein geeignetes Motiv stößt, nimmt er die Kamera hoch und knipst, gewöhnlich nur ein einziges Mal. Der schöpferische Fotograf hingegen – sofern er nicht blitzschnell reagieren muß, ehe der Augenblick und mit ihm die einmalige Gelegenheit vorbei ist – studiert sein Motiv eingehend aus verschiedenen Entfernungen und Blickwinkeln. Er stellt sich vor, wie es unter anderen Licht- oder Wetterverhältnissen aussehen würde. Und erst dann entscheidet er sich, welche Gestaltungsmittel (Objektiv, Film, Filter usw.) er anwenden soll. Denn er sieht in seiner Vorstellung bereits das fertige Bild (ein Vorgang, den man Prävisualisierung nennt und der jedem schöpferischen Fotografen geläufig ist), und er sucht jetzt nur noch die passende Form der Motivbehandlung und die Mittel für die Verwirklichung seiner Idee. Und hat er sich endlich entschlossen, läßt er es nicht bei einer einzigen Aufnahme bewenden, sondern versucht, möglichst alles herauszuholen, was die Situation an verheißungsvollen Möglichkeiten bietet. Er hält sich an zwei der Grundsätze aller erfolgreichen Fotografen:

Du hast immer die Wahl, darum nutze die Vielfalt der Möglichkeiten!

Wenn ein Motiv es wert ist, fotografiert zu werden, ist es auch ganze Arbeit wert. Ein einziges Foto pro Motiv reicht normalerweise nicht aus.

Über die gegenseitige Abhängigkeit aller Faktoren. Jeder erfahrene Fotograf weiß, daß alle Faktoren, die zum Gelingen eines Bildes beitragen, in gewissen Zusammenhängen stehen. Wird also eine Variable verändert, so werden gewöhnlich alle anderen irgendwie davon beeinflußt, oft auf drastische Weise. Dazu ein Beispiel: Ein Fotograf will ein Denkmal fotografieren. Nach eingehender Betrachtung findet er den Kamerastandpunkt, von dem aus sich die Skulptur von ihrer besten Seite zeigt. Leider ist aus diesem Blickwinkel das Wechselspiel von Licht und Schatten unbefriedigend. Der Plan wird also geändert und ein neuer Blickwinkel gefunden. Aber diesmal paßt der Hintergrund nicht, vielleicht weil sich farblich oder in der Helligkeit der Bildgegenstand nicht genügend von ihm abhebt oder weil er häßlich ist oder zu aufdringlich. Dieses Problem kann manchmal durch Wahl einer relativ großen Blende behoben werden, denn durch die vorsätzliche Verminderung der Tiefenschärfe wird der Hintergrund unscharf genug, um nicht mehr zu stören. Allerdings ist man dann gezwungen, die Belichtungszeit entsprechend zu verkürzen. Umgekehrt würde ein Filter zur Verbesserung der Umsetzung von Farben in Grauwerte oder stärkeres Abblenden zur Vergrößerung des Tiefenschärfebereichs die Belichtungszeit verlängern. Dadurch würde aber die Bewegung passierender Fußgänger und Automobile nicht mehr »eingefroren«, und unbeabsichtigte Verwischung wäre die Folge. Ein anderes Beispiel: Wenn in der Schwarzweißfotografie der Motivkontrast den Empfindlichkeitsbereich des Films überschreitet oder andererseits zu schwach ist, um das Aufnahmeobjekt voll zur Geltung zu bringen, kann er durch entsprechende Zeitänderungen bei der Filmbelichtung und Entwicklung reduziert bzw. verstärkt werden, wie sich noch zeigen wird. Auch in diesem Fall zieht die Veränderung eines Faktors die entsprechende Veränderung eines anderen nach sich, denn alle zusammen bilden eine Einheit wie ineinandergreifende Zahnräder. Wenn der Fotograf sein Ziel erreichen will, kann er nicht früh genug lernen, sein Augenmerk gleichzeitig auf alle Faktoren zu richten, die letztlich in ihrer gegenseitigen Abhängigkeit über die Wirkung der Aufnahme entscheiden.

Schwarzweiß oder Farbe? Einer der verbreitetsten Irrtümer ist der, ein Farbfoto sei »naturalistischer« und darum grundsätzlich besser als ein Schwarzweißbild. Das stimmt wahrhaftig nicht. Keines dieser beiden Medien ist dem anderen überlegen, sie sind lediglich verschieden. Je nach den besonderen Anforderungen und je nach den eigenen Erwartungen wird man mal das eine, mal das andere vorziehen.
Im Normalfall wird eine Farbwiedergabe dann motivgerechter sein, wenn das Augenfälligste am Objekt seine Farbenpracht ist, wie bei bunten Blumen und farbenfrohen Vögeln, Insekten und Früchten; bei Modeaufnahmen; Arrangements von Eßwaren; bei farbintensiven Abendhimmeln; Gemälden; bei Außenaufnahmen in farbig besonders nuanciertem Licht oder dort, wo der höchste Grad »naturgetreuer« Abbildung erforderlich ist, wie etwa in der dokumentarischen oder der wissenschaftlichen Fotografie. Hingegen sind bei künstlerisch-schöpferischer Motivauffassung und für grafisch-abstrakte Lösungen Schwarzweißaufnahmen oft wirkungsvoller, weil dieses Medium einen höheren Grad fotografischer Kontrolle erlaubt. Und fast immer ist ein grafisch ausdrucksstarkes Schwarzweißfoto einem Farbfoto vorzuziehen, dessen Farben unbefriedigend wiedergegeben sind.

Fotografisches Sehen. Das alte Sprichwort: »Das Auge der Kamera ist unbestechlich« ist sowohl richtig als auch falsch. Richtig, weil das »Objektiv« der Kamera ganz objektiv *alles* im Bild wiedergibt, was in seinem Gesichtsfeld liegt. Falsch, weil es im Vergleich zum menschlichen Auge, das ja vom Gehirn gesteuert wird und *nicht* alles bewußt registriert, »zuviel« aufnimmt. Wir sehen höchst subjektiv und nehmen nur die Dinge bewußt wahr, denen unser Interesse gilt. Infolgedessen zeigen die meisten Fotos »zuviel«, nämlich auch das ganze Drumherum, das unser Auge mangels Interesse in Wirklichkeit übersehen hat. Darüber hinaus neigen wir dazu, die Dinge so zu sehen, wie sie unserer Meinung nach aussehen müßten. Besonders Farben sind von dieser Sehweise betroffen, so daß uns sogar die wirklichen Farben der Natur im Dia »unnatürlich« erscheinen können. Wohlbekannte Beispiele sind die stark blaustichigen Porträtfotos, die draußen im lichten Schatten, im Widerschein des blauen Himmels, aufgenommen wurden; oder die Porträtaufnahmen, die unter Bäumen gemacht wurden und die grünstichig sind, weil das Licht durch grüne Blätter gefiltert wurde; und schließlich die Bildnisse bei Sonnenuntergang, die durch das rote Abendlicht viel zu rot wirken – und das, obgleich in jedem der genannten Fälle die Farbwiedergabe genau den jeweiligen Lichtverhältnissen entsprach.

Die wichtigste Voraussetzung für das Gelingen eines Fotos ist, wie gesagt, die Fähigkeit, alle Faktoren, die im Endeffekt *jede* Aufnahme beeinflussen, unter Kontrolle zu haben – den Farbton der Beleuchtung (damit unerwünschter Farbstich vermieden wird), die Perspektive (um unbeabsichtigte »Verzerrung« zu verhindern), den Abstand zum Objekt und den Abbildungsmaßstab (um auszuschließen, daß wesentliche Teile des Motivs in der Wiedergabe zu klein erscheinen), den Kontrast (damit die Aufnahme nicht zu kontraststark oder zu flau ausfällt und bei Farbfotos die hellen Töne nicht verwaschen oder gar weißlich herauskommen, dunkle Farben aber zu düster oder schwarz wiedergegeben werden). All diese Dinge sind ungemein wichtig und werden in einem besonderen Kapitel detailliert behandelt. An dieser Stelle muß der Fotograf einsehen, daß fotografisches Sehen – also die Fähigkeit, »wie eine Kamera zu sehen« und die Wirklichkeit in fotografischen Begriffen wahrzunehmen – eine unentbehrliche Voraussetzung für wirkungsvolle Aufnahmen ist, eine Fähigkeit, die man von Anfang an entwickeln muß.

Licht und Beleuchtung. Das Medium des Fotografen ist das Licht. Abgesehen von groben Fehlern in der Aufnahmetechnik, ist das Licht wohl der wichtigste Einzelfaktor für die Ausdruckskraft eines Bildes. Seine drei Hauptfunktionen sind: 1. Es bestimmt die Belichtungszeit. 2. Im Wechselspiel mit dem Schatten ruft es die Illusion von Raum und Tiefe hervor. 3. Es verleiht der Aufnahme ihre Stimmung.

Leider schenken viele Fotografen nur Punkt 1 ihre Aufmerksamkeit und lassen Punkt 2 und 3 unbeachtet. Das hat voraussehbare Folgen, denn Licht ist weit mehr als nur ein ablesbarer Wert auf dem Belichtungsmesser oder bestimmte Helligkeitsabstufungen nach dem »Zonen-System«. Daß korrekte Filmbelichtung eine unerläßliche Voraussetzung für jedes technisch einwandfreie Foto ist, ist selbstverständlich. Aber allen solchen Bemühungen zum Trotz kann das Endergebnis eine Niete sein. Oftmals ist es die Art der Beleuchtung, die einem Motiv seinen speziellen Charakter verleiht: Sie vermittelt den Eindruck von Räumlichkeit und Tiefe, durch Lichtwirkung hebt sich der Bildgegenstand vom Hintergrund ab, Licht macht ein Foto augenfällig und verleiht ihm Lebendigkeit und Stimmung. Deswegen muß der Fotograf sich von Anfang an daran gewöhnen, Licht nicht nur nach seiner *Quantität* zu beurteilen, sondern auch nach seiner *Qualität* und sich neben der Frage »Wie hell?« zusätzlich die künstlerisch motivierte »Welche Art von Licht?« stellen. Wenn nämlich die Art der Beleuchtung der Eigenart des Motivs widerspricht, kann auch die vollendetste Technik die Aufnahme nicht mehr retten, und alle Mühe war umsonst.

Schlußfolgerung

Fotografieren ist so simpel oder so kompliziert, wie man will. Nichts ist leichter, als draufloszuknipsen und sich ein paar Tage später vom Fotogeschäft die fertigen Abzüge zu holen. Jeder gescheite Fünfjährige kann das.

Andererseits gibt es wenige Tätigkeiten, die mehr Geduld und Geschicklichkeit, mehr Sensibilität und Hingabe, mehr Ausdauer und harte Arbeit erfordern. Es kommt immer darauf an, welche Ansprüche Sie an sich und Ihre Fotografien stellen – auf Ihre persönlichen Wertvorstellungen.

Viele Fotofreunde sind überzeugt, je perfekter und teurer ihre Ausrüstung ist, desto besser und eindrucksvoller würden die Bilder, die sie damit machen könnten. Ihre stehende Rede ist: »Wenn ich eine Leicaflex hätte, dann ...« oder: »Kein Wunder, daß das Foto klasse ist, schließlich ist es ja mit einer Linhof gemacht worden.« Diese Haltung ist kindisch. Für sich genommen ist die Kamera ebenso wenig schöpferisch wie ein Lehmkloß, aber wie dieser wird auch sie in begnadeten Händen zum schöpferischen Medium. »Kameras, die Preise gewinnen« und »Kameras, die alles können« existieren nur in Werbesprüchen. Preisgekrönt kann allein der Fotograf werden. Bedeutende Bilder können mit jeder Kamera gemacht werden, wobei Marke, Modell und Preis keine Rolle spielen. Sogar mit der einfachen Box sind schon sehr gute Aufnahmen entstanden. Natürlich sind manche Kameras für bestimmte Zwecke besser geeignet als andere. Aber – und darauf kann man nicht nachdrücklich genug hinweisen – das Gelingen eines Fotos hängt letzten Endes immer von der Vorstellungsgabe des Fotografen ab, von seiner Fähigkeit, fotografisch zu sehen, seinem Fingerspitzengefühl und davon, wie eingehend er sich mit seinem Motiv auseinandersetzt.

Es ist eine beklagenswerte Tendenz unserer Zeit, daß man sich nur mit leicht zu bewerkstelligenden Sachen befassen will. Der Hauptslogan in

Do-it-yourself-Anzeigen lautet häufig: »Kinderleicht – auch Sie können malen, schreiben, großartige Fotos machen, reich werden ... belegen Sie einfach diesen Fernkurs, kaufen Sie gleich unser Sonderangebot, folgen Sie diesen einfachen Anleitungen: Es ist kinderleicht!«

Wenn Sie nur eine Formel für oberflächlichen Erfolg suchen, haben Sie Ihr Geld für dieses wie für alle anderen Bücher über Fotografie verschwendet, denn alles, was dazu nötig ist, steht bereits in der leichtverständlichen Gebrauchsanweisung Ihrer neuen Kamera, Ihres Belichtungsmessers und Films – und kostet Sie keinen Pfennig.
Sollten Sie aber zu den Idealisten gehören, die noch an Qualität, Hingabe an die Sache und sinnvolle Ergebnisse glauben, dann werden Sie hier in Wort und Bild erschöpfende Auskunft finden. Mehr kann ich Ihnen nicht geben, alles weitere liegt nun bei Ihnen. Kreativität – die letzte Sprosse auf der Stufenleiter zum Erfolg – kann nicht gelehrt werden.

Ausrüstung und Material

Wie jeder andere Künstler und Handwerker braucht der Fotograf zu seiner Arbeit bestimmte Werkzeuge und Materialien. Art und Preis seiner Ausrüstung hängen allerdings weitgehend von seinen Zielen ab: Was will er fotografieren, wieviel Geld kann er ausgeben, wieviel Zeit und Arbeitseinsatz ist ihm die Fotografie wert? Mit anderen Worten: Gleich zu Beginn seiner Laufbahn muß der zukünftige Fotograf eine Reihe wichtiger Entscheidungen treffen. Er kann sich viel Ärger und Unzufriedenheit ersparen, wenn er sich gleich richtig entscheidet und nicht erst auf kostspielige Umwege einläßt, die ihm die ganze Freude an der Fotografie verderben können.
Die Beschaffung der richtigen Art von Ausrüstung und Material – *richtig,* soweit es SIE betrifft – ist daher eine wesentliche Voraussetzung für Ihren künftigen Erfolg als Fotograf. In jeder größeren Fotohandlung ist eine geradezu unglaubliche Fülle von Kameras, Zubehör, Objektiven, Blitzgeräten, Filmen usw. ausgestellt, die sich ähneln und doch so verschieden sind. Anfänger, die davor stehen (aber auch erfahrene Fotografen, die es eigentlich besser wissen sollten), machen oft den Fehler, daß sie ihre Kamera, Objektive usw. in erster Linie aus Gründen des persönlichen Prestiges oder weil sie sehr bekannt sind wählen oder daß sie die teuerste Kamera und das lichtstärkste Objektiv, das sie sich leisten können, kaufen oder einen Fotoapparat, der durch einen berühmten Fotografen bekannt wurde, ohne zu beachten, ob ihr Kauf ihrer Persönlichkeit und dem Gebiet, das sie bearbeiten wollen, entspricht. Das ist ein sicherer Weg zum Mißerfolg.

Um so etwas von Anfang an zu vermeiden, hört man besser auf jemand, der während einer Lebenszeit als Fotograf aus vielen Fehlern schließlich gelernt hat, daß der einzige Weg um die richtige Art von Ausrüstung zu erwerben, darin besteht, sie aufgrund folgender zwei Eigenschaften auszuwählen:

Eignung
Einfachheit

Eignung. Oft werde ich gefragt: »Was ist die beste Kamera?«, eine Frage, die genauso sinnlos ist wie die Frage »Welches ist das beste Auto?« Ist ein offener Wagen »besser« als ein Lieferwagen, ist ein

Kabrio »besser« als ein Jeep? Was hilft die Limousine einem Menschen, der Platz braucht, den ein Caravan bietet? Oder nützt ein Wagen mit Vierradantrieb dem etwas, der nur auf Straßen fährt? Sind Orangen besser als Äpfel oder Zigaretten besser als Zigarren? Nein, das einzige Kennzeichen, ob eine Kamera oder ein Objektiv gut ist oder nicht, ist die *Eignung:* Sind sie geeignet für Ihren Gebrauch, für die Arbeiten, die Sie damit ausführen wollen? Wenn die Antwort darauf »JA« lautet, ist die Kamera oder das Objektiv »gut« für Ihre Ansprüche. So ist beispielsweise für einen Architekturfotografen eine gebrauchte 9 × 12-Kamera mit einem »lichtschwachen« Objektiv von 6,3 »besser« als das neueste Modell der besten Kleinbild-Spiegelreflexkamera, die mit ihrem lichtstarken Objektiv vielleicht zehnmal soviel kostet. Warum? Weil die Architekturfotografie verlangt, daß das Bild eine Fülle von feinsten Einzelheiten aufweist, weshalb ein möglichst großes Aufnahmeformat verwendet werden sollte. Ferner, daß man die Perspektive regeln und Verzeichnungen ausschalten kann, wozu die Kamera mit verstellbarer Objektiv- und Mattscheibenstandarte ausgerüstet sein muß, was bei Kleinbildkameras nicht möglich ist. Damit sich die Schärfe weit in die Tiefe erstreckt, muß die Aufnahme mit ziemlich kleiner Blendenöffnung gemacht werden. Warum also den wesentlich höheren Preis für ein lichtstarkes Objektiv zahlen?

Ein wichtiger Gesichtspunkt ist auch die Erweiterungsfähigkeit einer Kamera und ob der Ausbau zu einem Kamerasystem möglich ist: Welche Wechselobjektive sind erhältlich? Passen nur die vom Hersteller der Kamera angebotenen Objektive oder auch andere Fabrikate, wodurch sich der Spielraum wesentlich erweitert? Was gibt es sonst an Zubehör: Balgengeräte und Zwischenringe, auswechselbare Sucherscheiben, Winkelsucher, Prismenaufsätze? Ist die Kamera für den Anschluß eines Motorantriebs eingerichtet? Kann man für extreme Nahaufnahmen eine Scharfeinstellung im Rückteil vornehmen, läßt sich die perspektivische Darstellung verändern, gibt es auswechselbare Filmmagazine für den wechselweisen Gebrauch von Farb- und Schwarzweißfilm? Und so weiter.

Zusätzlich zu den mechanischen und konstruktiven Eigenschaften von Kameras, die später besprochen werden, gibt es auch gefühlsmäßige Eigenschaften, die eine Kamera *für Sie* mehr oder weniger attraktiv machen. Das ist etwa so, wie man sich verliebt – warum gerade in dieses Mädchen oder diese Frau? Was macht die eine Kamera für Sie anziehender als die andere (ich spreche hier *nicht* von Unterschieden in

Qualität oder Preis, die verständlich wären, sondern denke an Kameras, die im Hinblick auf Konstruktion, Herstellung und Preis einander ähnlich sind)? Ich meine: die Art, wie Sie eine Kamera in Ihren Händen »fühlen«, ob Ihre Finger sich geradezu von selbst an die verschiedenen Handgriffe legen oder nicht, ob die Form des Kameragehäuses in Ihre Hand paßt oder nicht, wie gut Sie das Motiv im Sucher sehen (besonders wichtig, wenn Sie Brillenträger sind, denn einige Sucher zeigen dem Fotografen mit Brille das ganze Sucherfeld, andere nur einen Teil). Ob Sie eine leichtere oder schwerere Kamera bevorzugen, viel Verchromung daran oder wenig, oder vielleicht auch eine schwarze Kamera vorziehen; ob Sie sich für eine größere oder eine kleinere Kamera entschließen ...

Noch etwas zählt: die Freude am Arbeiten mit einer Kamera, die einem in jeder Hinsicht liegt, oder der dauernde Ärger über kleine Dinge, die nicht ganz richtig sind, wie ein Griff, der unbequem ist, unpraktische Filmtransportknöpfe oder Rückwickelkurbeln, Zahlen, die zu klein sind, als daß man sie gut lesen könnte, oder ein störender Suchereinblick. Sie müssen sichergehen, daß sich Ihre zukünftige Kamera in *jeder Hinsicht für Sie eignet.* Daher rate ich Ihnen, in der Fotohandlung soviel wie möglich für Sie in Frage kommende Kameras in die Hand zu nehmen, ehe Sie sich endgültig entscheiden, und sich nicht eine Kamera, weil sie »berühmt« ist, durch die Post zu bestellen. Was andere Fotografen tun, die wahrscheinlich sehr viel anders als Sie sind, hat nichts zu sagen. Kaufen SIE, was sich für SIE EIGNET.

Einfachheit. Meine zwanzigjährige Tätigkeit als Verlagsfotograf für *Life* lehrte mich, meine Ausrüstung so einfach wie möglich zu halten. Je einfacher eine Ausrüstung ist, um so schneller ist sie zur Aufnahme bereit. Um so weniger Stücke man bei sich hat, um so weniger Ärger hat man damit, vor allem auf Reisen. Fotografen, die sich mit Ausrüstungen überladen, bringen selten gute Fotos mit nach Hause. Ungeachtet gut gefüllter Fotohandlungen sind letzten Endes doch nur wenige Stücke der Fotoausrüstung unbedingt notwendig, um gute Aufnahmen zu machen. Gewisses Zubehör kann helfen, Aufnahmegebiete zu erweitern. Aber alles weitere Zubehör ist von begrenztem Nutzen. Die folgende Übersicht soll hier Klärung bringen.

Unbedingt notwendige Ausrüstung

Kamera
Objektiv
Gegenlichtblende
Drahtauslöser
Belichtungsmesser
Farbfilter
Kamera- und Zubehör-Tasche
Film

Die Kamera

Viele Jünger der Fotografie sind davon überzeugt, daß bessere und teurere Kameras auch bessere und ausdrucksstärkere Bilder ergeben müssen. Sie sagen: »Wenn ich nur eine Leica hätte...«; und sie sagen: »Kein Wunder, daß dieses Bild so gut ist – es wurde ja auch mit einer Linhof gemacht.« Eine solche Ansicht kann nur vertreten, wer die Tatsachen nicht kennt.
Obgleich es stimmt, daß mit Leicas und Linhofs viele gute Fotos gemacht werden, stimmt es doch gleichermaßen, daß diese Bilder nicht deshalb gut sind, weil sie mit guten Kameras, sondern weil sie von guten Fotografen gemacht wurden. In etwa 99 von 100 Fällen hätten diese Bilder auch mit der einen oder anderen der vielen Kameras gleichen Typs gemacht werden können, die vielleicht die Hälfte oder gar noch weniger kosten. Der Leser wird sich wahrscheinlich verwundert fragen, warum dann so viele erfolgreiche Fotografen teure Kameras verwenden, wenn man mit billigeren Kameras gleich gute Ergebnisse erzielen kann. Der Grund hierfür ist folgender: Teure Kameras sind in der Regel verläßlicher als billigere gleichen Typs. Der Unterschied in der Bildqualität – wenn er überhaupt besteht – kann vernachlässigt werden. Aber die teuren Kameras sind besser durchdacht und konstruiert, aus besserem Material gebaut und halten deshalb harte Beanspruchungen besser aus. Ihre Justierung, ihr Scharfstellmechanismus, ihr Verschluß etc. werden länger exakt funktionieren. Mit einem Wort: Sie sind vertrauenswürdiger und zuverlässiger. Gute Fotografen kaufen sich die beste Ausrüstung, die sie sich leisten können, um sich ganz auf die schöpferische Arbeit konzentrieren zu können und weder Zeit noch Energie durch Mängel der Ausrüstung zu vergeuden.

An sich ist die Kamera nicht »schöpferisch«. In inspirierten Händen aber ist sie ein Mittel schöpferischen Ausdruckswillens. »Kameras, die Preise gewinnen« und Kameras, die »alles können«, existieren nur in der Sprache der Werbung. Es gibt nur Fotografen, die Preise gewinnen! Aussagestarke Fotos können mit Kameras jeglicher Art und Größe gemacht werden. Großartige Bilder sind schon mit einer einfachen Box gemacht worden. Manche Kameras sind für bestimmte fotografische Aufgaben besser geeignet oder sind vielseitiger als andere. Aber – und das kann gar nicht oft genug betont werden – wichtig sind Vorstellungskraft, Phantasie und die Fähigkeit des Fotografen, »fotografisch« zu sehen, und nicht die Ausrüstung, die er zur Darstellung seiner Bildideen verwendet.

Ganz gleich, was ihre Konstruktion, Größe, Bauart oder Preis anbetrifft, eine Kamera – und zwar jede Kamera – ist im Grunde genommen nichts anderes als ein lichtdichter Kasten oder Balgen, der zwei unentbehrliche Dinge miteinander verbindet:

das Objektiv, das das Bild entwirft, und
den Film, der es festhält.

Ihre meisten weiteren Teile sind lediglich Hilfsmittel, um die drei Tätigkeiten zu regeln, die zur Herstellung des Bildes nötig sind:

Ausschnitt bestimmen
Einstellen
Belichten.

Die Tatsache, daß es trotz grundlegender Ähnlichkeiten Kameras in einer solchen Fülle verschiedener Modelle gibt, ist auf drei Faktoren zurückzuführen: Konstruktion, Größe und Qualität. Jeder der Teile einer Kamera kann auf verschiedene Weise konstruiert und angebracht werden. Jedes Kameramodell besitzt Vorzüge, die es für bestimmte fotografische Zwecke besonders geeignet machen, genauso aber auch Nachteile, die es für andere Zwecke weniger praktisch erscheinen lassen. Jede Kamerakonstruktion kann in verschiedenen Größen ausgeführt werden, die wiederum von dem Filmformat abhängen, mit dem die Kamera verwendet wird. Die verschiedenen Filmformate haben ihrerseits wiederum bestimmte Vorzüge und Nachteile. Und schließlich können verschiedene Kameras, die sich in Konstruktion und Größe gleichen, von geringer, mittlerer oder hoher Qualität sein, und Qualität ist ein bestimmender Faktor für Herstellungskosten und Verkaufspreis. Kein Wunder also, daß die Anzahl möglicher Kombinationen und Konstruktion, Größe und Qualität so groß ist und unsere Fotohandlungen mit solchem Überfluß an verschiedenen Kameramodellen gefüllt sind. Um einen Weg durch dieses Überangebot zu finden, muß ein Fotograf mit den Vorzügen und Nachteilen der verschiedenen Kamerakonstruktionen, wie sie auf den folgenden Seiten beschrieben werden, vertraut sein. Außerdem muß er wissen, was er braucht, und das hängt nun wieder von dem fotografischen Arbeitsgebiet ab, auf dem er tätig zu sein beabsichtigt.

Vorrichtungen zum Ausschnittbestimmen

Was ein Flintenvisier für den Meisterschützen ist, das bedeutet der Sucher für den Fotografen: eine Einrichtung, um ein Ziel aufs Korn zu nehmen. Ohne einen genau arbeitenden Sucher kann ein Fotograf weder sein Motiv richtig ins Bild setzen noch es von störender Umgebung so isolieren, daß ein Bild entsteht, das eine abgeschlossene Einheit bildet. Erst der Sucher macht das möglich.

Man muß zwischen den folgenden Arten von Suchern unterscheiden:

Sucher mit eigener Optik
- Kombination Sucher-Entfernungsmesser (Meßsucher)
- Rahmensucher
- Optische Sucher ohne Einstellung
- Zweiäugige Spiegelreflexsucher

Sucher, die durch das Objektiv sehen
- Mattscheibe
- Spiegelreflexsucher
- Spiegelreflexsucher mit Prisma

Sucher, die aus Augenhöhe verwendet werden
Sucher, die aus Brusthöhe verwendet werden

Sucher mit eigener Optik haben im Vergleich zu Suchern, die durch das Objektiv der Kamera sehen, zwei fundamentale Nachteile: 1. Sie besitzen Parallaxe, d. h., sie zeigen das Objekt aus einem Winkel, der etwas verschieden von dem ist, aus dem es das Objektiv »sieht«. Dar-

aus ergibt sich natürlich ein gewisser Unterschied zwischen dem Bild, das das Auge im Sucher sieht, und dem Bild, das auf dem Film erscheinen wird. Während dieser Unterschied vernachlässigt werden kann, wenn der Aufnahmeabstand größer als etwa 3 m ist, wird er mit kleinerem Aufnahmeabstand immer erheblicher, so daß Kameras mit einem solchen Sucher, falls sie keinen eingebauten Parallaxeausgleich aufweisen, für Nahaufnahmen völlig ungeeignet sind, es sei denn, sie besitzen außerdem noch eine Mattscheibe oder man kann an ihnen ein Spiegelreflexgehäuse anbringen. 2. Ferner erlauben sie dem Fotografen nicht, die Ausdehnung der Schärfentiefe festzustellen, d. h., er kann nicht die Wirkung abschätzen, die sich durch Abblenden auf die Schärfentiefe seines zukünftigen Bildes ergibt.
Sucher mit eigener Optik gibt es in zwei Typen: Sucher, die den großen Vorteil aufweisen, daß sie die Entfernung zwischen Motiv und Kamera messen und zur Scharfeinstellung herangezogen werden können, und solche, die den Nachteil haben, daß sie keine solche Meßeinrichtung aufweisen. Beispiele für den ersten Typ sind die bekannten Kombinationen Sucher-Entfernungsmesser, die heute immer direkt mit der Entfernungseinstellung des Objektivs gekoppelt sind, und zweiäugige Spiegelreflexsucher. Sucher *ohne* Entfernungsmessung gibt es in zwei verschiedenen Konstruktionen: Rahmensucher (auch »Sportsucher« genannt, weil sie besonders schnell zu benutzen sind und sich daher ausgezeichnet für Aufnahmen von schnell wechselnden Situationen eignen), die aus einem Metallrahmen bestehen, der am Vorderteil der Kamera angebracht ist, und einem Guckloch, das am Rückteil der Kamera sitzt; und einfache optische Sucher, wie sie in vielen verschiedenen Konstruktionen hauptsächlich in einfachen, billigen Kameras und auch als Zusatzsucher für Verwendung mit extremen Weitwinkelobjektiven benutzt werden.

Zweiäugige Spiegelreflexsucher. Die Einrichtungen für die Betrachtung und Scharfeinstellung des Bildes einerseits und die Aufnahme andrerseits sind hier getrennt. Jede von ihnen ist mit einem Objektiv gleicher Brennweite ausgerüstet, wobei die Einrichtung für die Scharfeinstellung die Form eines Spiegelreflexsuchers aufweist. Dieses Prinzip der zweiäugigen Spiegelreflexkamera weist folgende Vorteile und Nachteile auf: Das Sucherbild erscheint aufrechtstehend, ist aber seitenverkehrt. Es ist dauernd sichtbar: vor, während und nach der Belichtung, denn die Suchereinrichtung ist mit einem festeingebauten Spiegel versehen, so daß bei der Aufnahme kein Bildverlust durch Spiegelbewegung entsteht. Normalerweise betrachtet man das Sucherbild von oben her, die Kamera wird also in Brusthöhe gehalten. Wenn nötig, kann man aber auch die Kamera in umgekehrter Lage über den Kopf halten und das Sucherbild von unten her betrachten. Das kommt vor allem in Frage, wenn es ratsam ist, von einem höheren Standpunkt aus zu fotografieren, zum Beispiel, wenn man versucht, über die Köpfe einer Menschenmenge hinweg zu fotografieren. Typischer Vertreter: Rolleiflex.

Sucher, die durch das Objektiv sehen, projizieren das vom Objektiv entworfene Bild auf eine Mattscheibe. Diese Mattscheibe dient dabei gleichzeitig zum Festlegen des Bildausschnittes und für die Scharfeinstellung. Da das Bild, das das Auge sieht, von demselben Objektiv erzeugt wird, das auch das Foto macht, entsteht hier keine Parallaxe. Das Sucherbild und das Bild, das auf dem Film entsteht, stimmen völlig überein, und Kameras mit dieser Suchereinrichtung sind grundsätzlich für jedes Arbeitsgebiet der Fotografie geeignet, einschließlich Nahaufnahmen. Sucher, die durch das Objektiv sehen, gibt es in drei verschiedenen Konstruktionen:

1. *Mattscheibe.* Das ist die vertraute, altbekannte Einstellscheibe, die in der Aufnahmeebene am Rückteil einer Mattscheibenkamera eingesetzt wird. Besondere Vorteile sind: Das Bild erscheint in voller Größe des zukünftigen Negativs oder Dias; die scharf erfaßte Zone, also die sogenannte Schärfentiefe, ist genau zu übersehen; die Möglichkeiten, mit jeder Objekttype oder mit jedem Aufnahmeabstand zu arbeiten, sind fast unbegrenzt. Außerdem stellt die Mattscheibe die einzige Suchertype dar, die Einbau und Verwendung von neigbaren Vorder- und Rückteilen der Kamera erlaubt. Diese Verstellbarkeiten sind für den Ausgleich perspektivischer Verzeichnungen unerläßlich und werden bei Architektur-, Industrie-, Sach- und Innenaufnahmen gebraucht, ebenso auch unter bestimmten Umständen, um die Schärfentiefe des Bildes auszudehnen, ohne daß man dazu sehr stark abblenden müßte.
Nachteile: Das Mattscheibenbild erscheint auf dem Kopf stehend und seitenverkehrt und verschwindet mit dem Einsetzen der Filmkassette. Das ist ein ziemlich unangenehmer Nachteil der Mattscheibenkameras, wenn sie keinen zweiten optischen Sucher wie z. B. die Kombination von Sucher und Entfernungsmesser an Pressekameras besitzen, ungeeignet für Aufnahmen dynamischer Motive macht. Da sie dann nämlich »blind« sind, sobald die Filmkassette eingesetzt ist, kann man sie nicht aus der Hand verwenden, sondern nur vom Stativ aus.

2. *Spiegelreflexsucher* haben als Hauptkonstruktionsteil einen Spiegel, der in der Kamera hinter dem Objektiv in einem Winkel von 45° angebracht ist. Er fängt das vom Objektiv entworfene Bild auf und wirft es auf eine waagerecht liegende Mattscheibe, auf der man es von oben her, die Kamera etwa in Brusthöhe haltend, betrachtet. Unmittelbar vor der Belichtung schwingt der Spiegel durch Federkraft nach oben (oder gleitet nach unten), um den Strahlen, die vom Objektiv kommen, den Weg zum Film freizugeben. Unmittelbar nach der Belichtung kehrt der Spiegel entweder automatisch wieder in seine 45°-Lage zurück (dieser sogenannte »Rückkehrspiegel« wird heute in allen modernen Kleinbild-Spiegelreflexkameras verwendet), oder er geht mit Spannen der Kamera wieder in diese Lage. Dieser Sucher, der in allen großen und mittelgroßen Spiegelreflexkameras verwendet wird sowie in gewissen heute jedoch etwas veralteten Kleinbild-Spiegelreflexkameras, verbindet die Vorteile der Mattscheibeneinstellung mit dem Vorteil, daß die derartig ausgerüstete Kamera für Aufnahmen aus der Hand hervorragend geeignet ist. Kleinere Nachteile sind, daß das Sucherbild zwar aufrechtstehend, aber seitenverkehrt ist und daß ein verstellbares Kamerarückenteil zum Ausgleich perspektivischer Verzeichnungen normalerweise nicht in eine mit Spiegelreflexsucher ausgestattete Kamera eingebaut werden kann. Ein schwerer wiegender Nachteil besteht darin, daß man Bilder im Hochformat nur machen kann, wenn man sich im Winkel von 90° zur Aufnahmerichtung aufstellt und von der Seite her in die Kamera blickt, wodurch natürlich schnelle und exakt in den Bildraum gestellte Aufnahmen fast unmöglich werden. Kameras, deren Rückteil drehbar ist, vermeiden diesen Nachteil. Auch einäugige Spiegelreflexkameras, die mit quadratischem Format arbeiten, umgehen dieses Problem. Daher sind die meisten modernen Mittelformatkameras mit Spiegelreflexeinrichtung für quadratisches Format konstruiert. Ein typischer Vertreter dieser Richtung ist die Hasselblad-Kamera.

3. *Prismen-Spiegelreflexsucher* bestehen aus der oben beschriebenen Reflexeinrichtung in Verbindung mit einem darüber angebrachten Dachkantprisma. Das ist heute die bekannteste und bewährteste Sucher- und Einstellvorrichtung für fotografische Zwecke. Sie hat im Vergleich mit dem einfacheren Reflexsucher folgende Vorteile: Das Bild erscheint aufrechtstehend und ist *nicht* seitenverkehrt; man hält die Kamera in Augenhöhe, so daß man schneller damit arbeiten kann und meist eine natürlich wirkende Blickrichtung bekommt; Hochformatbilder erhält man einfach durch Drehen der Kamera um 90° vor

dem Auge. Der Hauptnachteil dieser Konstruktion ist, daß sie es fast unmöglich macht, Verstellungen für perspektivischen Ausgleich an einer derart ausgestatteten Kamera anzubringen. Typischer Vertreter: Leicaflex.

Sucher aus Augenhöhe – Meßsucher (kombinierter Sucher mit Entfernungsmesser), Rahmensucher, viele optische Sucher ohne Entfernungsmessung, Mattscheiben und Prismenreflexsucher – erfordern, daß man die Kamera aus Augenhöhe benutzt. Zwar ist das die natürlichste Lage für fotografische Aufnahmen, doch ist sie nicht immer erwünscht. So ist beispielsweise diese Sucherart völlig ungeeignet für Aufnahmen nahe am Erdboden, weil sie den Fotografen dazu zwingt, in einer äußerst unbequemen Lage zu arbeiten.

Sucher aus Brusthöhe – Spiegelreflexsucher, Sucher von zweiäugigen Spiegelreflexkameras und gewisse optische Sucher ohne Entfernungseinstellung – verlangen, daß man die Kamera bei der Aufnahme in Brusthöhe oder niedriger hält. Kann man am Suchereinblick einer Spiegelreflexkamera mit Prismensucher einen Winkelsucher ansetzen, wird aus der Kamera mit Sucher aus Augenhöhe eine Kamera mit Sucher aus Brusthöhe.

Kombinationen: Weil kein Suchersystem für jedes Arbeitsgebiet der Fotografie gleicherweise geeignet ist, werden viele Kameras entweder mit mehr als einem Sucher ausgerüstet (die meisten Pressekameras haben z. B. drei: einen Meßsucher, einen Rahmen-[Sport-]Sucher und eine Mattscheibe), oder sind sie so konstruiert, daß sie durch Veränderungen in ihrem Suchersystem den jeweiligen Aufgaben angepaßt werden können. Dazu gehört z. B. das Aufsetzen eines Dachkantprismas auf einen Reflexsucher, das die Kamera vom Arbeiten aus Brusthöhe auf Arbeiten aus Augenhöhe umstellt. Jeder Fotograf, dessen Arbeit verschiedene Sucherarten erfordert, sollte sich vergewissern, daß die Kamera seiner Wahl diese Möglichkeiten bietet.

Vorrichtungen zum Einstellen

Damit sich scharfe Bilder ergeben, muß die Kamera sachgemäß eingestellt werden, d. h., der Abstand zwischen Objektiv und Film ist nach Maßgabe des Abstandes zwischen Objektiv und Objekt entsprechend zu regeln. Dazu verhelfen zwei Einrichtungen:
Eine mechanische Einrichtung – in vielen kleinen Kameras eine Schraubeinstellfassung für das Objektiv, in den meisten größeren Ka-

meras ein Zahnradtrieb auf einer Zahnstange in Verbindung mit einem Balgen – macht es möglich, den Abstand zwischen Objektiv und Film – *Bildweite* oder *Auszug* genannt – entsprechend zu verändern.

Eine optische Kontrolle zeigt dem Fotografen, mit welchem Abstand zwischen Objektiv und Film das Bild richtig eingestellt ist. Hier ist zwischen drei verschiedenen Einrichtungen zu unterscheiden, von denen jede Vorzüge und Nachteile aufweist.

1. *Entfernungsmesser, mit Objektiveinstellung gekoppelt.* Im Sucherfenster erscheinen zwei Bilder des Objektes, die teilweise übereinanderliegen. Sie bewegen sich gegeneinander, wenn das Objektiv zum Einstellen vor und zurück bewegt wird. Decken sich die beiden Bilder, fallen Objektebene und Einstellebene zusammen, und das Objektiv hat den Abstand vom Film, bei dem das Bild scharf gezeichnet wird. Diese Meßsucher gibt es in verschiedenen Konstruktionen. Mit ihnen kann man am schnellsten und einfachsten eine Kamera genau einstellen, vorausgesetzt, daß genügend Licht vorhanden ist und daß das Motiv scharfe, klare Linien und Kanten aufweist.
Allerdings haben mit der Objektiveinstellung gekuppelte Entfernungsmesser gewisse Eigenschaften, die eine damit ausgerüstete Kamera für bestimmte Zwecke weniger geeignet machen. Das Bild, das sie zeigen, ist gewöhnlich sehr klein, was es erschwert, die Bildkomposition im einzelnen zu überprüfen. Sie können weder auf kürzere Abstände als etwa einen Meter noch in Verbindung mit Objektiven sehr langer Brennweite verwendet werden. Und obgleich sie genau angeben, auf welche Entfernung das Objektiv einzustellen ist, zeigen sie nicht an, wie weit sich die scharf abgebildete Zone in der Tiefe ausdehnt. Sie sind schwierig zu benutzen oder versagen ganz, wenn das Objekt keine scharfen Einzelheiten enthält, auf die eingestellt werden kann, oder wenn das Licht zu schwach ist.

2. *Spiegelreflexsysteme.* Weil das Sucherbild von demselben Objektiv entworfen wird, das auch die Aufnahme macht, sieht der Fotograf das Motiv genauso, wie es später auf dem Film erscheint. Daher kann er nicht nur die Schärfe der Einstellung überprüfen, sondern auch sehen, wie weit die Schärfentiefe reicht, vorausgesetzt natürlich, daß die Wirkung der Abblendung im Mattscheiben-Sucherbild sichtbar ist. Weitere Vorzüge der Spiegelreflex-Einstellung gegenüber Einstellung mit einem Entfernungsmesser, der mit dem Objektiv gekuppelt ist, sind: ein bedeutend größeres Sucherbild (in gleicher Größe wie das spätere

Negativ oder Farbdia), das volle Übersicht über Darstellung und Komposition gibt; völlige Parallaxefreiheit; ferner die Tatsache, daß diese Art, die Einstellung zu regeln, in Verbindung mit jedem Objektiv und mit jeder Aufnahmeentfernung möglich ist. Leider sind hier aber auch einige Nachteile vorhanden: Der Augenblick, in dem die kritische Schärfe erreicht wird, ist mit der Spiegelreflex-Einstellung etwas schwerer zu bestimmen als mit dem gekuppelten Entfernungsmesser, braucht auch etwas mehr Zeit. Das Sucherbild erscheint um so dunkler, je stärker man das Objektiv abblendet, und verschwindet völlig im Augenblick der Belichtung. Und im Vergleich zu Kameras mit gekuppeltem Entfernungsmesser sind Spiegelreflexkameras mechanisch komplizierter und störanfälliger, lauter bei der Aufnahme, weil das Geräusch des nach oben schwingenden Spiegels zum Ablaufgeräusch des Verschlusses hinzukommt, ferner schwerer und umfangreicher. Schließlich besteht hier noch die Gefahr einer Erschütterung durch den im Augenblick der Belichtung nach oben schwingenden Spiegel, die die Schärfe der Aufnahme beeinträchtigen kann.
Um diese Nachteile zu verringern oder auszuschalten, wurden die Konstruktionen der Spiegelreflexkameras in verschiedener Hinsicht verbessert. Zur Erleichterung der exakten Einstellung sind alle möglichen Verbesserungen in das Suchersystem eingebaut worden, wie eine Fresnellinse (die als feine konzentrische Ringe erscheint und die Gleichmäßigkeit der Ausleuchtung des Mattscheibenbildes durch Aufhellung der Bildecken verbessert); zusätzlich wird vielfach ein Schnittbild-Entfernungsmesser in der Mitte des Sucherbildes angebracht oder die Einstellgitter, das aus einer sehr großen Anzahl von Mikroprismen besteht, die das Bild zunächst aufteilen, aber sofort ein zusammenhängendes Bild zeigen, wenn die richtige Einstellung erreicht ist. (Wenn auch sehr zuverlässig in Verbindung mit Objektiven von mehr oder weniger normaler Brennweite, arbeiten beide Einrichtungen jedoch unzuverlässig oder versagen ganz, wenn man langbrennweitige Objektive verwendet.) Die automatische Vorwahlblende ermöglicht dem Fotografen, mit voller Lichtstärke des Objektivs einzustellen (helles Sucherbild); sie schließt sich, kurz bevor der Verschluß belichtet, automatisch auf die vorgewählte Blendenöffnung (dunkles Sucherbild), öffnet sich aber meist unmittelbar nach der Belichtung wieder (helles Sucherbild). Ein Rückkehrspiegel verkürzt den Augenblick, in dem das Sucherbild unsichtbar ist. Verdunklung des Sucherbildes und Spiegelschlag sind bei der zweiäugigen Spiegelreflexkamera ausgeschaltet, welche aber, wie wir später sehen werden, gewisse andere Nachteile aufweist.

3. Mattscheibe. Diese einfachste aller Einstellhilfen würde an die Spitze gehören, bestände nicht die früher erklärte Tatsache, daß eine Mattscheibenkamera, *die keinen anderen Sucher besitzt,* nur vom Stativ aus verwendet werden kann. Aber in allen Fällen, in denen Umstände und die Art des Motivs Stativaufnahmen erlauben, ist eine Mattscheibenkamera unübertroffen, da sie folgende Vorteile bietet: Sie zeigt ein großes und leicht zu »lesendes« Bild in der vollen Größe des Negativs oder Dias. Ohne jede Parallaxe zeigt sie in voller Klarheit die Ausdehnung der Schärfentiefe und kann in Verbindung mit jedem Objektivtyp verwendet werden. Und normalerweise können *nur* Mattscheibenkameras mit Schwenkeinrichtungen von Vorder- und Rückteil zur gesteuerten Korrektur perspektivischer Verzeichnungen ausgerüstet werden.

4. Eine Fixfokus-Kamera besitzt keine Einstellmöglichkeiten, weil sie diese nicht braucht: Ihr Objektiv ist dauernd auf einen Aufnahmeabstand von etwa 3 m eingestellt, und durch seine relativ kurze Brennweite in Verbindung mit einer kleinen Blendenöffnung (die meist nicht zu verändern ist) entstehen Aufnahmen, die etwa von 1,8 m bis unendlich einigermaßen scharf sind. Wegen dieser Beschränkungen und der Tatsache, daß nur sehr einfache Objektive daran verwendet werden, genügt zwar die »Schärfe« der mit einer Fixfokus-Kamera gemachten Aufnahmen für kleine Bilder und bescheidene Ansprüche, verträgt aber keinen Vergleich mit der Schärfe von Bildern, die mit einer hochwertigen Ausrüstung hergestellt worden sind.

Vorrichtungen zum Belichten

Unter »richtig belichten« versteht man, genau die Menge Licht zum Film kommen zu lassen, die ein Negativ von zufriedenstellender Dichte oder ein Farbdia von zufriedenstellender Farbwiedergabe ergibt. Zwei Einrichtungen sind dazu erforderlich:

Die Blende, eine in das Objektiv eingebaute veränderliche Öffnung, regelt die Lichtmenge, die auf den Film einwirken kann. Je nach Kameratyp wird sie entweder manuell verstellt oder arbeitet halb- oder vollautomatisch.

Der Verschluß regelt in Verbindung mit einem eingebauten Zeitwerk die Länge der Zeit, während der Licht auf den Film trifft. Man unterscheidet zwischen zwei Grundtypen von Verschlüssen, deren verschiedene Eigenschaften bei der Wahl einer Kamera beachtet werden müssen.

1. *Zentralverschlüsse* sind als »Zwischenlinsen-Verschlüsse« in das Objektiv eingebaut (vor allem diejenigen für größere Kameras). Im Vergleich mit Schlitzverschlüssen sind sie in der Regel zuverlässiger und haben den weiteren Vorteil, daß sie für Blitzlampen und für Elektronenblitze mit allen Verschlußzeiten synchronisiert werden können. Allerdings bringen sie in Kleinbild- und Rollfilmkameras mit Wechselobjektiven gewisse technische Komplikationen mit, die mitunter durch einen unmittelbar hinter dem Objektiv angebrachten Verschluß vermieden werden.

2. *Schlitzverschlüsse* sind in das Kameragehäuse eingebaut und werden vor allem in Kleinbildkameras verwendet. Gegenüber Zentralverschlüssen weisen sie folgende Vorteile auf: Sie ermöglichen kürzere Belichtungszeiten und vereinfachen beträchtlich die Konstruktion von Kleinbild- und Rollfilmkameras mit auswechselbaren Objektiven. Andererseits sind sie im allgemeinen weniger zuverlässig, können ungleichmäßige Belichtungen ergeben (eine Filmhälfte ist stärker belichtet als die andere), sind für Elektronenblitz nur mit relativ langen Momentzeiten zu synchronisieren und können mit kurzen Belichtungszeiten nur mit einer besonderen Blitzlampentype (Klasse FP) verwendet werden.

Das Einstellen von Blende und Verschluß geschieht entweder manuell auf Grund der Angaben eines Belichtungsmessers oder mit Hilfe eines Belichtungsmessers, der direkt in die Kamera eingebaut und gewöhnlich mit ihren Verstellungen gekuppelt ist.
Eingebaute Belichtungsmesser, wie sie in die meisten modernen Kleinbild-Spiegelreflexkameras, ausgerüstet mit einer CdS- oder Silizium-Zelle und einer kleinen Batterie, eingebaut werden, messen hinter dem Objektiv das vom Aufnahmeobjekt reflektierte Licht. Hier sind zwei Arten zu unterscheiden: Belichtungsmesser für Fleckmessung und Belichtungsmesser für integrale Messung, von denen es jede Art in verschiedenen Konstruktionen gibt. Mit Fleckmessung wird eine kleine Fläche ausgemessen, die gewöhnlich in der Mitte des Bildes liegt. Die Messung kann dazu benutzt werden, den Kontrastumfang des Motivs zu bestimmen. Dagegen berücksichtigt die integrale Messung das Licht innerhalb der gesamten Bildfläche und gibt dafür einen Durch-

schnittswert an. Die CdS-Zelle befindet sich je nach Konstruktion des Gerätes zwischen Dachkantprisma und Sucherscheibe, kann in den Spiegel eingebaut werden oder wird unmittelbar vor dem Film angebracht, so daß sie aus dem Strahlengang geklappt werden muß, ehe der Verschluß abläuft. Wenn auch jeder Hersteller für seine eigene Konstruktion bestimmte Vorteile beansprucht, hat doch die Erfahrung bewiesen, daß jeder dieser Belichtungsmesser zuverlässig arbeitet, wenn er von einem erfahrenen Fotografen sachgemäß benutzt wird.

Die verschiedenen Kamerakonstruktionen

Die Wahl der am besten geeigneten Kamera wird außerordentlich vereinfacht, wenn man die verschiedenen Konstruktionstypen dem folgenden Schema gemäß einsetzt. Die endgültige Wahl wird dann unter Beachtung der später folgenden Ratschläge getroffen. Fotografen, die sich auf mehr als einem Arbeitsgebiet betätigen und beste Resultate erzielen wollen, werden sich wahrscheinlich zwei oder mehr verschiedene Kameras anschaffen müssen.

Kameras für allgemeine Fotografie: – Kameras mit gekuppeltem Entfernungsmesser – Einäugige und zweiäugige Spiegelreflexkameras

Halbspezialisierte Kameras: – Studiokameras – Polaroid-Land- und Kodak Instant Picture Film-Kameras – Einfache Rollfilm- und Boxkameras

Hochspezialisierte Kameras: – Superweitwinkel-Kameras – Panoramakameras – Luftbildkameras – Kleinstbildkameras

Kameras für allgemeine Fotografie

Alle Kameras dieser Gruppe sind für Aufnahmen aus der Hand konstruiert, können aber natürlich auch vom Stativ aus verwendet werden. Die meisten erlauben die Verwendung auswechselbarer Objektive, wodurch die Zusammenstellung einer zweckmäßigen Ausrüstung einschließlich von Weitwinkel und langbrennweitigen Objektiven möglich ist.

Entfernungsmesserkameras stellen die »schnellsten« Typen dar. Sie sind deshalb am besten für dynamische Motive geeignet, für Aufnah-

men von Menschen und Ereignissen. Vorzüge und Nachteile der Entfernungsmesserkameras wurden schon früher ausführlich besprochen. Im Kleinbildformat ist die Entfernungsmesserkamera das Lieblingsmodell einiger der berühmtesten und erfolgreichsten Fotojournalisten. In größeren Formaten wird dieser Kameratyp immer noch von vielen Pressefotografen benutzt, aber auch von anderen Fotografen, die eine Großformat-Allround-Kamera brauchen.
Außer für allgemeine Fotografie eignet sich die Entfernungsmesser-Kamera gut für Weitwinkelaufnahmen und Aufnahmen mit Objektiven mittellanger Brennweite, aber nicht für Aufnahmen mit Vario-Objektiven. Fernerhin ist sie ungeeignet für Nahaufnahmen und Aufnahmen mit extrem langbrennweitigen Objektiven, es sei denn, daß das Objektiv mit Hilfe eines zusätzlichen Spiegelreflexgehäuses (Kleinbildkamera) oder einer Mattscheibe (Pressekamera) eingestellt werden kann.
Im letzteren Fall kann damit nicht aus der Hand fotografiert werden, sondern die Kamera muß auf einem Stativ angebracht werden. Einige Pressekameras mit Entfernungsmesser sind mit individuell verstellbaren Front- und Rückstandarten ausgerüstet, um perspektivische Verzeichnungen zu vermeiden, und eignen sich daher auch sehr gut für Architekturaufnahmen und industrielle Fotografie.

Einäugige Spiegelreflexkameras sind zwar beim Arbeiten nicht ganz so schnell zu handhaben wie die Meßsucherkameras, stellen aber von allen heute vorhandenen Kameras den Typ dar, der am universellsten verwendbar ist, und den einzigen, der die praktische Verwendung von Vario-Objektiven erlaubt. Vorzüge und Nachteile des Spiegelreflexsystems wurden schon früher erwähnt. Im Kleinbildformat ist die Spiegelreflexkamera heute die bekannteste und am meisten verwendete aller Kamerakonstruktionen.
Außer für allgemeine Fotografie und hier ganz besonders für dynamische Motive eignet sich die Spiegelreflexkamera gleich gut für Nahaufnahmen, Fernaufnahmen und Weitwinkelfotografie. Da Verstellung der Filmebene normalerweise nicht möglich ist und Verstellung des Objektes nur bei einigen wenigen teuren Modellen, ist die Spiegelreflexkamera allgemein für jede Art fotografischer Arbeit ungeeignet, die das Entzerren perspektivischer Verzeichnungen bei der Aufnahme verlangt. Andererseits ist die 6 × 6-cm-Spiegelreflexkamera das »Arbeitspferd« vieler bedeutender Werbe- und Industriefotografen, die festgestellt haben, daß die vielen Vorzüge dieses Kameratyps die wenigen Nachteile bei weitem aufwiegen.

Zweiäugige Spiegelreflexkameras haben im Vergleich mit den einäugigen vier Vorteile: Das Sucherbild ist stets sichtbar, sogar *während* der Belichtung; es ist stets hell, gleichgültig, wie weit das Aufnahmeobjektiv abgeblendet ist; die Kamera arbeitet sehr leise und vibrationsfrei, weil dieser Kameratyp an Stelle eines beweglichen Spiegels einen festen und an Stelle eines Schlitzverschlusses einen Zentralverschluß benutzt; und da ein Zentralverschluß verwendet wird, kann die zweiäugige Spiegelreflexkamera mit gewöhnlichen Blitzlampen (statt besonderen Blitzlampen der Klasse FP) in Verbindung mit allen Belichtungszeiten, auch mit Elektronenblitz, verwendet werden. Andererseits hat die zweiäugige Spiegelreflexkamera folgende Nachteile: Die Kamera ist beim gleichen Aufnahmeformat oft größer und schwerer als eine einäugige Spiegelreflexkamera; die Tiefenausdehnung der scharfen Zone ist visuell nicht festzustellen; alle Modelle können der entstehenden Sucherparallaxe oder der begrenzten Möglichkeit, auf kurze Entfernung einzustellen, wegen nur beschränkt für Nahaufnahmen verwendet werden (doch kann man das zu einem gewissen Grad mit Vorsatzlinsen erreichen). Und schließlich ist zur Zeit, da dieses Buch geschrieben wird, nur ein Modell vorhanden, das auswechselbare Objektive besitzt.
Trotzdem ist dieser Kameratyp, soweit die angeführten Einschränkungen nicht dagegen sprechen, wenn auch nicht die vielseitigste, so doch eine der praktischsten aller Kamerakonstruktionen und – meiner Meinung nach – die vorteilhafteste für den Anfänger, der es mit der Fotografie ernst nimmt.

Halbspezialisierte Kameras

Die Kameras dieser Gruppe eignen sich besonders für bestimmte fotografische Gebiete, weisen aber gewisse Beschränkungen auf, die in der folgenden Übersicht klargestellt werden sollen. *Sie sind für allgemeine Fotografie nicht geeignet,* und wer die Absicht hat, sich eine solche Kamera zuzulegen, sollte sich, um Enttäuschungen zu vermeiden, über ihre Verwendungsmöglichkeiten und ihre Grenzen im klaren sein.

Studiokameras müssen, da man sie nicht in der Hand halten kann, vom Stativ aus benutzt werden. Sie stellen einen Typ dar, der für statische Motive großartig geeignet ist, aber bei dynamischen Motiven völlig versagt. Eine Studiokamera – theoretisch je größer, desto besser, doch führen praktische Erwägungen zum Format 9 × 12 cm als übli-

che Größe – ist die beste für den, der sich auf Architektur-, kommerzielle, Industrie- oder Innenraumfotografie spezialisieren will. Ferner sind Studiokameras unübertroffen für Reproduktionen von Kunstwerken und Aufnahmen von Gegenständen jeder Art, für Katalogaufnahmen, für technische und auch für viele Arbeiten wissenschaftlicher Fotografie.
Alle Studiokameras sind mit einer Mattscheibe, verstellbarer Standarte und verstellbarem Kamerarückteil ausgerüstet, alle können mit verschiedenen Objektiven verwendet werden. Die höchstentwickelten Modelle sind nach dem Baukastenprinzip konstruiert: ihre wichtigsten Teile – Schiene oder Rohr, Balgen, Objektivstandarte, Rückteil usw. – sind abnehmbar und können gegen andere Teile ähnlicher Funktion, aber anderer Bauart oder Größe ausgewechselt werden. Auf diese Weise kann der Fotograf die Kamera den besonderen Erfordernissen bestimmter Aufgaben anpassen. Wenn dann später die Aufgaben wechseln oder wenn er die Absicht hat, sich einem anderen fotografischen Arbeitsgebiet zu widmen, kann er stets seine Studiokamera diesen neuen Anforderungen anpassen und wenn nötig auch auf ein anderes Aufnahmeformat übergehen.

Polaroid-Land- und Kodak Instant Picture Film-Kameras können nicht mit den üblichen, überall erhältlichen Filmmarken verwendet werden, sondern nur mit speziellen Filmen. Ferner ergeben die meisten dieser Filme, wenigstens zur Zeit, während dieses Buch geschrieben wird, keine verwendbaren Negative, und Kopien können nur durch Reproduktionen des Originals gemacht werden.
Diese Kameras eignen sich in erster Linie für Aufnahmen dynamischer Motive: Menschen, Kinder, Familienereignisse. Es gibt sie in einer Reihe von verschiedenen Modellen von der einfachsten bis zur hochentwickelten Kamera, allerdings keine mit Wechselobjektiven. Da sie Farbbilder auf Papier innerhalb von 60 Sekunden nach der Belichtung und schwarzweiße Bilder schon in 15 Sekunden liefern, eignen sie sich ausgezeichnet für jeden, der seine Bilder sofort sehen möchte, ob er nun als Amateur Aufnahmen zum Geburtstag seiner Tochter macht, ob ein Fachfotograf jemand, der ihm bei seiner Arbeit half, zum Dank sofort aus Höflichkeit einige Bilder schenken will oder ob ein Wissenschaftler sofort das Ergebnis seiner Versuche im Bild haben möchte.
Wenn auch diese Kameras in erster Linie für den Amateur gedacht sind, gibt es doch auch Polaroid-Land-Film-Kassetten, die man wie eine Planfilmkassette in viele Kameras der Größe 4 × 5 Zoll einsetzen kann. Diese werden gerade von Fachfotografen gerne als wertvolle

Hilfe für Testaufnahmen bei schwierigen Aufgaben verwendet, um noch in letzter Minute alles zu überprüfen, von der Verteilung von Licht und Schatten bis zur richtigen Belichtung.

Einfache Rollfilm- und Boxenkameras sind halbspezialisierte Apparate, die nur einem begrenzten Zweck dienen sollen: die Wünsche jener Leute zu erfüllen, die annehmbare Bilder von Familie und Freunden bei geringstem finanziellen, technischen und geistigen Aufwand herstellen möchten.

Hochspezialisierte Kameras

Die Kameras dieser Gruppe sind ausschließlich für je einen bestimmten Zweck konstruiert. Jede eignet sich großartig für ein gewisses enges Arbeitsgebiet und kein anderes. Es handelt sich hier also um »zusätzliche« Kameras, die sich weiterstrebende und vielseitig arbeitende Fotografen anschaffen, um ihre Arbeitsgebiete zu erweitern und vor weniger phantasiereichen und nicht so speziell ausgerüsteten Konkurrenten einen Vorsprung zu gewinnen.

Superweitwinkel-Kameras sind mit einem nichtauswechselbaren Objektiv ausgerüstet, das einen ungewöhnlich großen Bildwinkel auszeichnet, der zwischen 90 ° und 180 ° liegen kann. (Zum Vergleich: Ein Normalobjektiv erfaßt einen Bildwinkel von etwa 45 °.) Weitwinkelobjektive, die Winkel bis zu etwa 130 ° (Goerz-Hypergon) erfassen, sind so konstruiert, daß sie mit geradliniger Perspektive abbilden, jene aber, die volle 180 ° erfassen, die sogenannten »Fisheye-Objektive«, bilden gerade Linien als Kurven ab.
Superweitwinkel-Kameras werden für zwei Zwecke verwendet: um den größten faßbaren Blickwinkel in einem Foto abzubilden und um absichtlich das Aufnahmeobjekt mit einer stark übertriebenen oder »verzerrten« Perspektive darzustellen, also gewisse Eigenschaften des Aufnahmeobjekts zu betonen und ihm damit eine besondere Anziehungskraft zu verleihen.

Panoramakameras sind ein Spezialtyp der Superweitwinkel-Kamera. Ihr Objektiv beschreibt während der Belichtung einen Bogen, währenddessen der Film nach und nach durch einen schmalen Spalt belichtet wird. Sie erfassen einen Bildwinkel von 140 ° und ergeben Bilder mit zylindrischer Perspektive. Gerade Linien, die parallel zur

Schwenkrichtung verlaufen, werden dabei nicht gerade, sondern gebogen wiedergegeben, während gerade Linien im rechten Winkel zur Schwenkrichtung auch gerade dargestellt werden. Diese Art der Darstellung hat natürlich gewisse Nachteile und beschränkt die Verwendung von Panoramakameras normalerweise auf Motive, die keine parallelen geraden Linien aufweisen, wie z. B. Landschaften.

Luftbildkameras sind von starrer, balgenloser Konstruktion, und ihre Objektive sind fest auf unendlich eingestellt. Daher können sie nicht für andere fotografische Zwecke verwendet werden als für Aufnahmen aus der Luft. Gelegentlich werden »überzählige« Luftbildkameras zu erstaunlich niedrigen Preisen angeboten. Da es jedoch unmöglich ist, sie anderweitig zu verwenden, sind sie nur für Fotografen geeignet, die eine Luftbildkamera wirklich brauchen.

Kleinstbildkameras 18 × 24 mm und kleiner. Viele dieser Kameras sind Präzisionsinstrumente, die mit allen nur denkbaren Raffinessen ausgestattet sind. Sie sind unerläßlich, wenn es auf kleinste Größe und geringstes Gewicht der Kamera ankommt; in anderen Fällen sind sie jedoch praktisch wertlos.

Wie man eine Kamera bedient

Moderne Kameras weichen in den Einzelheiten ihrer Konstruktion so erheblich voneinander ab, daß es unmöglich ist, im Rahmen dieses Buches genaue Gebrauchsanweisungen zu geben. Ich schlage dem Leser vor, daß er sich bei seinem Fotohändler die in Erwägung gezogenen Kameras demonstrieren läßt. Dann erhält er Gelegenheit, verschiedene Modelle miteinander zu vergleichen und »ein Gefühl für sie« zu bekommen – und das ist die einzige Methode, das Passende für sich auszusuchen. Ist die Entscheidung einmal getroffen, dann vermittelt die jeder Kamera beigegebene Gebrauchsanleitung des Herstellers alles Wissenswerte, um die Kamera richtig zu bedienen und ihre Konstruktionsvorzüge voll auszunutzen.

Wie man seine Kamera wählt

Ich habe der Beschreibung der verschiedenen Kameraeigenschaften und Konstruktionen soviel Platz gewidmet, weil mich meine Erfahrung lehrte, daß *die Wahl der richtigen Art von Kamera die erste*

Vorbedingung für Erfolg in der Fotografie ist. Um eine Analogie zu geben: Keiner, der vernünftig denkt und eine Säge braucht, wird in einen Laden gehen und einfach »eine Säge« verlangen, ohne ihre Art und Größe näher zu bezeichnen, denn es gibt ja so viele Arten von Sägen: Kreissägen, Langsägen, Metzgersägen, große Sägen, kleine Sägen, Sägen mit groben, mittleren oder feinen Zähnen, Handsägen, Motorsägen, Sägen für Holz, Metall, Kunststoff oder Schaumgummi usw. Dasselbe gilt für die Fotografie: Es gibt so viele verschiedene Arten von Kameras, von denen jede für einen anderen Zweck bestimmt ist. Nur wenn der Zweck, den Sie im Auge haben, und der Zweck, für den die Kamera konstruiert worden ist, übereinstimmen, sind Sie in der Lage, die von Ihnen geplanten Möglichkeiten in der Fotografie voll zu verwirklichen.
Die Wahl seiner Kamera sollte man also unter Beachtung folgender Gesichtspunkte vornehmen:

Die Eigenschaften des Motivs, das fotografiert werden soll;
das Sucher- und Einstellsystem der Kamera;
das Filmformat der Kamera;
die Persönlichkeit und die Interessen des Fotografen;
der Preis, den der Fotograf zahlen will.

Alle diese Faktoren sind natürlich eng miteinander verbunden; einer beeinflußt dabei die anderen, doch kann es gelegentlich vorkommen, daß zwei Faktoren sich gegenseitig ausschließen. Zum Beispiel: Ein Fotograf, der sich auf Landschaften spezialisiert hat und ein Fanatiker in bezug auf Schärfe und Wiedergabe feinster Einzelheiten ist, braucht eine Kamera für eine Kletterexpedition im Hochgebirge. Die Natur seiner Motive und seine eigenen Bestrebungen schreiben ihm völlig klar eine großformatige Kamera vor, aber die Umstände, unter denen er zu arbeiten hat, zwingen ihn ebenso klar, mit einer kleinen und leichten Kamera zu arbeiten. In einem solchen Falle muß entweder der Fotograf oder müssen die Fotografien leiden: der Fotograf, weil er sich entweder mit einer schweren und großen Kamera belasten oder aber Bilder akzeptieren muß, die ihn nicht befriedigen; die Fotografien, weil sie mit einer ungeeigneten Kamera gemacht werden, so daß sie nicht genügend scharf sind, in den Einzelheiten leiden und dazu noch körnig aussehen. Ein Kompromiß – die Benutzung einer Mittelformatkamera – ist in einem solchen Fall gewöhnlich die beste Lösung.

Die Eigenschaften des Motivs, das fotografiert werden soll

Sie entscheiden über das Sucher- und Einstellsystem der Kamera. In dieser Hinsicht unterscheidet man zwei Arten von Motiven:

Dynamische Motive – Motive, für die Bewegung typisch ist – verlangen eine »schnelle«, d. h. eine relativ kleine und leichte Kamera, deren Sucher- und Einstellsystem für Aufnahmen aus der Hand geeignet sein muß.

Statische Motive – alles, was fest steht und sich nicht bewegt – können natürlich mit jedem Kameratyp aufgenommen werden, aber aus fototechnischen Gründen ergibt hier ein großes Format bessere Resultate als ein kleines.

Das Sucher- und Einstellsystem der Kamera

Für schnelles Arbeiten eignet sich am besten ein Sucher, der mit einem gekuppelten Entfernungsmesser kombiniert ist, der sogenannte »Meßsucher«. Ihm folgen die einäugigen und zweiäugigen Spiegelreflexsysteme (vor allem, wenn das erste durch eine automatische, vom eingebauten Belichtungsmesser geregelte Blende ergänzt wird). Alle drei eignen sich ausgezeichnet für Aufnahmen aus der Hand. Das zeitraubendste Sucher- und Einstellsystem ist das der Mattscheibenkamera, doch weist es natürlich andere Vorteile auf. Ohne einen zweiten Sucher kann eine Mattscheibenkamera nicht für Handaufnahme verwendet, sondern muß mit Stativ benutzt werden. Andere Faktoren, die noch zu beachten sind:

Größe des Sucherbildes: Je größer, um so besser, weil große Sucherbilder deutlicher die erwünschten und unerwünschten Eigenheiten des betrachteten Bildes zeigen und dadurch die Komposition erleichtern. Spiegelreflexsysteme und Mattscheiben bieten große Sucherbilder, Meßsuchersysteme dagegen kleine.

Schärfentiefe-Kontrolle: Einäugige Spiegelreflexkameras und Mattscheibenkameras zeigen, wie weit die scharf erfaßte Tiefenzone reicht (Spiegelreflexkameras mit automatischer Vorwahlblende müssen dazu mit einer manuellen Abblendung ausgerüstet sein); zweiäugige Spiegelreflexkameras und Meßsucherkameras erlauben dagegen diese Kontrolle nicht.

Das Parallaxe-Problem: Einäugige Spiegelreflexkameras und Mattscheibenkameras weisen keine Sucherparallaxe auf; zweiäugige Spiegelreflexkameras und Entfernungsmesser-Sucher-Systeme besitzen Sucher-Parallaxe, wodurch sie für Nahaufnahmen ungeeignet sind. Doch werden in viele solche Kameras verschiedenartige Einrichtungen, um die Parallaxe auszuschalten, eingebaut, die diesen Nachteil mildern, ohne ihn aber völlig ausschalten zu können.

Verwendung verschiedenartiger Objektive: Die Mattscheibeneinstellung ist die einzige Sucher- und Einstelleinrichtung, die es erlaubt, die damit ausgerüstete Kamera in Verbindung mit jedem beliebigen Objektiv ohne Rücksicht auf Typ und Bauart zu verwenden, vorausgesetzt, daß dessen Brennweite nicht länger als der vorhandene Auszug ist. Einäugige Spiegelreflexkameras können zwar theoretisch mit jedem Objektivtyp verwendet werden, aber in der Praxis stellt sich oftmals heraus, daß eine spezielle Kamera nur in Verbindung mit für sie besonders vorgesehenen Objektiven benutzt werden kann, zumal wenn die Kamera mit einer automatischen Blende versehen ist; oder – der Fotograf muß auf die Vorteile einer solchen Automatisierung verzichten. Kameras mit einem gekuppelten Entfernungsmesser und zweiäugige Spiegelreflexkameras, die für Wechselobjektive eingerichtet sind, können gleichfalls nur mit Objektiven verwendet werden, die für sie besonders konstruiert sind, was die Zahl der verfügbaren Objektive natürlich wesentlich begrenzt.

Sichtbarkeit. In allen Kameras, die mit einem Meßsucher ausgerüstet sind, und in zweiäugigen Spiegelreflexkameras ist das Sucherbild dauernd sichtbar. In einäugigen Spiegelreflexkameras, die mit einem Rückkehrspiegel und automatischer Blende ausgerüstet sind, ist das Sucherbild immer hell, doch verschwindet es im Augenblick der Belichtung. In einäugigen Spiegelreflexkameras, die nicht mit einem Rückkehrspiegel versehen sind und bei denen man die Blende manuell einrückt, wird das Sucherbild um so dunkler, je weiter man abblendet, verschwindet mit der Belichtung und bleibt dunkel, bis man die Kamera wieder spannt.
Die Sichtbarkeit des Sucherbildes hängt fernerhin von der Bauart des Suchereinblicks ab. Brillenträger sollten daran denken, daß der Einblick von manchen Entfernungsmessern und einäugigen Spiegelreflexkameras mit Dachkantprisma einen Teil des Bildes abschneidet, weil die Brillengläser verhindern, daß das Auge nah genug an den Suchereinblick kommt. Bauarten, die dem Auge mehr Spielraum bieten, vermeiden diesen Nachteil.

Aufnahmehaltungen: Kameras mit Meßsucher oder mit Dachkantprisma werden zur Aufnahme an das Auge genommen, Spiegelreflexkameras ohne Dachkantprisma und zweiäugige Spiegelreflexkameras werden zur Aufnahme in Brusthöhe gehalten. Mit Mattscheibe versehene Kameras werden aus Augenhöhe benutzt. Einige Kameras haben Zusatz- oder Wechselsucher und erlauben, je nachdem aus Augen- oder Brusthöhe zu fotografieren.

Das Filmformat der Kamera

Für unsere Zwecke genügt es, zwischen Hauptgrößen oder Formaten zu unterscheiden: klein (35-mm-Kleinbild), mittel (Rollfilm 6 × 6, 6 × 7 oder 6,5 × 9 cm), groß (9 × 12 cm). Jedes Format hat Vorzüge und Nachteile.

Kleinbildfilm (35 mm) ist pro Aufnahme am billigsten, und seine Patronen fassen am meisten Bilder. Diese Eigenschaften machen Kleinbildkameras für Bewegungsaufnahmen und Dokumentarfotografie besonders geeignet, wo also schnell ablaufende Ereignisse in schneller Aufnahmefolge aufgenommen werden müssen oder wo eine große Anzahl von Aufnahmen gebraucht wird. Kodachrome 25, der Farbfilm hohen Auflösungsvermögens, der maschinell entwickelt werden muß, ist nur in Kleinbildpatronen erhältlich. Das Kleinbildformat ist außerdem die weitestverbreitete und praktischste Größe für Farbdias, die projiziert werden sollen. Sechs Patronen Kleinbildfilm, Material für über 200 Aufnahmen, beanspruchen etwa denselben Platz wie vier Planfilme 9 × 12 cm in Kassetten. Und bei Kleinbild kann man hochlichtstarke Objektive verwenden, denn diese sind nur für Kleinbildkameras erhältlich. Ein ernst zu nehmender Nachteil des Kleinbildformates liegt darin, daß die Verkaufsmöglichkeiten dieser kleinen Farbdias wesentlich ungünstiger sind als die größerer Farbdias. Tatsache ist jedenfalls, daß Interessenten für den Ankauf von Farbdias – Zeitschriftenredakteure, Buchverlage, Werbeleute, Kalender- und Postkartenhersteller usw. – sich oft weigern, Kleinbildfarbdias überhaupt anzusehen. Für sie liegt das kleinste eben noch annehmbare Format bei 6 × 6 cm; und sie bevorzugen 9 × 12-cm-Dias. Dieses Vorurteil trifft natürlich nicht auf diejenigen zu, die Kleinbilddias für Projektion verwenden – Vortragende, Lehrer, Amateure. Wer mit seinem Hobby auf diese Weise etwas verdienen möchte und vor allem derjenige, der die Fotografie als Beruf ausübt, sollte diese Umstände beachten.

Mittelformat, also Rollfilm Nr. 120 und 220 und 6,5 × 9-cm-Planfilm, ist das heutzutage am meisten für ernsthafte Arbeit benutzte Format. Dieses Mittelformat steht unter Berücksichtigung seiner Vorzüge und Nachteile etwa auf halber Stufe zwischen Kleinbild und 9 × 12 und eignet sich besonders für Fotografen, die sehr vielseitige fotografische Interessen haben. Außerdem weisen diese Mittelformat-Kameras einen weiteren Vorteil auf: In Verbindung mit Negativfarbfilm eignen sie sich ausgezeichnet zur Herstellung von farbigen Papierbildern.

Großformat (9 × 12 cm) kostet pro Aufnahme wesentlich mehr, und 9 × 12-Kameras sind im Vergleich zu Kleinkameras bedeutend größer, schwerer und zeitraubender in der Bedienung. Außerdem gibt es keinen 9 × 12-cm-Rollfilm (jedoch können Kassetten mit Rollfilm 120 oder 220 oder perforiertem 70-mm-Film an 9 × 12-Kameras verwendet werden); der normale Film für diese Größe ist Planfilm, und Planfilm muß Stück für Stück in der Dunkelkammer (oder in einem völlig dunklen Raum) in Planfilm-Kassetten eingelegt und nach der Aufnahme wieder ausgelegt werden. Planfilm-Kassetten sind schwer und umfangreich. Planfilm-Kassetten mit Material für 12 Aufnahmen – also nur für 1/3 der Zahl, die eine einzige Kleinbildpatrone enthält – brauchen etwa soviel Platz wie die ganze 9 × 12-Kamera.
Und die positive Seite: 9 × 12-cm-Negative und -Farbdias, von einem erfahrenen Fotografen gemacht, sind in jeder Hinsicht denen kleinerer Formate überlegen: in Schärfe, Farbenreichtum, Tonabstufungen und exakter Darstellung der Einzelheiten – alles Eigenschaften, die 9 × 12-Farbdias für den Verkauf sehr attraktiv machen. Ich habe immer wieder feststellen müssen, daß recht mittelmäßige 9 × 12-Farbdias viel besseren Kleinbild-Dias oder 6 × 6-Dias vorgezogen wurden und später ganzseitig in einem Buch oder einer Zeitschrift erschienen. Das ist in erster Linie der Grund für meine Meinung – insbesondere soweit es die Farbfotografie betrifft –, daß sich als beste Kamera die größte erweist, die unter den betreffenden Aufnahmeumständen gerade noch zufriedenstellend zu handhaben ist.

Die Persönlichkeit und die Interessen des Fotografen

Fotografen sind Menschen, und Menschen sind nun einmal sehr verschieden. Einige Fotografen sind impulsiv, andere arbeiten methodisch. Einige lieben das Abenteuer und möchten »die Welt sehen«,

andere ziehen Aufnahmen in ihrer näheren Umgebung vor. Vor allem aber können ihre Interessen sehr verschieden sein. Einige sind damit zufrieden, die Glanzlichter ihres Lebens festzuhalten: Kinder, Familie, festliche Ereignisse. Andere sehen in der Fotografie eine anregende Liebhaberei, um sich auszudrücken und durch ihre Bilder auf andere Menschen zu wirken. Noch andere widmen ihr Leben der Fotografie. Diese Unterschiede der Persönlichkeiten und Interessen spiegeln sich natürlich auch in der Einstellung des Fotografen zu seiner Arbeit wider, und die Aufnahmen, die er machen möchte, können zu ihrer Verwirklichung die verschiedenartigsten Mittel erfordern.
So wird zum Beispiel ein spannungsvoller und rastloser Fotograf, der in erster Linie an Aufnahmen von Menschen, Ereignissen und »Leben« interessiert ist, nur mit einer Kleinbildkamera zufrieden und fähig sein, sich ungehindert auszudrücken. Andrerseits wiederum wird ein gründlicher und methodischer Arbeiter mit hochentwickeltem Sinn für Qualität, Präzision der Darstellung, Abstimmung von Farbe und Tonwerten usw. eine ziemlich großformatige Kamera brauchen, um seine fotografischen Ziele zu erreichen, muß aber bereit sein, mit größerem Gewicht und Umfang sowie mit höherem Zeitaufwand bei seinen Aufnahmen dafür zu bezahlen. Eine Kamera, die sich großartig für einen Mann eignet, der nur Familienaufnahmen macht, dessen Interessen nicht über Kinderaufnahmen am Sonntag und gelegentliche Ferienaufnahmen hinausgehen, ist also nicht die richtige für einen ernsthaften Amateur. Und eine Kamera, die einen Amateur glücklich macht, kann sehr wohl für einen Fachmann, der fünfzigmal soviel fotografiert, in ihren Aufnahmemöglichkeiten zu beschränkt und in ihrer Konstruktion zu schwach sein. Alle diese Faktoren sind also zu beachten, ehe man sich für eine Kamera entscheidet. Wenn die fotografischen Mittel nicht auf Persönlichkeit und Interesse des Fotografen abgestimmt sind, bleibt er unbefriedigt und kann keine guten Bilder machen.
Betrachtungen solcher Art stiegen in mir auf, als ich dabei war, wie einer meiner Freunde – ein Meister der 18 × 24-Studio-Kamera, ein Fotograf, der durch seine hochstehende fotografische Leistung weltbekannt ist, ein großartiger Handwerker, dem Präzision und Tonwerte zum Fetisch wurden – sich eines Tages in eine Kleinbildkamera verliebte und sie mit ihrer ganzen Serie von Objektiven und Zubehör kaufte. Er arbeitete mit ihr mehrere Monate und war begeistert von ihr als Präzisionsinstrument, versuchte aber vergeblich, die großartige Qualität dieses Werkzeuges mit der technisch unbefriedigenden Qualität seiner Leistungen zu vereinbaren. Und es dauerte mehrere Monate,

bis er emotional begriff, was er intellektuell längst gewußt hatte: daß eine Kamera, die wesentlich raffinierter und präziser gebaut ist als die ihm vertrauten Apparate – 9 × 12-, 13 × 18- und 18 × 24-cm-Kameras –, ihres Miniaturformates wegen Bilder produzieren muß, die in technischer Hinsicht denen unterlegen sind, die er mit seinen im Vergleich doch primitiven Mitteln so mühelos herstellen kann.
Die Lehre daraus ist klar und sollte von jedem Fotografen beachtet werden: Es gibt eben »schnelle« und »nervöse« Kameras – die quicklebendigen und stets bereiten Kleinbildkameras. Ferner gibt es Durchschnittskameras für Durchschnittstemperamente: Die Kameras für Rollfilm und Mittelformat-Planfilm. Und schließlich gibt es »langsame« und »gründliche« Kameras: Studiokameras 9 × 12, 13 × 18, 18 × 24 cm. Und jeder Kameratyp ist nicht nur für verschiedene Zwecke bestimmt, sondern auch für verschiedene Persönlichkeiten, für verschiedene Arten von Fotografen. Lassen Sie sich nicht durch die Wahl anderer, deren Arbeiten Sie bewundern, oder durch Glanz und Berühmtheit dazu verführen, eine Kamera zu kaufen, die sich weder für Sie als Persönlichkeit noch für die Art Ihrer fotografischen Arbeit eignet. Wie auf allen schöpferischen Gebieten, so ist auch hier völlige Ehrlichkeit gegen sich selbst und das Wissen um die eigenen Kräfte und Grenzen unerläßliche Bedingung für Erfolge.

Der Preis, den der Fotograf zahlen will

Viele Fotografen glauben, daß eine fotografische Ausrüstung um so mehr bieten wird, je mehr sie dafür bezahlen. Das mag unter gewissen Umständen zutreffen, stimmt aber nicht immer. Ich gab bereits ein Beispiel dafür, daß eine sehr teure Kamera völlig ungeeignet für eine bestimmte Art von Aufnahmen sein kann, während eine andere, die sich besonders gut dafür eignet, verhältnismäßig billig sein mag. Aber was tut ein Fotograf, wenn die für ihn am besten passende Kamera zugleich die teuerste ist? Ich schlage vor, er kauft sie sich gebraucht anstatt neu. Ich weiß, daß viele über diesen Rat die Stirne runzeln werden, aber ich habe ihn oft befolgt und es nie bedauert. Da die moderne Fototechnik so schnelle Fortschritte macht, sind die meisten Fotohandlungen voll mit »fast neuen« gebrauchten Ausrüstungen, die zu relativ niedrigen Preisen verkauft werden. Die Chancen sind ausgezeichnet, daß ein erfahrener Fotograf dabei einen guten Kauf macht, vorausgesetzt, daß er in einer vertrauenswürdigen Fotohandlung kauft, die auch für gebrauchte Kameras Garantie leistet. Viele Fotohandlungen sind damit einverstanden, daß man die Ausrüstung ein paar Tage zur Probe übernimmt, und zahlen das Geld zurück, sollte sie sich als fehlerhaft erweisen. Solche Angebote bieten günstige Gelegenheiten, um zu einer guten Kamera, einem Objektiv oder anderem Zubehör auf verhältnismäßig billige Art zu kommen.

Zusammenfassung über Kameras

Die erste der beiden folgenden Zusammenfassungen umfaßt die fünfzehn wichtigsten Kameraeigenschaften zusammen mit den wichtigsten Konstruktionstypen. Die zweite enthält zwanzig verschiedene Arbeitsgebiete der Fotografie in Verbindung mit Reihen von Zahlen. Jede dieser Zahlen weist auf die betreffende Eigenschaft in der ersten Aufstellung hin. Indem man beide Aufstellungen in Beziehung zueinander setzt und ihren Inhalt im Sinne der Ausführungen erwägt, die in den vorhergehenden Kapiteln gegeben wurden, kann jeder leicht die Kamera finden, die seiner Persönlichkeit, seinen Absichten und seinen fotografischen Interessen am besten entspricht.

1. *Hochlichtstarke Objektive* – Objektive mit Lichtstärken von 1:2 und höher sind nur für Kleinbildkameras erhältlich.
2. *Blitzlicht-Synchronisation* – Zentralverschlüsse können durchweg mit üblichen Blitzlampen und Elektronenblitzen in Verbindung mit jeder gewünschten Verschlußgeschwindigkeit synchronisiert werden; Schlitzverschlüsse erfordern FP-Blitzlampen und synchronisieren in Verbindung mit Elektronenblitzen nur mit verhältnismäßig langen Momentbelichtungen.
3. *Kürzeste Verschlußzeiten* – Schlitzverschlüsse reichen hier weiter als Zentralverschlüsse.
4. *Objektive längster Brennweiten* – extreme Fernobjektive mit Brennweiten von 250 mm und mehr werden nur für Kleinbildkameras und einige 6 × 6-Kameras hergestellt und können nur mit einäugigen Spiegelreflexkameras oder Kleinbild-Meßsucherkameras in Verbindung mit Spiegelreflexgehäusen verwendet werden.
5. *Parallaxe* – einäugige Spiegelreflexkameras und Mattscheibenkameras sind parallaxefrei, Meßsucherkameras und zweiäugige Spiegelreflexkameras dagegen nicht. Letztere sind aber oft mit Einrichtungen zum Ausgleich der Parallaxe versehen und können dann in beschränktem Grad für Nahaufnahmen verwendet werden. Ein Spiegelreflexgehäuse macht eine Kleinbild-Meßsucherkamera parallaxefrei.
6. *Perspektiven-Kontrolle* – Studiokameras mit schwenkbaren Vor-

der- und Rückteil ermöglichen meist völlige Entzerrung perspektivischer Verzeichnungen, in beschränktem Maße auch Pressekameras, die mit derartigen Einrichtungen versehen sind.
7. *Handlichkeit und Gewicht* – beträchtliche Unterschiede in Gewicht und Umfang sind zwischen Kameras ähnlicher Konstruktion und gleichen Formates vorhanden. Kleinbildkameras mit Meßbildsucher sind im allgemeinen kleiner und leichter als Spiegelreflexkameras für dasselbe Format; einäugige Spiegelreflexkameras sind meist kleiner und leichter als zweiäugige Modelle des gleichen Formates.
8. *Geräuschlosigkeit* – Zentralverschlüsse arbeiten leiser als Schlitzverschlüsse, zweiäugige Spiegelreflexkameras leiser als einäugige. Die meisten Meßsucherkameras für Kleinbildformat sind leiser als einäugige Spiegelreflexkameras.
9. *Aufnahmefolge* – einige wenige Kameras besitzen einen eingebauten, mit einer Batterie oder einem Federwerk betriebenen Motor oder können mit ansetzbaren Motoren verwendet werden.
10. *Schärfe und Wiedergabe* – 9 × 12-cm-Kameras und größere Formate können die schärfsten Bilder liefern; Kleinbildkameras in Verbindung mit einem Farbfilm von hohem Auflösungsvermögen kommen auf einen guten zweiten Platz.
11. *Schnelle Arbeitsweise* – am schnellsten kann man mit einer Kleinbild-Spiegelreflexkamera arbeiten, die automatische Einstellung und einen blendegekuppelten Belichtungsmesser besitzt. Ohne eingebauten und blendengekuppelten Belichtungsmesser arbeiten Meßsucherkameras im allgemeinen etwas schneller als einäugige oder zweiäugige Spiegelreflexkameras.
12. *Eignung für Nahaufnahmen* – unbedingte Voraussetzung ist Parallaxefreiheit, langer Auszug und bei größeren Kameras Scharfeinstellung im Rückteil. Geeignete Kamerakonstruktionen: einäugige Spiegelreflexkameras und Kleinbild-Meßsucherkameras mit Spiegelreflexgehäuse in Verbindung mit Verlängerungsrohren oder Balgengerät.
13. *Eignung für langbrennweitige Objektive* – einäugige Spiegelreflexkameras und Kleinbild-Meßsucherkameras mit ansetzbarem Spiegelreflexgehäuse sind am besten geeignet, ferner für statische Motive auch Mattscheibenkameras.
14. *Eignung für Weitwinkelaufnahmen* – in der Reihenfolge der Eignung: ausgesprochene Weitwinkelkameras; einäugige Spiegelreflexkameras; Kleinbild-Meßsucherkameras; Studiokameras mit Weitwinkelbalgen; Pressekameras mit herunterklappbarem Bodenteil und zurückgesetztem Objektivbrett.
15. *Objektive mit extrem großem Bildwinkel – Fish-eye-Objektive*

mit 180°-Winkel für Kleinbildkameras, zusätzliche Fish-eye-Vorsätze, welche die meisten Normalobjektive üblicher Kameras zu 180 °-Fish-eye-Objektiven machen. Goerz-Hypergon-Objektive mit 130 °, die aber nur in speziellen, kastenartig gebauten Kameras für 13 × 18 cm oder 18 × 24 cm verwendet werden können. Wegen ihrer geringen Lichtstärke sind die letzteren Objektive nur für statische Motive geeignet.

Übersicht über zwanzig Arbeitsgebiete der Fotografie in alphabetischer Reihenfolge. Die Zahlen, die auf die Kameraeigenschaften der vorhergehenden Aufstellung hinweisen, sind nicht nach ihrer Bedeutung geordnet.

Allgemeine Fotografie	2, 11, 13, 14
Architekturfotografie	6, 10, 14
Bildnisfotografie	2, 5, 11
Figürliche Aufnahmen	1, 2, 5, 7, 11
Industrie-und technische Fotografie	2, 5, 6, 10, 11, 12, 14, 15
Innenräume	2, 5, 6, 10, 14, 15
Kunstgegenstände	5, 6, 10, 12
Landschaften	6, 10
Menschen (allgemein)	1, 2, 7, 8, 9, 11
Modeaufnahmen	1, 2, 5, 7, 11
Nahaufnahmen	5, 12
Nahrungsmittel	5, 6, 10, 12,
Naturaufnahmen (allgemein)	2, 3, 4, 5, 7, 8, 9, 11, 12, 13
Presse- und dokumentarische Aufnahmen	1, 2, 3, 4, 7, 8, 9, 11
Reiseaufnahmen	2, 7, 8, 11
Reproduktionen	5, 6, 10, 12
Sportaufnahmen	1, 2, 3, 7, 9, 11, 13
Theater und Bühne	1, 2, 8, 11
Tiere (allgemein)	2, 7, 8, 11, 12, 13
Tiere in freier Wildbahn	2, 4, 7, 8, 9, 11, 13

Das Objektiv

Kürzlich wurde in den USA eine Übersicht über alle verfügbaren Wechselobjektive für Kleinbild- und 6 × 6-Kameras veröffentlicht, also ausschließlich von Objektiven, die ein größeres Format auszeichnen. Die Liste enthält über 1000 Namen. Kein Wunder also, daß ein Fotograf, der sich dem Problem gegenübersieht, das geeignete Objektiv für seine Kamera oder ein Wechselobjektiv zu wählen, ziemlich verwirrt werden kann. Glücklicherweise ist es aber doch nicht so schwierig, das richtige Objektiv herauszufinden, wie es zunächst scheint, weil nicht nur alle Objektive ohne Rücksicht auf Typ und Bauart bestimmte gemeinsame Eigenschaften aufweisen, sondern auch den gleichen optischen Grundgesetzen unterliegen. Um eine überlegte Wahl zu treffen, braucht der Fotograf nämlich keineswegs zu wissen, wie ein Objektiv ein Bild zustande bringt, noch die oft so freigebig verwendeten Fachausdrücke zu kennen, wie Austrittsöffnung, sphärische oder chromatische Aberration, Koma usw. Für die Praxis genügt es, das Objektiv nach folgenden drei Faktoren zu beurteilen:

Objektivdaten – Brennweite, Lichtstärke, Bildkreis
Objektivleistung – Schärfe, Farbkorrektur usw.
Objektivtyp – Normalobjektiv, Weitwinkel usw.

Objektivdaten

Jedes Objektiv, mag es sich um einen Weitwinkel, ein Teleobjektiv oder was es auch sei handeln, besitzt drei grundlegende Eigenschaften, mit denen sich der Fotograf vertraut machen muß, da sie angeben, was er mit diesem Objektiv machen kann und was nicht:

Brennweite
Lichtstärke
Bildkreis

Brennweite

Die Brennweite eines Objektives bestimmt die Größe des Bildes auf dem Film. Bei gleichem Motivabstand gibt ein Objektiv mit längerer Brennweite das Motiv in größerem Maßstab wieder als ein Objektiv mit kürzerer Brennweite. Dabei sind Brennweite und Abbildungsgröße einander direkt proportional: Ein Objektiv, dessen Brennweite doppelt so groß ist wie die eines anderen, stellt das Objekt bei gleicher Aufnahmeentfernung doppelt so groß dar wie das Objektiv, dessen Brennweite halb so groß ist. Will also ein Fotograf einen größeren

Abbildungsmaßstab erzielen, ohne den Aufnahmeabstand zu verkürzen, muß er die Aufnahme mit einem Objektiv längerer Brennweite machen.
Die Brennweite eines Objektives ist gewöhnlich auf der Objektivfassung in Millimetern oder Zentimetern angegeben. Es handelt sich hierbei um die Entfernung* vom Mittelpunkt des Objektives zum Film, wenn das Objektiv auf ein unendlich weit entferntes Objekt – z. B. einen Stern – scharf eingestellt ist. Diese Entfernung ist auch der kürzeste Abstand zwischen Objektiv und Film, bei dem das bezügliche Objektiv noch ein scharfes Bild ergeben kann.
Die Brennweite hat nichts mit der Filmgröße zu tun. Ein Objektiv einer Brennweite von beispielsweise 15 cm bildet ein Aufnahmeobjekt bei einem gegebenen Abstand stets in derselben Größe ab, gleichgültig, ob das Objektiv an einer Kleinbild-Meßsucherkamera, an einer 6 × 6-Spiegelreflexkamera oder einer 18 × 24-Studiokamera verwendet wird. Wird dabei das Objektiv mit einer kleinformatigen Kamera verwendet, kann es sein, daß nur ein Teil des Aufnahmeobjektes auf das Bild kommt; wird andererseits das Objektiv mit einem sehr großen Aufnahmeformat benutzt, zeichnet sich wahrscheinlich nur ein kreisrundes Bildfeld ab, in dessen Mitte das Objekt erscheint. Aber in jedem Fall erscheint das Objekt (oder was davon zu sehen ist) in derselben Abbildungsgröße, und wenn man die Dias oder Negative übereinanderlegt, decken sie sich genau.
Nach ihren Brennweiten werden die Objektive häufig als Normalobjektive, kurzbrennweitige oder langbrennweitige Objektive bezeichnet. Eine solche Einteilung ist jedoch nur relativ. Ein Objektiv, das eine *relativ* kurze Brennweite bei der Verwendung mit einem bestimmten Format hat, weist für ein kleineres Format eine *relativ* längere Brennweite auf, obgleich natürlich die tatsächliche Brennweite in beiden Fällen dieselbe ist.
Ein Beispiel: Ein Weitwinkelobjektiv für das Großformat 18 × 24 cm habe 15 cm Brennweite, also eine *dem Format gegenüber* ziemlich kurze Brennweite. An einer 9 × 12-Kamera verwendet, wird daraus ein Objektiv normaler Brennweite, denn für dieses Format ist eben 15 cm (die ungefähre Diagonale von 9 × 12 cm) *die normale Brennweite.* Und wenn man das gleiche 15-cm-Objektiv an einer 6 × 6-Kamera benutzt, wird das ursprünglich als Weitwinkelobjektiv ge-

* Genauer definiert: Entfernung zwischen hinterer Hauptebene des Objektivs (die meist kurz hinter dem Objektivmittelpunkt liegt) und Film, wenn das Objektiv auf unendlich eingestellt ist. Bei Teleobjektiven und Weitwinkelobjektiven nach dem Retrofokus-Prinzip liegt aber die Hauptebene des Objektivs außerhalb des Objektivs.

baute Instrument zum langbrennweitigen Objektiv, denn das Normalobjektiv für 6 × 6 cm hat 80 mm Brennweite, und 150 mm ist dann im Vergleich zum Format 6 × 6 cm *ziemlich lang*. Als *Normalobjektiv* wird allgemein ein Objektiv bezeichnet, dessen Brennweite etwa der Diagonale des Formats entspricht.

Lichtstärke oder relative Öffnung

Die Lichtstärke gibt an, wieviel Licht ein Objektiv durchläßt, und wird meist als ein Zahlenverhältnis auf die Objektivfassung graviert: Wirksamer Objektivdurchmesser: Objektiv-Brennweite. Das erklärt auch, warum man von »relativer« Öffnung spricht, denn weder Brennweite noch Objektivdurchmesser oder »Öffnung« geben allein ein Maß für die Lichtstärke an. Erst wenn die eine zu der anderen in ein Verhältnis gesetzt wird, erhält man eine sinnvolle Bezeichnung. Wenn beispielsweise ein Objektiv einen wirksamen Durchmesser (die Öffnung) von 25 mm und eine Brennweite von 50 mm hat, ist seine relative Öffnung (die Lichtstärke) 25:50 oder 1:2. Hat hingegen das Objektiv nur einen Durchmesser von 12,5 mm, ergibt sich eine relative Öffnung von 12,5:50 oder 1:4, also ein Objektiv geringerer Lichtstärke. In der Praxis wird diese relative Öffnung in f-Zahlen angegeben (f = focus), und die Bezeichnung für dieses Objektiv wäre f/4.
Um zu verstehen, wie mit der Lichtstärke eines Objektives zu rechnen ist, muß man etwas wissen, was den Anfänger oft verwirrt, die Tatsache nämlich, daß ein 1:2-Objektiv lichtstärker ist als ein 1:4-Objektiv. Wenn zwei Objektive dieselbe Brennweite, aber verschieden wirksame Durchmesser aufweisen, muß, wie wir eben gesehen haben, die *zweite* Zahl der relativen Öffnung des *lichtstärkeren* Objektives *kleiner* sein als die des weniger lichtstarken Systems. Denn das Verhältnis »wirksame Öffnung zur Brennweite« ergibt eine um so kleinere Zahl, je größer die wirksame Öffnung ist.
Ein lichtstarkes Objektiv hat vor einem lichtschwächeren den Vorzug, daß es dem Fotografen die Möglichkeit gibt, sein Motiv mit einer kürzeren Verschlußzeit zu belichten. Sind die Beleuchtungsumstände ungünstig, oder verlangt eine schnelle Bewegung eine besonders kurze Belichtungszeit, um Bewegungsunschärfe zu vermeiden, kann es von der Lichtstärke des Objektivs abhängen, ob die Aufnahme möglich oder unmöglich ist, ob man sie als »im Kasten hat« oder auf sie verzichten muß. Andrerseits haben lichtstärkere Objektive gegenüber lichtschwächeren Objektiven gewisse Nachteile, über die später gesprochen werden soll.

Das Prinzip der Blendenreihe. In der Praxis wird ein Objektiv aus Gründen, über die später zu reden ist, selten mit seiner vollen Öffnung oder Lichtstärke verwendet. Gewöhnlich wird sein Durchmesser mehr oder weniger mit Hilfe einer veränderlichen Öffnung verringert, die man *Blende* nennt und die in das Objektiv eingebaut ist. Das Verkleinern des Objektivdurchmessers mittels der Blendenöffnung nennt man »Abblenden«. Damit der Fotograf aber genau weiß, wie weit sein Objektiv abgeblendet ist – was für die Berechnung der Belichtung von größter Wichtigkeit ist –, ist der Blendenring mit Blendenzahlen versehen, die dem Verhältnis zwischen dem jeweilig wirksamen Blendendurchmesser und der Objektivbrennweite entsprechen. Diese Blendenzahlen sind so angeordnet, daß jede folgende (größere) Blendenzahl *die doppelte Belichtungszeit der vorhergehenden kleineren Blendenzahl erfordert* (welche einer größeren Öffnung entspricht). Mit anderen Worten: Jedesmal , wenn man die Blende um eine weitere Blendenzahl verengt, muß der Film doppelt so lang belichtet werden, will man das gleiche Resultat in bezug auf Dichte und Farbwiedergabe erzielen.

Blendenzahlen sind Angaben für die Helligkeit des Bildes auf der Mattscheibe oder auf dem Film. Dieselbe Blendenzahl, z. B. Blende 8, zeigt in allen Fällen (abgesehen von kleineren Konstruktions- oder toleranzbedingten Abweichungen, die man vernachlässigen kann) die gleiche Helligkeit des Bildes an, gleichgültig, ob ein Objektiv, das die Anfangsöffnung von 8 hat, unabgeblendet benutzt wird oder ob man ein Objektiv der Anfangslichtstärke 1,4 auf 8 abblendet. Auch spielt es keine Rolle, ob das Objektiv eine sehr kurze oder sehr lange Brennweite hat. Wenn beide eine relative Öffnung von 8 haben oder auf 8 abgeblendet sind, besteht praktisch kein Unterschied in der Helligkeit beider Bilder und daher auch nicht in der Belichtungszeit.

Der Bildkreis (Bildwinkel)

Der nutzbare Bildkreis eines Objektivs entscheidet darüber, für welches Filmformat das Objektiv zu verwenden ist. Je größer er ist, um so größer ist das Filmformat, das in bezug auf Schärfe und Helligkeit einwandfrei ausgezeichnet wird.

Fotografische Objektive ergeben ein kreisförmiges Bild, dessen Schärfe und Ausleuchtung über das Bildfeld nicht völlig gleichmäßig ist. Es ist am schärfsten und hellsten in der Mitte und nimmt nach außen zu allmählich an Schärfe und Helligkeit ab. Diese Verschlechterung des Bildes hat drei Gründe: Restliche Linsenfehler machen sich nach den

Ecken des Bildes zu stärker bemerkbar. Wenn man schräg durch das Objektiv hindurchschaut, erscheint die kreisförmige Blendenöffnung elliptisch, woraus sich erklärt, daß die Ecken des Formates weniger Licht erhalten als seine Mitte. Schließlich: Die Randteile des Films sind weiter von der Mitte des Objektivs entfernt als seine Mitte und erhalten nach dem Gesetz von der Abnahme des Lichtes mit dem Quadrat der Entfernung entsprechend weniger Licht.

Für die Aufnahme wird natürlich nur der innere, verhältnismäßig scharfe und helle Teil des Bildkreises, den das Objektiv entwirft, ausgenutzt. Also muß das Aufnahmeformat stets in diesen nutzbaren inneren Kreis fallen, dessen Durchmesser also nicht kleiner sein darf als die Diagonale des Aufnahmeformates.

Obgleich in der Regel langbrennweitige Objektive größere Bildkreise auszeichnen als kurzbrennweitige und daher mit größeren Filmformaten zu verwenden sind, trifft dies nicht immer zu. Zum Beispiel reicht der Bildkreis der meisten 135-mm-Objektive, die für Kleinbildkameras geschaffen worden sind, gerade für das 24 × 36-mm-Format des Kleinbildfilmes aus, während 90-mm-Weitwinkelobjektive existieren, die das wesentlich größere Format 9 × 12 cm auszeichnen. Den relativ (im Verhältnis zur Brennweite) größten Bildkreis bietet der 75-mm-Goerz-Hypergon-Weitwinkel, der das verhältnismäßig enorme Format 18 × 24 cm auszeichnet.

Der Bildkreis der meisten Objektive genügt gerade für das Filmformat, für das sie gerechnet wurden. Das reicht aus, solange diese Objektive in Kameras ohne verstellbare Objektivstandarte und Mattscheibenebene benutzt werden, wie sie zum Entzerren perspektivischer Verzeichnungen benötigt werden. Objektive, die in Kameras mit diesen Verstellbarkeiten verwendet werden sollen, müssen jedoch einen Bildkreis auszeichnen, der größer als der normale ist. Andernfalls können diese Verstellungen dazu führen, daß Teile des Aufnahmeformates außerhalb des scharf ausgezeichneten Bildkreises fallen und in der Aufnahme unscharf und unterbelichtet erscheinen. Erfahrene Fotografen vermeiden das, indem sie an Stelle des Normalobjektivs für das entsprechende Format *ein Weitwinkelobjektiv derselben Brennweite benutzen, das aber für das nächstgrößere Format gerechnet worden ist.* Ein Beispiel: Anstatt an einer 9 × 12-Studiokamera das übliche Normalobjektiv von 15 cm Brennweite zu benutzen, nimmt man ein Weitwinkelobjektiv von 15 cm Brennweite, das eigentlich bestimmt ist, das Format 13 × 18 cm auszuzeichnen – die nächste Größe. Die Brennweiten beider Objektive sind gleich, bilden also in demselben Maßstab ab, aber der größere Bildkreis des Weitwinkelobjektivs er-

laubt dem Fotografen, alle Möglichkeiten der Verstellungen voll auszunutzen.
Der Bildkreis eines Objektivs ist keine unveränderliche Größe. *Er vergrößert sich proportional zur Verlängerung des Abstandes zwischen Objektiv und Film.* Das kann vorteilhaft für Nahaufnahmen in natürlicher, nahezu natürlicher oder vergrößerter Abbildung ausgenutzt werden. Wenn der Kameraauszug nicht ausreicht, um mit einem Normalobjektiv solche Nahaufnahmen in genügend großem Maßstab zu machen, kann das Problem dadurch gelöst werden, daß man ein Objektiv kürzerer Brennweite einsetzt. So eignen sich beispielsweise für vergrößerte Nahaufnahmen mit einer 9 × 12-Kamera Objektive von 25 mm bis 10 cm Brennweite. In solchen Fällen kann man mit einem Objektiv von 25 mm Brennweite, das ursprünglich für kein größeres Bildformat als das einer 16-mm-Filmkamera gedacht war, bei einem Auszug von etwa 25 cm eine neunfach vergrößerte Abbildung erzielen, wobei das 9 × 12-Format voll ausgezeichnet wird.
Der Bildkreis vieler Objektive nimmt mit dem Abblenden zu. Bei gewissen Objektiven (z. B. beim Goerz-Dagor) ist diese Zunahme so erheblich, daß mit kleinster Blende ein Format ausgezeichnet wird, das eine ganze Stufe größer ist als das Format, das bei voller Öffnung ausgezeichnet wird. Solche Objektive eignen sich daher besonders für Studiokameras mit Verstellbarkeiten.

Objektivleistung

Jede gewöhnliche Lupe und jedes positive Brillenglas ergibt ein Bild und könnte zum Fotografieren benutzt werden, aber die Abbildungen, die solche primitiven »Objektive« liefern, sind sehr schlecht – unscharf, verzeichnet und mit farbigen Säumen versehen. Nur ein gut korrigiertes fotografisches Objektiv ergibt scharfe, unverzeichnete und farbsaumfreie Bilder.
Korrektur eines Objektives bedeutet, daß die sieben Linsenfehler (genannt sphärische und chromatische Aberration, Astigmatismus, Koma, Bildfeldwölbung, Verzeichnung, Beugung) soweit wie praktisch möglich ausgeschaltet sind. Um das zu erreichen, kombinieren die optischen Rechner Linsen, die aus verschiedenen Glasarten mit unterschiedlicher Brechungskraft hergestellt sind, außerdem verschiedene Wölbungen aufweisen. Dabei können die einzelnen Linsen miteinander verkittet oder durch Luftzwischenräume getrennt sein. So formen sie ein optisches System – das Objektiv –, das möglichst viele

wünschenswerte Eigenschaften, wie Schärfe, hohe Farbkorrektur, Lichtstärke, großen Bildwinkel usw., aufweist und außerdem zu einem Preis geliefert werden kann, der innerhalb der finanziellen Möglichkeiten der meisten Fotografen liegt.
Die Leistung eines Objektivs hängt von seiner Konstruktion ab. Leider ist es zur Zeit noch nicht möglich, ein Objektiv herzustellen, das völlig frei von allen Fehlern ist. Daher zeichnen z. B. die meisten hochlichtstarken Objektive bei voller Öffnung nicht so scharf wie gute Objektive, die etwas weniger lichtstark sind, oder sind Weitwinkelobjektive nicht so verzeichnungsfrei wie Normalobjektive mit kleinerem Bildwinkel und so weiter. Trotzdem existieren heute für die verschiedenen Arbeitsgebiete Objektive von bemerkenswert hoher Leistung, über die wir später mehr erfahren werden.

Die Leistung eines Objektivs hängt von fünf Faktoren ab:

Grad der Schärfeleistung
Grad der Farbkorrektur
Grad der inneren Reflexion
Gleichmäßigkeit der Lichtverteilung
Grad der Verzeichnung

Grad der Schärfeleistung

Ein Objektiv arbeitet um so schärfer, je besser es dem optischen Rechner gelang, die fünf Linsenfehler zu verringern, die Unschärfe ergeben: sphärische und chromatische Aberration, Bildfeldwölbung, Astigmatismus und Koma. Jeder dieser Fehler äußert sich in einer bestimmten Art von Unschärfe, und da jeder für sich korrigiert werden muß, mitunter mehr oder weniger als die anderen, ergeben verschiedene Objektive Aufnahmen, die nicht nur verschiedene Schärfen*grade,* sondern auch verschiedene Schärfen*arten* aufweisen (oder genauer: Unschärfengrade und -arten, denn nicht einmal das anscheinend schärfste Negativ oder Farbdia erscheint über die ganze Bildfläche gleichmäßig scharf, wenn man es stark vergrößert).
Außerdem werden Objektive, die für verschiedene Aufnahmeformate bestimmt sind, nach verschiedenen Normen gerechnet, weil selbstverständlich kleine Negative und Dias, die wesentlich stärkere Vergrößerungsmaßstäbe aushalten müssen, schärfer sein müssen als größere. Deshalb besitzen Objektive für Kleinbildaufnahmen durchschnittlich etwa doppeltes Auflösungsvermögen wie Objektive, die für größere

Formate bestimmt sind. Also ist es ungünstig, Objektive von größeren Kameras für Kleinbildfotografie zu benutzen, denn die entstehenden Bilder werden weniger scharf.
Um ein scharf arbeitendes Objektiv herauszufinden, braucht der Fotograf nicht zu wissen, warum bestimmte Linsenfehler bestimmte Arten von Unschärfe ergeben. Alles, was er wissen muß, ist folgendes:
Es ist wesentlich schwieriger, die Lichtstrahlen, die durch die Außenbezirke eines Objektivs gehen, im Brennpunkt zu vereinigen als diejenigen, die nahe an der optischen Achse liegen. Daraus ergeben sich für die Praxis bestimmte Folgerungen:

Hochlichtstarke Objektive haben im Verhältnis zur Brennweite einen großen Durchmesser, benutzen daher zur Bildherstellung einen verhältnismäßig großen Teil von Randstrahlen. Benutzt man sie bei voller Öffnung, ergeben sie Bilder, die in der Regel weniger scharf sind als Aufnahmen mit Objektiven kleinerer Öffnung. Diese haben im Verhältnis zur Brennweite einen kleineren Durchmesser. Daher ist für die Bildherstellung der Anteil von Strahlen in der Nähe der optischen Achse prozentual größer. Fotografen, denen in erster Linie an guter Schärfe liegt, verzichten daher auf höchste Lichtstärke und arbeiten lieber mit Objektiven mittlerer Öffnung.

Abblenden des Objektives schneidet die äußeren Strahlen ab, die die Schärfe am stärksten stören. Also ergibt dasselbe Objektiv, wenn es von der Anfangsöffnung aus um zwei, drei oder vier Blendenstufen abgeblendet wird , normalerweise ein schärferes Bild als mit voller Öffnung (übermäßiges Abblenden verursacht jedoch wiederum eine Verschlechterung der Schärfe, allerdings in diesem Falle nicht aus Konstruktionsgründen, sondern weil dabei viele Lichtstrahlen an den Kanten der Blende gebeugt werden).

Die schärfsten Objektive, die sogenannten Reproduktionsobjektive, sind, um ein Maximum an Schärfe zu erreichen, immer ziemlich lichtschwach, also auch kleiner, leichter, aber leider nicht billiger. Ihre Randbezirke wurden sozusagen schon mit dem Aufbau abgeschnitten, so daß das endgültige Objektiv praktisch nur noch aus einem mittleren Bezirk besteht (was bei einem lichtstärkeren Objektiv gleicher Brennweite durch Abblenden zu erreichen ist). Diese Reproduktionsobjektive erreichen schon bei voller Öffnung ihre beste Schärfenleistung. Beim Abblenden ergibt sich keine Steigerung der Schärfe an sich, sondern nur eine Vergrößerung der Schärfe nach der Tiefe zu, also der Schärfentiefe.

Bildfeldwölbung ist die gewöhnlichste Ursache für Unschärfe bei modernen Objektiven. Man findet sie besonders häufig in lichtstarken Objektiven. Sie äußert sich darin, daß das scharfe Bild nicht eben ist (wie die Filmfläche), sondern dreidimensional gekrümmt wie eine Kugelschale. Objektive mit diesem Fehler besitzen kein »geebnetes« Bildfeld (im Gegensatz dazu müssen Reproduktionsobjektive, die vor allem für Aufnahmen ebener Flächen bestimmt sind, ein geebnetes Bildfeld aufweisen). In der Praxis macht sich Bildfeldwölbung vor allem bei Aufnahmen flacher Objekte bemerkbar, wie z. B. einer Testkarte für Objektive oder einer Mauer, ist aber – und das ist wichtig – weniger auffällig und mitunter sogar völlig unbemerkbar bei Aufnahmen von Objekten mit Tiefenausdehnung. Fotografen, die das nicht wissen, lehnen dann oft verhältnismäßig gute Objektive lediglich deshalb ab, weil sie bei dem üblichen Schärfentest Mängel zeigen: z. B., weil die Aufnahme einer Ziegelmauer oder einer Zeitungsseite nicht gleichmäßig scharf ist. Der *praktische* Wert solcher Objektive wird jedoch durch die Schärfeleistung in der Bildmitte bei voller Öffnung bestimmt (je schärfer, desto besser), ferner durch den Grad der Abblendung, der nötig ist, um die Schärfe gleichmäßig zu verteilen (je geringer, um so besser), und durch die allgemeine Schärfeleistung bei mittlerer Abblendung.

Verschiedene Objektivtypen erreichen ihre beste Schärfe bei verschiedenen Aufnahmeabständen. Objektive für allgemeine Fotografie werden so gerechnet, daß sie ihre beste Schärfeleistung bei mittleren Entfernungen, etwa zwischen 5 und 50 Metern, entfalten. Luftbildobjektive sind auf beste Schärfe bei sehr großen Entfernungen (»unendlich«) gerechnet. Reproduktionsobjektive, die für Aufnahmen auf kurze Entferungen bestimmt sind, erreichen ihr Schärfenmaximum bei wenigen Metern. Spezialobjektive für Nah- und Makroaufnahmen, also »echte« Makroobjektive wie die Zeiss-Luminare, sind so korrigiert, daß sie ihre beste Schärfenleistung auf Entfernungen von Zentimetern ergeben.

Grad der Farbkorrektur

Licht verschiedener Farbe wird von Glas nicht gleichartig gebrochen. Daher erzeugt eine einfache Linse, wie etwa eine Lupe oder ein Brillenglas, Bilder, die wie schlechte Farbreproduktionen aussehen, deren Farben sich nicht genau decken: Die Konturen aller Objekte sind von

Farbsäumen umgeben, weil verschiedene Farben trotz gleicher Abstände von der Linse in verschiedenen Entfernungen hinter der Linse scharf abgebildet werden. Farbflächen haben also nicht scharfe Kanten, sondern unscharfe Ränder, und weiße Flächen oder Dinge – Weiß ist bekanntlich die Mischung aller Farben – sind von breiten Säumen in allen Farben des Spektrums umgeben.
Ausreichende Farbkorrektur ist daher die erste Voraussetzung für jedes Objektiv, das für Farbaufnahmen verwendet werden soll. Heute sind praktisch alle Objektive, ausgenommen einfache Linsen für Boxkameras, bis zu einem gewissen Grade, der von Objektivtyp und Preis abhängt, farbkorrigiert. In bezug auf ihre Farbkorrektur sind zwei Objektivtypen zu unterscheiden:

Achromatische Objektive, zu denen die meisten Objektive gehören, sind so korrigiert, daß *zwei* Farben – meist Blau und Grün – in derselben Ebene scharf abgebildet werden. Ihre Leistungen sind für durchschnittliche Ansprüche durchaus zufriedenstellend.

Apochromatische Objektive sind dagegen so korrigiert, daß sie *drei* Farben (Blau, Grün, Rot) gleichzeitig scharf abbilden. Sie sind daher in bezug auf Farbwiedergabe den achromatischen Objektiven überlegen und werden in erster Linie für kritische Farbaufnahmen, Farbreproduktionen höchster Qualität, Farbvergrößerungen von Farbnegativen, Farbauszüge und Farbdrucke verwendet, sind aber nur in einer beschränkten Anzahl von Brennweiten erhältlich, die meist für Großformatkameras bestimmt sind.

Grad der inneren Reflexion

Nicht alle Lichtstrahlen, die auf die Objektivvorderfläche treffen, gelangen unmittelbar zum Film und sind somit an der Erzeugung des Bildes beteiligt. Einige von ihnen werden an den Oberflächen der Linsen reflektiert, andere an der Innenseite der Objektivfassung oder im Kamerainnern. Sie können dann nach mehrmaliger Reflexion doch noch zum Film kommen, ergeben jedoch nur Lichtflecken oder Schleier.

Lichtflecken können zwar auf dem Negativ oder Dia fast jede Form und Größe aufweisen, sind aber meist rund, halbmondförmig, oval oder haben die Form der Blendenöffnung.

Schleierbildung ergibt sich aus stark zerstreuten Lichtflecken und äußert sich in mehr oder weniger gleichmäßiger, teilweiser oder allgemeiner Belichtung des Negativs oder Dias. Beim Farbdia entsteht dadurch allgemeine Aufhellung der Farbe und Minderung des Kontrasts ähnlich wie bei Überbelichtung.
Die Vergütung der Objektivfläche durch reflexvermindernde Schichten hat das Auftreten von Lichtflecken und Schleiern stark zurückgedrängt, und auch die Sonnenblende trägt das ihrige dazu bei. Trotzdem können diese Fehler noch in verschiedenen Graden bei hochlichtstarken (und anderen) Objektiven auftreten und zeigen sich in erster Linie bei Aufnahmen von Motiven mit großem Kontrastumfang oder bei Gegenlichtaufnahmen. Objektive mit einer besonders großen Zahl von Glasflächen, die direkt gegen Luft stehen, sind besonders anfällig für Lichtflecke und Schleier. Aber nur eigene Testaufnahmen können feststellen, ob vielleicht eines von mehreren Objektiven ähnlicher Lichtstärke und Brennweite, aber anderer Bauart diese Eigenschaften in besonders starkem Maße besitzt.

Gleichmäßigkeit der Lichtverteilung

Ungleichmäßige Belichtung – Negative, deren Mitte dunkler, und Farbdias, deren Mitte heller als die Ecken sind – kann zwei Gründe haben:
Da Seiten und Ecken des Films weiter als seine Mitte vom Objektiv entfernt sind, erhalten diese nach dem Gesetz von der Abnahme des Lichts mit dem Quadrat der Entfernung weniger Licht als die Bildmitte, erscheinen daher im Farbdia dunkler, im Negativ heller. Diese Art von Lichtabfall ist zwar in jedem Objektiv vorhanden, macht sich aber bei Objektiven normaler oder langer Brennweite normalerweise nicht bemerkbar. Sie ist jedoch eine typische Eigenschaft vieler Weitwinkelobjektive, wenngleich sie auch bei gewissen Typen stärker ausgeprägt ist als bei anderen. Nur ein Test kann zeigen, wie stark diese Erscheinung auftritt. Meist ist sie um so störender, je größer der Bildwinkel ist. So ist beispielsweise der Lichtabfall bei dem Super-Weitwinkel Goerz-Hypergon, das einen Winkel von 130 ° erfaßt, so stark, daß dieses Objektiv mit einer Sternblende ausgerüstet ist, die, während eines Teiles der Belichtung von einer Luftpumpe getrieben, die Randpartien nachzubelichten erlaubt.
Der zweite Grund für ungleichmäßige Lichtverteilung auf dem Film besteht in Vignettierung, was oft auf ungünstigen Bau der Objektivfas-

sung zurückzuführen ist. Diese Vignettierung verhindert, daß die Bildecken ihren vollen Anteil an Licht bekommen. Man findet sie oft bei Objektiven mit langen und engen, rohrartigen Fassungen, vor allem bei Teleobjektiven und altmodischen Optiken. Sie kann aber auch daher rühren, daß ein Objektiv in einer Kamera verwendet wird, für die es nicht geeignet ist.
Während der Schwarzweiß-Fotograf ungleichmäßige Ausleuchtung seiner Aufnahmen beim Vergrößern in der Regel durch Zurückhalten oder Nachbelichten ausgleichen kann, stehen dem Fotografen mit Farbumkehrfilm keine Korrektionsmittel für Lichtabfall zur Verfügung. Er muß daher besonders darauf achten, mit Objektiven zu arbeiten, die eine gleichmäßige Lichtverteilung ergeben.

Grad der Verzeichnung

Fotografen müssen zwischen vier Arten von Verzeichnung unterscheiden, von denen keine mit der anderen zusammenhängt:

Perspektivische Verzeichnung. Bekannte Beispiele dafür sind Nasen, die im Bildnis viel zu groß erscheinen, oder zur Kamera hin gestreckte Hände, die unverhältnismäßig groß aussehen. Diese Art von Verzeichnung – genauer: perspektivische Übertreibung – ist jedoch kein Objektivfehler, sondern ein Fehler von seiten des Fotografen, der seine Aufnahme mit einem ungeeigneten Objektiv aus einer Entfernung gemacht hat, die zu kurz war, um einen natürlich wirkenden Eindruck zu ergeben. Fast immer handelt es sich dabei um eine Aufnahme mit einem Objektiv ziemlich kurzer Brennweite – meist einem Weitwinkel –, weshalb viele Fotografen der Ansicht sind, daß »alle Weitwinkel verzeichnen«. In Wirklichkeit kommt das aber so: Um die verhältnismäßig kleine Darstellung des kurzbrennweitigen Objektivs zu vergrößern, ging der Fotograf zu nah an sein Aufnahmeobjekt heran. Hätte er dieselbe Aufnahme mit einem Objektiv längerer Brennweite von einem weiter entfernten Standpunkt aus gemacht, würde er mehr oder weniger denselben Bildausschnitt bekommen haben, aber in einer natürlich wirkenden Perspektive. Darüber habe ich später noch mehr zu sagen.

Unnatürliche Verbreiterungen von kugelförmigen oder zylindrischen Objekten, die bei Aufnahmen mit extremen Weitwinkelobjektiven nahe an den Bildrändern oder Ecken erscheinen, sind zwar auch eine

Art »Verzeichnung«, aber keineswegs ein Fehler des Objektivs, sondern die natürliche Folge der Projektion dreidimensionaler Dinge in schräger Richtung auf eine ebene Fläche: den Film. Siehe die folgende Illustration:

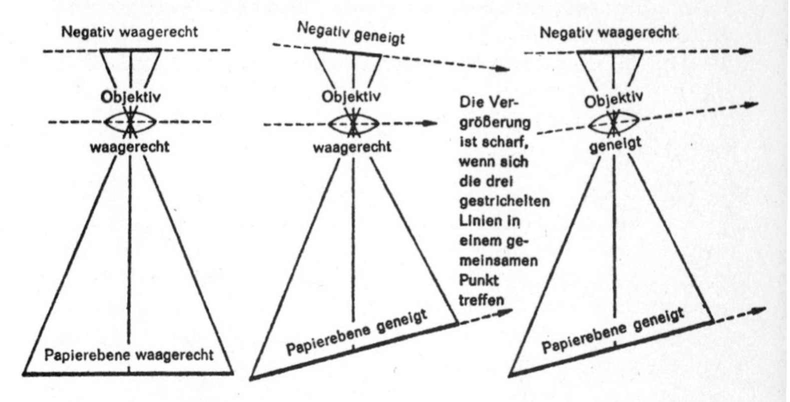

Hier wird gleichfalls dem falsch angewandten Weitwinkelobjektiv eine Erscheinung zur Last gelegt, die an sich kein Fehler des Objektivs ist, sondern durch die schlechte Regie des Fotografen entstand, der sein Motiv anders arrangieren oder die Aufnahme von einem anderen Standpunkt oder mit einem Objektiv längerer Brennweite hätte machen sollen.

Das Krümmen gerader Linien, das typisch für sphärische und zylindrische Perspektive ist (über die später mehr gesagt wird), ist gleichfalls kein vom Objektiv verursachter Fehler, da diese Objektive oder optischen Systeme absichtlich so gebaut sind, daß sie diese Art von Perspektive ergeben.

Tonnen- und kissenförmige Verzeichnung ist schließlich die einzige Art von Verzeichnung, die von Fehlern des Objektivs herrührt. Man spricht hier meist von »Distorsion«. Sie zeigt sich darin, daß gerade Linien als Kurven wiedergegeben werden, und zwar um so stärker verbogen, je weiter diese Linien von der optischen Achse entfernt sind, wo übrigens gerade Linien auch gerade abgebildet werden. Tonnenförmige Distorsion besteht darin, daß die geraden Linien nach außen gebogen werden, während kissenförmige Distorsion gerade Linien nach innen verbogen darstellt.

Tonnen- und kissenförmige Distorsion sind Fehler, die man oft bei Weitwinkelobjektiven und bei Varioobjektiven findet. Ist diese Verzeichnung stark ausgeprägt, kann man das Objektiv nicht für Aufnahmen von Architekturen, Innenräumen und Materialdarstellungen verwenden, bei denen gerade Linien gerade dargestellt werden müssen. Aber bei Aufnahmen von Motiven, die keine geraden Linien enthalten, spielt die Wirkung dieser Verzeichnung normalerweise keine Rolle.

Objektivtypen

Wie bei den Kameras gilt auch als wichtigste Eigenschaft des Objektivs seine Eignung. Weder Lichtstärke noch Markenname oder Preis bedeuten hier etwas, wenn das Objektiv für das Arbeitsgebiet, das man in Angriff nehmen will, ungeeignet ist. Die folgende Übersicht, in der die verschiedenen Objektivtypen nach ihrem Zweck geordnet sind, zeigt dem Leser, was die einzelnen Typen leisten, und soll ihm helfen, sich darüber eine Meinung zu bilden, was er braucht.

Objektivtyp	Brennweite
Normalobjektive lichtstarke Objektive	normale Brennweite
Weitwinkelobjektive	kurze Brennweite
Reproobjektive Weichzeichnerobjektive	mittlere Brennweite
Teleobjektive Ferngläser Spiegelobjektive Luftbildobjektive	lange Brennweite
Varioobjektive Satzobjektive Vorsatzlinsen	veränderliche Brennweite

Normalobjektive haben eine Brennweite, die ungefähr der Diagonale des Filmformates entspricht, für das sie bestimmt sind, ziemlich hohe Lichtstärke (1:2 und 1:2,8 für Kleinbild- und 6 × 6-Kameras, 5,6 und niedriger für 9 × 12- und größere Kameras) und zeichnen Bildwinkel von 45 bis 55 ° aus. Sie stellen den praktisch besten Kompromiß zwischen Schärfe, Lichtstärke und Bildkreis dar und ergeben Bilder, die in bezug auf Ausschnitt und Perspektive dem Eindruck am nächsten kommen, den das Auge im Augenblick der Aufnahme hatte. Das Normalobjektiv ist das erste Objektiv, das sich ein Fotograf anschaffen sollte, wenn er sich eine Kamera mit auswechselbaren Objektiven kauft, denn es eignet sich für den größten Teil der verschiedensten Aufgaben.

Lichtstarke Objektive sind Normalobjektiven in bezug auf kurze Belichtung überlegen, lassen aber, was die Schärfe anbetrifft, oft etwas zu wünschen übrig und haben gewöhnlich auch einen etwas kleineren Bildwinkel. Sie sind außerdem größer, schwerer, teurer und neigen mehr zu Lichtfleck und Schleier. Wirklich hochlichtstarke Objektive gibt es eigentlich nur für Kleinbildkameras: Sie haben Lichtstärken von 1:0,95 bis 1:1,8. Während Normalobjektive den besten Kompromiß darstellen, um in einem Instrument soviel wie möglich wünschenswerte Eigenschaften zu vereinigen, sind hochlichtstarke Objektive nur für ein Ziel gerechnet: hohe Lichtstärke. Um dieses Ziel zu erreichen, müssen andere nützliche Eigenschaften bis zu einem gewissen Grade geopfert werden. Daher sind hochlichtstarke Objektive weniger für allgemeine Fotografie geeignet. Andererseits machen gerade ihre beiden hervorstechenden Eigenschaften – unübertroffene Lichtstärke und extrem geringe Schärfentiefe bei größter Öffnung – diese Objektive zu wertvollen Werkzeugen in der Hand eines schöpferischen Fotografen, wenn die Lichtverhältnisse sehr schlecht sind oder wenn er die Schärfe auf eine enge Zone beschränken möchte.

Weitwinkelobjektive zeichnen einen größeren Bildkreis als Normalobjektive gleicher Brennweite aus, weisen aber oft Distorsion und gewöhnlich mehr oder weniger ausgesprochenen Lichtabfall nach den Ecken des Bildes hin auf (ungleichmäßige Lichtverteilung über das Bildfeld). Wie hochlichtstarke Objektive sind sie mit einem einzigen Ziel konstruiert, in diesem Fall dem eines großen Bildkreises, der normalerweise einen Bildwinkel von 60 ° bis 100 ° umfaßt. Äußerstes in dieser Hinsicht leistet das Goerz-Hypergon, das allerdings nur für die Formate 13 × 18 cm und 18 × 24 cm zu haben war und den enormen Winkel von 130 ° scharf auszeichnete, aber meines Wissens nicht mehr hergestellt wird.
Man unterscheidet zwischen zwei Typen von Weitwinkelobjektiven: regelrechte Weitwinkelobjektive, die Aufnahmen mit rektilinearer Perspektive ergeben, d. h. gerade Linien des Motivs als gerade Linien zeichnen (abgesehen natürlich von geringer Biegung durch mögliche Distorsion), und »Fish-eye-Objektive«, d. h. Superweitwinkel-Objek-

tive, die einen Winkel von 180° oder mehr erfassen und Bilder mit sphärischer Perspektive ergeben, d. h., gerade Linien des Motivs werden als Kurven dargestellt.
Meiner Meinung nach sind Weitwinkelobjektive schwieriger zu benutzen als alle anderen Objektivtypen. Soweit nicht andere Überlegungen dagegen sprechen, möchte ich daher ein Weitwinkelobjektiv erst als drittes Zusatzobjektiv für eine Kamera mit Wechselobjektiven vorschlagen. Die anderen beiden sind ein Teleobjektiv und ein lichtstarkes Objektiv. Trotzdem ist es heute unter Pressefotografen allgemein üblich, die Mehrzahl von aus dem Leben gegriffenen Aufnahmen von Menschen mit einem mäßigen Weitwinkelobjektiv anstatt mit einem Normalobjektiv zu machen. Der Grund dafür ist, daß ein Weitwinkelobjektiv vom gleichen Aufnahmestandpunkt bei gleicher Blende größere Schärfentiefe gibt als ein Normalobjektiv. Allerdings ergibt dabei das Weitwinkelobjektiv infolge seiner kürzeren Brennweite eine Abbildung in kleinerem Maßstab als das Normalobjektiv. Mit anderen Worten: der Gewinn auf der einen Seite – zusätzliche Schärfentiefe – steht einem Verlust auf der anderen Seite gegenüber – kleinere Abbildung, den der Fotograf oft dadurch auszugleichen versucht, daß er näher herangeht. Das vergrößert zwar die Abbildung, führt aber gleichzeitig dazu, daß das Objekt mehr oder weniger verzeichnet wiedergegeben wird – ein Preis, der stets zu zahlen ist, wenn der Abstand zwischen Objekt und einem Objektiv mit überdurchschnittlich großem Bildwinkel zu kurz ist. Um derartige unschöne Wirkungen zu vermeiden, empfehle ich, Weitwinkelobjektive nur aus zwei Gründen zu verwenden: wenn es die Umstände unmöglich machen, daß man das gesamte Motiv mit dem Normalobjektiv erfaßt, oder wenn der typische Effekt der Weitwinkelperspektive im Interesse einer besonders intensiven Darstellung erwünscht ist.

Reproobjektive sind nur für ein einziges Ziel gerechnet: Schärfe. Es handelt sich meist um Apochromate, die für Aufnahmen aus kurzen Abständen bestimmt sind. Sie besitzen ein besonders gut geebnetes Bildfeld mit gleichmäßiger Schärfenverteilung bei voller Öffnung über das ganze Bildfeld. Ihr Bildkreis ist kleiner als normal, ihre Brennweite länger als normal, und ihre Lichtstärke, die gewöhnlich bei 1:9 liegt, ist geringer als normal. Echte Reproobjektive (aber nicht Apochromate) sind nur für 9 × 12 cm und größer zu haben. Für die Herstellung von Reproduktionen zweidimensionaler Objektive sind sie unübertroffen. Falls Lichtstärke keine Rolle spielt, eignen sie sich auch hervorragend für Werbefotografie und Materialfotografie und, falls eine Kamera mit genügend langem Auszug zur Verfügung steht, auch für Nahaufnahmen.

Weichzeichnerobjektive haben als sehr spezielle Objektive nur begrenzte Verwendungsmöglichkeiten. Sie ergeben Aufnahmen, die weder scharf noch unscharf im üblichen Sinne des Wortes sind. Einzelheiten der Darstellung scheinen aus einem ziemlich scharfen Kern, der von einer weichen Überstrahlung umgeben ist, zu bestehen. Diese Wirkung wird mit höherem Beleuchtungskontrast gesteigert und erscheint in Gegenlichtaufnahmen besonders betont (und kann hier ausgezeichnet wirken).
Es handelt sich dabei um eine etwas altmodische Objektivgattung, die aber von Lichtbildnern und Bildnisfotografen, zumal von solchen, die Frauen fotografieren, immer noch hoch geschätzt wird. Heute werden nur noch wenige Typen solcher Objektive hergestellt. Ähnliche Wirkung erreicht man auch mit einem Weichzeichnervorsatz, der das Objektiv, vor das er gesetzt wird, in einen Weichzeichner verwandelt. Bei geringem Kontrast und in der Hand von Anfängern führen Weichzeichnerobjektive und -vorsätze unweigerlich zu Mißerfolgen.

Teleobjektive bilden vom selben Standpunkt aus größer ab als die für dasselbe Filmformat geschaffenen Normalobjektive, erfassen dann aber natürlich einen kleineren Bildwinkel. »Echte« Teleobjektive sind langbrennweitige Objektive, die gegenüber »normalen« langbrennweitigen Objektiven bei Einstellung auf unendlich nur einen kürzeren Abstand zwischen Objektiv und Film erfordern, als ihrer Brennweite entspricht, es sind »langbrennweitige Objektive mit verkürzter Schnittweite«. Z. B. braucht ein normales Objektiv von 32 cm Brennweite bei Einstellung auf unendlich einen Abstand von 32 cm vom Film, während ein Teleobjektiv derselben Brennweite mit einem kürzeren Abstand auskommt. So wird beispielsweise das Zeiss-Tele-Tessar von 32 cm Brennweite schon mit 20 cm Auszug auf unendlich eingestellt. Diese verkürzte Bauweise gibt dem Teleobjektiv praktische Vorteile vor normalen Objektiven gleicher Brennweite.
Teleobjektive benutzt man, wenn der Aufnahmeabstand so groß ist, daß das Normalobjektiv das Motiv zu klein abbilden würde, oder wenn die besondere verdichtende Perspektive der langbrennweitigen Abbildung erwünscht ist. Teleobjektive mittlerer Brennweite eignen sich ausgezeichnet für Bildnisaufnahmen. Bei Teleobjektiven von extrem langer Brennweite können sich durch atmosphärischen Dunst, der farbige Objekte in einfarbig bläuliche verwandelt, gewisse Schwie-

rigkeiten ergeben. Durch thermische Luftbewegungen (Wärme macht aus Objekten mit klaren, geraden Umrissen solche mit unscharf-verwackelten Konturen) werden die Bedingungen für scharfe Wiedergabe auf größerer Entfernung oftmals stark eingeengt.

Binokulare und monokulare Ferngläser können mit den meisten einäugigen und zweiäugigen Spiegelreflexkameras für Kleinbild und 6 × 6 verwendet werden, um Aufnahmen mit erheblich vergrößertem Abbildungsmaßstab zu machen. Einige Monokulare können direkt in die Schraubfassung der Frontlinse des Normalobjektivs einer Kleinbildkamera eingeschraubt oder an den Objektivtubus angesetzt werden; aber die meisten müssen mit einem speziellen Adapter angebracht werden. Man unterscheidet hier zwei Fälle:

Fernglas oder Fernrohr allein. Die Aufnahme wird nur mit dem Monokular gemacht. Da dies voraussetzt, daß das Kameraobjektiv herausgenommen und das Fernrohr an seine Stelle gesetzt wird, kommen dafür nur Schlitzverschlußkameras mit auswechselbaren Objektiven in Frage. Das Bild wird direkt auf der Mattscheibe der Spiegelreflexkamera eingestellt. Schnittbild-Indikator oder Mikroprismenkreis können zur Einstellung nicht verwendet werden, weil sie bei diesen langen Brennweiten dunkel erscheinen. Das Praktischste ist hier ein Klarkreis mit Fadenkreuz. Im Vergleich mit der anschließend geschilderten Möglichkeit hat diese Methode folgende Vorteile:
Der Aufbau ist einfacher, robuster, weniger schwerfällig, schneller anzubringen und abzubauen. Da das Monokular oder Fernglas direkt über einen Adapter mit dem Kameragehäuse verbunden ist, braucht man kein spezielles Zubehör für exakte Ausrichtung. Die optische Qualität der Aufnahmen ist besser, und Vignettierung tritt nicht so leicht ein.

Fernglas + Objektiv. Dazu setzt man das Monokular, Binokular oder Fernglas vor das Normalobjektiv der Kamera. Diese Methode ist vielseitiger in der Anwendung, da sie sich auch für zweiäugige Reflexkameras und Kameras mit fest eingebautem Objektiv eignet. Im Vergleich zu der eben geschilderten Methode hat sie allerdings folgende Nachteile:
Die Bildqualität in bezug auf Schärfe ist schlechter und zeigt meist deutlich Lichtabfall nach den Ecken des Bildes. In der Regel tritt ziemlich starke Vignettierung auf, die das Bild auf dem Aufnahmeformat kreisrund abgrenzt. Man braucht mitunter ziemlich schwerfällige

Adapter, um Kamera und Fernglas zu verbinden, die meist jedesmal exakt ausgerichtet werden müssen, ehe man damit fotografieren kann.
Wenn theoretisch auch jedes binokulare oder monokulare Fernglas für diese Art Fotografie zu verwenden ist, ergeben doch nur solche Ferngläser wirklich gute Resultate, die für fotografische Zwecke hergestellt worden sind. Aber selbst dann ist die Bildqualität in bezug auf Schärfe und gleichmäßige Ausleuchtung stets der Qualität ähnlicher Aufnahmen mit Teleobjektiven oder langbrennweitigen Objektiven normaler Bauart unterlegen. Das beste, was man über diese Art der Fernfotografie sagen kann, ist, daß sie dem Fotografen erlaubt, mit relativ einfachen und billigen Mitteln Aufnahmen zu machen, die ein Motiv 6- bis 12mal größer abbilden, als es ein Normalobjektiv tut.

Spiegelobjektive, ein relativ neuartiger Typ von Fernobjektiven, sind aus Spiegeln und Linsen zusammengesetzte Systeme und nach den Grundsätzen des Spiegelteleskops gebaut. Ihr wichtigstes Merkmal ist ein parabolischer Spiegel; sie werden nur für Brennweiten von 500 mm und länger hergestellt. In diesen Brennweiten haben sie gegenüber regelrechten Teleobjektiven oder vergleichbaren langbrennweitigen Objektiven die Vorteile, daß sie wesentlich kürzer gebaut, nur einen Bruchteil so schwer und ausgezeichnet farbkorrigiert sind. Leider werden diese wichtigen Vorteile mit gewissen Nachteilen erkauft. Der wesentliche darunter besteht darin, daß Spiegelobjektive keine Blende besitzen. Sie können also nicht abgeblendet werden, sondern sind nur mit voller Öffnung zu verwenden. Daraus ergibt sich, daß die Schärfentiefe meist außerordentlich gering ist und daß man die Belichtung normalerweise mit der Verschlußgeschwindigkeit regeln muß. In Fällen, in denen auch die kürzeste Belichtung noch zu lang ist, kann man die Lichtstärke durch Graufilter dämpfen, die meist zum Spiegelobjektiv geliefert werden. Ein weiterer Nachteil besteht darin, daß ungewöhnlich helle Objekte außerhalb der scharf abgebildeten Zone, wie beispielsweise Sonnenflecke auf dem Wasser oder Straßenlaternen bei Nacht, nicht in der üblichen Form unscharfer Scheiben erscheinen, sondern als helle Ringe, die gewohnte Unschärfe in ein Wirrwarr von Kringeln auflösen.
Hauptvorteil der Spiegelobjektive sind Lichtstärke, phantastisch kurze Bauart, geringes Gewicht und daß durch lange Brennweiten große Abbildungsmaßstäbe erreicht werden können. (Bekannt sind hier die Zeiss-»Mirotare« mit 500 und 1000 mm Brennweite. Das amerikanische »Questar«, ein Spiegelobjektiv mit variabler Brennweite für ein-

äugige Spiegelreflexkameras, erreicht mit einem 80fachen Okular eine Brennweite von 9 m.) Ob die Vorteile des Spiegelobjektivs gegenüber einem regelrechten Teleobjektiv seine Nachteile aufwiegen, muß der Fotograf selbst entscheiden.

Luftbildobjektive. Zwar kann man Aufnahmen aus der Luft mit jedem guten Normal- oder Weitwinkelobjektiv machen, aber Luftbildkameras werden mit speziellen Luftbildobjektiven meist nach Wahl des Luftbildfotografen ausgerüstet. Daß in Fotozeitschriften mitunter überzählige Luftbildobjektive zum Kauf angeboten werden, ergibt die Frage, ob sich diese meist ziemlich preiswert angebotenen Objektive für Bildnisaufnahmen, Nahaufnahmen und andere Arten der Fotografie auf der Erde eignen.
Meiner Meinung nach ist hier mit einem strikten »Nein« zu antworten. Wenn auch einige Luftbildobjektive mit ziemlich kurzen Brennweiten erfolgreich für Bildnisaufnahmen mit großformatigen Kameras verwendet worden sind, weisen doch die meisten Luftbildobjektive Nachteile auf und sind für übliche Fotografie nicht geeignet. Sie sind zu schwer, um wirklich »tragbar« zu sein, und zu groß, als daß man sie an eine normale Kamera ansetzen könnte, außerdem sind sie nur an Kameras mit Schlitzverschluß zu verwenden. Da sie für beste Schärfe bei sehr großer Entfernung berechnet sind, versagen sie bei kürzeren Abständen. Viele weisen beträchtliche chromatische Aberration auf und kommen daher für Farbaufnahmen überhaupt nicht in Frage. Da die meisten dafür gebaut und korrigiert sind, daß man sie mit einem dichten Rotfilter benutzt, ergeben sie ohne dieses Filter keine einwandfreie Schärfe.

Varioobjektive – auch Gummilinsen, Zoomobjektive oder pankratische Objektive genannt – sind raffiniert aufgebaute optische Systeme mit veränderlichen Brennweiten, die zwischen ihrer kürzesten und längsten Brennweite auf jede beliebige Brennweite eingestellt werden können. Je nach Konstruktion ist ihre längste Brennweite 2-, 3- oder sogar 4mal länger als ihre kürzeste. Man verändert die Brennweite, indem man einen gleitenden oder drehbaren Ring an der Objektivfassung betätigt. Dabei bleibt – theoretisch – die Entfernungseinstellung konstant, gleichgültig, welche Brennweite man einstellt. In der Praxis trifft das allerdings nicht auf alle Varioobjektive zu: Bei einigen von ihnen muß nach der Brennweitenveränderung die Entfernungseinstellung berichtigt werden. Der wesentliche Vorteil der Varioobjektive besteht darin, daß sie in einem einzigen Objektiv die Möglichkeiten einer Anzahl von Objektiven vereinigen; für den Fotografen bedeutet das Ersparnis an Raum, Gewicht und Geld, ferner an Zeit, die man andernfalls zum Auswechseln von Objektiven braucht. Außerdem bieten Varioobjektive die Möglichkeit, von einem bestimmten Standpunkt aus das Motiv in vielen verschiedenen Abbildungsgrößen zu studieren und die verschiedenen Ausschnitte einfach mit Brennweitenverstellung durchzuprobieren. Natürlich haben sie auch gewisse Nachteile: Varioobjektive können nur an einäugigen Spiegelreflexkameras benutzt werden. Zur Zeit, als dieses Buch geschrieben wurde, waren sie nur für Kleinbildformat vorhanden. Sie sind ziemlich schwer, unförmig und lang, und wenn der Fotograf mit normaler Brennweite fotografieren will, muß er sein Bild mit einem Objektiv machen, das so dick und schwer wie ein mittleres Teleobjektiv ist. Schließlich liefern Varioobjektive gewöhnlich nicht die gleiche Schärfe wie ein Normalobjektiv oder ein echtes Teleobjektiv von entsprechender Brennweite. Viele von ihnen weisen bei bestimmten Einstellungen Distorsion auf, d. h., gerade Linien am Bildrand werden mehr oder weniger gebogen wiedergegeben.

Satzobjektive stellen einen altmodischen Objektivtyp dar und bieten je nach Bauart zwei oder drei verschiedene Brennweiten. Das wurde durch Korrigieren jeder der beiden Objektivhälften erreicht. Handelt es sich bei dem Satzobjektiv um ein symmetrisch aufgebautes System (bei dem Vorder- und Hinterglied identisch sind), haben die beiden Glieder je die doppelte Brennweite und ein Viertel der Lichtstärke des ganzen Systems. Sind die beiden Glieder unsymmetrisch, ergeben sich verschiedene Brennweiten und Lichtstärken, so daß dann das Satzobjektiv drei verschiedene Brennweiten zur Verfügung stellt.
Nachteile der Satzobjektive liegen darin, daß man sie nur mit Mattscheibenkameras oder einäugigen Spiegelreflexkameras benutzen kann. Damit die Einzellinsen einwandfrei scharf zeichnen, muß man sie ziemlich stark abblenden – und dabei ist ihre Lichtstärke schon an und für sich ziemlich gering. Diese Satzobjektive sind in erster Linie für 9 × 12-cm- und größere Kameras gedacht.

Vorsatzlinsen werden in Verbindung mit üblichen Objektiven benutzt, und zwar in erster Linie, um deren Brennweite zu verändern (dabei allerdings auch die Lichtstärke). Sie haben die folgenden vorteilhaften Eigenschaften: mit nur einem Bruchteil von dem, was ein zusätzliches Objektiv kostet, erreicht der Fotograf eine Wirkung, die in vieler, wenn auch nicht in jeder Hinsicht der eines zweiten Objektivs mit anderen Eigenschaften nahekommt. Wer eine Kamera mit fest eingebautem Objektiv besitzt, kann auf diese Weise beinahe Vorteile erzielen, wie sie Kameras mit Wechselobjektiven aufweisen. Neben Kosten spart man auch Platz und Gewicht. Leider haben Vorsatzlinsen aber auch allerhand Nachteile: Im Vergleich mit regelrechten Objektiven entsprechender Brennweite ergeben Objektive mit Vorsatzlinsen weniger scharfe Bilder und mitunter auch Lichtabfall nach den Bildecken. Ferner verringern Vorsatzlinsen, die die Brennweite verlängern, die Lichtstärke (bei jeder Abblendung), und zwar in Übereinstimmung mit dem Gesetz von der Abnahme des Lichtes mit dem Quadrat der Entfernung. Andererseits erhöhen zwar Vorsatzlinsen, die die Brennweite eines Objektivs verkürzen, dessen Lichtstärke, aber bei Nahaufnahmen, für die man solche Vorsatzlinsen in erster Linie benutzt, müssen diese Gewinne bei der Belichtungsberechnung vernachlässigt werden: Sie gehen nämlich völlig in dem Verlängerungsfaktor auf, um den bei der Nahaufnahme die Belichtung, wie sie der Belichtungsmesser anzeigt, verlängert werden muß. Man muß zwischen folgenden Typen von Vorsatzlinsen unterscheiden:

Vorsatzlinsen, die auf das Objektiv gesetzt werden. Diese sind vor allem für den Gebrauch in Verbindung mit Objektiven normaler Brennweite gedacht. Eine positive Vorsatzlinse verkürzt die Brennweite, eine negative Vorsatzlinse verlängert sie. Während positive Vorsatzlinsen mit jeder Kamera verwendet werden können, sind negative Vorsatzlinsen nur für solche Kameras geeignet, die genügend langen Auszug aufweisen oder bei denen das Ansetzen von Verlängerungstuben oder einem Balgengerät vorgesehen ist. Für zweiäugige Spiegelreflexkameras gibt es für Nahaufnahmen Sätze von positiven Vorsatzlinsen, die für die kurzen Entfernungen auch die Parallaxe ausgleichen. Dazu ist ein Prisma in die Vorsatzlinse, die auf das Sucherobjektiv gesteckt wird, eingebaut. Positive Vorsatzlinsen ermöglichen es, jede Kamera für Nahaufnahmen zu verwenden, wenn auch nur innerhalb bestimmter Grenzen. Negative Vorsatzlinsen verlängern die Brennweite für »Fernaufnahmen«, vorausgesetzt, daß genügend Auszug vorhanden ist. Gebrauchsanweisungen, auch in bezug auf die Belichtungsberechnung, liegen meist der Vorsatzlinse bei.

Telekonverter (oder Brennweiten-Verlängerer) sind negative Linsen oder Linsensysteme, die zwischen Kameragehäuse und Objektiv eingeschaltet werden und dann die Brennweite des Objektivs um einen bestimmten Faktor, der gewöhnlich zwischen 1,85 und 3 liegt, verlän-

gern. Im Gegensatz zu den negativen Vorsatzlinsen, die man auf das Objektiv setzt, erfordern diese Telekonverter keinen längeren Auszug und können daher in Verbindung mit jeder einäugigen Kleinbild-Spiegelreflexkamera, die für Wechselobjektive eingerichtet ist, verwendet werden. Natürlich ergibt sich mit der Verlängerung der Brennweite eine Verringerung der Lichtstärke für jede Blende. Zwar bekommt ein Objektiv von 135 mm Brennweite mit einem Telekonverter 2× eine Brennweite von 135 × 2 = 270 mm, aber nun muß auch jede Blendenzahl mit dem Faktor des Telekonverters multipliziert werden. Wenn die Anfangslichtstärke des Objektivs beispielsweise 5,6 beträgt, ist sie nun eben 5,6 × 2 = 11, d. h., das Objektiv hat nur noch ein Viertel seiner vorherigen Lichtstärke.
Telekonverter gibt es in Ausführungen, deren Leistungen von sehr gering zu erstaunlich variieren. Aber auch unter günstigen Bedingungen leistet die Kombination von normalem Objektiv und Telekonverter in fototechnischer Hinsicht nicht das gleiche wie ein gutes Teleobjektiv derselben Brennweite. Im allgemeinen arbeiten Telekonverter am besten, wenn man sie in Verbindung mit Objektiven von 135 mm und längerer Brennweite benutzt. Vielleicht ist auch bei manchen Bildnisaufnahmen die Abnahme der Schärfe nach den Bildecken zu, die hier besonders auftritt, wenn der Telekonverter mit dem Normalobjektiv verwendet wird, geeignet, den bildmäßigen Eindruck zu steigern. Telekonverter gibt es auch in Ausführungen für Objektive mit automatischer Springblende.
Sind extrem lange Brennweiten notwendig, kann man zwei Telekonverter hintereinander einsetzen. Natürlich wird damit aber die Bildqualität noch mehr verschlechtert, während die Belichtungszeit sprunghaft ansteigt. Wenn zum Beispiel zwei Telekonverter 2× miteinander verwendet werden, muß man für richtige Belichtung die Belichtungszeit 16fach verlängern, was sich aus der Rechnung (2 × 2) × (2 × 2) ergibt. Kombiniert man zwei Telekonverter 2× und 3×, entsteht der Verlängerungsfaktor 36, und bei zwei Konvertern 3× kommt man sogar – (3 × 3) × (3 × 3) – auf 81. Natürlich kann es sein, daß man diese Verlängerungsfaktoren der erzielten riesigen Brennweite halber in Kauf nimmt. Denn die erreichbaren Brennweiten sind geradezu verblüffend: Mit zwei Telekonvertern 2× wird aus einem Teleobjektiv von 200 mm Brennweite eines mit 800 mm Brennweite, mit einem Telekonverter 2× und einem 3× kommt man zu 1200 mm Brennweite, und zwei Telekonverter 3× ergeben sogar 1800 mm Brennweite. Ob allerdings die sich ergebende Bildqualität diese Brennweitenverlängerung sinnvoll erscheinen läßt, hängt von

mehreren Faktoren ab: der Leistung des Grundobjektivs, der Qualität der Konverter, wie gut Objektiv und Konverter zusammenarbeiten (manche Konverter arbeiten mit bestimmten Objektiven gut, mit anderen aber recht mangelhaft), wie ruhig die Kamera während der Belichtung war und schließlich, wie gut die Sichtbarkeit des Motives ist, z. B., ob thermische Wirbel in der Atmosphäre verhindern, daß man scharfe Bilder bekommt, gleichgültig, wie günstig alle anderen Umstände sein mögen.

Zusätzliche Fish-eye-Objektive gibt es als Vorsätze für Normalobjektive einschließlich Objektiven für Kameras 9 × 12 cm und größer. Sie verwandeln das Normalobjektiv, vor das sie gesetzt werden, in ein Fish-eye-Objektiv, das einen Bildwinkel von 180° erfaßt und Bilder mit sphärischer Perspektive ergibt.

Weichzeichnervorsätze in Form von Linsen oder Scheiben machen aus einem normalen Objektiv einen Weichzeichner, ohne dabei Brennweite und Lichtstärke zu beeinflussen. Sie werden auf die Vorderfront des üblichen Objektivs gesetzt und sind mit verschiedenen Wirkungsgraden erhältlich.

Gegenlichtblende (Sonnenblende)

Normalerweise darf nur das Licht, das vom Motiv reflektiert oder von einer Lichtquelle im Gesichtsfeld des Objektives ausgestrahlt wird, zum Objektiv gelangen. Anderes Licht kann als Ursache für Spiegelungen, Schleier und Blendenflecke gefährlich werden. Die Gegenlichtblende verhütet, daß solches Licht zum Objektiv gelangt.
Eine wirksame Gegenlichtblende muß lang genug sein, um das Objektiv vor unerwünschtem Licht zu schützen (die meisten Gegenlichtblenden sind dafür zu kurz), darf aber andererseits wieder nicht so lang sein, daß sie einen Teil des Bildes abschneidet.
Sie sollte es außerdem auch noch gestatten, einen Filter zu benutzen.
Einige Objektive, besonders bessere Tele-Objektive, besitzen eine eingebaute Gegenlichtblende.
Die hochwertige Oberflächenvergütung der Objektive macht heute oft schon die Benutzung einer Gegenlichtblende überflüssig. Sie behält dann nur ihre Funktion zum Schutz des Objektivs vor Regen, Schnee und Fingerabdrücken.

Drahtauslöser

Verwacklung der Kamera während der Belichtung ist eine der häufigsten Ursachen für unscharfe Bilder. Um diese auszuschalten, sollte man Belichtungen, die länger als $^1/_{30}$ Sekunde sind, vom Stativ oder mit einem Stativersatz machen. Trotzdem kann es bei relativ langen Belichtungszeiten selbst bei fest abgestützter Kamera unscharfe Bilder geben, wenn die Kamera beim Auslösen erschüttert wird. Dies kann man vermeiden, wenn der Verschluß mit einem Drahtauslöser ausgelöst wird.

Belichtungsmesser

Dieses kleine Instrument mißt die Intensität des Lichtes, sagt, wie Objektivblende und Belichtungszeit einzustellen sind, und gehört zum notwendigsten Zubehör. Die Gebrauchsanweisung sagt Ihnen genauestens, wie Sie Ihren neuen Belichtungsmesser verwenden. Heute haben viele Kameras einen eingebauten Belichtungsmesser, der mit der Belichtungsregelung halbautomatisch oder vollautomatisch gekoppelt ist. Dann steht das Wesentliche darüber in der Gebrauchsanweisung zur Kamera. In diesem Falle brauchen Sie keinen selbsttätigen Belichtungsmesser, sollten aber die Grenzen beachten, die für alle eingebauten Belichtungsmesser gelten und später noch genauer besprochen werden.
Die meisten selbsttätigen Belichtungsmesser können für zwei grundsätzlich unterschiedliche Meßmethoden verwendet werden, von denen jede ihre Vorteile und Nachteile hat:

Objektmessung: Man mißt das vom Objekt reflektierte Licht, indem man von der Kamera aus den Belichtungsmesser auf das Motiv richtet.
Mit Objektmessung kann der Fotograf getrennte Messungen bestimmter Teile des Motivs ausführen, um seinen Gesamtkontrast zu ermitteln. Dabei können allerdings leicht falsche Resultate entstehen, wenn man die Objektmessung nicht korrekt vornimmt. Häufigster Fehler: Der Belichtungsmesser wird so gehalten, daß er in die Messung zuviel Himmel einbezieht und dadurch eine zu kurze Belichtung angibt: die Aufnahme wird infolgedessen unterbelichtet, und das Bild zu dunkel.

Lichtmessung: Dazu wird ein Diffusor vor die Meßzelle gesetzt. Man mißt das Licht, das auf das Aufnahmeobjekt fällt, und richtet dazu den Belichtungsmesser aus der Aufnahmeebene auf die Kamera.
Die Lichtmessung ist etwas einfacher zu handhaben als die Objektmessung, weil sie von sich aus alles Licht erfaßt, das auf das Aufnahmeobjekt fällt, ein Vorteil, der sich besonders bei Aufnahmen im Innenraum oder im Studio zeigt, falls zwei oder mehr Lichtquellen verwendet werden. Da die Lichtmessung keine Teilmessung bestimmter Motivflächen erlaubt, kann man die Lichtmessung nicht zum Feststellen des Motivkontrastes benutzen. So würde beispielsweise die Lichtmessung die gleichen Werte für das helle Gesicht eines Mädchens und für ihren dunkelgrünen Pullover ergeben. Da beide die gleiche Lichtmenge empfangen (obgleich sie natürlich das empfangene Licht sehr unterschiedlich reflektieren!), würden sie identische Ausschläge des Lichtmesserzeigers veranlassen.

Arten der Fotozellen. Fotoelektrische Belichtungsmesser können mit zwei verschiedenen Typen von lichtempfindlichen Zellen ausgerüstet werden, von denen jede ihre Vorteile und Nachteile hat:

Selenzellen oder Sperrschichtzellen
Cadmiumsulfid- und Silizium-Zellen oder Fotowiderstände

Die Selenzelle erzeugt selbst einen elektrischen Strom, und zwar in einer Stärke, die von der Helligkeit des Lichtes, das auf die Zelle fällt, abhängt (daher braucht man hier keine Batterie, die in bestimmten Zeitabschnitten ausgewechselt werden muß). Dieser Strom fließt durch ein kleines Galvanometer, dessen Zeiger dabei entsprechend ausschlägt. Die Vorteile eines Belichtungsmessers mit Selenzelle liegen darin, daß er auf unbeschränkte Zeit arbeitet, daß er außerordentlich zuverlässig ist und daß seine spektrale (Farben-)Empfindlichkeit der des Farbfilmes sehr nahe kommt. Nachteile sind seine ziemliche Größe (weil seine Meßfähigkeit proportional zur Oberfläche der Selenzelle ist), daß er bei sehr schwachem Licht versagt und daß er gegen Fall, Stoß usw. sehr empfindlich ist, weil das Galvanometer leicht beschädigt werden kann.

Cadmiumsulfid- und Silizium-Zellen arbeiten in Verbindung mit einer kleinen Batterie, die jährlich ersetzt werden muß. Unter dem Einfluß des Lichtes, das auf die Zelle fällt, ändert diese ihren elektrischen

Widerstand im umgekehrten Verhältnis zur Intensität des auffallenden Lichtes: Je heller also das Licht ist, um so geringer wird der Widerstand der Zelle und um so stärker ist der Strom, der von der kleinen Batterie durch die Zelle zum Galvanometer fließt, um so größer ist dann der Zeigerausschlag des Meßinstrumentes und damit der gezeigte Wert. Die Vorteile solcher Belichtungsmesser sind geringe Größe (sie sind so klein gebaut, daß sie in das Gehäuse einer Kleinbildkamera eingebaut werden können, ohne daß dieses größer werden müßte), ziemliche Robustheit (also Unempfindlichkeit gegen Stöße) und sehr hohe Lichtempfindlichkeit, die erlaubt, noch bei Mondschein Lichtmessungen vorzunehmen. Nachteile insbesondere der CdS-Zellen sind: ungleichmäßige Empfindlichkeit für die Spektralfarben (hohe Empfindlichkeit für Gelb und Grün, geringe für Blau und Rot), eine gewisse Trägheit (damit das Gerät genau anzeigt, muß es nämlich einige Zeit dem Licht ausgesetzt werden, und wenn das Licht sehr schwach ist, kann es bis zu fünfzehn Sekunden dauern, bis der Zeiger in seiner endgültigen Stellung zur Ruhe kommt), ferner die Abhängigkeit von einer Batterie und schließlich – als unangenehmste Eigenschaft –, daß CdS-Zellen ähnlich wie das menschliche Auge »geblendet« werden, wenn sie sehr starkem Licht ausgesetzt worden sind, und daß sie dann einige Zeit brauchen, um sich zu erholen und wieder genau anzuzeigen. Wird z. B. solch eine Zelle direktem Sonnenlicht ausgesetzt, kann es sogar einen halben Tag dauern, bis sie wieder auf geringes Licht genau reagiert.

Farbfilter

Ein Farbfilter ändert die Reaktion einer fotografischen Emulsion auf Licht und Farbe. Seine Funktion ist es, die Farbübersetzung bei Schwarzweiß- und die Farbwiedergabe bei Farbfilmen zu kontrollieren, um Bilder zu schaffen, die klarer, eindeutiger, interessanter oder schöner sind, als sie es ohne Filter wären.

Ein Filter läßt Licht bestimmter Wellenlängen durch und absorbiert Licht anderer Wellenlängen. Was durchgelassen und was absorbiert wird, hängt von der Farbe des Filters ab. Kurz gesagt: Ein Filter läßt Licht seiner eigenen Farbe durch und absorbiert Licht seiner Komplementärfarbe. Folgende Farben sind komplementär:

Rot und Blaugrün
Orange und Blau
Gelb und Purpurblau
Gelbgrün und Purpur
Grün und Purpurrot

Die Verwendung eines Filters wirkt sich auf ein Foto dreifach aus:

1. *Ein Filter beeinflußt die Reaktion des Filmes auf Licht und Farbe:* In der Schwarzweißfotografie läßt ein Filter ein Motiv in seiner eigenen Farbe heller erscheinen und ein Motiv, dessen Farbe komplementär zur Farbe des Filters ist, dunkler, als es in einer ungefilterten Aufnahme erscheinen würde. In der Farbfotografie addiert ein Filter seine Farbe zu der des Motivs.

2. *Ein Filter wirkt sich auf die Belichtung aus.* Da jedes Filter ein gewisses Quantum Licht absorbiert, muß man die Meßwerte eines Belichtungsmessers bei Verwendung eines Filters erhöhen, um den Lichtverlust auszugleichen und Unterbelichtung zu vermeiden. Der Grad dieser Belichtungsverlängerung hängt von vier Faktoren ab:

Farbempfindlichkeit des Filmes (orthochromatisch, panchromatisch usw.)
Spektrale Zusammensetzung (Farbtemperatur) des Lichtes (Tageslicht, Glühlampenlicht usw.)
Farbe des Filters (rot, gelb, blau usw.)
Dichte des Filters (hell, mittel, dunkel)

Um dem Fotografen einen Anhalt für die Errechnung der richtigen Belichtung zu geben, werden von dem Filterhersteller die Verlängerungsfaktoren für die einzelnen Filter bei Verwendung der verschiedenen Filmsorten und Lichtarten angegeben. Ein Beispiel: Wenn die exakte Belichtung ohne Filter $^1/_{100}$ Sekunde bei Blende 16 ist und ein Filter genommen wird, das bei der gegebenen Filmsorte und Lichtart einen Faktor 2 hat, dann wäre die Belichtung entweder $^1/_{50}$ Sekunde bei Blende 11.

3. *Ein Filter beeinflußt die Kontrastwiedergabe* der Schwarzweißfilme. In der Regel ergibt ein Rotfilter eine starke Kontraststeigerung und ein Gelbfilter eine geringe Kontraststeigerung, während ein Blaufilter den Kontrast gegenüber einem ungefilterten Foto herabsetzt (bei sonst gleichen Bedingungen).

Filterbezeichnungen

Leider verwenden die Hersteller von Filtern Bezeichnungen, die keinen Aufschluß geben über die Farbe oder die Eigenschaften eines Filters. So werden z..B. Gelbfilter, die fast identisch sind, von Kodak als Wratten-Filter K 2, von Enteco als G 15, von Lifa als G 2 und von Tiffin als 8 bezeichnet. Einzig verbleibender Ausweg: Man muß die Angaben der Filterhersteller gründlich studieren.

Filtermaterial

Filter werden aus verschiedenen Materialien und in verschiedenen Formen hergestellt, die ihre spezifischen Vor- und Nachteile haben: *Gelatinefilter.* Hierbei wird der Filterfarbstoff auf eine dünne Gelatinefolie aufgetragen. Wegen ihrer extremen Dünne besitzen Gelatinefilter ausgezeichnete optische Eigenschaften, die sie besonders für lichtstarke und für extreme Teleobjektive geeignet machen, die mit Filtern minderer Qualität weniger scharfe Bilder liefern. Gelatinefilter sind empfindlich gegen Abreiben, Kratzer und Fingerabdrücke und werden leicht durch Feuchtigkeit beschädigt (man sollte Gelatinefilter niemals anhauchen, wenn man sie putzen will). Sie sind die billigsten Filter und werden in der reichsten Farbenauswahl geliefert.

Gelatine/Glas-Filter. Je nach der Qualität des Glases variieren die optischen Eigenschaften dieses Filtertyps von ausgezeichnet bis mangelhaft. Diese Filter sind sehr viel weniger anfällig für Beschädigungen, leichter zu handhaben und leichter zu reinigen als Gelatinefilter. Dafür sind sie teurer.

Masseglasfilter. Hier wird die Filterfarbe dem Glas eingefügt. Diese Filterart wird in zwei Sorten geliefert: planparallele Filter höchster optischer Qualität, die man an ihrer ungewöhnlichen Dicke erkennen kann (etwa 5 mm) und relativ billige, dünne Filter, die optisch oft recht schlecht sind. Wegen der Schwierigkeit der Herstellung in bezug auf die spektrale Absorption der Farben gibt es Masseglasfilter nur in sehr begrenzter Auswahl.

Azetatfilter. Dieser Filtertyp ist nur geeignet für Dunkelkammerlampen, als Korrekturfilter in Vergrößerungsgeräten bei der Herstellung von Farbpositiven und für Aufnahmelampen, um farbiges Licht herzustellen. Als Aufnahmefilter führen sie wegen ihrer schlechten optischen Eigenschaften zu Unschärfe.

Wirkungen der Reflexion

Nicht alles Licht, das auf ein Filter auftrifft, wird durchgelassen oder absorbiert, ein Teil geht durch Reflexion von den Vorder- und Rückflächen des Filters verloren. Der geringste Lichtverlust durch Reflexion beträgt 4% pro Filter; oft jedoch ist er beträchtlich höher. Bei Glasfiltern kann man den Lichtverlust durch einen Antireflex-Belag vermindern. Reflektiertes Licht kann auch hier zu Verschleierungen beitragen und zu Kontrastminderungen im Negativ oder Dia führen. Es ist daher ratsam, so wenige Filter wie möglich zu kombinieren. In der Farbfotografie und besonders beim Ausfiltern der Vergrößerungen muß man nämlich oft verschiedene Filter gleichzeitig verwenden, um das gewünschte Farbgleichgewicht herzustellen.

Filter für verschiedene Zwecke

Filter für farbfotografische Zwecke sind gewöhnlich ziemlich blaß und erscheinen manchmal beinahe farblos. Viele dieser Filter würden bei Schwarzweißfilmen keine merkbare Wirkung erzielen. Demgegenüber haben die meisten Filter für Schwarzweißaufnahmen starke, satte Farben und würden bei Farbaufnahmen monochrome Dias in der Farbe des jeweiligen Filters ergeben. Einige wenige Filter können sowohl für Schwarzweiß-als auch Farbaufnahmen verwendet werden.

Filter, die nur für Schwarzweißaufnahmen bestimmt sind

Korrekturfilter. Zweck eines Korrekturfilters ist es, die Farbumsetzung eines panchromatischen Films so zu verändern, daß alle Farben ungefähr in dem Grauton wiedergegeben werden, den der Mensch für »natürlich« hält. Obgleich panchromatische Filme für alle Farben empfindlich sind, geben sie die Farben nicht unbedingt in den Grautönen wieder, die in ihrer Helligkeit der in der Wirklichkeit empfundenen Helligkeit entsprechen. Alle panchromatischen Filme sind überempfindlich für Blau und Ultraviolett, und Type-C-pan-Filme sind außerdem hochrotempfindlich. Die folgende Tabelle gibt die Korrekturfilter, die man bei panchromatischen Filmen von Kodak verwenden muß, wenn man eine korrekte Übersetzung der Farben in Grautöne entsprechender Helligkeit wünscht:

Panchromatischer Film	Lichtart	Wratten-Filter	Filterfaktor
Pan Type B	Tageslicht	K 2	2 ×
	Kunstlicht	X 1	3 ×
Pan Type C	Tageslicht	X 1	4 ×
	Kunstlicht	X 2	4 ×

Kontrastfilter. Zweck eines Kontrastfilters ist es, die Farbumsetzung eines Schwarzweißfilmes so zu verändern, daß im Bild bestimmte Farben im Grauton heller oder dunkler erscheinen, als sie ohne Filter erscheinen würden. Wann solche Veränderungen wünschenswert sind, wird später behandelt.

Um eine Farbe im Bild heller wiederzugeben, verwendet man Filter der gleichen (oder einer verwandten) Farbe; um eine Farbe im Bild dunkler wiederzugeben, nimmt man Filter der Komplementärfarbe (oder einer verwandten Farbe). Die folgende Tabelle zeigt, wie Kontrastfilter die Hauptfarben beeinflussen. Wenn verschiedene Filter aufgeführt sind, bewirkt das erste die geringsten Veränderungen, das letzte die größten.

Infrarotfilter. Wie wir später hören werden, muß man zur Ausnutzung der typischen Eigenschaften dieses Mediums Infrarotfilme mit Spezialfiltern verwenden, die die infraroten Strahlen durchlassen, dagegen fast das gesamte sichtbare Licht absorbieren. Für viele Aufgaben und besonders für Aufnahmen aus der Hand mit einer einäugigen Spiegelreflexkamera reichen Rotfilter aus. Diese Filter, die Blau völlig und Blaugrün und Grün größtenteils absorbieren, lassen die roten und infraroten Strahlen durch. Ihr Vorteil liegt darin, daß das Sucherbild zwar monochrom rot, jedoch sichtbar ist, was bei »echten« Infrarotfiltern nicht der Fall ist, weil diese alles sichtbare Licht absorbieren. »Echte« Infrarotfilter erscheinen dem Auge schwarz.

Objektfarbe	Filter, das die Objektfarbe heller macht	Filter, das die Objektfarbe dunkler macht
Rot	Orangefilter, Rotfilter	Blaufilter, Gelbgrünfilter
Gelb	Gelbgrünfilter, Orangefilter, Gelbfilter	Blaufilter
Orange	Gelbfilter, Rotfilter, Orangefilter	Blaufilter
Grün	Gelbfilter, Gelbgrünfilter Grünfilter	Orangefilter, Rotfilter
Blau	Blaufilter	Rotfilter, Orangefilter Gelbgrünfilter, Gelbfilter

(Anmerkung: Rotfilter wirken nur bei panchromatischen Filmen.)

Filter, die nur für Farbaufnahmen in Betracht kommen

Farbkonversions-Filter. Wie später erklärt wird, kann man nur dann eine natürliche Farbwiedergabe erwarten, wenn man einen Farbfilm bei der Lichtart verwendet, für die er sensibilisiert ist. Gelegentlich läßt es sich aber nicht vermeiden, auf demselben Farbfilm Aufnahmen bei verschiedenen Lichtarten zu machen oder einen Farbfilm, der für eine bestimmte Lichtart hergestellt ist, mit einer anderen Art von Licht zu verwenden. In diesen Fällen ist zufriedenstellende Farbwiedergabe zu erreichen, wenn man die Aufnahmen durch ein entsprechendes Farbkonversions-Filter macht.

Wenn Farbfilm für Tageslicht bei Glühlampenlicht von 3200° K oder 3400° K verwendet werden soll, ist ein blaues Konversionsfilter (B 12) erforderlich. Aufnahmen bei 3200° K werden etwas wärmer als die bei 3400° K.

Wenn Farbfilm für Tageslicht bei Aufnahmen mit klaren Blitzlampen verwendet werden soll, ist ein blaues Konversionsfilter (B 8) erforderlich.

Wenn Farbfilm für Kunstlicht bei normalem Tageslicht (5600–6000° K) verwendet werden soll, ist ein rotes Konversionsfilter (R 12) erforderlich.

Dabei ist zu beachten, daß jedes Konversionsfilter die Empfindlichkeit des betreffenden Farbfilms herabsetzt. Also bringt jedes Konversionsfilter einen entsprechenden Filterfaktor mit, der bei der Belichtung eingerechnet werden muß. Meist sind diese Faktoren auf dem Filter angegeben, oder man entnimmt sie der betreffenden Gebrauchsanweisung.

Lichtausgleichsfilter ermöglichen dem Fotografen, die Farbe eines von der Norm abweichenden Lichtes zu ändern und es damit dem Licht gleichzumachen, für das der Farbfilm abgestimmt ist. So kann z. B. Tageslicht verschiedene Farben aufweisen: Es ist gelblich am frühen Morgen, rötlich bei Sonnenuntergang, bläulich in den Schatten bei klarem blauem Himmel usw. Farbfilm für Tageslicht ist so abgestimmt, daß er nur bei einer bestimmten Lichtzusammensetzung natürlich wirkende Farben ergibt: *beim Zusammenwirken von klarem Sonnenlicht und Licht, das vom blauen Himmel mit einigen weißen Wolken reflektiert wird, und zwar in den Stunden, in denen die Sonne höher als 20° über dem Horizont steht.* Wenn man Aufnahmen im Freien mit Farbfilm für Tageslicht in einem »Tageslicht« macht, das in seiner Zusammensetzung diesen Bedingungen nicht entspricht, werden die entstandenen Farben, gleichgültig, wie nahe sie der Wirklichkeit kommen, nicht den »natürlichen« Farben entsprechen. Unter derartigen Bedingungen muß man für eine natürlich erscheinende Farbwiedergabe die Aufnahme mit dem dafür geeigneten Lichtausgleichsfilter machen.
Es gibt zwei Arten von Lichtausgleichsfiltern: rötliche und bläuliche, beide meist in vier verschiedenen Dichten. Die rötlichen Lichtausgleichsfilter verwendet man, wenn das Tageslicht zu bläulich ist, die bläulichen Lichtausgleichsfilter verbessern die Farbwiedergabe bei zu rötlichem Tageslicht. Die Verwendung dieser Filter wird später genauer erläutert.

Farbausgleichsfilter geben dem Fotografen die Möglichkeit, das gesamte Farbgleichgewicht des Farbdias bewußt zu ändern. Eine solche Änderung kann aus folgenden Gründen notwendig sein: um den Schwarzschildeffekt zu kompensieren, der bei anormal kurzen (Elektronenblitz älterer Bauart) oder anormal langen Belichtungszeiten entsteht; um die Abweichungen einer bestimmten Farbfilmemulsion von der richtigen Farbwiedergabe auszugleichen, d. h., wenn ohne diese Korrektur das Farbdia einen Farbstich bekäme; um Mängel in der Beleuchtung auszugleichen, die z. B. durch eine grünliche Scheinwerferlinse verursacht werden; um dem Farbdia durch Veränderung des gesamten Farbtons eine bestimmte Wirkung zu geben; oder um beim Farbvergrößern das Licht des Vergrößerungsapparates genau abzustimmen. Bei Kodak heißen diese Kompensationsfilter »Kodak CC« und sind in den Farben Gelb (Y), Purpur (M), Blaugrün (C), Blau (B), Grün (G) und Rot (R) in verschiedenen Dichten (05, 10, 20, 30, 40, 50) erhältlich. Bei Agfa-Gevaert heißen diese Filter Aufnahme-Korrekturfilter. Sie werden wie die Kodak-Kompensationsfilter in den Farben Gelb, Purpur, Blaugrün, Blau, Grün und Rot in den Dichten 05, 10, 20 und 40 geliefert. Die Agfa-Aufnahme-Korrekturfilter haben bei gleicher Filterzahl etwa die halbe Dichte wie die Kodak-Filter. Die Verwendung dieser Filter wird später genauer erläutert.

Filter, die für Schwarzweiß- und Farbaufnahmen geeignet sind

Ultraviolett-Sperrfilter (kurz UV-Filter genannt). Alle fotografischen Emulsionen sind für das uns unsichtbare Ultraviolett empfindlich. Die ultraviolette Strahlung nimmt mit der Höhe zu und gibt einer Farb-Aufnahme einen bläulichen Ton, der Fernblicke trotz klaren Wetters verschleiert (dieser Schleier darf nicht mit Dunst und Nebel verwechselt werden, die beide im Farbbild weiß erscheinen). In der Farbfotografie zeigt sich die Wirkung der UV-Strahlung vor allem darin, daß Fernaufnahmen verblauen. Diese Wirkung kann durch Benutzung von Filtern, die Ultraviolett absorbieren, gemildert oder ausgeschaltet werden. Ähnliche Wirkungen ergeben auch die sog. Haze-, Skylight- und Dunst-Filter.

Polarisationsfilter (kurz Polfilter genannt). Der Zweck dieses Filters besteht darin, Spiegelungen und Reflexe zu mildern oder auszuschalten. Außerdem ist das Polfilter das einzige Mittel, um einen blauen Himmel in der Farbfotografie dunkler erscheinen zu lassen. Die stärkste Wirkung ergibt sich dabei in dem Teil des Himmels, den man bei Aufnahmerichtung im rechten Winkel zur Sonnenstrahlung erfaßt. Der Leser wird wahrscheinlich Polaroid-Sonnenbrillen kennen und die Art, wie sie Glanzlichter mildern. Polfilter arbeiten in der gleichen Weise. Durch das Vorschalten des Polfilters können im Foto uner-

wünschte Glanzlichter teilweise oder ganz ausgeschaltet werden, wobei der Grad der Dämpfung vom Winkel des reflektierten Lichtes abhängt. Bildet der reflektierte Strahl mit der reflektierenden Fläche einen Winkel von 30–35°, werden Reflexe ziemlich vollständig ausgeschaltet, während bei einem Winkel von 90° Reflexe vom Polfilter überhaupt nicht beeinflußt werden. In den dazwischenliegenden Winkeln wird der Reflex mehr oder weniger gedämpft.
Natürlich können nur solche Reflexe vom Polfilter beeinflußt werden, die bereits aus polarisiertem Licht bestehen. Die meisten spiegelnden Oberflächen reflektieren Licht polarisiert – Wasser, Glas, Lack, Glanzpapier, poliertes Holz usw. Metallische Oberflächen dagegen reflektieren Licht nicht polarisiert. Daher sind Glanzlichter und Reflexe in metallischen Oberflächen gewöhnlich nicht mit Polfilter zu dämpfen oder zu entfernen. Ausnahme: Der Reflex besteht bereits aus polarisiertem Licht, wie beispielsweise eine Spiegelung blauen Himmels. Die richtige Benutzung des Polfilters wird später genauer erläutert.

Kamera- und Zubehörtasche

Um seine fotografische Ausrüstung bequem und sicher mitzunehmen, braucht man eine Kameratasche. Die Wahl der Art, der Größe, ihres Materials usw. ist Sache des persönlichen Geschmacks und hängt auch davon ab, was man mitnehmen will, ob man also viel oder wenig Zubehör mit sich führen möchte, von der Größe der Kamera und so weiter. Dem Anfänger sei folgender Rat gegeben: Kaufe keine Kameratasche, die zu klein ist. Man kann sie nicht vergrößern, und wenn man sich nach einiger Zeit weiteres Zubehör angeschafft hat – ein zusätzliches Objektiv oder auch zwei, einen Satz von Verlängerungstuben, Vorsatzlinsen oder was man sonst noch braucht –, ist eine zu kleine Tasche wertlos. Vor allem sollte die Kameratasche eine oder zwei Außentaschen aufweisen, in die man Belichtungsmesser und Filme verstaut. Dadurch vermeidet man, daß man danach im Innern des Koffers wühlen muß. Verstellbare Trennwände helfen Zubehör gut einzuordnen. Praktisch sind dazu auch einzelne lose Stücke, die man sich von einer Schwammgummiplatte schneidet. Man kann sie auf vielerlei Arten verwenden, um die einzelnen Dinge voneinander zu trennen und um zu verhüten, daß sie sich gegenseitig verkratzen. Diese

Polster schützen auch bei starken Erschütterungen. Ein Kamerakoffer aus ziemlich steifem und festem Material bietet natürlich mehr Schutz als einer aus weichem Leder.

Der Film

Filme werden heute in vielen verschiedenen Sorten hergestellt, wobei jede einem bestimmten Zweck dient. Sie können aber auf Grund ihrer Unterschiede in den folgenden Haupteigenschaften klassifiziert werden:

Konfektionierung und Unterlage
Format
Allgemeinempfindlichkeit
Schärfeleistung
Gradation
Farbensensibilisierung

Wenn ein Fotograf sich mit diesen Eigenschaften vertraut gemacht hat, kann er jede Filmsorte beurteilen und die für seine Zwecke bestgeeignete aussuchen.

Konfektionierung und Unterlage

Aufnahmematerial gibt es in vier verschiedenen Konfektionierungstypen, für die folgendes charakteristisch ist:

Roll- und Kleinbildfilm. Lange Filmstreifen, auf einer Spule aufgewikkelt, lang genug für 6 bis 36 oder mehr Aufnahmen, was abhängt von der Größe des jeweiligen Negativs, dem Kameratyp und der Größe des Filmmagazins. Lieferbar sowohl für Farbe wie Schwarzweiß, in verschiedenen Emulsionstypen und unterschiedlichen Formaten.
Rollfilme und Kleinbildfilme sind der praktischste Filmtyp. Man kann ihn ohne Schwierigkeiten bei Tageslicht in die Kamera einlegen, auch ist er leichter zu verarbeiten als andere Filmtypen. Nachteile: Einzelaufnahmen können nicht individuell entwickelt werden; Wechsel von einer Filmsorte gegen eine andere (z. .B. Schwarzweiß gegen Farbe) bedeutet Materialverlust, wenn der Film nicht bereits völlig aufbelich-

tet ist (es sei denn, die verwendete Kamera hat auswechselbare Filmmagazine oder gestattet die Verwendung eines Rollfilm-Adapters).

Filmpack. 12 einzelne Filmblätter auf dünner Unterlage, flach in einem Kassette genannten Behältnis verpackt. Werden nur in wenigen Schwarzweißemulsionen, nicht in Farbe geliefert. Formate 9 × 12 und 6 × 9 cm und entsprechende Zoll-Formate. Filmpack verbindet die einfache Handhabung des Rollfilms mit dem Vorteil, die einzelnen Aufnahmen auch einzeln entwickeln und belichtete Blätter dem Pack entnehmen zu können, ohne das Pack opfern zu müssen. Filmpack kann bei Tageslicht eingelegt und ausgelegt werden, und Wechsel zwischen verschiedenen Sorten von Schwarzweißfilmen ist ebenso ohne Filmverlust möglich wie der zu Farbfilm. Nachteile: Filmpack ist die teuerste Filmkonfektionierung. Feuchtigkeit kann die Planlage des Filmes beeinträchtigen und damit zu allgemeiner oder teilweiser Unschärfe der Aufnahmen führen.

Planfilm. Einzelne Blatt Filme auf verhältnismäßig starker Unterlage. Auf dem Markt in einer Vielzahl unterschiedlicher Filmsorten, auch in Farbe, in Größen von 6 × 9 bis 18 × 24 cm und größer. Einzelaufnahmen können einzeln entwickelt werden.
Planfilm ist pro Aufnahme billiger als Filmpack und liegt gewöhnlich besser plan. Daher sind Planfilme für Aufnahmen mit Objektiven langer Brennweiten oder hoher Lichtstärke vorzuziehen, wenn es auf exakte Planlage des Films besonders ankommt. Nachteile: Die Filme müssen in der Dunkelkammer Blatt für Blatt in die Kassetten eingelegt werden; jede Kassette faßt höchstens zwei Planfilme, einen auf jeder Seite; Gewicht und Raumbedarf (Kassetten und Film für nur ein Dutzend Aufnahmen nehmen fast soviel Platz in Anspruch wie die entsprechende Kamera).

Filmformat

Die unterschiedlichen Filmformate haben unterschiedliche Vor- und Nachteile. Für Fotografen, die sich noch nicht entschieden haben, ob sie sich eine großformatige, mittelformatige oder eine Kleinbildkamera anschaffen sollen, kann der folgende Überblick die Wahl erleichtern:

Große Filmformate haben folgende Vorteile gegenüber kleineren:

Schärfere Bilder, weil größere Negative weniger stark vergrößert werden müssen als kleine.
Größerer Tonwertreichtum zarterer Tonabstufungen, weniger sichtbare Körnigkeit, weil der Vergrößerungsmaßstab normalerweise klein ist.
Bessere Empfindlichkeitsausnutzung, weil Standardentwickler verwendet werden können. Im Gegensatz zu vielen Feinkornentwicklern verlangen diese Entwickler keine Überbelichtungen.
Gestalterische Vorteile. Weil der Film größer ist, kann man relativ kleine Partien des Negativs gut vergrößern und wirkungsvolle Bilder erhalten – ein einfacher Ersatz für ein Teleobjektiv. Ausschnittvergrößerungen ermöglichen nachträglich eine Konzentration auf das Bildwichtigste und erhöhen damit die Bildwirkung.
Verarbeitung und Vergrößerung sind leichter. Staub und kleine Kratzer machen sich nicht so stark bemerkbar wie bei Vergrößerungen von kleineren Negativen, bei denen viel stärker vergrößert werden muß.
Die »Verführung« zum Ankauf ist bei großen Farbdiapositiven viel größer als bei kleinen.

Diesen Vorteilen stehen folgende Nachteile gegenüber:

Höhere Kosten pro Aufnahme.
Raumbedarf und Gewicht. Zwei 9 × 12-Planfilme in Kassetten nehmen soviel Platz in Anspruch und wiegen soviel wie das Material für hundert Kleinbildaufnahmen.
Größere, schwerere und auffälligere Kameras sind für größere Filmformate natürlich unumgänglich. Ihre schwerfälligere Arbeitsweise schränkt die Auswahl der Aufnahmethemen ein.

Kleine Filmformate haben folgende Vorteile gegenüber größeren:

Geringe Kosten pro Aufnahme.
Mehr Aufnahmen von jedem Motiv sind möglich, weil die Filmkosten relativ niedrig sind. Daher kann man das Thema vielfältiger behandeln und läuft weniger Gefahr, wichtige Aufnahmen zu verpassen.
Die Kameras sind klein und leicht und gestatten daher unauffälliges und schnelles Arbeiten.
Für kleine Kameras gibt es lichtstärkere Objektive als für großformatige Kameras.

Überlegene Schärfentiefe bei jeder beliebigen Blende, weil der Bildkreis von Objektiven kürzerer Brennweite ausgezeichnet wird.
Kleinbildfilm für 100 Aufnahmen braucht weniger Platz als ein Päckchen Zigaretten.

Diesen Vorteilen stehen folgende Nachteile gegenüber:

Geringere Detailschärfe.
Geringerer Tonwertreichtum, weil der größere Vergrößerungsmaßstab die Körnigkeit des Films hervortreten läßt.
Geringere Empfindlichkeitsausnutzung, weil entweder niedrigempfindliche Feinkornfilme oder empfindlichkeitsverschenkende Feinkornentwickler verwendet werden müssen, wenn man feinkörnige Bilder anstrebt.
Schwierigere Auswertung, weil größere Vergrößerungsempfindlichkeit Staubkörnchen und auch den kleinsten Kratzer sichtbar macht.
Kleine Farbdias verkaufen sich erheblich schlechter als große.

Ein großes Filmformat (9 × 12 cm) ist all denen zu empfehlen, die sich auf statische Motive spezialisieren, ferner den anspruchsvollen Arbeitern und Perfektionisten, die unbedingt technische Höchstleistungen erzielen wollen und ein stark ausgeprägtes Gefühl für Schärfe, Struktur und Details haben.

Ein kleines Filmformat (35 mm) ist jenen zu empfehlen, die sich auf dynamische Motive spezialisieren, ferner den schnellen, impulsiven Arbeitern und Reportern, denen Handlung wichtiger ist als technische Qualität, sowie Touristen, die ohne schweres Gepäck reisen wollen.

Mittlere Filmformate (6 × 6 und 6 × 9 cm). Fotografen, die Farbpapierbilder für ihr Familienalbum machen möchten, die ebenso an statischen wie an dynamischen Motiven interessiert sind, Fachleute, die auf den Gebieten der Mode- oder Werbefotografie arbeiten, die sich auf Modelle und Bewegung spezialisieren, und – so seltsam es klingen mag – unerfahrene Anfänger werden am meisten Gewinn von ihren Aufnahmen haben, wenn sie mit einem Mittelformat arbeiten, also 6 × 6, 6 × 7 oder 6,5 × 9 cm.

Allgemeinempfindlichkeit

Um genau belichten zu können, muß man die Empfindlichkeit seines Filmes wissen. Sie wird in Deutschland mit DIN-Zahlen, in Amerika und vielen anderen Ländern mit ASA-Zahlen (American Standard Association) angegeben. Diese Empfindlichkeitsbezeichnungen geben an, mit welcher Empfindlichkeit der Film auf Licht reagiert, und je empfindlicher ein Film ist, um so größer ist die Zahl, um so kürzer kann man ihn belichten. Die DIN-Zahlen geben mit + 3 DIN eine doppelt so hohe Empfindlichkeit an, mit − 3 DIN die halbe Empfindlichkeit. Dagegen steigt die Empfindlichkeit bei den ASA-Angaben mit der ASA-Zahl an. Ein Film von 100 ASA ist doppelt so empfindlich wie einer von 50 ASA und halb so empfindlich wie einer von 200 ASA. Daher sind DIN- und ASA-Angaben nicht rechnerisch zu vergleichen. Wir geben dazu eine kleine Tabelle:

DIN	12	15	18	21	24	27
ASA	12	25	50	100	200	400

Die Empfindlichkeitsangabe eines Filmes ist auf der Packung meist in DIN und ASA zu finden.
Man könnte nun annehmen, der höchstempfindliche Film sei auch der empfehlenswerteste, denn je höher die Empfindlichkeit eines Filmes ist, um so kürzer kann man belichten, um so geringer wird die Gefahr, daß man die Aufnahme verwackelt oder daß eine Bewegung unscharf wiedergegeben wird. Ferner kann man bei Aufnahmen mit höherempfindlichem Film stärker abblenden und damit eine größere Schärfentiefe sichern. Dagegen haben aber geringempfindliche Filme im Vergleich zu hochempfindlichen andere Vorteile: Fast ausnahmslos ist das Auflösungsvermögen eines geringempfindlichen Filmes größer und seine Körnigkeit feiner als diese Eigenschaften bei einem hochempfindlichen Film. Daher können geringempfindliche Filme Textur und feine Einzelheiten befriedigender wiedergeben als hochempfindliche. Aus diesem Grunde ist stets der Film mit der eben noch für die Aufgabe brauchbaren niedrigsten Empfindlichkeit auch der geeignetste.

Eine Mahnung zur Vorsicht: Filmempfindlichkeitsangaben sind nicht absolut zu werten, sondern eher als Leitzahlen anzusehen, die gelegentlich in Übereinstimmung mit den gestalterischen und technischen Absichten des Fotografen entsprechend abgeändert werden müssen. So sollen z. B. Farbdias für Druckvorlagen einen Schein dunkler sein als solche, die man betrachtet oder projiziert. In diesem Falle müßte man also die Empfindlichkeit des Farbfilmes etwas höher ansetzen – vielleicht um 1 DIN höher, als seine angegebene DIN-Zahl ist. Andrerseits können auch Gestaltungsabsichten, z. B. ein »High-Key-Effekt«, es notwendig machen, daß man den Film etwas überbelichtet, wozu man seine Empfindlichkeit etwas niedriger ansetzt. Ferner belichten manche Verschlüsse alle Zeiten zu lang oder zu kurz, manche Reflektoren von Blitzleuchten haben bessere Reflexionswirkung als andere. Diese und ähnliche Faktoren können es geboten erscheinen lassen, einen Film etwas höher oder niedriger einzustufen, als seiner DIN-Zahl entspricht. Wer beispielsweise dauernd überbelichtete Aufnahmen bekommt, sollte seinen Film nach einer höheren DIN-Zahl belichten, wer dauernd unterbelichtet, nach einer niedrigeren.

In der Schwarzweißfotografie wird die praktische (ausgenutzte) Empfindlichkeit eines Filmes durch zwei Faktoren beeinflußt, die man bei der Belichtungsbestimmung berücksichtigen muß.

Entwicklertyp. Manche Feinkornentwickler für Schwarzweißfilme verlangen eine Belichtungsverlängerung, die vom Typ des verwandten Entwicklers abhängt.

Entwicklungsdauer. Verlängerte Entwicklungsdauer (»Ausquetschen« eines Filmes) bewirkt praktisch eine höhere Empfindlichkeit. Man spricht von besserer Ausnutzung der Empfindlichkeit. Farbumkehrfilme, die vom Fotografen selbst entwickelt werden können, liefern – wenn nicht gerade hohe Anforderungen an die Farbqualität gestellt werden – bei kontrastarmen Motiven auch bei Unterbelichtung und verlängerter Erstentwicklung bis zu zwei Blendenwerten noch brauchbare Ergebnisse. Bei Schwarzweißarbeiten kann man, wenn man einen gewissen Verlust an Qualität hinnehmen will, sogar noch größere »Empfindlichkeitssteigerungen« durch forcierte Entwicklung erzielen, vor allem bei kontrastarmen Motiven.

(Anmerkung: Eine Übersicht über die Empfindlichkeit der verschiedenen Filmsorten wird hier nicht gegeben, weil die Verhältnisse sich ständig ändern. Angaben über die Empfindlichkeit liegen im übrigen jedem Film bei.)

Schärfeleistung

Je schärfer ein Negativ oder Farbdia ist, um so mehr und um so feinere Einzelheiten kann man im Bild unterscheiden. Deshalb ist Schärfe wichtig. Ob aber eine Aufnahme scharf wird, hängt von verschiedenen Umständen ab: in erster Linie von der Leistung des Objektives, dann von der Genauigkeit der Einstellung, von der benutzten Blende und vor allem auch davon, daß die Kamera während der Belichtung völlig unbewegt blieb. Aber Bildschärfe hängt zum Teil auch von der Schärfenleistung des Filmes ab, denn manche Filme arbeiten eben schärfer als andere.
Normalerweise wird die Schärfenleistung eines Filmes nur für den zum Problem, der mit Kleinbild oder 6 × 6-Film arbeitet, also mit kleinen Formaten, die bei der Projektion oder der Positivherstellung erhebliche Vergrößerungen hergeben müssen, ohne abzufallen. Unter normalen Umständen sind Negative und Farbdias 9 × 12 cm und größer für alle Zwecke genügend scharf ohne Rücksicht auf die Filmmarke, die dazu verwendet worden ist.
Spricht man von »Schärfe«, muß man zwischen *dem Eindruck*, den man beim Betrachten eines Farbdias oder eines Papierbildes erhält, und der tatsächlichen *Leistung des Filmes*, die zum großen Teil für die Schärfe verantwortlich ist, unterscheiden. Der Eindruck von Schärfe wird nämlich von verschiedenen Faktoren bestimmt, die an sich nichts mit der tatsächlichen Schärfenleistung des Filmes zu tun haben. Dazu gehören neben anderen Einflüssen der Kontrastumfang des Motivs und die Kornstruktur des Filmes. Bekannte Tatsache ist, daß ein kontrastreiches Motiv schärfer *erscheint* als ein Motiv mit geringen Kontrasten. Ebenso kann unter gewissen Umständen beispielsweise ein grobkörniges Farbdia schärfer *erscheinen* als ein feinkörniges, das aber *in Wirklichkeit schärfer ist*, da der Farbfilm, mit dem es gemacht worden ist, das größere Auflösungsvermögen besitzt, d. h.,bei einer Testaufnahme eine größere Anzahl von Linien pro Millimeter getrennt wiederzugeben vermag. Zum Beispiel: Ein Farbdia, das ein Motiv in *etwas gemilderter Schärfe* wiedergibt (d. h. nicht absolut scharf) und geringen Kontrast aufweist, jedoch mit einem grobkörnigen Farbfilm von verhältnismäßig geringem Auflösungsvermögen hergestellt wurde, kann *schärfer erscheinen* als ein sonst völlig gleichartiges Farbdia, das mit einem Farbfilm von hohem Auflösungsvermögen gemacht wurde. Die Erklärung für diese geradezu paradox erscheinende Wirkung ergibt sich daraus, daß das Farbdia auf dem Farbfilm besseren Auflösungsvermögens in diesem Falle *gleichmäßig unscharf* erscheint,

da die Motivwiedergabe etwas unscharf war und das Filmkorn zu klein ist, um bei normaler Vergrößerung sichtbar zu werden. Im Gegensatz hierzu wurde das gröbere Korn des Farbfilms mit geringem Auflösungsvermögen, das schon bei verhältnismäßig schwacher Vergrößerung zu sehen ist, bei der Projektion (oder bei der Positivherstellung über das Vergrößerungsgerät) so stark vergrößert, daß es sichtbar wurde und dem Auge den Anhaltspunkt gab, der ihm in dem feinkörnigen Farbdia fehlte. Hierdurch ergab sich dann der irrtümliche Eindruck, daß der weniger scharf arbeitende Film das schärfere Bild geliefert habe.

Es gibt verschiedene Wege, die »tatsächliche« Schärfe eines Filmes zu messen. Man kann sie dann als Bezeichnung des Auflösungsvermögens (Linien pro Millimeter), der Strichschärfe (»acutance«) oder auch mit der moderneren Kontrast-Übertragungsfunktion ausdrükken. Für praktische Zwecke genügt es jedoch, zu wissen, daß geringempfindliche Filme allgemein schärfer arbeiten als mittel- und hochempfindliche mit gröberem Korn, wenn auch, wie schon erörtert, ein Bild, das mit einem grobkörnig arbeitenden Film gemacht worden ist, mitunter *schärfer aussehen* kann. Aber schließlich: Ist das wirklich so wichtig?

Körnigkeit und Filmkorn sind für viele Fotografen abschreckende Begriffe. Mir scheint allerdings diese Haltung in der Schwarzweißfotografie eher angebracht zu sein als in der Farbfotografie, in der andere Eigenschaften, wie Qualität der Farbwiedergabe und Belichtungsspielraum, weit ausschlaggebender sein sollten, wenn man sich für einen Farbfilm entscheiden muß. Auf jeden Fall gibt es aber für Fotografen, die Feinkörnigkeit sehr ernst nehmen, Filme, die ausgesprochen feinkörnig arbeiten: die geringempfindlichen, während die hochempfindlichen Filme eben gröberes Korn aufweisen. Wie ich aber schon oben ausgeführt habe, muß nicht unbedingt das Farbdia oder Papierbild mit dem feinsten Korn am schärfsten erscheinen.

Gradation

Die Gradation eines Filmes bestimmt seinen Tonreichtum. Es gibt Filme normaler, weicher und harter Gradation mit normalem, großem und geringem Tonreichtum.

Wenn wir eine Grauskala fotografieren – das ist ein Streifen mit regelmäßig abgestuften Grauflächen, deren Helligkeit vom reinen Weiß bis zum Schwarz abnimmt – und dazu einen Film normaler Gradation verwenden, so würden wir ein Bild erhalten, das jeden Tonwert dieser Skala getreu wiedergibt: Der Kontrast wäre der gleiche wie im Original. Wenn wir einen weichen (kontrastarm arbeitenden) Film verwenden, so würden wir ein Bild erhalten, dessen dunkle Grauwerte heller und dessen helle Werte dunkler wiedergegeben werden als in der Vorlage, und Schwarz und Weiß als Dunkel- bzw. Hellgrau: Der Kontrast wäre *geringer* als im Original. Und wenn wir einen harten (kontrastreich arbeitenden) Film verwendeten, so würden wir ein Bild erhalten, dessen gesamte Grauskala zusammengedrängt erscheint, weil die Differenzierungen an den hellen und dunklen Enden der Grauskala verlorengingen, weil die hellen Grauwerte in Weiß und die dunklen in Schwarz übergehen: Der Kontrast wäre größer als im Original.

Im allgemeinen gilt – allerdings mit Ausnahmen sowohl in Farbe wie in Schwarzweiß: je höher empfindlich der Film, desto weicher die Gradation, und umgekehrt. Die Gradationsunterschiede verschiedener Filmsorten sind bei Schwarzweißfilmen viel größer als bei Farbfilmen. Extrem harte Filme gibt es bei den orthochromatischen und panchromatischen Doku-Filmen, in der Härte folgen dann die dünnschichtigen und feinkörnigen Filme niedriger bis mittlerer Empfindlichkeit. Allround-Filme haben normale Gradation. Die weichsten Filme sind unter den hochempfindlichen panchromatischen Filmen zu finden (allerdings findet man bei einigen Filmsorten – z. B. den Agfa-Isopan-Filmen – die Tendenz, die Filme aller Empfindlichkeitsklassen in gleicher Gradation zu liefern).

Die Gradation ist aber keine unveränderliche Eigenschaft von Schwarzweißfilmen (die Gradation der Farbfilme kann nicht ohne Änderung der Farbwiedergabe beeinflußt werden). Ungeachtet der Kontrastgruppe, zu der ein Schwarzweißfilm gehört, wird seine Kontrastwiedergabe von folgenden Faktoren beeinflußt:

Belichtung. Überbelichtung mindert und Unterbelichtung steigert den Kontrast eines Negativs im Vergleich zu einem normal belichteten Negativ, wenn die übrigen Faktoren gleich bleiben.

Entwicklung. Verlängerung der Entwicklung über die Normalzeit hinaus vergrößert. Verkürzung vermindert den Kontrast des Negativs im

Vergleich zu einem normal entwickelten Negativ, wenn die übrigen Faktoren gleichbleiben. (Es ist zwar nicht ganz exakt, hier von Gradation zu sprechen, doch hat sich dieser Ausdruck in der Praxis eingebürgert.)

Farbsensibilisierung

Schwarzweißfilme

In der Schwarzweißfotografie müssen die Farben des Motivs in Grauwerte übersetzt werden. Um möglichst natürlich wirkende Bilder zu erhalten, müssen die Helligkeitswerte dieser Grautöne normalerweise – wenn auch nicht immer, wie wir später noch sehen werden – möglichst genau den Helligkeitswerten der Farben entsprechen, die sie repräsentieren.
So muß z. B. Gelb, eine helle Farbe, in einem helleren Grauwert wiedergegeben werden als Blau, das dem Auge dunkler erscheint. Um Farben in die »natürlichen« Grauwerte zu übersetzen, müssen Schwarzweißfilme für Farben empfindlich gemacht werden. Die Wiedergabe unterscheidet sich allerdings erheblich je nach der Sensibilisierung des Filmes. In dieser Beziehung muß man vier Hauptgruppen von Schwarzweißfilmen mit folgenden charakteristischen Merkmalen unterscheiden.

Blauempfindliche Filme, die keine farbsensibilisierenden Farbstoffe enthalten, sind nur für die blauen und ultravioletten Farben des »weißen« Lichtes empfindlich und »blind« gegen alle anderen Farben. Sie geben Blau (oder jede Blau enthaltende Farbe) zu hell und Rot, Orange und Gelb als Schwarz wieder. Für bildnerische fotografische Aufgaben sind diese Filme natürlich völlig ungeeignet.

Orthochromatische Filme sind zusätzlich für Grün empfindlich. Außer für Spezialaufgaben werden solche Filme heute nur von den wenigen Amateuren verwendet, die ihre Filme bei Rotlicht entwickeln wollen, für das dieser Film unempfindlich ist. Rotfilter können natürlich nicht verwendet werden. Mancher verwendet sie auch, weil sie billiger sind als panchromatische Filme.

Panchromatische Filme sind empfindlich für alle Farben und für Ultraviolett; dabei gibt es Unterschiede in der Farbumsetzung bei den ver-

schiedenen Fabrikaten. Panchromatische Filme, die verhältnismäßig stark grünempfindlich sind, werden oft als Type B bezeichnet, besonders rotempfindliche als Type C.
Weil panchromatische Filme für alle Farben empfindlich sind, müssen sie in fast völliger Dunkelheit entwickelt werden (gestattet ist eine sehr schwache dunkelgrüne Beleuchtung der Dunkelkammer). Weil Allfarbenempfindlichkeit eine sehr erstrebenswerte Eigenschaft ist, sind panchromatische Filme die besten Allzweck-Filme.

Infrarotfilme haben panchromatische Emulsionen, deren Rot-Empfindlichkeit über das sichtbare Spektrum hinaus in die Infrarotzone reicht. Da Infrarot in außerordentlich starkem Maße Dunst zu durchdringen vermag, werden Infrarotfilme hauptsächlich für Tele- und Luftaufnahmen verwendet. Für allgemeine fotografische Zwecke sind sie dagegen nicht geeignet, weil sie die Farben in unnatürliche Grauwerte übersetzen. Ein Infrarotfilm gibt z. B. blaues Wasser und blauen Himmel tiefschwarz, grünes Blattwerk und Gras hingegen schneeweiß wieder. Diese seltsamen Formen der Tonwertwiedergabe werden allerdings nicht von der eigentlichen Farbe des Objektes bestimmt, sondern von der Eigenschaft der Objekte, Infrarotstrahlen zu absorbieren oder zu reflektieren. Da infrarote Strahlen unsichtbar sind, kann man nicht vorhersagen, wie hell oder dunkel eine Farbe bei einer Infrarotaufnahme wiedergegeben wird. Blaues Wasser und blauer Himmel erscheinen in Infrarotbildern nicht deshalb schwarz, weil sie blau sind, sondern weil sie die infraroten Strahlen völlig absorbieren; Blattwerk und Gras erscheinen weiß, weil Chlorophyll infrarote Strahlen in starkem Maße reflektiert (und nicht, weil Blätter und Gräser grün sind)!
Da Infrarotemulsionen außerdem für sichtbares Licht empfindlich sind, muß man Spezialfilter verwenden, um den typischen Infrarot-Effekt zu erzielen. Ohne Filter ergeben Infrarotfilme Bilder, die denen auf panchromatischen Filmen ähneln.

Was Sie bei der Wahl Ihrer Schwarzweißfilme beachten sollten

Aus Zweckmäßigkeitsgründen kann man die Schwarzweißfilme in vier Gruppen einteilen:

Dünnschichtfilme
Allzweckfilme
Höchstempfindliche Filme
Spezialfilme.

Dünnschichtfilme sind niedrig empfindlich (13 bis 19 DIN), außerordentlich scharf, unübertroffen in der Detailwiedergabe und feinkörnig (keine sichtbaren Körner). Sie sind demnach ideal für die Kleinbild-Fotografie, vorausgesetzt, daß ihre Empfindlichkeit für den gegebenen Zweck ausreicht und daß man sorgfältig belichtet und entwickelt. Ihr Belichtungsspielraum ist so gering, daß Fehlbelichtungen von mehr als einem Blendenwert keine brauchbaren Ergebnisse mehr liefern. Außerdem brauchen sie eine spezielle Entwicklung mit Ausgleichsentwicklern, die das Silberkorn nicht angreifen. Bei Überentwicklung werden sie so hart, daß die Lichter völlig »ausgefressen« wirken, die mittleren Grautöne fast völlig fehlen und nur noch Schwarz und Weiß übrigbleibt.
Sämtliche Filme dieser Gruppe – einer ausgenommen – sind europäischen Ursprungs. Zu den besten gehören Adox KB 17, Agfa Isopan FF und F, Ilford Pan F, Kodak Panatomic X und Perutz Perpantic 17.
Allzweckfilme haben mittlere bis hohe Empfindlichkeit (20 bis 27 DIN), sind vorwiegend feinkörnig und haben einen unübertroffenen Belichtungsspielraum, der ein hohes Maß an Sicherheit gegen Fehlbelichtungen bietet. Sie sind ideal für Mittelformat- und größere Kameras, ferner für Kleinbildkameras in den Fällen, in denen Dünnschichtfilme wegen zu niedriger Empfindlichkeit nicht verwendet werden können. Sie sind gleichermaßen gut geeignet für Innen- wie für Außenaufnahmen unter allen Lichtverhältnissen und liefern besonders gute Resultate mit Elektronen- und Kolbenblitz. Wenn man nicht einen extrem feinkörnigen oder ultra-schnellen Film verwenden muß, sollte man seinen Schwarzweißfilm aus dieser Gruppe wählen.
Typische Repräsentanten dieser Gruppe sind Kodak Plus-X, Tri-X und Verichrome Pan; Ansco Allweather Pan; Ilford FP-3; Agfa Isopan/ss und Agfa Isopan Ultra; Perutz Peromnia 25 und Adox KB-21.

Höchstempfindliche Filme haben Empfindlichkeiten von 28 bis 34 DIN, sind grobkörnig, haben geringere Konturenschärfe und sind ungewöhnlich empfindlich gegen Überbelichtung, die derartig kontrastarme Negative ergibt, daß nicht einmal extraharte Papiere zufriedenstellende Ergebnisse liefern. Sie sind völlig ungeeignet für die normalen fotografischen Aufgaben und besonders für Außenaufnahmen bei strahlendem Licht. Ihre einzige gute Eigenschaft ist, daß sie unter Lichtverhältnissen, bei denen andere Filme versagen, noch sehr schöne Bilder ergeben. Wenn man ihre hohe Empfindlichkeit dagegen nicht braucht und ihren Körnigkeitseffekt nicht gerade sucht, sollte man sie nicht verwenden.

Typische Repräsentanten sind Kodak Royal-X Pan, Ilford HP-S, Agfa Isopan Rekord.

Infrarotfilme sind in erster Linie gedacht für Luft- und Tele-Aufnahmen. Ihre Fähigkeit, den atmosphärischen Dunstschleier zu durchdringen, erhöht die Klarheit und Präzision solcher Bilder. Außerdem werden solche Filme weitgehend für wissenschaftliche, technische und militärische Zwecke eingesetzt.

Dokumentenfilme werden nur verwendet, um Strichvorlagen ohne Mitteltöne zu reproduzieren. Sie sind sehr steil, unübertroffen scharf und extrem feinkörnig. Sie werden sowohl als orthochromatische wie auch als panchromatische Filme geliefert.

Dia-Direktfilme (Positivfilme) ergeben vom Schwarzweißnegativ positive Durchsichtbilder (Dias).

Schwarzweiß-Umkehrfilme ergeben Positive anstelle von Negativen. Sie sind für Dia-Herstellung und »Negativdrucke« geeignet.

Wer sich für diese Filme, die auch für das Experiment verführerische Möglichkeiten bieten, interessiert, kann sich entsprechendes Informationsmaterial bei seinem Fotohändler beschaffen.

Was Sie bei der Wahl Ihrer Farbfilme beachten sollten

In der Farbfotografie bringt die Wahl des am besten geeigneten Filmes andere Probleme mit sich als in der Schwarzweißfotografie, bei der Körnigkeit, Empfindlichkeit und Kontrastumfang im Vordergrund der Erwägungen stehen. Bei der Farbfilmwahl lauten die wichtigsten Fragen:

Farbumkehrfilm oder Farbnegativfilm?
Farbfilm für Tageslicht oder für Kunstlicht?

Farbumkehrfilm oder Farbnegativfilm?

Man hat die Wahl zwischen zwei grundsätzlich verschiedenen Arten von Farbfilmen: Farbumkehrfilme und Farbnegativfilme. Bei Kodak-Filmen kennzeichnet die Endung »-chrome« einen Umkehrfilm, die

Endung »-color« einen Negativfilm. Bei Agfa-Gevaert werden beide Filmarten mit Agfacolor bezeichnet. Die Unterscheidung zwischen Negativfilm und Umkehrfilm ist durch die Kurzbezeichnung gegeben, wobei CN Negativfilm und CT/CK Umkehrfilm bedeutet. Doch gilt im Agfa-Gevaert-Professional-Color-Sortiment (Farbfilme, die ausschließlich Entwicklung vertrieben werden) dieselbe Unterscheidung wie bei Kodak, nämlich Agfa*color* für Farbnegativ- und Agfa*chrome* für Farbumkehrfilme.

Farbumkehrfilm (»Umkehrfilm«, weil das Bild, das nach der Belichtung entsteht, zunächst ein negatives Bild ist, das durch die Entwicklung in ein Positiv »umgekehrt« wird) liefert positive Farbdias, wie man sie in erster Linie für Betrachtung und Projektion im durchfallenden Licht verwendet, ist aber auch für Farbdrucke geeignet. Obwohl man von Farbumkehrdias auch Farbpapierbilder herstellen lassen kann, zieht man in solchen Fällen doch besser den Farbnegativfilm vor. Im Vergleich mit dem Farbnegativfilm hat der Farbumkehrfilm folgende Vorteile: Da der Film nach der Verarbeitung bereits das endgültige, fertige Resultat darstellt und daher weder weitere Zeitverluste noch zusätzliche Ausgaben entstehen, sind die Kosten des einzelnen Farbdias verhältnismäßig niedrig. Aus ähnlichen Gründen zieht man auch Farbumkehrfilme vor, wenn Zeit gespart werden muß, zum Beispiel bei Reportagen für Magazine und in der Werbefotografie. Denn die Mindestzeit zwischen Aufnahme und Vorlage des Resultats ist bei Farbumkehrfilm wesentlich kürzer als bei Farbnegativfilm. Außerdem können Farbdias direkt für die Reproduktion ausgewählt werden, ohne daß man dafür Kontaktabzüge oder Probedrucke machen müßte, was weitere Zeit- und Kostenersparnis darstellt. Schließlich sind Farbumkehrdias im Vergleich mit Abzügen oder Vergrößerungen von Farbnegativen schärfer, weisen leuchtendere Farben auf, und ihr Kontrastumfang ist wesentlich größer – Umstände, die das Farbumkehrdia attraktiver machen und ihm bessere Verkaufsmöglichkeiten verschaffen als dem Farbpapierbild.
Ein bedeutender Nachteil aller Farbumkehrfilme ist jedoch, daß es nach der Belichtung einfach unmöglich ist, etwas daran zu korrigieren. Wenn die Lichtart, bei der die Farbaufnahme gemacht wurde, nicht genau mit der übereinstimmt, für die der Farbumkehrfilm geschaffen wurde, oder wenn bei einer anderen Lichtart nicht das entsprechende Farbkonversionsfilter benutzt wurde oder wenn die Belichtung nicht genau stimmt, enttäuscht eben das Resultat und ist oft unbrauchbar. Ferner ist jedes Farbumkehrdia ein Original. Wenn es beschädigt oder

verloren ist, kann es nicht ersetzt werden, es sei denn, man hätte vorher davon Duplikate angefertigt. Aber das Duplizieren von Farbdias ist eine zeitraubende und teure Arbeit, und wenn es nicht von einem erstklassig arbeitenden Farblabor ausgeführt wird, bekommt man Farbdias, die gegenüber dem Original fototechnisch minderwertig sind.

Farbnegativfilm ergibt Farbnegative in den Komplementärfarben und negativen Abstufungen des Motivs. Wie bei üblichen Schwarzweißnegativen werden auch von diesen Filmen Kopien oder – meist – Vergrößerungen auf Papier und natürlich in Farbe hergestellt. Im Vergleich zum Farbumkehrfilm weist der Farbnegativfilm folgende Vorteile auf:
Weil die Bildherstellung über ein Negativ als Zwischenprodukt vor sich geht, hat hier der Fotograf ebensoviel Einfluß auf die Gestaltung des endgültigen Bildes wie beim Schwarzweißverfahren. Nicht allein, daß man eine beträchtliche Überbelichtung und – allerdings im geringen Maße – Unterbelichtung des Farbnegativs im Positivprozeß ausgleichen kann, viel weiter noch reichen die Möglichkeiten der Farbabstimmung über das ganze Bild oder nur in bestimmten Bildteilen. Diese Tatsache ist von allergrößtem Wert. Damit entfällt nämlich die Notwendigkeit, vom selben Motiv eine Reihe von Aufnahmen mit verschiedenen Belichtungen oder mit verschiedenen Farbausgleichsfiltern zu machen, um sicher zu sein, eine einwandfreie Aufnahme dabei zu haben. Dieser Vorteil wird vor allem von Fotografen wahrgenommen, die keine Zeit haben, noch eine zweite, geschweige denn eine dritte oder vierte Aufnahme mit verschiedenen Blenden und Verschlußzeiten zu machen. Weitere Vorteile des Farbnegativfilmes beruhen darauf, daß man Ausschnitte und Teile der Negative vergrößern kann und daß das unersetzbare Negativ beim Fotografen bleibt. Er kann nun Kopien versenden, die jederzeit ersetzbar sind, kann eine ganze Anzahl gleichartiger Farbbilder vom selben Negativ herstellen und gleichzeitig an verschiedene Interessenten verschicken, womit vermieden wird, daß ein Interessent durch Behalten eines Farbdias verhindert, daß dieses in der Zwischenzeit anderswo verkauft wird. Ferner können kleinformatige Aufnahmen beliebig vergrößert werden.
Nachteile des Farbnegativfilms sind, daß man von Farbnegativen zwar drucken kann, aber zur Kontrolle der Farben ein Farbpapierbild braucht; daß gute Farbvergrößerungen in entsprechenden Formaten sehr teuer sind; und daß auch die beste Farbvergrößerung immer noch einem Farbumkehrdia gegenüber in bezug auf Schärfe, Farbbrillanz

und Kontrastumfang unterlegen ist, was ihre Verkaufsmöglichkeit herabsetzt, wenn das auch zum Teil durch ein größeres Format wieder ausgeglichen werden kann.

Farbfilm für Tageslicht oder für Kunstlicht?

Im Gegensatz zu Schwarzweißfilmen, die man bei jeder Lichtart verwenden kann, kommen Farbfilme in zwei verschiedenen Arten in den Handel, von denen jede auf eine bestimmte Lichtart abgestimmt ist. Verwendet man sie bei einem anderen Licht, entsprechen die Farben des Dias nicht denen des Motivs, es sei denn, man benutzt das entsprechende Farbkonversionsfilter.

Tageslichtfarbfilme sind für Aufnahmen bei normalem Tageslicht bestimmt, das folgendermaßen definiert wird: *Eine Kombination von direktem Sonnenlicht und Licht, das vom klaren blauen Himmel mit einigen kleinen weißen Wolken reflektiert wird, und zwar während der Stunden, in denen die Sonne höher als 20° über dem Horizont steht.* Ferner sind sie für Blitzaufnahmen mit Elektronenblitz oder blau überzogenen Blitzlampen zu verwenden. Soll aber Farbfilm für Tageslicht bei einer anderen Lichtart verwendet werden, muß man das entsprechende Lichtausgleichsfilter vorsetzen, um eine natürliche Farbwiedergabe zu bekommen. Ohne diese Filter werden Aufnahmen auf Tageslichtfarbfilm im Lichte von elektrischen Glühlampen oder klaren Blitzlampen zu gelblich.
Nebenbei: Farbnegativfilme (z. B. Agfacolor, Kodacolor X) sind in erster Linie für Aufnahmen bei Tageslicht bestimmt, können aber auch mit Fotolampen von 3200° K verwendet werden, wenn das Kodakfilter Nr. 80 A vorgesetzt wird, sowie mit Fotolampen von 3400° K mit dem Kodakfilter Nr. 80 B. Im ersten Fall ist die normale Empfindlichkeit um 6 DIN, im zweiten Fall um 5 DIN zu reduzieren.

Kunstlichtfarbfilm ist für eine Farbtemperatur von 3200 bis 3400° K abgestimmt, also für Fotolampen, die mit Überspannung brennen, und muß bei Tageslicht mit dem entsprechenden Farbkonversionsfilter benutzt werden, wobei auch die dadurch verursachte Belichtungsverlängerung zu beachten ist. Die meisten in Deutschland erhältlichen Farbfilme für Kunstlicht sind auf eine Farbtemperatur von 3200° K abgestimmt und ergeben in Verbindung mit Fotolampen von 3400° K (kurzbrennende Glühlampen von 3 bis 6 Stunden Brenndauer) eine etwas zu bläuliche Farbwiedergabe. In diesen Fällen empfiehlt es sich, das Skylight-Filter vorzusetzen, das den Blaustich ausschaltet, ohne übrigens eine Verlängerung der Belichtung zu beanspruchen.

Filmmarke. Es gibt keinen Farbfilm, der selbst unter idealen Aufnahmebedingungen Farbdias ergibt, die in jeder Hinsicht den Farben des Motivs gleichen. Ferner werden die Resultate von Aufnahmen desselben Motivs unter gleichen Bedingungen auf Farbfilmen verschiedener Marken verschieden sein. Ein Teil dieser Unterschiede ist auf gewisse Veränderungen zurückzuführen, die ich später besprechen werde. Der Hauptgrund dafür ist aber, daß die Farbfilme verschiedener Hersteller gewisse typische Unterschiede aufweisen, so daß sie auf bestimmte Farben verschieden reagieren. So sind z. B. einige Farbfilmmarken für ihre besonders »brillanten« Farben bekannt, die zuweilen »übersteigert« erscheinen, andere geben die Farben pastellartiger und »weicher« wieder. Gewisse Farbfilme neigen zu einer »wärmeren« Wiedergabe (etwas gegen Gelb und Rot verschoben), während andere mit Farben reagieren, die »kälter« sind (etwas nach Blau und Violett zu versetzt). Außerdem stellen sich auch Differenzen in der Wiedergabe bestimmter Farben heraus: Eine Filmmarke mag dafür bekannt sein, daß sie die Hauttöne besonders gut wiedergibt, und wird daher zu Bildnis-Nahaufnahmen bevorzugt, eine andere für ihre Fähigkeit, klaren, blauen Himmel oder grünes Laub natürlicher als andere Farbfilme wiederzugeben, die ihrerseits diese Farben so grell bringen, daß viele Leute sie als »künstlich« oder »giftig« empfinden. Noch andere Farbfilme haben Schwächen in der Wiedergabe von Rot, das dann wie Tomatensoße aussieht, oder die grünen Töne bekommen einen Braunstich. Und so weiter. Illustrierte Vergleiche der Farbwiedergabe verschiedener Marken von Farbfilmen werden in Fotozeitschriften von Zeit zu Zeit nach neuestem Stand veröffentlicht. Jeder ernstlich an der Farbfotografie interessierte Fotograf sollte sie sich genau ansehen. Die charakteristischen Eigenschaften der Farbfilmmarken hier zu diskutieren wäre sinnlos, da die Farbfilmhersteller, die ständig bestrebt sind, ihre Filme zu verbessern, die Farbwiedergabe einer Farbfilmtype von Zeit zu Zeit zu ändern, ohne ihr eine neue Bezeichnung zu geben. Am besten lernt man das Wichtigste über die Eigenschaften eines Farbfilms, wenn man eine Reihe von Testaufnahmen einer gleichmäßig beleuchteten Tafel herstellt, die mit Streifen von farbigen matten Papieren beklebt ist, ferner mit *schwarzen und weißen* Streifen und mit einer *Kodak Neutral-Test-Karte von 18% Reflexionsvermögen (oder*

einer Kodak Grau-Skala), um Grau darzustellen – die härteste Prüfung für jeden Farbfilm! Kommt Schwarz als Pechschwarz, Weiß als *klares* Weiß und Grau als völlig *neutrales* Grau ohne Farbstich, braucht man sich kaum noch um die Farben zu kümmern: Man hat dann bestimmt einen guten Farbfilm gefunden.
Weitere Eigenschaften, die dazu führen, daß eine Filmmarke anderen vorzuziehen ist, sind Kontrastumfang und Belichtungsspielraum. Es hat sich als Regel herausgestellt: Je kontrastreicher ein Farbfilm arbeitet, je kürzer also sein Tonwertumfang und je brillanter seine Farbwiedergabe ist, um so enger ist sein Belichtungsspielraum, d. h., um so geringer ist seine Fähigkeit, ein gewisses Maß an Über- oder Unterbelichtung so zu überbrücken, daß noch brauchbare Farbbilder entstehen. In dieser Hinsicht ergeben einige Farbfilme noch annehmbare (wenn auch nicht gerade erstklassige) Farbdias, obwohl sie bis zu $2^1/_2$ Blendenstufen überbelichtet oder bis $1^1/_2$ Blenden unterbelichtet wurden. Andere Farbfilme überbrücken nur Abweichungen von einer halben Blende von der richtigen Belichtung. Je kontrastreicher das Motiv und je unerfahrener der Fotograf ist, um so größer sollte der Belichtungsspielraum des Farbfilms sein, den er benutzt. Farbnegativfilme, wie schon erwähnt wurde, haben einen wesentlich größeren Belichtungsspielraum als Farbumkehrfilme.

Variable Faktoren

Farbfilm ist ein sehr kompliziertes Erzeugnis, das leicht durch äußere Einflüsse verändert werden kann. Schon bei der Herstellung sind trotz sorgfältiger Kontrollen geringe Abweichungen in bezug auf Empfindlichkeit, Kontrast und Farbgleichgewicht unter Farbfilmen desselben Typs nicht zu vermeiden. Bei der Herstellung von Kodak-Farbfilmen dürfen diese Abweichungen in bezug auf Empfindlichkeit nicht mehr als plus oder minus eine halbe Blendenstufe betragen, und das Farbgleichgewicht darf sich nicht mehr, als einem 10 CC-Filter entspricht, verschieben. Zu diesen unvermeidlichen Abweichungen kommen gewöhnlich noch andere vermeidbare und meist viel auffallendere Abweichungen von der Norm, die durch unsachgemäße Aufbewahrungsbedingungen vor oder nach der Belichtung sowie durch Verschiedenheiten in der Entwicklung der Farbfilme verursacht werden. Zusammen können alle diese Einflüsse stärker auf die Farbwiedergabe wirken als relativ große Schwankungen in der Art des Lichtes, für das der Farbfilm abgestimmt ist. Dadurch wird natürlich die Verwendung von

Farbkorrekturfiltern illusorisch, wenn der Fotograf nicht 1. vermeidbare Veränderungen durch sachgemäße Lagerung, Behandlung und Verarbeitung seines Filmes ausschaltet und 2. den Umfang der unvermeidbaren Abweichungen durch Testaufnahmen genauestens feststellt, damit er sie korrigieren kann.

Abweichungen bei der Herstellung. Sie sind im allgemeinen unter Farbfilmen *verschiedener* Emulsionen wesentlich größer als unter Farbfilmen mit *derselben* Emulsionsnummer. Die Filmemulsionsnummer wird auf der Filmpackung angegeben oder auf den Rand der Planfilme eingeprägt. Ist eine Serie zusammengehöriger Farbaufnahmen herzustellen, sollte man sie unbedingt auf Farbfilme derselben Emulsionsnummer machen, um Unterschiede in der Farbwiedergabe auf ein Mindestmaß herabzudrücken.
Die einzige Möglichkeit, um festzustellen, ob ein Farbfilm der Norm entspricht, und wenn nicht, was das Ausmaß seiner Abweichungen ist, besteht in Testaufnahmen, wie sie später beschrieben werden. Einen guten Anhaltspunkt geben dabei die Angaben, die vielfach vom Hersteller dem Film beigegeben werden und die genauere Anweisungen zur Benutzung der betreffenden Farbfilmemulsion enthalten. Meist sind sie nur bei Planfilmen vorhanden. Doch habe ich die Erfahrung gemacht, daß diese Informationen zwar als Ausgangspunkt wertvoll, aber keineswegs unfehlbar sind, da sich beim Verschicken und Lagern oft weitere Veränderungen ergeben. Diese Angaben können also keineswegs Testaufnahmen ersetzen.
Um mich gegen unterschiedliche Farbwiedergabe zu schützen, kaufe ich mir, soweit wie möglich, Farbfilme in größeren Mengen und vergewissere mich, daß alle dieselbe Emulsionsnummer aufweisen. Bevor ich aber diese Filmmenge übernehme, lasse ich mir vom Fotohändler davon eine Filmrolle oder eine Planfilmpackung zum Testen geben. Befriedigt mich das Ergebnis der Testaufnahmen, hole ich den Rest der Filme ab und lagere sie in meinem Kühlschrank. Fällt aber der Test unbefriedigend aus, versuche ich einen Film mit einer anderen Emulsionsnummer. Fotografen, die selbst nicht genügend Film abnehmen, um so vorgehen zu können, tun sich am besten mit anderen Fotografen zusammen, um gemeinsam zu kaufen und zu testen.

Veränderungen nach der Herstellung. In höherem Grade als Schwarzweißfilme werden Farbfilme von Hitze, Feuchtigkeit, Dunst und gewissen Dämpfen und Gasen, vor allem von Dämpfen von Ammoniak, Formalin, Tetrachlorkohlenstoff und anderen Lösungen sowie von

Auspuffgasen der Verbrennungsmotoren, geschädigt. Diese Einflüsse wirken auf die drei Schichten der Farbfilme oft verschiedenartig ein und zerstören damit das Farbgleichgewicht des Filmes, können aber außerdem noch allgemeine Veränderungen der Empfindlichkeit und des Kontrastes verursachen. Um diese und andere Gefahren zu verringern, sollten Fotografen folgendes beachten:

Verfalldatum. Farbfilm altert mit der Zeit, wird immer schlechter und ist schließlich unbrauchbar, gleichgültig, wie sorgfältig er auch gelagert sein mag. Also ist die Gefahr, daß sich die Eigenschaft des Films ändert, um so größer, je länger die Zeit zwischen Herstellung und Entwicklung ist. Daher stempeln die Hersteller auf jede Filmpackung ein Verfalldatum, das angibt, von wann ab der Film nicht mehr zu verwenden ist. Man achte beim Kauf auf das Verfalldatum und weise Filme zurück, die bereits abgelaufen sind oder in nächster Zeit ablaufen. Allerdings habe ich die Erfahrung gemacht, daß Farbfilme, die ich sehr »frisch« gekauft habe, d. h. mit einer ziemlich langen Laufzeit, und die, bis sie benutzt wurden, dauernd im Kühlschrank aufbewahrt wurden, ihre Eigenschaften bis zu einem Jahr nach dem Verfalldatum stabil hielten, also noch immer einwandfreie Resultate ergaben.

Schutz vor Hitze. Der zerstörende Einfluß von Hitze auf den Farbfilm geht vielleicht am besten aus den Angaben von Kodak über die Verwendungszeiten von Kodachrome- und Kodacolorfilmen hervor: diese halten sich zwei Monate bei Temperaturen über 24° C, sechs Monate bei Temperaturen unter 15° C, zwölf Monate bei Temperaturen unter 10° C.
Die beste Art, Farbfilm für eine möglichst lange Zeit gebrauchsfähig zu halten, ist, ihn in einem Kühlschrank bei einer Temperatur von 0 bis −12° C zu lagern. Dabei muß man aber zwischen den vom Hersteller versiegelten Packungen und geöffneten Farbfilmpackungen einen Unterschied machen. Der vom Hersteller in versiegelter Packung gelieferte Farbfilm befindet sich in einer luftdichten, feuchtigkeitssicheren Hülle, ist also gegen Feuchtigkeit (jedoch nicht gegen Wärme!) geschützt; offene Packungen sind es dagegen nicht. Ist aber diese schützende Hülle verletzt, muß ein Film, der kühl gelagert werden soll, erst wieder ausgetrocknet werden. Dazu läßt man ihn zusammen mit einem Feuchtigkeit aufsaugenden Mittel wie Silicagel in einem luftdicht verschlossenen Behälter für zwei Tage bis zu einer Woche liegen. Die erforderliche Zeit hängt von der Menge des Mittels und der Feuchtigkeit der Luft ab, der der Film ausgesetzt war. Anschließend

wird der getrocknete Film in einem wasserdichten Behälter oder einer entsprechenden Verpackung in den Kühlschrank gelegt.
Film, der stark gekühlt worden ist, läßt man einige Stunden auftauen und sich auf Lufttemperatur erwärmen, ehe man die wasserdichte Packung öffnet. Andernfalls würde sich die Luftfeuchtigkeit sofort auf der kalten Oberfläche des Filmes niederschlagen, in die Emulsion eindringen und dort Streifen und Flecken verursachen. Kalter Film ist außerdem außerordentlich spröde, vor allem kann Kleinbildfilm auch splintern oder brechen, wenn er in eiskaltem Zustand verwendet wird.
Wenn man Farbfilm nicht im Kühlschrank aufbewahren kann, muß er am kühlsten Platz, den man hat, gelagert werden. Vor allem sind Plätze, wie Dachkammern und Böden (die zu warm werden) oder Keller (die zu feucht sind), zu vermeiden, ferner der Handschuhkasten und der Kofferraum des Autos (zumal im Sommer!), Plätze in der Nähe von Heizkörpern oder Warmwasserleitung sowie alle Stellen, die regelmäßig der Sonne ausgesetzt sind. Kodak rät dem Fotografen, auf der Reise seinen Filmvorrat in einem Koffer zwischen sauberen, gebügelten und daher trockenen Kleidungsstücken aufzubewahren, die eine gute Isolierung gegen Hitze darstellen und etwaige Feuchtigkeit absorbieren, ehe sie auf den Film einwirken kann. Kamerakoffer und Behälter mit Film darf man nie in der Sonne stehen lassen. Schließlich sei noch bemerkt, daß ein tragbarer Kühlbehälter die beste Aufbewahrungsmöglichkeit für Farbfilme bei Autofahrten in warme Länder bietet, daß ein hochglänzender Aluminiumkoffer Hitze besser reflektiert als ein Koffer ohne metallische Oberfläche und daß ein schwarzer Koffer der schlechteste (weil wärmste) Behälter für Farbfilme ist.

Schutz gegen Feuchtigkeit. Vom Hersteller versiegelt verpackter Film ist seiner feuchtigkeitsundurchlässigen Verpackung wegen genügend gegen Feuchtigkeit und Dämpfe gesichert. Belichteter Film, der nicht innerhalb kurzer Zeit verarbeitet werden kann, muß mit Hilfe von Silicagel getrocknet und anschließend sofort in einem wasserdichten Behälter aufbewahrt werden, will man zerstörende Einflüsse ausschalten. Ausgezeichnete Behälter für solche Filme sind Entwicklertanks aus rostfreiem Stahl mit gut schließenden Deckeln, die man noch mit wasserdichtem Klebeband hermetisch abdichtet. Ob diese Vorsichtsmaßregeln nötig sind oder nicht, hängt von den klimatischen Bedingungen ab, unter denen der Film gelagert werden muß. Daß ein Film, der aus einer versiegelten Packung entnommen worden ist, in einen wasserdicht verschlossenen Behälter gehört, ehe man ihn im Kühlschrank lagern kann, wurde bereits erwähnt.

Schutz gegen Röntgenstrahlen. In Krankenhäusern, Behandlungsräumen von Ärzten, Laboratorien und anderen Räumen, in denen Röntgengeräte oder radioaktives Material verwendet werden, besteht die Gefahr einer Schädigung des Filmes durch Strahlung. Wenn Film in oder nahe solchen Räumen gelagert werden muß, ist es ratsam, zunächst die Sicherheit des geplanten Lagerplatzes zu prüfen. Dazu läßt man an dem gewählten Platz mehrere Tage in lichtdichter Verpackung ein Stück Film liegen, z. B. einen solchen Film, wie das Personal, das mit Röntgenstrahlen arbeitet, an der Laborkleidung trägt. Dann entwickelt man ihn. Zeigt der Film keine Belichtungserscheinungen, kann man den Platz als gefahrlos für die Lagerung von Farbfilm ansehen.

Allgemeine Vorsichtsmaßregeln. Öffne nicht die luftdichte Verpackung des Filmes, ehe er verwendet werden soll. Laß Planfilme nicht länger in ihren Kassetten, als unbedingt notwendig ist. Soweit wie möglich schütze man die Filmkassetten und den Koffer mit Filmen vor Sonne und überhaupt vor kräftigem Licht. Kleinbild- oder Rollfilmkameras dürfen nur im Schatten mit Farbfilm geladen werden und sollen geladen nicht länger der Sonne ausgesetzt werden, als unbedingt notwendig ist. Bringe sie zwischen zwei Aufnahmen in den Schatten. Wenn kein Schatten vorhanden ist, benutze den eigenen Körperschatten dazu. Laß den belichteten Farbfilm umgehend entwickeln. Auf Reisen schicke man den Farbfilm so bald wie möglich mit Luftpost zum Verarbeiten, statt ihn für den Rest der Reise mit sich herumzuführen.

Testen

Ehe ein Fotograf, der es wirklich ernst mit seinen Farbaufnahmen meint, Geld für Film und Arbeit für Aufnahmen aufwendet, möchte er über zwei hochwichtige Eigenschaften genauestens Bescheid wissen: über *die Art,* wie diese Farbfilmemulsion die Farben wiedergibt, und über ihre *tatsächliche Empfindlichkeit.* Was auch die Farbfilmhersteller in ihrer Werbung sagen mögen, Tatsache ist jedenfalls, daß ein »vollkommener« Farbfilm einfach nicht existiert; daß die verschiedenen Farbfilme des Marktes verschiedenartig auf dieselben Farben reagieren und daß sogar bei Aufnahmen mit Farbfilmen derselben Marke und Type beträchtliche Unterschiede in bezug auf Farbwiedergabe und Empfindlichkeit bestehen können. Daher gibt es nur einen Weg, diese Eigenschaften festzustellen: jedesmal, wenn man sich eine Ladung Farbfilme kauft, diese zu testen.

Damit ein solcher Test gültig ist, muß er unter genau genormten Bedingungen durchgeführt werden. Das bedeutet im einzelnen, daß das Testobjekt, die Beleuchtung, die Kamera, das Objektiv, die betreffende Blende und die benutzten Belichtungszeiten, ferner der Aufnahmeabstand und der Abstand der Lampen vom Testobjekt bei jedem Test die gleichen sein müssen. Andernfalls sind die Testergebnisse wertlos und Vergleiche zwischen den Ergebnissen verschiedener Tests unmöglich. Und noch etwas: *Ehe* ein Fotograf seinen ersten Test macht, muß er unbedingt die Verschlußzeiten seiner Kamera von einem guten Kameramechaniker überprüfen und nötigenfalls in Ordnung bringen lassen. Oft wird er dabei erfahren, daß nur wenige seiner Verschlußzeiten (wenn überhaupt) das sind, was sie anzeigen. Das ist ganz normal und nicht weiter gefährlich, wenn die Abweichungen von den angegebenen Zeiten nicht zu groß sind und der Fotograf selbst den genauen Zeitwert jeder Einstellung kennt (der Kameratechniker wird ihm eine Tabelle für die einzelnen Verschlußgeschwindigkeiten anfertigen). Unzulässig ist aber, daß sich dieselbe Verschlußzeit von einer Belichtung zur anderen verändert, was infolge von Staubansammlung oder steifgewordenem Öl im Mechanismus möglich ist. Solche verschmutzten Verschlüsse müssen erst gereinigt werden, bevor sie justiert werden können. Jede Farbfilmtype muß natürlich bei dem Licht getestet werden, auf das der Farbfilm abgestimmt ist, also Farbfilm für Tageslicht im »genormten« Tageslicht von 5600° K, Kunstlichtfarbfilm bei dem Licht elektrischer Fotolampen von 3200° K. Im folgenden wird beschrieben, wie man einen gültigen Test durchführt:

Zunächst stellt man sich eine etwa 40 × 50 cm große Testkarte her. Sie besteht aus einem Stück Pappe, auf das man Streifen von verschiedenfarbigem matten Papier klebt sowie je einen breiten Streifen von tiefschwarzem Papier, von rein weißem Papier und von einem grauen Papier mit etwa 18% Reflexionsvermögen, wie es z. B. die Kodak Neutral-Testkarte darstellt. Man beleuchtet die Testkarte gleichmäßig mit dem dem jeweiligen Filmtyp entsprechenden Licht und stellt eine Reihe von Aufnahmen mit verschiedenen Belichtungen her. Dabei geht man von der gemessenen Belichtung aus und macht anschließend einige kürzere und einige länger belichtete Aufnahmen. Doch soll man sie alle mit derselben Belichtungszeit machen und nur die Blendeneinstellung entsprechend variieren. Auf diese Weise macht man fünf ver-

schiedene Belichtungen, die von einer ausgesprochenen Unterbelichtung über die richtige Belichtung zur starken Überbelichtung reichen, also etwa mit den Blenden 4 – 5,6 – 8 – 11 – 16, wenn man für die gewählte Belichtungszeit als richtige Blende 8 gemessen hatte. Um dabei mögliche Verwechslungen auszuschließen, schreibt man die folgenden Angaben auf ein Stück Papier, das man an die Testkarte heftet, so daß es später in jeder der verschiedenen Testaufnahmen erscheint: Name und Emulsionsnummer des Farbfilms, Belichtungszeit, Beleuchtungsart, Kamera und Objektiv. Ferner richtet man sich eine Anzahl kleinerer weißer Karten her, auf die man die Angaben schreibt, *die sich verändern,* also die jeweilige Blende und gegebenenfalls Art und Dichte eines benutzten Farbkorrekturfilters. Man bringt diese Karten so an der Testkarte an, daß sie im Bild erscheinen, und darf nicht vergessen, sie vor jeder neuen Belichtung entsprechend auszuwechseln. Außerdem markiert man die Karte mit den Angaben für die Belichtung, die den Angaben des Belichtungsmessers gemäß richtig sein müßte. Wenn diese Testaufnahme sich als die beste Belichtung erweist, stimmt die *angegebene* Empfindlichkeit des Farbfilms mit der *getesteten* überein; wenn nicht, weiß man genau darüber Bescheid, wieviel der getestete Film empfindlicher oder weniger empfindlich ist.
Solche Testaufnahmen sollen natürlich vom Stativ aus gemacht werden, schon um sicherzugehen, daß alle Aufnahmen aus demselben Abstand gemacht worden sind, und um ein Verwackeln der Kamera beim Belichten zu vermeiden, da dadurch derartige Unschärfen entstehen können, daß die Testangaben nicht mehr zu lesen sind. Und um die Gefahr von Farbabweichungen während der Verarbeitung auszuschalten, läßt man die Testaufnahmen da entwickeln, wo man auch sonst arbeiten läßt.

Ein derartig vorgenommener Test ergibt unschätzbare Informationen in dreifacher Hinsicht: Filmempfindlichkeit, Belichtungsspielraum und Farbwiedergabe. Die Ergebnisse in bezug auf Filmempfindlichkeit und Belichtungsspielraum sind direkt abzulesen. Die Art der Farbwiedergabe ergibt sich am deutlichsten aus der Wiedergabe der grauen und weißen Teile der Testkarte: je »sauberer« und neutraler die Graustufen sind, und je »weißer« das Weiß, d. h. je weniger es einen Farbstrich – grünlich, bläulich, rötlich usw. – aufweist, um so besser ist die Farbabstimmung des betreffenden Farbfilmes. Für eine objektive Auswertung der Testaufnahmen setzt man die einzelnen Farbdias in entsprechende Ausschnitte nebeneinander in einem größeren schwarzen Karton ein und betrachtet sie in einem verdunkelten Raum auf einem

Leuchtkasten oder gegen eine weiße Fläche, die mit Licht einer Farbtemperatur von 4000 bis 4500° K beleuchtet wird und eine Helligkeit von 4000 bis 5000 Lux aufweisen soll. Zeigen die Grautöne einen Farbstich, betrachtet man das Farbdia durch verschieden dichte Farbkorrekturfilter der Komplementärfarbe, bis man den Filter findet, der das Grau neutral erscheinen läßt. Anschließend macht man dann einen zweiten Test mit einem Filter derselben Farbe, aber der halben Dichte des Betrachtungsfilters. Dieser zweite Test ist deshalb notwendig, weil Auge und Farbfilm oft verschieden reagieren und weil der visuelle Eindruck nicht zuverlässig die Wirkung eines Farbfilters auf den Farbfilm voraussagen kann.

Art der Verarbeitung

Man muß zwischen drei Klassen von Farbumkehrfilmen unterscheiden: Farbumkehrfilme, die entweder vom Benutzer, vom Hersteller oder von einem Farblabor entwickelt werden können; Farbumkehrfilme, die *nicht* vom Benutzer, sondern *nur* vom Hersteller oder von einem Farblabor verarbeitet werden können; und Farbumkehrfilme, die sowohl vom Benutzer als auch von einem Farblabor verarbeitet werden können, aber *nicht* vom Hersteller entwickelt werden. Darüber müssen sich solche Fotografen informieren, die entweder ihre Farbaufnahmen beim Hersteller verarbeiten lassen wollen, was gewöhnlich die beste Garantie für höchste Farbqualität ist, oder solche, die sie selbst entwickeln wollen. Notfalls fragt man seinen Fotohändler, zu welcher der drei Gruppen der betreffende Farbfilm gehört.
Die Farbfilmentwicklung ist ein ziemlich schwieriger und komplizierter Prozeß. Wird dieser nicht in voller Übereinstimmung mit den Vorschriften des Herstellers durchgeführt, ist das Ergebnis unbefriedigend. In der Regel ist das Ergebnis um so besser, je sorgfältiger die Verarbeitung genormt ist und je automatischer sie vor sich geht. Daher ist die Wahl eines zuverlässig und exakt arbeitenden Farblabors für den Farbfotografen genauso wichtig wie die Wahl des Farbfilmes. So wurde an Hand sorgfältig überwachter Tests festgestellt, daß die Farbabweichungen, die sich aus den unterschiedlichen Arbeitsweisen verschiedener Farblabors ergeben, gewöhnlich größer sind als die Unterschiede aus allen anderen Ursachen zusammen – eine Mahnung an jeden Fotografen, sein Farblabor mit größter Sorgfalt auszuwählen.

Zehn Tips für die Praxis

1. Berühren Sie nie die Schicht eines Filmes mit Fingern oder Händen, sonst gibt es untilgbare Spuren.

2. Fassen Sie die Filme oder Negative stets an den Rändern an.

3. Feuchtigkeit und Hitze zerstören unbelichtetes Filmmaterial ziemlich rasch und verderben Negative und Dias im Laufe der Zeit. Um dies zu vermeiden, sind unbelichtete ebenso wie entwickelte Filme kühl und trocken aufzubewahren (wobei Trockenheit wichtiger ist als Kühle). Im Sommer Filme nie im Handschuhfach oder Kofferraum des Wagens aufbewahren.

4. Film stets im Schatten ein- und auslegen. Keine Tageslichtpackung ist so lichtsicher, daß sie direktes Sonnenlicht aushält, ohne den Film an den Kanten, am Anfang oder Ende zu verschleiern. Wenn keine schattige Stelle da ist, drehen Sie ihren Rücken der Sonne zu und legen Sie den Film im eigenen Körperschatten ein bzw. aus.

5. Beim Filmkauf prüfen Sie das Ablaufdatum auf der Packung – sie sagt Ihnen, ob der Film noch frisch ist. Abgelaufene Filme haben mehr oder weniger Empfindlichkeit verloren, sind weicher geworden, können teilweise oder ganz verschleiert sein, und abgelaufene Farbfilme ergeben außerdem noch unbefriedigende Farben.

6. Achten Sie darauf, daß Sie Rollfilme stets festgewickelt verkleben und niemals dadurch nachstraffen, daß Sie die Spule festhalten und die Papierlasche des Filmes fest anzurren – dies gibt Kratzer auf der Schicht. Passen Sie auch darauf auf, daß der Film beim Einlegen sich nicht durch seine Eigenspannung lockert; das gibt Lichteinfall vom Rand her. Führen Sie die Papierlasche sorgfältig in den Schlitz der Spule ein und knicken sie scharf um, damit es keine Buckel gibt, denn auch das kann zu Lichteinfall führen.

7. Filmpacks sind sehr anfällig; fassen Sie sie nur an den Kanten an. Die Vorderseite nicht eindrücken – wenn man es tut, kann Licht in die Packung eindringen und den Film verschleiern.

8. Wenn Sie Filme in der Dunkelkammer abspulen oder aus der Kassette ziehen, ziehen Sie *langsam,* sonst laden Sie den Film unter Um-

ständen mit statischer Elektrizität auf, und das kann zu »Verblitzungen« führen, die im Negativ als schwarze Schlangenlinien, Sternmuster oder Punktreihen sichtbar werden. Kühle und trockene Luft begünstigt ihr Entstehen.

9. Wenn Sie Planfilm in Kassetten einlegen, achten Sie darauf, daß die Schichtseite vorne liegt. Alle Planfilme haben an einer Ecke Kerben, die sich nach Filmsorte und -type unterscheiden und im Dunkeln durch Tasten festgestellt werden können. Die Schichtseite ist vorne, wenn die Kerben des im Hochformat gehaltenen Films oben rechts liegen.

10. Wenn Sie bei sehr hellem Licht fotografieren, lassen Sie die Kamera nicht länger als nötig unbedeckt. Wenn Sie Filmpack oder Planfilm verwenden, beschatten Sie den Schlitz des Halters mit dem Kassettenschieber oder bedecken Sie die Kassette mit dem Einstelltuch, wenn der Schieber herausgezogen ist, um Verschleierung des Films durch Lichteinfall zu vermeiden.

Zubehör, um sich den Arbeitsbereich zu erweitern

Eine weitere Kamera
Zusatzobjektive
Balgengerät und Verlängerungstuben
Fotolampen und Elektronenblitze
Stativ

Eine weitere Kamera

Es gibt keine »universelle« Kamera, die für jede Art von Aufnahmen gleich gut zu verwenden wäre. Daher ist es für den Fotografen, der sich für zwei oder mehrere verschiedene Gebiete der Fotografie interessiert, oft notwendig, sich eine zweite Kamera anzuschaffen. Zum Beispiel ist die Kleinbildkamera mit Entfernungsmesser oder mit Spiegelreflexeinrichtung für schnelle, lebendige Schnappschüsse von Menschen unübertroffen. Wenn man sie aber für Aufnahmen von Gebäuden benutzen würde, ergäben sich Bilder, die normalerweise für architektonische Darstellungen unzulänglich sein würden. Die Negativgröße dieser Kameras ist eben zu klein, um sehr feine Einzelheiten mit genügender Präzision darzustellen. Außerdem fehlen diesen Kameras die notwendigen Verstellbarkeiten zur Korrektur von perspektivischen Verzeichnungen: Auf den meisten Aufnahmen von Gebäuden mit einer Kleinbildkamera verjüngen sich die in der Natur senkrechten Linien, ergeben also den Eindruck, als ob das Haus umfiele. Hat ein Fotograf ernstlich die Absicht, Schnappschüsse von Menschen und auch Aufnahmen von Architekturen zu machen, muß er sich, um zufriedenstellende Ergebnisse auf beiden Gebieten zu erzielen, zwei verschiedene Kameras anschaffen: eine Kleinbildkamera mit Entfernungsmesser oder Spiegelreflexeinrichtung und eine 9 × 12-cm-Mattscheibenkamera. Die verschiedenen Kameratypen, die dem Fotografen zur Wahl stehen, sind bereits beschrieben worden.

Zusatzobjektive

Es gibt kein »Universal-Objektiv«, mit dem man alle fotografischen Aufgaben gleich gut lösen könnte. Daher werden für viele Kameras Wechselobjektive angeboten. Wenn das Normal- oder Standardobjektiv für ein bestimmtes Motiv ungeeignet ist, tut es vielleicht ein Weitwinkelobjektiv, das einen größeren Bildwinkel erfaßt, oder ein Teleobjektiv, das vom selben Kamerastandpunkt aus das Motiv größer als das Normalobjektiv abbildet, oder aber ein hochlichtstarkes Objektiv, das lichtstärker als das Normalobjektiv ist und somit die Möglichkeit gibt, bei einem Licht, das für das Normalobjektiv zu schwach ist, noch gute Bilder zu bekommen. So weitet die Anschaffung von einem oder mehreren Objektiven mit besonderen Eigenschaften den Arbeitsbereich des Fotografen und erschließt ihm andernfalls unzugängliche Gebiete. Die grundsätzlichen Typen von Objektiven, die dem Fotografen zur Wahl stehen, sind bereits beschrieben worden.

Balgengerät und Verlängerungstuben

Aufbau und mechanische Grenzen beschränken bei den meisten Kameras die Entfernungseinstellung – den größten Abstand zwischen Objektiv und Film. Damit ist vielfach die Möglichkeit, nahe an ein

Objekt heranzugehen, begrenzt. Denn eines der optischen Gesetze besagt, daß der Abstand zwischen Objektiv und Film, um scharfe Bilder zu erhalten, um so größer sein muß, je kürzer der Abstand zwischen Objektiv und Objekt ist. Wenn also das Aufnahmeobjekt sehr klein ist, z. B. eine Blume oder ein Insekt, bekommt der Fotograf bei dem kürzestmöglichen Aufnahmeabstand, den die Einstellung der Kamera noch zuläßt, oft nur enttäuschend kleine Abbildungen. Um diesen Nachteil auszuschalten, gestatten die meisten Kameras mit Wechselobjektiven die Verwendung von Verlängerungstuben oder auch einem Balgengerät; beide verlängern den Abstand zwischen Objektiv und Film und erlauben damit dem Fotografen, näher an ein kleines Objekt heranzugehen, als ohne diese Zusatzgeräte möglich wäre, so daß er nun kleine Objekte in größerem Maßstab abbilden kann. Wer an Nahaufnahmen interessiert ist, sollte also schon beim Kamerakauf darauf achten, daß die Kamera seiner Wahl erlaubt, Verlängerungstuben oder ein Balgengerät anzusetzen.

Fotolampen und Elektronenblitze

Die fotografischen Beleuchtungsausrüstungen kann man folgendermaßen gliedern:

Lampen, die Dauerlicht abgeben:
- Fotolampen
- Fotolampen mit eingebautem Reflektor
- Halogen-Glühlampen
- Scheinwerfer
- Leuchtröhren

Lampen, die aufblitzen:
- Blitzlampen
- Elektronenblitze

Lampen, die Dauerlicht abgeben

Lampen für Dauerlicht haben vor anderen Lichtquellen, die kein Dauerlicht liefern, den Vorteil, daß der Fotograf genau sieht, wie er beleuchtet. Er kann dadurch vermeiden, daß Teile des Motivs zu stark beleuchtet werden, er kann mit einem Belichtungsmesser bei Objektmessung den Kontrast des Motivs ermitteln, er sieht, welcher Teil des Aufnahmeobjektes im Licht und welcher im Schatten liegt, und er kann die Formen der Schlagschatten regeln. Als Nachteile dieser Lichtquellen stellen sich heraus, daß ihr Licht keine besonders hohe Intensität besitzt (so können beispielsweise Bewegungen nicht mit sehr kurzen Belichtungszeiten »eingefroren« werden), ferner starke Hitzestrahlung der Glühlampen, die auf kurze Entfernungen Papier und Holz entzünden und auf Farbenanstrich Blasen ziehen kann.

Fotolampen strahlen verhältnismäßig viel Licht aus, haben aber nur eine ziemlich kurze Brenndauer (meist 3–6, seltener 100 Stunden, je nach Lampentype). Vorausgesetzt, daß sie bei der angegebenen Spannung verwendet werden, stellen sie eine ausgezeichnete Lichtquelle für Farbaufnahmen auf Farbfilm für Kunstlicht dar. Sie liefern ununterbrochenes und ziemlich gleichmäßig verteiltes Licht, sind in gleicher Weise für Hauptlicht wie für Aufhellicht geeignet und werden in verschiedenen Typen mit unterschiedlicher Leistung geliefert:

Lampen für Fachbetrieb mit 100 Stunden Brenndauer sind größer als übliche Glühlampen, haben denselben Sockel und liefern ein Licht von 3200° K. Ihr Licht ist infolge der längeren Lebensdauer gleichmäßiger und nimmt nicht so schnell in seiner Helligkeit ab wie bei Fotolampen kürzerer Lebensdauer. Sie müssen in geeigneten Metallreflektoren verwendet werden.

Lampen für Amateure mit 6 Stunden Brenndauer haben etwa die Form von Allgebrauchslampen, liefern Licht von 3400° K und geben pro Watt eine etwas bessere Lichtleistung als die 500-Watt-Lampen für 100 Stunden Fachbetrieb. Da sie mit erheblicher Überspannung brennen, ist ihre Brennzeit entsprechend kurz. Sie sind trotzdem die billigsten Lichtquellen für Heim-Kunstlichtaufnahmen. Um ihr Licht gut auszunützen, müssen sie in entsprechenden Reflektoren verwendet werden.

Verspiegelte Fotolampen. Diese Glühlampen bringen ihren Reflektor mit. Er ist in die Lampe als Innenverspiegelung der Rückseite eingebaut. Sie sind besonders praktisch, wenn man auf Reisen Kunstlichtaufnahmen macht, weil das Reisegepäck um den zusätzlichen Reflektor verringert werden kann. Sie sind in verschiedenen Leistungen vorhanden und haben bei 100 Stunden Brenndauer 3200° K, bei 6 Stunden Brenndauer 3400° K.

Halogen-Glühlampen besitzen einen Leuchtfaden im Innern einer Quarzröhre, die mit einem Halogengas gefüllt ist. Gewöhnliche Glühlampen verwenden bekanntlich einen Glühfaden, der bei hoher Temperatur in einer Atmosphäre von Stickstoffgas brennt und dabei dauernd mikroskopisch kleine Teilchen verdampft, die sich auf der Innenseite des Glaskolbens niederschlagen und mit der Zeit seine Lichtdurchlässigkeit herabsetzen. Das Halogengas der Halogenglühlampen verhindert diesen Niederschlag auf den Glaskolben, so daß diese Lampen während ihrer gesamten Brenndauer gleiche Leistungen liefern. Diese Lampen geben ein intensives, helles Licht, das dem der Fotolampen gleicher Wattzahl bei kurzer Lebensdauer entspricht. Sie werden meist am Wechselstromnetz verwendet, doch gibt es auch Halogenglühlampen, die man mit einer Batterie betreibt, mit denen es also möglich ist, auch im Freien Kunstlichtaufnahmen zu machen (z. B. im tiefen Schatten oder bei Nacht).

Scheinwerfer (Spotlights) konzentrieren mit einem Hohlspiegel hinter der Lichtquelle und einem Kondensor oder einer Fresnellinse davor das Licht einer Projektionslampe so, daß eine schärfer wirkende und intensivere Beleuchtung entsteht als bei üblichen Fotoleuchten – sie produzieren ein gerichtetes Strahlenbündel, das scharfe Schatten wirft. Bei besseren Scheinwerfern kann man das Bündel verstellen, indem man die Entfernung der Lampe und des Hohlspiegels zum Kondensor verändert und damit das Strahlenbündel breiter oder enger macht. Scheinwerfer eignen sich ausgezeichnet als Hauptlicht oder als Effektlicht, können aber nicht als Aufhellicht verwendet werden. Die meisten Scheinwerfer können durch Bestückung mit einer Lichtquelle von 3200° K oder 3400° K für Farbaufnahmen verwendet werden. Allerdings kann ein Spotlight mit einer grünlichen Kondensorlinse einen Grünstich im Farbbild ergeben, was jedoch mit einem entsprechenden Filter verhindert werden kann. Man bestimmt es mit einigen Testaufnahmen. Spotlights kommen in verschiedenen Größen, vom Baby-Spot für 150 Watt für Nahaufnahmen bis zum gewaltigen 5000-Watt-Scheinwerfer, wie er in großen Foto- und Filmstudios verwendet wird, auf den Markt.

Leuchtröhren strahlen ein Licht aus, das sich stark vom Tageslicht und Kunstlicht unterscheidet, da es ein unvollständiges Spektrum besitzt. Spielt das auch für Schwarzweißaufnahmen keine Rolle, macht es Leuchtröhren doch grundsätzlich für Farbaufnahmen ungeeignet, denn dieselben Farben können im Tageslicht und im Lichte der

Leuchtröhre für das Auge völlig gleich aussehen, aber der Unterschied in der spektralen Zusammensetzung beider Lichtquellen führt dazu, daß die Farben in der Farbaufnahme verschieden erscheinen. Andrerseits läßt es sich oft nicht vermeiden, daß man im Lichte von Leuchtröhren Farbaufnahmen macht, da sie die üblichen Glühlampen immer mehr verdrängen. Durch Mischung verschiedener Leuchtstoffröhren kann man allerdings manchmal Ergebnisse erzielen, die denen von Lichtquellen mit kontinuierlichen Spektren sehr nahe kommen. Da die Verhältnisse von Lampentyp zu Lampentyp und von Filmart zu Filmart verschieden sind, empfiehlt es sich, bei den Filmherstellern die geeigneten Lampentypen, die vorgeschlagenen Kombinationen und die zugehörigen Filterungen zu erfragen. Wird Tageslicht und Leuchtröhren-Beleuchtung gemischt, ist es jedoch gewöhnlich sehr schwierig, die richtige Filterung herauszufinden, es kann sogar unmöglich sein.

Lampen, die aufblitzen

Blitzlicht bietet den großen Vorteil, daß man damit Bewegungen scharf abbilden kann. In dieser Hinsicht ist der Elektronenblitz für Bewegungsaufnahmen gewöhnlichen Kolbenblitzen weit überlegen. Andererseits haben Kolbenblitze vor diesem kurzen Blitz den Vorteil, daß sie wirksamer sind, wenn eine kräftige Beleuchtung verlangt wird. Sie liefern diese zu einem Bruchteil der Kosten, des Gewichtes und des Umfanges, den ein kräftiges Elektronenblitzgerät beansprucht. Andererseits ist am Elektronenblitz besonders vorteilhaft, daß man damit dauernd wieder blitzen kann. Man verliert dabei weniger Zeit wie beim Wechseln von Kolbenblitzen. Ein wesentlicher Nachteil aller Blitzlichtquellen besteht natürlich darin, daß der Fotograf nie genau weiß, wie Licht und Schatten im Bild verteilt sind (allerdings ist in gewisse große Elektronenblitze ein Einstelllicht eingebaut, das es ermöglicht, die Beleuchtung zu studieren), noch kann er den Kontrastumfang des Aufnahmeobjektes messen.

Blitzlampen sind trotz gewisser Vorteile gegenüber den oben erwähnten Elektronenblitzen zumindest für den ernsthaften Amateur heute nahezu überholt. Es gibt jedoch Ausnahmen: Schnappschuß-Jäger und Wochenendfotografen verbrauchen immer noch riesige Mengen an Blitzbirnen und Blitzwürfeln, da diese sehr praktisch sind und auch in Verbindung mit preiswerten Kameras durchaus brauchbare Farbfotos liefern. Berufsfotografen setzen Blitzlampen als preiswertes und praktisches Hilfsmittel zur Beleuchtung bei Innenaufnahmen in großen Räumen, z. B. in Industriebetrieben ein, oft in Verbindung mit sogenannten »slave units« (Kraftverstärkern), mit denen man die abseits der Kamera postierten Blitzlampen durch Fernbedienung, und damit ohne lästiges Kabelziehen, auslösen kann. Blitzlampen gibt es in verschiedenen Größen, Typen und Farben. Hierzu Wissenswertes:

Die Leuchtcharakteristik der Blitzlampen erkennt man am besten an ihren Leuchtkurven, die man in der Gebrauchsanweisung des Herstellers abgedruckt findet. Zur Einführung teilen diese Kurven schon auf einen flüchtigen Blick alles mit, was man über die drei Haupteigenschaften aller Kolbenblitze wissen muß: *Scheitelzeit, Scheitelwert* und *Lichtausbeute.* Diese Angaben sind für die Wahl der günstigsten Blitzlampe im Hinblick auf den Zweck unentbehrlich.

Unter Scheitelzeit versteht man die Zeitdauer, die eine Blitzlampe vom Zündimpuls bis zum Erreichen ihrer vollen Intensität braucht. Diese Zeit ist bei den verschiedenen Blitzlampentypen unterschiedlich und muß berücksichtigt werden, damit es zu einer zufriedenstellenden Synchronisation kommt: die Lampe muß ihre größte Lichtstärke (Scheitelwert) dann erreichen, wenn der Verschluß am weitesten geöffnet ist.

Größe und Lichtausbeute stehen in direktem Verhältnis zueinander: je größer die Birne, desto heller das Licht. Die Lichtleistung reicht von etwa einer halben Million bis zu fünf Millionen Lumen, so daß man für nahezu jede Aufgabenstellung die richtige Blitzlampe findet.

Typen. Hier muß man zwischen zwei Arten von Blitzlampen unterscheiden: den normalen Lampen, die sich in Verbindung mit Zentralverschluß-Kameras verwenden lassen, und den speziellen FP-Blitzlampen, die als einzige bei Schlitzverschluß-Kameras zufriedenstellende Ergebnisse ergeben.

Farbe. Man unterscheidet zwischen Klarglas-Blitzlampen zur Verwendung bei Schwarzweißfilmen und blauüberzogenen Blitzlampen für Tageslicht-Farbfilme. Blaue Vacublitztypen sind für Schwarzweiß- und Coloraufnahmen (Umkehr- und Negativfarbfilm) gleich gut geeignet.

Die Belichtung bei Blitzlampen richtet sich nach der Leitzahl, die vom Hersteller angegeben wird. Diese findet man neben anderen wissenswerten Angaben auf der Packung oder auf Datenblättern, die man kostenlos in Fotogeschäften erhält.

Elektronenblitze oder Röhrenblitze haben gegenüber Glühlampen oder fluoreszierendem Licht zwei große Vorteile: Sie machen Schluß mit der Sorge um Bewegungsunschärfen, sei es durch eine Bewegung des Motivs oder eine versehentliche Kamerabewegung. Da die Blitzdauer in Tausendsteln einer Sekunde gemessen wird, werden alle normalen Bewegungen, ganz gleich wie schnell, praktisch »erstarren«. Ist die Brennweite des Objektivs korrekt eingestellt, wird das Foto gestochen scharf. Da außerdem die Lichtleistung konstant sowie in Helligkeit und Farbe festgelegt ist, sollte die Farbwiedergabe exzellent sein – vorausgesetzt natürlich, man hat einen Tageslicht-Farbfilm entweder automatisch oder auf der Basis der wahren Leitzahl des Blitzgeräts (siehe unten) richtig belichtet. Auf Grund dieser Eigenschaften machen Tag für Tag Tausende von Fotografen in aller Welt, die von Fotografie nicht mehr verstehen als den Film einzulegen und den Auslöser zu drücken, Millionen von Fotos in erstaunlich hoher technischer Qualität. Der Elektronenblitz ist allerdings nicht nur der beste Freund des Amateurs, sondern auch unverzichtbares Handwerkszeug für den Profi, der seinen Lebensunterhalt mit der Fotografie verdient: Kaum ein Berufsfotograf kann heute in seinem Studio auf den Elektronenblitz verzichten. Ganz zu schweigen von Hochzeitsfotografen, Schiffsfotografen, Paßbildfotografen, Baby- und Kinderfotografen, Betriebsfotografen, Polizeifotografen usw., die alle ohne Elektronenblitze auf verlorenem Posten stünden. Und obwohl der Blitz an der Kamera wahrscheinlich nie wirklich großartige Fotos bringt, hat er einen Vorteil, der ihn für Millionen lieb und teuer macht: er funktioniert.

Ein Elektronenblitz besteht aus fünf wesentlichen Elementen: der Energiequelle (Batterien oder Wechselstrom), einem Kondensator, in dem eine elektrische Hochspannungs-Ladung bis zum Gebrauch gespeichert wird, einem Stromkreis, um den Blitz im Augenblick der größten Verschlußöffnung auszulösen, einer Blitzröhre, die mit unter Druck stehendem Gas gefüllt ist und aufleuchtet, wenn sie von einem Hochspannungsstrom den Anstoß erhält, und einem Reflektor, der das Licht konzentriert und auf das Motiv lenkt.
Elektronenblitze gibt es in einer Unzahl von Modellen, die sich in Größe und Gewicht, Lichtleistung, Konstruktion, technischen Finessen und Preis unterscheiden. Sie reichen von fliegengewichtigen Einheiten, die ohne Schwierigkeiten auf eine 35-mm-Kamera montiert

werden können, bis zu den Großmodellen der Profis, die Zehntausende von Mark kosten und stark genug sind, um eine ganze Konferenzhalle auszuleuchten. Trotz aller Unterschiede aber sind folgende Charakteristiken für alle Elektronenblitze gleich:

1. Eine Blitzdauer, die kurz genug ist, um jede normale Motivbewegung auf dem Film »erstarren zu lassen«. So braucht der Fotograf nicht mehr zu befürchten, daß seine Bilder auf Grund einer Bewegung des Motivs oder der Kamera während der Belichtung unscharf werden.
2. Gleichmäßige Lichtleistung. Solange man dem Gerät genügend Zeit läßt, den Kondensator wieder aufzuladen, wird jeder Blitz so kräftig sein wie der vorangegangene oder wie der nächste; dadurch ist der Fotograf in der Lage, auf der Basis der Leitzahl seines Blitzgerätes die Belichtung genau zu berechnen – es sei denn, sein Apparat arbeitet automatisch und legt die Belichtung selbsttätig fest.
3. Das Licht des Elektronenblitzes ähnelt in der Farbe dem des normalen Tageslichts. Deshalb findet man bei Farbfotografien, die mit Elektronenblitz auf Tageslicht-Farbfilm belichtet wurden, normalerweise hervorragende Farbwiedergabe.
4. Die Synchronisation von Filmbelichtung und Blitz ist bei Kameras mit Zentralverschluß bei jeder Verschlußgeschwindigkeit möglich. Bei Kameras mit Schlitzverschluß ist die Synchronisation jedoch nur bei verhältnismäßig geringen Geschwindigkeiten (gewöhnlich 1/30 Sekunde) möglich, weil sich der Verschluß bei höheren Geschwindigkeiten nicht völlig öffnet und so nur ein Teil des Films belichtet würde.
5. Unmöglich ist es für den Fotografen, die Beleuchtung und damit den Fall von Licht und Schatten schon vorab genau festzulegen. Bei großen Studio-Elektronenblitzen ist dieses Problem jedoch (wenn auch noch nicht ganz zufriedenstellend) gelöst, weil in die Lampenköpfe kleine Führungs- oder Pilotlichter eingebaut worden sind.
6. Unmöglich ist es auch, die Lichtintensität mit normalen Belichtungsmessern (oder mit dem in die Kamera eingebauten Belichtungsmesser) direkt am Objekt zu messen. Aus diesem Grunde muß der Fotograf bei einer nichtautomatischen Elektronenblitzanlage entweder einen elektronischen Blitzmesser (bis zu DM 750,–) benutzen oder seine Belichtung auf der Basis der Leitzahl (siehe unten) kalkulieren.
7. Hohe Anschaffungskosten, doch relativ niedrige Betriebskosten.

Arbeitsweise. Elektronenblitze beziehen ihre Energie normalerweise von Batterien (alle Amateurgeräte) oder aus der Wechselstrom-Steckdose (alle großen professionellen Modelle). Viele Geräte können jedoch auch wahlweise mit der einen oder der anderen Energiequelle arbeiten.

Elektronenblitze mit Batterie haben den großen Vorteil, daß sie überall eingesetzt werden können und den Fotografen unabhängig von einer festen Stromquelle machen. Es gibt sie in zwei Arten: Geräte mit Hochspannungs-(Anoden-)Batterien und Geräte mit Niederspannungs-Batterien. Beide haben sowohl Vor- wie Nachteile. Elektronenblitze mit Anoden-Batterien sind kompakter, haben einen einfacheren Stromkreis, sind verläßlicher und, was das Wichtigste ist, haben eine kürzere Aufladezeit – das ist die Zeit, die der Kondensator braucht, um wieder voll geladen den nächsten Blitz abgeben zu können. Das ist oft natürlich ein entscheidender Vorteil, vor allem für Zeitungs- und Dokumentarfotografen, die sich auf schnell wechselnde Situationen einstellen müssen. Als Nachteil dieser Elektronenblitze wäre zu erwähnen, daß Anoden-Batterien ziemlich teuer sind, sich mit zunehmendem Alter schneller entladen als Niederspannungs-Batterien, selbst wenn sie nicht in Gebrauch sind (auch die Lagerzeit ist kürzer), und daß sie, im Gegensatz zu einigen Niederspannungs-Batterien, nicht wieder aufgeladen werden können. Bei Niederspannungs-Elektronenblitzen hat man die Wahl zwischen zwei Batterietypen, die jeweils spezifische Vorteile haben:

Nickel-Cadmium-Zellen (NC-Akkus) sind verläßlich, für ihre Größe sehr leistungsstark und können, wenn sie leer sind, wieder aufgeladen werden; die Aufladezeit liegt je nach Batterietyp zwischen einer und vierundzwanzig Stunden. Das bedeutet natürlich, daß ein Fotograf ohne eine Reservebatterie außer Gefecht gesetzt ist, bis seine Batterie wieder einsatzbereit ist, ein ernsthaftes Problem für alle, die in kurzer Zeit eine große Anzahl von Blitzlichtaufnahmen machen wollen. In diesem Fall wäre ein Blitzgerät mit normalen *Blitzlichtbatterien* wahrscheinlich günstiger. Obwohl solche Batterien nicht wieder aufgeladen werden können und nach Gebrauch weggeworfen werden müssen, sind sie verhältnismäßig preiswert, überall erhältlich, können in größerer Zahl mitgenommen und ohne Zeitverlust ausgewechselt werden.

Die Lichtleistung eines Elektronenblitz-Gerätes, die man für eine verläßliche Belichtungsmessung unbedingt kennen muß, kann auf verschiedene Arten gemessen werden. Leider herrscht auf diesem Gebiet vielfach Verwirrung, da die unterschiedlichen Methoden nicht mitein-

ander vergleichbar sind, manchmal zu Daten führen, die für den Fotografen wertlos sind und sich nur selten durch Genauigkeit auszeichnen. Die folgenden Ausführungen sollen zur Klärung beitragen.
Ursprünglich wurde die Lichtleistung eines Elektronenblitzes in Watt-Sekunden gemessen, wobei eine Watt-Sekunde ungefähr 40 Lumen-Sekunden lieferte. Dummerweise richtete sich die Angabe der Watt-Sekunden jedoch nicht nach den Messungen der wirklichen Lichtleistung eines bestimmten Elektronenblitzes, sondern wurde einfach nach der Ladung des Kondensators berechnet. Mit anderen Worten: Es war eine bloße Schätzung der reinen elektrischen Energie, wobei unberücksichtigt blieb, daß diese Energie je nach Verkabelung der Anlage, nach Gestaltung der Blitzröhre oder des Reflektors wirkungsvoll eingesetzt oder vergeudet werden konnte. Demzufolge lieferten Elektronenblitze mit gleichen Watt-Sekunden-Angaben, aber unterschiedlicher Konstruktion oft in ihrer Helligkeit sehr unterschiedliche Blitze.
Besser läßt sich die Lichtleistung eines Elektronenblitzes auf der Basis von BCPS (beam-candle-power-seconds)- und ECPS (effective-candle-power-seconds)-Einheiten angeben. Das hat den Vorteil, daß die Leistungsangabe in direkter Beziehung zur Belichtung steht. Erhöht sich z. B. die Leistungsangabe von 800 auf 1600, so entspricht das einer Belichtungsdifferenz von einer Blendenstufe. Müßte man z. B. bei einem Elektronenblitz mit einer Leistungsangabe von 800 BCPS bei festgelegtem Abstand zum Motiv Blende 8 wählen, so wäre es bei einem Blitzgerät mit 1600 BCPS bei sonst gleichen Bedingungen möglich, mit Blende 11 zu belichten.
Bei den meisten Blitzgeräten für Amateure wird die Leistung heutzutage von den Herstellern auf der Basis der Leitzahlen angegeben. Zugrunde liegt dabei folgende Formel:

$$\text{Blende} = \frac{\text{Leitzahl}}{\text{Abstand Blitz} - \text{Motiv (in Metern)}}$$

Dabei allerdings gehen die Hersteller bei manchen Geräten von einem 18DIN-Film aus, bei anderen dagegen von einem 21-DIN-Film. So muß der Fotograf oftmals die Leitzahl entsprechend der Empfindlichkeit seines eigenen Films umrechnen, wobei er damit rechnen muß, daß die Leistungsstärke vom Hersteller überhöht angegeben wurde.
Wegen all dieser Ungewißheiten und Schwierigkeiten kann man dem Fotografen nur empfehlen, selbst die Leitzahl zu ermitteln, die für sein Gerät und für den von ihm am meisten eingesetzten Film gilt. Das ist

nicht weiter schwierig. Man macht eine Reihe von Testaufnahmen mit verschiedenen Blendenöffnungen. Dabei geht man von der »offiziellen« Leitzahl aus, die der Hersteller des Blitzgerätes angegeben hat (wobei man natürlich berücksichtigt, ob die DIN-Zahl des eigenen Films der des Herstellerfilms entspricht). Um die anschließenden Berechnungen zu erleichtern, plaziert man sein Modell bei allen Aufnahmen genau zwei Meter vor die mit Blitzgerät ausgerüstete Kamera und notiert sich die Blendenöffnungen für die jeweiligen Fotos. Am besten ist es natürlich, wenn man eine Karte mit der entsprechenden Blendenöffnung so ins Bild bringt, daß diese später auf dem Film erscheint und es keine Verwechslung geben kann. Die einzelnen Aufnahmen sollten sich – sowohl über als auch unter der »offiziellen« Leitzahl – durch eine Blendenstufe unterscheiden. Anschließend nimmt man die entwickelten Farbdias genau unter die Lupe und sucht die beste Aufnahme aus. Da die Blendenstufe, mit der das Bild gemacht wurde, bekannt ist, läßt sich nun die *wahre* Leitzahl für die eigene Ausrüstung und den eigenen Film nach folgender Formel ohne Schwierigkeit ausrechnen:

Leitzahl = Blendenzahl × Abstand Blitz – Motiv (in Metern)

Hat der Hersteller für das Gerät z. B. die Leitzahl 22 angegeben, so müßte mit einem Motiv-Blitz-Abstand von 2 Metern die beste Aufnahme mit Blende 11 gemacht worden sein. Nehmen wir nun aber einmal an, bei unserem Test habe die Blende 8 das beste Bild ergeben. Dann hätte der Hersteller die Lichtleistung des Geräts offensichtlich zu hoch angegeben, denn die wahre Leitzahl läge nicht bei 22, sondern nur 16.

Belichtungsbestimmung automatisch? Jedesmal, wenn sich der Abstand zwischen Motiv und Blitz verändert, muß der Fotograf die Blendenstufe erneut ausrechnen. Das ist natürlich nicht nur lästig, sondern auch eine ständige Fehlerquelle. Verschätzt sich der Fotograf im Abstand nur um einen guten halben Meter, so bedeutet das schon einen Unterschied von einer vollen Blendenstufe. Außerdem geht man bei der Feststellung der Leitzahl von »durchschnittlichen« Aufnahmebedingungen aus. »Durchschnittlich« wäre ein Zimmer mit hellen (nicht aber weißen) Wänden und einer weißen Decke. Würde man nun eine Aufnahme nachts im Freien ohne reflektierende Oberfläche in der Nähe machen und sich dabei auf dieselbe Leitzahl verlassen, wäre der Film natürlich unterbelichtet. Und das, obwohl der Fotograf in beiden

Fällen die Blendenstufe gewissenhaft nach der als *wahr* erkannten Leitzahl eingestellt hat.
Um diese Fehlerquellen auszuschalten, die Fotografen von lästigen und nicht immer verläßlichen Berechnungen zu entlasten und dafür zu sorgen, daß diese ihre Bilder unter allen Bedingungen richtig belichten können, haben die Konstrukteure eine neue Generation von Blitzgeräten entwickelt: den Computerblitz. Dabei wird das Motiv durch ein Meßauge anvisiert, das, ähnlich wie die Zelle eines CdS-Belichtungsmessers, das reflektierte Licht mißt. Sobald die ersten Lichtanteile eintreffen, werden die Informationen über die Lichtmenge einem äußerst kleinen Elektronikbauteil weitergemeldet, der die Daten ständig mit einem gespeicherten Sollwert (der für die richtige Belichtung des Films notwendigen Lichtmenge) vergleicht. Sobald dieser Wert erreicht ist, wird der gezündete Blitz durch ein anderes elektronisches Bauelement ohne Verzögerung gelöscht. Und das alles geschieht im winzigen Bruchteil einer Sekunde.
Da der Computer die Blitzdauer mit abnehmender Distanz zwischen Motiv und Blitzgerät verkürzt, sind bei geringen Entfernungen Aufnahmen mit nur $^1/_{50000}$ Sekunde möglich. Damit können nun Fotos gemacht werden, für die früher kostspielige Ausrüstungen notwendig waren. Schwingungs- und Zerreißvorgänge lassen sich aus einer Distanz von 0,5 m ohne großen Aufwand ebenso auf den Film bannen wie Geschosse im Flug – und das alles gestochen scharf.
Mit dem Computerblitz kann der Fotograf auch ganze Aufnahmeserien mit unterschiedlichen Distanzen »schießen«, ohne sich um Belichtung bzw. Blendenzahl zu kümmern. Viele Geräte bieten ihm außerdem noch folgenden Vorteil: Wenn der Blitz lange genug aufgeleuchtet ist, wird die verbleibende Energie nicht einfach zerstreut, sondern zurückgehalten und gespeichert. Somit sind natürlich mehr Blitze und schnellere Blitzfolgen möglich. Auch Geräte mit Schwenkreflektoren zum indirekten Blitzen arbeiten heute mit Computern problemlos und fehlerfrei.

So schnell schreitet die Entwicklung auf dem Sektor der Elektronenblitze voran, daß es sinnlos wäre, hier weitere Details aufzuführen. Das Non-plus-ultra von heute kann schon morgen durch eine noch phantastischere Neuerung überholt sein. Darum kann ich hier nur eine kurze Zusammenfassung dessen geben, was zur Zeit auf dem Markt ist, damit der informierte Leser selbst eine Vorentscheidung treffen kann. Im Fotogeschäft kann er sich dann die neuesten Entwicklungen vorführen lassen und seine endgültige Wahl treffen.

Stativ

Aufnahmen, bei denen die Kamera auf einem guten Stativ angebracht oder auf eine andere feste Unterlage gestützt ist, werden unter sonst gleichen Bedingungen ausnahmslos schärfer als Aufnahmen, die aus der Hand gemacht worden sind, gleichgültig, wie kurz man dabei auch belichtet haben mag. In vielen Fällen ist allerdings der Unterschied zu gering, als daß er ins Gewicht fällt, so daß sich die Arbeit nicht lohnt, die Kamera erst auf das Stativ zu schrauben, immer vorausgesetzt, daß die Art des Motivs und die Aufnahmeumstände das überhaupt erlauben. Falls man aber ein Stativ benutzen kann, das heißt, wenn das Aufnahmeobjekt bewegungslos ist und man genügend Zeit hat, um ein Stativ aufzustellen, rate ich nachdrücklich, die Aufnahme mit auf Stativ gesetzter Kamera vorzunehmen anstatt sie aus der Hand zu machen, selbst wenn man mit einer Kleinbildkamera arbeitet. Die Belohnung dafür sind gestochen scharfe Negative und Farbdias, die man auf Wandgröße projizieren kann, ohne daß sie an Schärfe verlieren.

Unter vielen Umständen ist ein Stativ jedoch eine Voraussetzung, um überhaupt brauchbare Bilder zu bekommen. Um nur die wichtigsten Anwendungsgebiete zu erwähnen: Zeitaufnahmen bei Nacht; Nahaufnahmen, bei denen Differenzen von Millimetern zwischen Aufnahmeobjekt und Objektiv darüber entscheiden, ob das Bild scharf oder unscharf wird; Innenaufnahmen bei verhältnismäßig wenig Licht mit kleinen Blendenöffnungen, die nötig sind, um genügend Schärfentiefe zu bekommen, die andererseits aber auch dementsprechend lange Belichtungszeiten verlangen; Architekturaufnahmen, bei denen durch Verstellungen an der Kamera die richtige Perspektive hergestellt wird (wie, wird später erklärt); Fernaufnahmen mit Objektiven extrem langer Brennweite (da Teleobjektive etwaige Kamerabewegung in gleichem Maße vergrößern wie das Aufnahmeobjekt); Reproduktionen jeder Art. Alle diese Arbeiten sind ohne Stativ einfach nicht zu bewältigen.

Das beste Stativ ist das kräftigste Stativ; leider ist es auch das schwerste und teuerste. Soweit man ein Stativ nicht nur im Studio oder Heim benutzt, wird sein Gewicht zum Problem. Ferner ist die Höhe, auf die das Stativ ausgezogen werden kann, von Bedeutung. Leider ist seine Höhe gewöhnlich proportional seinem Gewicht und Preis. Ich ziehe ein Stativ mit Mittelsäule vor, bei dem die Höhe der Kamera von Hand oder mittels einer Kurbel verstellt werden kann, was bei Nahaufnah-

men seine Vorzüge hat. Außerdem verlängert eine Mittelsäule die nutzbare Höhe des Stativs. Doch sollte man hier vorsichtig sein und die Mittelsäule nicht unnötig hoch ausziehen, weil sich sonst eine gewisse Neigung zur Unstabilität einstellt, die dem Sinn des Stativs widerspricht. Gelegentlich sieht man Fotografen, die einfach zu faul sind, um die drei Beine ganz auszuziehen, und statt dessen ihre Kamera auf die voll ausgezogene Mittelsäule schrauben, wo sie dann wie eine kopflastige Blume am Ende eines langen Stieles schwankt.
Als vielseitig verwendbare Unterstützung für Kameras bis zur Größe 6×6 eignen sich Tischstative, die mit einem Kugelgelenk versehen sind. Sie können auf jede feste, einigermaßen waagerechte Unterlage aufgestellt, ebenso leicht aber auch gegen eine geneigte oder senkrechte Oberfläche – eine Wand, einen Baumstumpf, eine Telefonstange, einen Felsen – gedrückt werden. Im Notfall kann man sie gegen die Brust drücken, um Handaufnahmen mit langbrennweitigen Objektiven oder ziemlich langen Momentzeiten ohne Gefahr der Verwacklung zu machen.

Wie man eine Aufnahme macht

Fotografieren als Anfänger

Jeder kann ohne jede Erfahrung zu einem guten Schnappschuß kommen, der technisch in Ordnung ist und nett aussieht, wenn er die Gebrauchsanweisungen befolgt, die jeder Kamera, jedem Belichtungsmesser und jedem Film beiliegen. Das ist die Technik des Anfängers, die Technik, mit der wir alle einmal begonnen haben. Sie kommen von dieser Basis aus besser voran, wenn Sie die folgenden zwölf »Grundregeln« beachten:

1. Lesen und studieren Sie die Gebrauchsanweisung Ihrer Kamera und machen Sie sich mit den verschiedenen Einstellungen vertraut. Praktizieren Sie ohne Film eine Anzahl »Blindaufnahmen«, wobei Sie alle Handhabungen nacheinander durchgehen, vom Filmeinlegen bis zum Rückwickeln des Filmes, ehe Sie die erste »richtige« Aufnahme machen.

2. Laden Sie die Kamera mit dem richtigen Schwarzweiß- oder Farbfilm – Farbumkehrfilm für Farbdias, Farbnegativfilm für Farbpapierbilder, Farbfilm für Tageslicht oder für Kunstlicht. Achten Sie darauf, daß Sie beim Filmeinlegen die Kamera nicht direktem Sonnenlicht aussetzen, denn möglichenfalls eindringendes Licht kann den Film durch Verschleiern unbrauchbar machen. Ist nirgends Schatten, drehen Sie sich um und laden die Kamera im eigenen Körperschatten.

3. Fotografieren Sie nur Motive, die Sie wirklich zur Aufnahme reizen.

4. Vermeiden Sie ungewöhnlich kontrastreiche Motive, die weder der Film noch die automatische Belichtungssteuerung Ihrer Kamera bewältigen kann. Aus demselben Grund achten Sie auch darauf, daß Ihr Motiv entweder *völlig* in der Sonne oder *völlig* im Schatten liegt. Ehe Sie nicht einige Erfahrungen gesammelt haben, sollten Sie darauf verzichten, ein helles Motiv gegen einen verhältnismäßig dunklen Hintergrund oder ein dunkles Motiv gegen einen hellen Hintergrund aufzunehmen.

5. Achten Sie darauf, aus welcher Richtung das Licht auf Ihr Motiv fällt. Solange Sie noch unerfahren sind, arbeiten Sie am besten mit Licht, dessen Quelle eher hinter Ihrem Rücken als vor Ihnen liegt.

6. Stellen Sie Menschen, die Sie fotografieren wollen, nicht so auf, daß ihnen die Sonne direkt ins Gesicht scheint. Das bringt sie zum Blinzeln und entstellt das Gesicht durch harte und häßliche Schlagschatten. Statt dessen stellen Sie Ihr Modell so hin, daß die Sonne von hinten oder von der Seite kommt (das Gesicht also im Eigenschatten liegt), stellen die Belichtung so ein, wie sie für direktes Sonnenlicht richtig ist, und machen die Aufnahme mit einer blauen Blitzlampe oder mit Elektronenblitz. Dabei haben Sie nur darauf zu achten, daß das Objektiv nicht von direktem Sonnenlicht getroffen wird. Eine gute Gegenlichtblende oder der Schlagschatten einer Person verhütet das.

7. Gehen Sie an Ihr Motiv heran, bis es den ganzen Sucherrahmen ausfüllt. Einer der gewöhnlichsten Fehler des Anfängers besteht darin, aus zu großem Abstand zu fotografieren. Solche Aufnahmen enthalten dann zu viele und zu verschiedenartige Dinge, und alles, was drauf ist, wird zu klein dargestellt, als daß es wirken könnte.

8. Achten Sie darauf, daß der Hintergrund hinter Ihrem Motiv nicht zu zerrissen und unruhig ist. Oft können ein paar Schritte in der richtigen Richtung das Verhältnis von Motiv zum Hintergrund so ändern, daß die Aufnahme wesentlich besser wird.

9. Stellen Sie Blende und Belichtungszeit so ein, wie es die dem Film beigegebene Belichtungstabelle angibt, oder benutzen Sie den in die Kamera eingebauten Belichtungsmesser oder einen getrennten Belichtungsmesser gemäß den Anweisungen, die ihm beigegeben sind.

10. Stellen Sie das Objektiv sorgfältig auf Ihr Motiv ein.

11. Die häufigste Ursache für mißglückte Aufnahmen, besonders unter Anfängern, ist Unschärfe durch Bewegung der Kamera während der Belichtung. Um das zu vermeiden, belichtet man mit der kürzestmöglichen Belichtungszeit und hält die Kamera so ruhig wie nur möglich. In der Regel ist $^1/_{30}$ Sekunde die längste Belichtungszeit, die man noch aus der Hand machen kann, ohne die Aufnahme zu verwackeln. Längere Belichtungszeiten setzen voraus, daß man die Kamera vom Stativ aus benutzt und mit einem Drahtauslöser belichtet oder daß

man die Kamera gegen eine feste Fläche preßt – eine Mauer, Zaun, Stuhllehne, Baum, Telefonstange usw. Solche Vorsichtsmaßregeln sind um so nötiger, je länger die Brennweite des Objektives ist, weil Teleobjektive nicht nur das Motiv, sondern auch die Wirkung der Kamerabewegung vergrößern. Stellen Sie sich breitbeinig auf, pressen Sie die Kamera fest gegen das Gesicht und die Ellbogen in die Rippen, halten Sie den Atem an und drücken Sie *langsam* den Auslöser durch, ohne die Kamera dabei zu verreißen. Andernfalls wird das Bild verwackelt.

12. Drehen Sie unmittelbar nach der Aufnahme den Film weiter, um zum nächsten Schuß bereit zu sein.

Fotografie für Fortgeschrittene

Fotografen, die über die Anfängerstufe hinauskommen wollen, müssen sich nicht nur darüber im klaren sein, *was* sie tun, sondern auch, *warum* sie es tun. So mag z. B. ein Film bei direktem Sonnenlicht ein einwandfrei belichtetes Bild ergeben, wenn das Objektiv auf 8 abgeblendet und $^{1}/_{125}$ Sekunde belichtet wird. Andrerseits würde die Belichtung aber auch richtig sein, wenn an Stelle der obengenannten Daten der Fotograf seine Aufnahme mit Blende 2,8 und $^{1}/_{1000}$ Sekunde oder mit Blende 16 und $^{1}/_{30}$ Sekunde belichtet hätte. Angaben dieser Art sagen ihm, *was* er zu tun hat. Um aber diejenige Kombination von Blende und Belichtungszeit auswählen zu können, die für die vorliegende Aufnahmesituation am besten geeignet ist, die Kombination also, die ihm das *wirkungsvollste Bild* gibt, muß er wissen, *warum* er das tut, was er tun will. Dieser Unterschied zwischen dem Wissen, *was* man tut, und dem, *warum* man es tut, macht den Unterschied zwischen Fotografieren als Anfänger und Fotografieren als Fortgeschrittener aus.

Das technisch vollkommene Negativ oder Farbdia

Abgesehen davon, daß es natürlich absolut sauber ist, also frei von Flecken, Kratzern, Staub und Fingerabdrücken, verbindet es Schärfe (oder eben ein bewußt überlegtes Gegenspiel von Schärfe und Unschärfe) mit klarer Farbwiedergabe, angemessenem Kontrastumfang und mit den richtigen Graden von Helligkeit und Dunkelheit. Damit es aber zu einem *guten* Bild wird, muß es *gut kombiniert* sein. Die vier für dieses erwünschte Resultat notwendigen Verrichtungen sind:

Ausschnitt bestimmen
Entfernung einstellen
Belichten
Entwickeln

Wie diese Verrichtungen, ihre Kontrollen und die Resultate, die sie ergeben, ineinandergreifen, wird im folgenden Diagramm gezeigt:

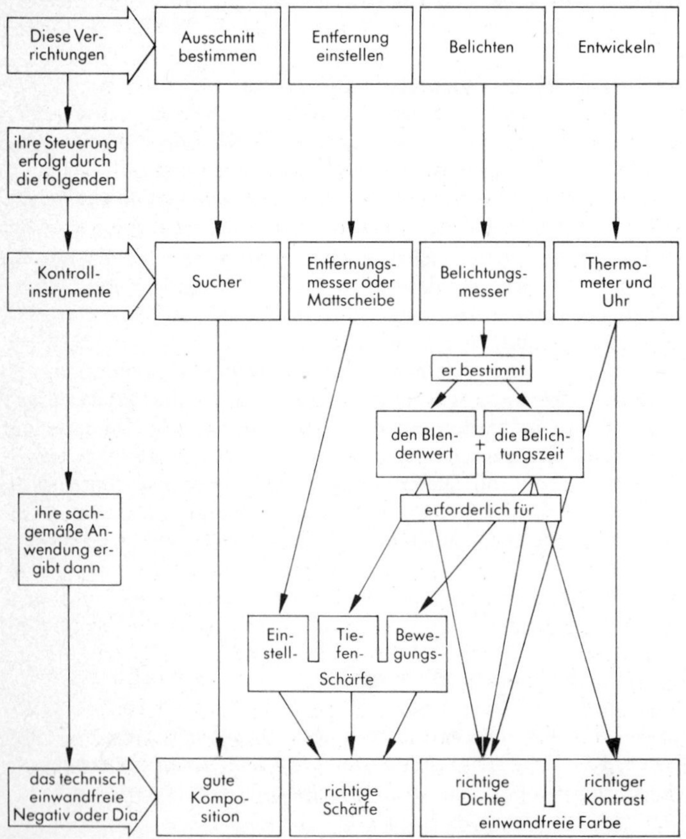

Ausschnitt bestimmen

Auf der untersten Stufe der Fotografie ist das Bestimmen des Ausschnittes so etwas wie »Zielen«, und Zielen mit einer Kamera ist etwa dasselbe wie das Zielen mit einem Gewehr: der Fotograf nimmt das Motiv ins Visier – in den Sucher – und »schießt«. Er kann dann schon zufrieden sein, wenn er seine Opfer auf den Film bringt, ohne ihnen die Köpfe abzuschneiden.
Auf der zweiten Stufe ist dagegen diese Tätigkeit das, was in ihrer Bezeichnung liegt: eine überlegende Betrachtung und Prüfung des Motives innerhalb der Grenzen des Suchers mit dem Ziel, es nicht nur eben »auf den Film zu bringen«, sondern es in einer Art auf den Film zu bringen, die es so wirkungsvoll wie möglich darstellt und aus dem zukünftigen Bild eine grafisch befriedigende, abgeschlossene Einheit macht.
Mit anderen Worten: Die gleiche Verrichtung, die auf der ersten Stufe nichts weiter bedeutet, als das Objektiv mechanisch auf das Motiv zu richten, wird auf der zweiten Stufe zur *Komposition.* Da dies eine wichtige Angelegenheit ist, habe ich ihrer eingehenden Besprechung ein eigenes kleines Buch gewidmet, *Feiningers Kompositionslehre,* das im Econ Verlag erschienen ist und auf das ich den Leser verweisen möchte.

Entfernung einstellen

Unter Einstellen versteht man, die Entfernung zwischen Objektiv und Film in Übereinstimmung mit der Entfernung zwischen Objektiv und Aufnahmegegenstand so zu regeln, daß *ein scharfes Bild entsteht.* Je *näher* das Objekt, um so *größer* muß der Abstand zwischen Objektiv und Film sein und umgekehrt. Bei sehr weit entferntem, sozusagen im »Unendlichen« liegenden Aufnahmeobjekt entspricht der Abstand zwischen Objektiv und Film der Brennweite dieses Objektives (Ausnahme: Teleobjektive und Weitwinkelobjektive, die nach dem Retrofocus-Prinzip gebaut sind). Dieser Abstand ist gleichzeitig der kürzeste zwischen Objektiv und Film, bei dem das Objektiv noch ein scharfes Bild entwerfen kann.
Visuelle Einrichtungen – der mit dem Objektiv gekuppelte Entfernungsmesser oder die Mattscheibe einer Spiegelreflex- oder Studiokamera – zeigen dem Fotografen, ob das Bild falsch eingestellt und unscharf oder richtig eingestellt und scharf ist.

Drei Arten der Schärfe

Der aufmerksame Leser wird schon festgestellt haben, daß in dem vorhergehenden Diagramm drei Arten von Schärfe aufgeführt sind. Ihre Unterschiede sind wie folgt:

Einstellschärfe ist im wesentlichen die zweidimensionale Schärfe, die theoretisch auf die Ebene begrenzt ist, auf die das Objektiv eingestellt wurde. Sie ist eine *Funktion des Einstellens.*

Tiefenschärfe (oder *Schärfentiefe*) ist dreidimensionale Schärfe, die in der Aufnahme die Einstellschärfe in den zwei Richtungen senkrecht zur Einstellebene, also nach vorne und hinten, erweitert. Sie entsteht aus der Kombination von Einstellung (die die Einstellebene in den gewünschten Abstand von der Kamera verlegt) und Abblendung des Objektives (die die Tiefe der scharf wiedergegebenen Zone von der Einstellblende nach hinten und zur Kamera hin erweitert) und ist eine *Funktion der Blende.*

Bewegungsschärfe bedeutet, daß ein bewegtes Objekt scharf anstatt verwischt wiedergegeben wird. Das wird durch exakte Einstellung – indem man die Filmebene dahin bringt, wo das bewegte Objekt scharf abgebildet wird – und durch Benutzung einer kurzen Belichtungszeit erreicht. Auch der Elektronenblitz verhilft dazu, die Bewegung »einzufrieren« oder das bewegte Objekt in der Wiedergabe zu »stoppen«. Bewegungsschärfe ist eine *Funktion der Belichtungszeit.*

Schärfe ist ein psychologisches Phänomen. In Wirklichkeit kann man eigentlich nur von »anscheinender Schärfe« sprechen, denn Schärfe ist immer relativ. Wenn ein Dia oder ein Bild scharf »erscheint«, *ist* es scharf, soweit es den Eindruck des Betrachters betrifft, selbst dann, wenn es bei stärkerer Vergrößerung vielleicht »unscharf« wird. Bei hinreichend starker Vergrößerung wird nämlich auch das schärfste Negativ, Dia oder Foto unscharf. »Absolute« Schärfe gibt es nicht.

Theoretisch gesehen bedeutet Schärfe, daß ein Lichtpunkt (z. B. ein Stern) im Film als Punkt erscheint. Praktisch gesehen ist das natürlich unmöglich, denn auch das schärfste Abbild eines Sternes ist kein Punkt (dessen Durchmesser gleich Null wäre!), sondern ein Kreis. Dementsprechend ist das Bild eines Objektes nicht aus einer unendlich großen Zahl von Punkten zusammengesetzt, sondern von winzig kleinen, sich

überlappenden Kreisen, die als »Zerstreuungskreise« bezeichnet werden. Je kleiner diese Zerstreuungskreise sind, um so schärfer erscheint das Bild.
Für die Praxis wird die Definition der Schärfe auf die Negativgröße bezogen, einfach, weil kleine Negative schärfer sein müssen als große, denn sie müssen stärkere Vergrößerungen aushalten. Daher werden allgemein Schärfentiefentabellen (die die Ausdehnung der scharfen Zone bei den verschiedenen Blenden in Verbindung mit den verschiedenen Einstellungen für Objektive verschiedener Brennweiten angeben) auf der Basis gerechnet, daß z. B. Negative 6 × 6 cm und größer als scharf gelten dürfen, wenn der Durchmesser des Zerstreuungskreises nicht größer als $^1/_{1000}$ der Brennweite des Normalobjektives für diese Aufnahmegröße ist. Ein Kleinbildnegativ oder -dia wird als »scharf« angesehen, wenn der Durchmesser des Zerstreuungskreises nicht mehr als $^1/_{1500}$ der normalen Brennweite beträgt.

Ursachen von Unschärfe.

Ob dieser Schärfegrad erreicht wird, hängt von den folgenden Faktoren ab:

Schärfe des Objektives.

Schärfe des Filmes.

Kamerabewegung während der Belichtung. Kamerabewegung durch unsachgemäße Haltung ist die häufigste Ursache für unscharfe Bilder. Dazu möchte ich folgendes sagen: Je leichter und kleiner eine Kamera ist, um so schwieriger ist es, sie während der Belichtung absolut ruhig zu halten. Um diesen Nachteil auszuschalten, befestigen manche Berufsleute eine Bleiplatte am Boden ihrer Kleinbildkamera, um damit ihr Gewicht zu vergrößern, ohne dabei ihr Volumen wesentlich zu erweitern. Andere lassen ein kleines Elektronenblitzgerät daran, auch wenn sie nicht die Absicht haben zu blitzen. Ein praktischer Weg, um jeder Kamera eine gewisse Standhaftigkeit zu geben, besteht darin, den Tragriemen der Kamera um eine Hand zu wickeln, und zwar so, daß er um Schulter oder Hals gespannt wird, während sein anderes Ende gegen die Kamera gestrafft ist, die nun außerdem noch fest gegen das Gesicht oder – falls es sich um Suchereinblick von oben handelt – gegen die Brust gepreßt wird. Zum Auslösen legt man den Finger über die Umrandung des Auslöseknopfes und löst dadurch aus, daß man das erste oder zweite Fingerglied durchdrückt. Damit löst man weicher aus, als wenn man mit der Fingerspitze auf den Auslöseknopf hämmert. Wenn man in den Auslöseknopf eine Auslöseplatte schraubt – ein Hilfsmittel, das etwa aussieht wie eine vergrößerte Reißzwecke und das die Oberfläche des Auslöseknopfes vergrößert –, hat man eine genauere Kontrolle über den Zeitpunkt des Auslösens. Falls keine anderen Überlegungen dagegen sprechen, benutzt man die kürzestmögliche Belichtungszeit. Selbst wenn das Objektiv bei kleinerer Blende schärfer zeichnet, wiegt der so erzielte Schärfengewinn wahrscheinlich den Schärfenverlust durch Verwackeln der Kamera bei der längeren Belichtungszeit nicht auf, die bei stärkerer Abblendung notwendig ist.

Bewegung des Objektes. Wird ein in Bewegung befindliches Objekt fotografiert, bewegt sich sein Bild während der Belichtung auf dem Film, so daß es mehr oder weniger unscharf dargestellt wird. Um diese unvermeidliche Unschärfe so zu verkleinern, daß sie nicht mehr auffällt, muß die Aufnahme mit einer Belichtungszeit gemacht werden, die so kurz ist, daß das Bild des Objektes in der Zeit, während der der Verschluß offen ist, nur einen unmerkbar kurzen Weg auf dem Film zurücklegt. Ob die Belichtungszeit kurz genug ist, um Bewegungsunschärfe zu vermeiden oder nicht, hängt natürlich von der Bewegung des Bildes auf dem Film ab: Um ein schnellbewegtes Objekt scharf abzubilden, braucht man selbstverständlich eine kürzere Belichtungszeit als bei einem Objekt, das sich langsamer bewegt. Ebenso muß man bei einem Objekt, das sich quer zur Aufnahmerichtung bewegt, kürzer belichten als bei einem, das auf die Kamera zukommt. Ähnlicherweise erfordern kameranahe bewegte Objekte kürzere Belichtungszeiten als Objekte, die weiter entfernt sind. Für genauere Angaben siehe die später gegebene Tabelle.

Ungenauer Entfernungsmesser. Um zu prüfen, ob Ihr Entfernungsmesser zuverlässig arbeitet, machen Sie folgenden Test: Nehmen Sie eine klar gedruckte Magazinseite. Etwa in der Mitte der Seite ziehen Sie über und unter einer Druckzeile je eine schwarze Linie. Nun heften Sie die Seite so an die Wand, daß diese beiden Linien *senkrecht* stehen, und benutzen sie als Testobjekt. Die Kamera wird auf das Stativ geschraubt und so ausgerichtet, daß ihre optische Achse waagerecht auf die Mitte der Magazinseite zeigt. Stellen Sie nun Kamera mit Stativ in einer Entfernung von ungefähr einem Meter etwas seitlich von der

Seite auf, etwa so, daß die Aufnahmerichtung mit der Seite *einen Winkel von 45°* bildet. Nun stellen Sie auf die Zeile zwischen den Linien scharf ein und belichten die Aufnahme mit voller Öffnung, also unabgeblendet. Untersuchen Sie die Schärfenverteilung des resultierenden Negativs oder Dias unter der Lupe. Wenn die Druckzeile zwischen den Linien am schärfsten ist und die anderen mehr oder weniger unscharf erscheinen, arbeitet der Entfernungsmesser zuverlässig. Wenn aber eine andere Druckzeile als die eingestellte – die zwischen den beiden Linien – schärfer erscheint, ist die Kupplung zwischen Entfernungsmesser und Objektivverstellung dejustiert. Die Kamera muß dann von einer Kamerareparaturwerkstatt von neuem justiert werden, um scharfe Bilder zu geben.

Verschmutztes Objektiv. Fingerabdrücke auf der Glasfläche oder ein fettiger Belag können wie ein Weichzeichnervorsatz wirken und die Schärfe des Bildes beeinträchtigen. Um ein unsauberes Objektiv sachgemäß zu säubern, nimmt man einen weichen Marderhaarpinsel und entfernt damit erst einmal allen Staub von beiden Oberflächen; dann haucht man auf das Glas und wischt es vorsichtig mit einem Stück Papier, das für Reinigen von Brillen und Objektiven bestimmt ist, ab. Um dabei ein Verkratzen des Antireflexbelags zu verhindern, darf man beim Wischen keinen starken Druck ausüben. Machen Sie es sich zur Gewohnheit, die Oberfläche des Objektives nie mit den Fingern zu berühren, denn der stets vorhandene Schweiß kann Spuren hinterlassen, die sich nie mehr entfernen lassen.

Ein schmutziger Filter wirkt genau wie eine schmutzige Objektivoberfläche.

Ungeeignete Filter. Azetatfilter sind wegen ihrer minderwertigen optischen Qualität für Aufnahmen nicht geeignet, können jedoch als Lichtfilter beim Vergrößern von Farbnegativen benutzt werden, vorausgesetzt, daß sie zwischen Lichtquelle und Film und *nicht* zwischen Vergrößerungsobjektiv und Papier eingesetzt werden, ferner für Dunkelkammerlampen.

Blendendifferenz des Objektives. Gewisse hochlichtstarke Objektive verschieben die Einstellebene, wenn man die Aufnahme mit einer anderen Blende macht als der, mit der eingestellt wurde. Stellt man also ein solches Objektiv bei voller Lichtstärke ein (wie das z. B. bei vielen Kleinbild-Spiegelreflexkameras mit automatischer Blende und eingebautem Belichtungsmesser üblich ist) und blendet dann für die Aufnahme ab, *ohne nochmals einzustellen,* kann das Negativ oder Farbdia etwas unscharf werden. Um scharfe Bilder zu bekommen, muß man ein solches Objektiv mit der gleichen Blende einstellen, mit der die Aufnahme gemacht werden soll.

Luftschlieren. Diese Erscheinung kann man gut beobachten, wenn man über das Stahldach eines Autos blickt, das eine Zeitlang in der Sonne gestanden hat: die warme Luft über dem heißen Metall steigt in Wellen auf und veranlaßt, daß der Hintergrund sich zu bewegen scheint und abwechselnd scharf und unscharf aussieht. Meist ist dieser Effekt zu gering, als daß er Unschärfe verursacht, doch muß er unter bestimmten Bedingungen ernst genommen werden: Wenn man z. B. aus einem Fenster fotografiert und die Hauswand längere Zeit von der Sonne erwärmt worden ist, steigt heiße Luft vor dem Fenster auf und kann veranlassen, daß das Bild unscharf wird. Derselbe Effekt wird oft beobachtet, wenn man über einen warmen Heizkörper, einen Schornstein oder ein von der Sonne erwärmtes Blechdach hinweg fotografiert. Dabei kann die Vergrößerungswirkung von langbrennweitigen und Teleobjektiven die Wirkung der Bewegung erwärmter Luft schließlich so weit verstärken, daß es unmöglich ist, scharfe Bilder zu bekommen. Ist die Turbulenz der Luft ausgesprochen genug, um die Aufnahme unscharf werden zu lassen, kann man diesen Effekt auf der Mattscheibe einer einäugigen oder zweiäugigen Spiegelreflexkamera oder einer Studiokamera visuell feststellen: Teile des Bildes schwanken, oder das Motiv erscheint teilweise oder völlig unscharf, geht dann aber plötzlich für einen Augenblick wieder in Schärfe über. Das ist der richtige Moment, um schnell zu belichten.

Filmwölbung. Der Film liegt nicht immer einwandfrei in der Kamera oder in der Filmkassette. Unter gewissen Umständen absorbiert der Film, der an sich sehr hygroskopisch ist, Feuchtigkeit aus der Luft und wölbt sich aus der Einstellebene heraus, wobei die Neigung zum Wölben mit der Filmgröße wächst. Um diese Gefahr partieller Unschärfe zu verringern, zumal wenn man mit Filmen der Größe 13 × 18 oder 18 × 24 cm und einem Objektiv langer Brennweite arbeitet, ist es ratsam, um eine oder zwei Blendenstufen weiter abzublenden, als man es normalerweise tun würde, also durch Ausdehnen der Schärfentiefe eine »Sicherheitszone« zu schaffen.

Wie erreicht man Schärfentiefe?

Die meisten Aufnahmeobjekte sind dreidimensional, haben also außer Höhe und Breite auch Tiefe. Daraus ergeben sich zwei Fragen: Auf welche Tiefenzone des Objektes muß ich scharf einstellen! Und: Wie kann ich die Schärfe *über die Einstellebene hinaus* ausdehnen, um das Objekt in seiner ganzen Tiefe zu erfassen?
Die einfachste Antwort auf diese Frage findet man, wenn man eine einäugige Spiegelreflexkamera oder Mattscheibenkamera mit einem Stativ aufstellt und sie *schräg* auf ein Objekt mit großer Tiefe richtet, z. B. auf ein Staket.
1. Schritt. Mit offener Blende stellt man auf einen Pfahl ein, der 1 bis 1,5 m von der Kamera entfernt ist. Man stellt fest, daß zwar der Pfahl, auf den man eingestellt hat, völlig scharf erscheint, daß auch der Pfahl davor und zwei oder drei Pfähle dahinter noch einigermaßen scharf erscheinen, daß aber alle anderen unscharf abgebildet werden, und zwar um so schärfer, je weiter sie von der Einstellebene entfernt sind, also von dem Pfahl, auf den man eingestellt hat.
2. Schritt. Mit offener Blende stellt man nun auf einen Pfahl ein, der etwa 10 cm von der Kamera entfernt ist, und stellt fest, daß nun eine größere Anzahl von Pfählen als im ersten Versuch vor und hinter dem Pfahl, auf den eingestellt wurde, scharf erscheinen.
3. Schritt. Nun stellt man auf einen Pfahl ein, der etwa 5 m von der Kamera entfernt ist, und blendet dabei langsam ab, wobei man das Bild auf der Mattscheibe beobachtet. Dabei stellt man fest, daß um so mehr Pfähle scharf abgebildet werden, je mehr man abblendet, allerdings auch, daß dabei das Bild um so dunkler wird.

Die Auswertung dieser Tests enthüllt das ganze »Geheimnis« der Schärfentiefe:

1. Eine gewisse Schärfentiefe ist in jedes Objektiv gewissermaßen eingebaut. Sie ist um so *größer*, je *lichtschwächer* das Objektiv ist und je *weiter* das eingestellte Objekt entfernt ist.
2. Gewöhnlich genügt die »eingebaute Schärfentiefe« eines Objektivs nicht, um die volle Tiefe des Aufnahmeobjektes scharf zu erfassen. Dann wird es notwendig, die Zone der Schärfentiefe zu erweitern. Dazu dient die Blendenverstellung.
3. Je mehr abgeblendet wird, um so tiefer wird die scharf abgebildete Zone, um so dunkler das Bild und um so länger die Belichtung.
4. Mit Abblenden erweitert sich die Schärfentiefe vor und hinter der

eingestellten Ebene. Also ist es unsinnig, entweder auf den Anfang oder auf das Ende der Zone einzustellen, die scharf abgebildet werden soll, um dann erst entsprechend abzublenden. So ist z. B. Einstellen auf unendlich und Abblenden unrationell, weil Erweiterung der Tiefe hinter »unendlich« nutzlos ist.
5. Abblenden erzeugt mehr Schärfentiefe *hinter der eingestellten Ebene* als vor dieser Ebene. Daher sollte man für rationelle Verteilung der Schärfentiefe über eine größere Tiefe *das Objektiv auf eine Ebene einstellen, die ungefähr am Ende des ersten Drittels der Gesamttiefe liegt,* und dann so weit abblenden, bis das Aufnahmeobjekt in seiner vollen Tiefenausdehnung scharf abgebildet wird.

Wie stark muß man abblenden?

Die günstigste Abblendung ist gewöhnlich ein Kompromiß zwischen zwei einander widersprechenden Überlegungen:

Große Blendenöffnungen haben den Vorteil, daß sie dem Fotografen die Möglichkeit geben, verhältnismäßig kurze Belichtungszeiten zu verwenden, die die Gefahr verwackelter Bilder verringern, sowie schnelle Bewegungen scharf abzubilden erlauben. Sie haben aber den Nachteil, daß die scharf erfaßte Zone verhältnismäßig klein ist.

Kleine Blendenöffnungen haben den Vorteil, daß sie die scharf erfaßte Zone vertiefen. Sie weisen aber den Nachteil auf, daß sie entsprechend lange Belichtungszeiten erfordern, während deren durch unbeabsichtigte Kamerabewegung das Bild verwackeln kann, also mitunter dazu zwingen, ein Stativ oder andere Hilfsmittel zum Aufstellen der Kamera zu benutzen; ferner, daß sie zu lang sind, um bewegte Objekte scharf abzubilden, also in solchen Fällen unscharfe Bilder liefern.

Um die Blende zu ermitteln, die notwendig ist, um eine bestimmte Zone scharf zu erfassen, beobachtet man das Bild auf der Mattscheibe oder konsultiert den Schärfentiefenrechner der Kamera: Zuerst stellt man auf den nächsten, dann auf den entferntesten Teil des Aufnahmeobjektes ein, die scharf wiedergegeben werden sollen, und liest ihre Abstände an der Meterskala des Objektivs ab. Dann verstellt man die Entfernungseinstellung, bis gleiche Blendenzahlen des Schärfentiefenanzeigers gegenüber den Entfernungszahlen erscheinen, die Anfang und Ende der Zone angeben, die scharf erfaßt werden soll. Man läßt diese Einstellung stehen und blendet auf die Blende ab, die der Schärfentiefenrechner als ausreichend für die geforderte Schärfentiefe ergeben hat. Auf diese Weise erreicht man ein Maximum von Schärfentiefe mit einem Minimum von Abblendung.

Nah-Unendlich-Einstellung

Ist ein Objektiv auf unendlich eingestellt, erstreckt sich die Schärfentiefe von unendlich bis zu einem bestimmten Abstand vor der Kamera. Bei welcher Entfernung die Schärfe dabei beginnt, hängt von der Objektivbrennweite, der Blende und dem Durchmesser des zulässigen Zerstreuungskreises ab. Je kürzer die Objektivbrennweite, je kleiner die Blendenöffnung und je größer der zulässige Durchmesser des Zerstreuungskreises ist, um so näher an der Kamera beginnt die scharf erfaßte Zone. Die Entfernung von der Kamera bis zum Anfang der scharfen Zone ist die »hyperfokale Distanz« oder der »Nah-Unendlichkeits-Punkt«.

> Wenn ein Objektiv auf nah-unendlich, also auf die hyperfokale Distanz eingestellt ist, reicht seine Schärfe von der Hälfte der hyperfokalen Einstellung bis unendlich.

Ein Fotograf kann die Nah-Unendlichkeits-Einstellung für jedes seiner Objektive und jede Blende mit Hilfe der folgenden Formel bestimmen. (Netter und nützlicher Zeitvertreib für einen regnerischen Nachmittag!)

$$\text{Entfernung des Nah-Unendlichkeits-Punktes} = \frac{f^2}{b \times d}\ \text{cm}$$

In dieser Formel ist f = Objektivbrennweite in cm, b = Blendenzahl, d = der zulässige Durchmesser des Zerstreuungskreises in Bruchteilen eines Zentimeters.

Beispiel: Ein Landschaftsfotograf will eine Aufnahme mit einer 9 × 12-Kamera machen, bei der die Schärfe von unendlich soweit wie möglich an die Kamera heranreichen soll. Er benutzt ein Objektiv von

15 cm Brennweite und blendet auf 22 ab. Die Schärfe der Aufnahme soll den vorher gemachten Angaben entsprechen, nach denen der Durchmesser des zulässigen Zerstreuungskreises $^1/_{1000}$ der Objektivbrennweite nicht überschreiten darf. Für diesen Fall ergibt sich also ein Zerstreuungskreis von $^{15}/_{1000}$ cm oder $^3/_{200}$ cm. Um die größte Ausdehnung der Schärfentiefe mit geringstem Abblenden zu erreichen, muß das Objektiv auf die hyperfokale Entfernung eingestellt werden, also auf den Nah-Unendlichkeits-Punkt. Dann wird alles von halber Einstellentfernung bis unendlich im Bild scharf. Diese Einstellung wird folgendermaßen gefunden:

$$\frac{f^2}{b \times d} = \frac{15^2}{22 \times {}^3/_{200}} = \frac{225}{66} \times 200 = 696\,\text{cm} = 7\,\text{m}$$

Dementsprechend kann also der Fotograf bei Einstellung auf 7 m mit Abblenden auf 22 sich eine scharfe Zone schaffen, die 3,5 m von der Kamera entfernt beginnt (halber hyperfokaler Abstand) und bis ins Unendliche reicht.

Wenn Sie andererseits die Blende suchen, die erforderlich ist, um eine scharfe Zone zu schaffen, die in einem gegebenen Abstand beginnt und bis ins Unendliche reicht, gibt die folgende Formel die Antwort darauf:

$$\text{Blendenzahl entspricht } \frac{f^2}{h \times d}$$

In dieser Formel ist f = Brennweite des Objektivs, h = hyperfokaler Abstand, d = Durchmesser des zulässigen Zerstreuungskreises in Bruchteilen eines Zentimeters.

Beispiel: Sie möchten mit Ihrer Kleinbildkamera eine Aufnahme machen, in der sich die Schärfe von 3 m Abstand von der Kamera bis zu unendlich erstreckt. Sie verwenden ein Objektiv von 5 cm Brennweite und nehmen einen Zerstreuungskreis von $^1/_{1500}$ der Brennweite an, also von $^5/_{1500}$ cm oder $^1/_{300}$ cm. Sie wissen, daß Sie für rationelle Abblendung auf die doppelte Nahentfernung, in der die Schärfe beginnen soll, einstellen müssen, in diesem Fall also auf 6 m. Wie weit haben Sie nun abzublenden, um eine Schärfentiefe zu schaffen, die von 3 m bis unendlich reicht? Hier ist die Antwort:

$$\frac{f^2}{h \times d} = \frac{5^2}{600 \times {}^1/_{300}} = \frac{25 \times 300}{600} = \frac{7500}{600} = 12$$

Dementsprechend stellen Sie also Ihr Objektiv auf 6 m ein, blenden auf 12 ab und haben eine Schärfentiefe geschaffen, die bei 3 m (halber hyperfokaler Abstand) beginnt und bis ins Unendliche reicht.

Schärfentiefe

Die scharf abgebildete Tiefenzone in einer Aufnahme wird als Schärfentiefe bezeichnet. Ihre Ausdehnung hängt von folgenden zwei Faktoren ab:

Abstand zwischen Objektiv und Objekt. Je weiter das Aufnahmeobjekt entfernt ist, um so größer ist die Ausdehnung der scharf erfaßten Zone, und zwar bei jeder Blende. Daher brauchen Nahaufnahmen stärkere Abblendung als Aufnahmen auf größere Entfernungen, weil bei kurzen Aufnahmeabständen das Abblenden sozusagen »weniger wirksam« ist.

Die Brennweite des Objektivs. Bei gleichen Aufnahmeabständen weisen Objektive kurzer Brennweite (Weitwinkelobjektive) größere Schärfentiefe auf als Objektive langer Brennweite (Teleobjektive), wenn alle anderen Faktoren in beiden Fällen gleich sind.

Andrerseits: Wenn die Abbildungsgrößen auf dem Film (der Abbildungsmaßstab) und die Blende gleich sind, ist auch die Schärfentiefe ohne Rücksicht auf die Brennweite dieselbe. Ein Beispiel: Wird eine Bildnisaufnahme mit einem Objektiv von 50 mm aus einem Abstand von 1 m gemacht und eine zweite Aufnahme mit einem 135-mm-Objektiv aus einem Abstand von 2,7 m, ist die Abbildungsgröße beide Male gleich. Und werden beide Aufnahmen mit derselben Blende vorgenommen, ist auch die Schärfentiefe in beiden Fällen gleich, obwohl die eine Aufnahme mit einem Objektiv kurzer und die andere mit einem Objektiv langer Brennweite gemacht wurde. Allerdings ist die Perspektive beider Aufnahmen recht verschieden, wie wir später sehen werden. Das sollten sich vor allem die Kleinbildfotografen zu Herzen nehmen, die für »normale« Aufnahmen anstatt eines normalbrennweitigen Objektivs einen 35 mm-Weitwinkel verwenden, da sie glauben, auf diese Weise Schärfentiefe zu gewinnen. Sie vergessen dabei, daß dieser Gewinn mit einem kleineren Abbildungsmaßstab bezahlt werden muß, den viele Fotografen dann wieder dadurch zu korrigieren versuchen, daß sie näher an das Objekt herangehen. Das Resultat ist natürlich, daß das Objekt zwar größer abgebildet wird, seine Schärfentiefe aber proportional abnimmt und es außerdem wahrscheinlich noch perspektivisch verzerrt dargestellt wird.

Belichten

Belichten bedeutet, auf den Film genau diejenige Lichtmenge einwirken zu lassen, die notwendig ist, damit das zukünftige Farbdia oder Negativ in bezug auf Farbwiedergabe, Tonabstufung und Helligkeit oder Dunkelheit soweit wie möglich dem Motiv entspricht. Grundsätzlich verlangt schwaches Licht eine längere Belichtung als kräftiges Licht, und bei sonst gleichen Verhältnissen verlangt ein geringempfindlicher Film eine längere Belichtung als ein hochempfindlicher Film. Anweisungen darüber, wie lange ein gegebener Film unter bestimmten Umständen belichtet werden muß, gibt die Belichtungstabelle der Gebrauchsanweisung, die dem Film beiliegt. Genauer bestimmt man die Belichtung mit Hilfe eines Belichtungsmessers. Wird Film falsch belichtet, ergibt sich folgendes:

Überbelichtung (Belichtung zu lang – also zu lange Belichtungszeit oder zu große Blende – zu viel Licht wirkt auf den Film ein) ergibt Negative, die zu schwarz und zu dicht, und Farbdias, deren Farben zu hell oder völlig ausgewaschen sind. Spitzlichter (die dunkelsten Bereiche in einem Negativ und die hellsten in einem Farbdia) sind häufig von Lichthöfen umgeben, die auf benachbarte Details übergreifen. Bei Schwarzweißfotos verringert Überbelichtung auch die Schärfe durch Lichtdiffusion in der Schicht, steigert die Körnigkeit und ergibt Negative, deren Kontrast herabgesetzt ist.

Unterbelichtung (Belichtung zu kurz – also Belichtungszeit zu knapp oder Blende zu klein – zu wenig Licht wirkt auf den Film ein) ergibt Negative, die zu dünn, und Farbdias, deren Farben zu dunkel sind. Schatten sind ohne Detailzeichnung, und der Kontrast ist übermäßig groß.

Belichtungsregelung. Die beiden Einrichtungen, die die Belichtung regeln, sind Blende und Verschluß. Jede von ihnen erfüllt zwei Aufgaben:

Die Blende regelt
die Lichtmenge, die zum Film kommt;
die Ausdehnung der Schärfentiefe.

Der Verschluß regelt
die Zeit, während der das Licht zum Film kommt;
die Schärfe sich bewegender Aufnahmeobjekte.

Zunächst wollen wir mal die zweiten Aufgaben beider Einrichtungen vernachlässigen. Wie wir später sehen werden, ist ihr Einfluß auf die Belichtung nur indirekt. Wir befassen uns hier also mit dem, was zur Regelung der Lichtmenge (veränderliche Blendenöffnungen) und zur Zeitregelung (verschiedene Verschlußzeiten) gehört. Durch angemessene Einstellungen dieser beiden Einrichtungen kann das erwünschte Resultat – ein richtig belichtetes Negativ oder Farbdia – auf einer Anzahl verschiedener Wege erreicht werden.

Wie schon erklärt, ist die Blendenverstellung mit Blendenzahlen bezeichnet, die so angeordnet sind, daß beim Abblenden auf die nächstgrößere Blendenzahl (z. B. bei Abblendung von 5,6 auf 8) die Blendenöffnung so verkleinert wird, daß nur noch die Hälfte des Lichtes gegenüber der vorhergehenden kleineren Blendenzahl durchgelassen wird. Entgegengesetzt wird beim Aufblenden auf die nächstkleinere Blendenzahl (z. B. von 8 auf 5,6) erreicht, daß die doppelte Lichtmenge zum Film kommt. Der Verschluß ist gleichfalls so eingerichtet, daß von einer Verschlußzahl zur anderen die Belichtungszeit halbiert bzw. verdoppelt wird (z. B. von $^1/_{250}$ auf $^1/_{125}$ Sekunde oder von $^1/_{250}$ auf $^1/_{500}$ Sekunde). Die richtige Belichtung ist also auf zwei Wegen zu erreichen. So ergibt beispielsweise auf die Dichte eines Negativs oder die Farbwiedergabe eines Dias eine Belichtung von $^1/_{125}$ Sekunde bei Blende 8 dieselbe Wirkung wie eine Belichtung von $^1/_{250}$ Sekunde bei Blende 5,6. Allerdings sind in anderer Hinsicht, wie z. B. in bezug auf Schärfentiefe und Bewegungswiedergabe, *die Resultate sehr verschieden.* Dies ist einer der Gründe dafür, weshalb es für einen Fotografen wichtig ist, zu wissen, nicht nur *was* er tut, sondern auch *warum* er es tut, wie schon früher betont wurde.

Um Fotos herzustellen, die nicht allein technisch vollkommen sind, sondern auch bildmäßig gut, muß man die günstigste Kombination zwischen Blendenöffnung und Verschlußzeit finden. Grundlage hierfür sind die Meßwerte eines Belichtungsmessers, dessen Skalen bei korrekter Justierung sämtliche möglichen Blende/Zeit-Kombinationen gleichzeitig zeigen, die bei den gegebenen Lichtverhältnissen richtig belichtete Negative oder Farbdias ergeben. Die gewählte Kombination hängt von drei Faktoren ab:

1. *Aufnahme aus der Hand oder vom Stativ.* Nur wenige können eine Kamera länger als 1/30 Sekunde vollkommen still halten. Daraus folgt, daß man bei Aufnahmen aus der Hand nicht länger als 1/30 Sekunde belichten darf, wenn man unbeabsichtigte Unschärfen durch Verwakkeln vermeiden will, und daß man das Maß der Abblendung danach richten muß. Wird dagegen vom Stativ gearbeitet, so braucht die Verwacklungsgefahr nicht berücksichtigt zu werden, und die Verschlußzeit wird von anderen Faktoren bestimmt.

2. *Bewegte Objekte.* Wenn ein bewegtes Objekt scharf wiedergegeben werden soll, muß man eine so kurze Verschlußzeit wählen, daß die Bewegung »gestoppt« wird, und das Maß der Abblendung ist von der Zeit her zu bestimmen. Die Tabelle Seite 381 gibt Beispiele für die Beziehung zwischen Bewegung des Objektes und Verschlußzeiten.

3. *Schärfentiefe.* Wenn es auf Schärfentiefe ankommt, muß man entsprechend stark abblenden und die Verschlußzeit nach der Blende bestimmen. Wie weit abgeblendet werden muß, stellt man mit dem Schärfentiefenring, einer Schärfentiefentabelle oder direkt durch Kontrolle auf der Mattscheibe fest.

Die magische 16

Hier folgt nun eine sehr nützliche Formel für jene, die ihren Belichtungsmesser zu Hause gelassen oder die Belichtungstabelle, die ihrem Film beilag, weggeworfen haben: Bei Sonnenschein und frontal beleuchteten Motiven normaler Helligkeit liegt die normale Belichtungszeit für Blende 16 bei 1:ASA-Zahl Sekunde, was natürlich in erster Linie diejenigen interessieren wird, die mit ASA-Angaben rechnen. Da aber auch auf jeden deutschen Farbfilm die ASA-Zahl angegeben ist, kann jeder von diesem einfachen Rechenexempel Gebrauch machen. So beträgt beispielsweise die Belichtung unter den angegebenen Bedingungen für Kodachrome 25, der 25 ASA besitzt, 1/25 Sekunde (1/30 Sekunde) und für Agfacolor CT 18 (50 ASA) 1/50 (1/60 Sekunde). Von dieser Basis aus kann man natürlich sehr leicht die Belichtungszeiten

für andere Gelegenheiten errechnen. Braucht man z. B. eine kürzere Belichtungszeit, muß also von 1/30 auf 1/60 Sekunde gehen, wird das durch Vergrößern der Blendenöffnung um eine Stufe ausgeglichen (von Blende 16 auf Blende 11). Soll die Belichtungszeit auf ein Viertel verkürzt werden (also etwa von 1/30 auf 1/125 Sekunde), muß man die Blende um zwei Stufen öffnen, also von 16 auf 8 und so weiter. In ähnlicher Weise kann man auch die Einstellungen für andere Lichtarten finden: bei verschleierter Sonne öffnet man die Blende um eine halbe bis ganze Stufe, ist der Himmel leicht bewölkt, öffnet man sie um zwei Stufen, und ist der Himmel stark bewölkt, öffnet man sie um drei Stufen.
Wenn auch diese Art der Belichtungsregelung nicht so exakt ist wie Belichtungen, die man mit Hilfe eines Belichtungsmessers bestimmt, ist sie doch immer noch besser als gar nichts und stellt eine wertvolle Basis dar, um im Notfall die Belichtung zu schätzen.

Wie man einen Belichtungsmesser richtig benutzt

Belichtungstabellen mögen zwar für einfache Ansprüche unter durchschnittlichen Arbeitsbedingungen ausreichen, aber für genaues Arbeiten kommt nur der fotoelektrische Belichtungsmesser in Frage. Richtig benutzt erlaubt er nicht nur, die Intensität der Beleuchtung zu messen und Schwankungen in der Helligkeit zu erkennen, er allein erschließt die Möglichkeit, den Kontrastumfang eines Motivs dadurch festzustellen, daß man seine hellsten und dunkelsten Teile mißt, um dann z. B. bei Innenaufnahmen die Lichtführung entsprechend auszugleichen. So kann man unter anderem feststellen, ob Schatten und Hintergrundflächen zu dunkel sind, und diese dann nötigenfalls aufhellen, oder andererseits bei zu stark beleuchteten Stellen, die im Negativ zu dicht und im Farbdia ausgewaschen erscheinen würden, die Beleuchtung abschwächen. Wenn aber der Belichtungsmesser auch ein wunderbares Instrument ist, denken kann er nicht. Wie teuer und zuverlässig ihr Belichtungsmesser auch sein mag, wenn Sie seine Angaben nicht richtig zu deuten verstehen, führt er Sie doch in die Irre. Im folgenden wird eine Anzahl Umstände erörtert, die man beachten muß.

Belichtungsmesser »denken durchschnittlich«. Wenn Sie ein Testobjekt anfertigen, das aus drei verhältnismäßig großen Karten – eine weiß, eine schwarz und eine von mittlerem Grau (wie etwa die Kodak Neutral-Testkarte) – besteht, aus entsprechender Entfernung eine nor-

male Objektmessung mit einem integral arbeitenden Belichtungsmesser machen und Ihren Farbfilm genauso belichten, wie das Gerät anzeigt, dann bekommen Sie ein Negativ oder Farbdia, in dem diese drei verschieden hellen Karten tonwertrichtig wiedergegeben werden. Würden Sie dagegen jeden Teil des Testobjektes aus der Nähe messen und dementsprechend eine Nahaufnahme von jeder der drei Karten machen, würde Sie sicher das Resultat überraschen: Die Tonwerte der drei Aufnahmen würden mehr oder weniger einander gleich sein. Mit anderen Worten: Die weiße Karte würde als mittleres Grau wiedergegeben, also zu dunkel. Die mittelgraue Karte würde gleichfalls mittelgrau abgebildet, also richtig. Und die schwarze Karte würde ebenfalls in mittlerem Grau erscheinen, also zu hell.
Daraus kann der Fotograf folgendes lernen: Zusammen stellen die drei Karten ein »Objekt mittlerer Helligkeit« dar, weil die höhere Helligkeit der weißen Karte durch die geringere Helligkeit der schwarzen Karte ausgeglichen wird. Folglich ergibt die Belichtung nach den Angaben einer Objektmessung mit einem integral arbeitenden Belichtungsmesser ein Bild, in dem alle drei Tonwerte natürlich erscheinen. Dasselbe gilt auch für die Belichtung auf die graue Karte, die ja ein Objekt mittlerer Helligkeit darstellt und daher ebenfalls in ihrem richtigen Tonwert wiedergegeben würde, wenn die Belichtung nach Angabe des Belichtungsmessers vorgenommen wird.
Die weiße Karte stellt jedoch fotografisch gesehen ein ungewöhnliches Objekt dar, ein Objekt von überdurchschnittlicher Helligkeit. Wie ich schon im Anfang dieses Kapitels sagte, können Belichtungsmesser nicht »denken«, d. h., sie können nicht zwischen Objekten von durchschnittlicher, überdurchschnittlicher und unterdurchschnittlicher Helligkeit unterscheiden. Und da sie das nun eben nicht können, fassen sie natürlich *alle* Objekte als solche von durchschnittlicher Helligkeit auf. Wenn Sie die Nahmessungen vergleichen, die zur grauen und zur weißen Karte gehören, werden Sie feststellen, daß die weiße Karte einen Belichtungswert ergab, der ungefähr fünfmal höher als der der grauen Karte war. Trotzdem führt eine Belichtung, die auf einer integralen Messung aller drei Karten beruht (oder die Fleckmessung von der grauen Karte allein, die natürlich dasselbe Resultat ergibt), zu einem Bild, in dem die weiße Karte weiß erscheint. Also ist es klar, daß eine Aufnahme der weißen Karte, die mit nur $^1/_5$ der richtigen Belichtung für die ganze Testkarte gemacht wird, die weiße Karte stark unterbelichtet wiedergeben muß, d. h. zu dunkel – also als mittleres Grau. Das ist auch der Grund dafür, daß Motive von gleichmäßiger, aber überdurchschnittlicher Helligkeit – wie Schnee oder Seeufer – relativ *län-*

gere Belichtungen erfordern (obwohl der gesunde Menschenverstand gerade das Gegenteil annimmt), wenn sie so hell und leuchtend im Bild erscheinen sollen, wie sie in Wirklichkeit waren.
Und eine ebenfalls anscheinend paradoxe Beobachtung – dieses Mal aber im umgekehrten Sinn – ergibt sich im Hinblick auf Motive von unterdurchschnittlicher Helligkeit. Da sie ungewöhnlich dunkel sind, ergibt dabei die Belichtungsmessung eine verhältnismäßig lange Belichtungszeit. Damit wird aber das dunkle Motiv überbelichtet und erscheint im Bild zu hell – es wird wie ein Objekt durchschnittlicher Helligkeit wiedergegeben. Das ist der Grund dafür, daß dunkle Motive *kürzere Belichtungen* verlangen, als der Belichtungsmesser anzeigt (obgleich der gesunde Menschenverstand auch hier gerade das Gegenteil annehmen möchte), wenn sie im Bild so dunkel erscheinen sollen, wie sie in Wirklichkeit waren.

Fleckmessung oder Integralmessung. Ein »Spotmeter« (gleichgültig, ob als selbständiges Instrument oder in eine Kamera eingebaut) mißt nur einen kleinen Fleck des Motives aus, während ein integral arbeitender Belichtungsmesser (gleichgültig, ob mit Objektmessung oder mit Lichtmessung verwendet) alles in die Messung einbezieht, was aus einem bestimmten Meßwinkel zu ihm kommt, und daraus den Durchschnitt errechnet. Solange der Motivkontrast verhältnismäßig gering ist, spielen diese Unterschiede kaum eine Rolle. Sie werden aber wesentlich, wenn der Motivkontrast relativ hoch ist, was vor allem für den Farbfotografen von Bedeutung ist. Die Erklärung ist folgendermaßen:
Ein Motiv so wiederzugeben, daß alle seine Farben, von der hellsten bis zur dunkelsten, im Bild natürlich erscheinen, ist nur dann möglich, wenn sein Helligkeitsumfang nicht den Kontrastumfang des Filmes überschreitet. Leider ist jedoch die Fähigkeit eines Farbfilmes, Kontraste zu überbrücken – wie jeder Farbfotograf aus eigener Erfahrung weiß –, beschränkter als die des Schwarzweißfilmes: Eine große Anzahl Motive überschreitet den begrenzten Kontrastumfang des Farbfilms, so daß gewisse Teile des Motivs im Farbdia zu hell oder völlig farblos wiedergegeben werden, während andere zu dunkel oder schwarz erscheinen. In solchen Fällen kommt der Unterschied zwischen den Angaben eines »Spotmeters« und denen eines integralen Belichtungsmessers zur Geltung: Ein Spotmeter befähigt den Fotografen, verschiedene Teile des Motivs einzeln zu messen und seine Belichtung entsprechend einzurichten, während der integrale Belichtungsmesser ein Durchschnittsergebnis ergibt, das in bezug auf die Absicht,

die der Aufnahme zugrunde liegt, völlig falsch sein kann. Ein Beispiel: Ein Fotograf möchte ein stark gebräuntes Gesicht, also ein »Motiv von mittlerer Helligkeit«, vor einer weißen, von der Sonne beschienenen Mauer aufnehmen. Eine Messung *auf das Gesicht* mit einem Spotmeter gibt ihm die richtige Belichtung. Dagegen führt die Objektmessung mit einem integralen Belichtungsmesser zu einer gewissen Unterbelichtung des verhältnismäßig dunklen Gesichtes, weil die überdurchschnittliche Helligkeit der weißen, sonnenbeschienenen Wand das Instrument veranlaßt, zu viel Licht anzuzeigen. Um das bei Benutzung eines integralen Belichtungsmessers zu vermeiden, muß der Fotograf so nahe an das Motiv herangehen, daß er eine Objektmessung machen kann, die sich auf den wichtigsten Teil des Motives beschränkt, wobei darauf zu achten ist, daß dabei nicht etwa die Hand oder das Instrument einen Schatten auf die Fläche wirft, die man mißt, und dadurch natürlich das Meßresultat verfälscht. Wenn andrerseits ein verhältnismäßig kleines, aber überdurchschnittlich helles Objekt in einer großen dunklen Fläche steht, wird eine integrale Objektmessung so stark von den dunklen Teilen beeinflußt, daß eine zu lange Belichtung angegeben wird. Die Folge ist, daß das kleine helle Objekt überbelichtet wird, so daß seine Farben »ausgewaschen« erscheinen. Auch hier sind eine Fleckmessung mit einem entsprechenden Instrument oder eine Nahmessung mit einem integralen Belichtungsmesser die einzigen Möglichkeiten, um zu einer richtigen Belichtung zu kommen.

Helle Farben und dunkle Farben. Wie die eben besprochenen Beispiele zeigen, sind manche Bildteile wichtiger als die anderen. Diese Bildteile erfordern die besondere Aufmerksamkeit des Fotografen. Wie ich schon vorher sagte – bei Motiven mit verhältnismäßig hohem Kontrast ist es oft unmöglich, daß die hellsten und die dunkelsten Bildteile *gleichzeitig* in natürlich wirkenden Farben wiedergegeben werden. Wenn das aber der Fall ist, muß der Fotograf entscheiden, was ihm wichtiger ist, die hellen oder die dunklen Farben, und seine Belichtung dementsprechend abstimmen. Beachten Sie, daß ich von »Farben« spreche und nicht von »Bildteilen«. Man darf nämlich in der Farbfotografie nur mit den Bildteilen rechnen, die im Farbdia entweder Farben oder Einzelheiten aufweisen sollen. Schwarz und Weiß werden, da beide farblos oder ohne Zeichnung sind, vernachlässigt.

Objektmessung oder Lichtmessung. Stellen Sie sich als Motiv ein blasses, blondes Mädchen vor, das mit einem hellgelben Pullover und einem dunkelblauen Rock bekleidet ist und vor einem dunkelgrünen, beschatteten Magnolienbusch steht. Sie haben in solchem Fall ein Motiv, dessen Kontrastumfang so groß ist, daß er den Belichtungsumfang des Farbfilmes überschreitet. Wenn Sie nun mit *einem Belichtungsmesser für Objektmessung* durch Nahmessung auf Gesicht, Pullover und Hintergrund messen und diese Angaben entsprechend sinnvoll benützen, können Sie noch ein gutes Farbdia erhalten, in dem die wichtigsten Flächen des Motives in natürlichen Farben wiedergegeben werden, wenn auch die dunklen Motivteile zu schwarz erscheinen. Wenn Sie hingegen mit *einem Belichtungsmesser für Lichtmessung* arbeiten, erhalten Sie stets dieselben Angaben, ob Sie das Instrument vor das helle Gesicht des Mädchens oder vor den dunklen Rock halten. Selbst wenn das Mädchen eine weiße Bluse und einen schwarzen Rock anziehen sollte, solange Sie eine Lichtmessung verwenden, würden Sie für Bluse und Rock die gleichen Resultate bekommen. Mit anderen Worten: Wo die *Objektmessung* Ihnen Informationen über die Helligkeit der Einzelheiten gibt, mißt die *Lichtmessung* nur die Beleuchtungsstärke, sagt aber nichts über das Reflexionsvermögen aus.

Messung durch das Objektiv oder Messung aus der Hand. In die Kamera eingebaute Belichtungsmesser sind wunderbar bequem, aber ein Fotograf muß mit ihren Eigenheiten vertraut sein, wenn er Meßresultate erwartet, die zu richtig belichteten Aufnahmen führen. Da ihre Vorteile offensichtlich sind, kann ich mich hier darauf beschränken, ihre Mängel zu diskutieren.
Die meisten durch das Objektiv messenden Belichtungsmesser sind CdS-Belichtungsmesser mit ihren bekannten Nachteilen (neuerdings werden manche Kameras mit Silizium-[silicon blue-]Zellen ausgerüstet, die von diesen Nachteilen verhältnismäßig frei sind): Ermüdung, Trägheit von Messung und »Gedächtnis«, wie sie in unseren vorherigen Ausführungen beschrieben wurden. Ein weiterer Nachteil, der zur Zeit, als dieses Buch geschrieben wurde, für die meisten durch das Objektiv messenden Belichtungsmesser gilt, besteht darin, daß sie keine Null-Justierung aufweisen (und bei den wenigen, die sie haben, liegt sie so tief im Mechanismus, daß sie nur dem Feinmechaniker zugänglich ist). Wenn ein Handbelichtungsmesser gefallen ist, kann man ihn dadurch prüfen, daß man die Meßöffnung verdeckt (wenn es sich um einen Selen-Belichtungsmesser handelt) oder indem man die Batterie herausnimmt (wenn es ein CdS-Gerät ist) und den Zeiger beobachtet, der dabei auf Null gehen und dort bleiben muß. Wenn der

Zeiger nicht auf Null geht, kann man ihn auf Null bringen (und damit das Gerät oft wieder gebrauchsfähig machen), indem man einfach die Justierungsschraube entsprechend dreht. Bei eingebauten Belichtungsmessern kann man diese Justierung nicht vornehmen. Wenn die Kamera gefallen ist (wissentlich oder unwissentlich), hat der Fotograf keine Möglichkeit, festzustellen, ob der Belichtungsmesser noch einwandfrei anzeigt oder nicht. Und wenn der Vergleich mit einem Belichtungsmesser, von dem man weiß, daß er zuverlässig arbeitet, zeigt, daß der eingebaute Belichtungsmesser nicht in Ordnung ist, hat man keine Möglichkeit, ihn selber wieder in Ordnung zu bringen.
Belichtungsmesser, die durch das Objektiv messen, sind von der Konstruktion her in drei Gruppen einzuteilen:

1. Belichtungsmesser, die bei voller Öffnung messen, ohne daß man soweit abblenden müßte wie zur Aufnahme, und die ferner nicht voraussetzen, daß man beim Objektivwechsel etwas verstellt.
2. Belichtungsmesser, die bei voller Öffnung messen, aber Verstellungen erfordern, wenn man ein Objektiv anderer Lichtstärke einsetzt.
3. Belichtungsmesser, bei denen man nur bei der Blende messen kann, die zur Aufnahme benutzt wird, so daß der Fotograf erst einmal das Objektiv abblenden muß, ehe er ein Meßresultat ablesen kann.

Die erste Type ist sehr bequem, aber mechanisch ziemlich kompliziert und deshalb besonders störanfällig. Mit der letzten Type ist weniger bequem zu messen, sie ist aber mechanisch bedeutend einfacher, kleiner und meist allgemein zuverlässiger. Die zweite Type stellt einen Kompromiß dar, der bis zu einem gewissen Grade Vorteile und Nachteile der beiden anderen teilt. Also kann hier der Fotograf zwischen Bequemlichkeit und Zuverlässigkeit wählen.
Der Fotograf, der sich eine Kamera mit eingebautem und durch das Objektiv messenden Belichtungsmesser anschafft, muß sich fernerhin entscheiden, ob er eine Kamera mit Spotmeter oder mit integral messendem Instrument kaufen soll. Vor- und Nachteile beider Systeme wurden bereits besprochen. In der Hand eines sorgfältig und systematisch arbeitenden Fotografen, der die besonderen Eigenschaften – gute und schlechte – kennt, führt ein Spotmeter wahrscheinlich als vielseitigeres Instrument zu den besseren Resultaten. Andrerseits dürfte für schnelles Arbeiten und da, wo Motive von durchschnittlichen Tonwerten vorherrschen, ein integral messendes Gerät vorzuziehen sein. Schließlich kann ja ein eingebauter integral messender Belichtungsmesser genauso wie ein integral arbeitender Handbelichtungsmesser

ebenfalls für Objektmessung aus der Nähe verwendet werden und damit bis zu einem gewissen Grade bei der Feststellung des Kontrastumfangs im Motiv die Funktion eines Spotmeters übernehmen.
Schließlich muß hier noch das Problem des »falschen Lichtes« erwähnt werden, also die Gefahr, daß nicht zum Motiv gehöriges Licht durch den Einblick des Suchers eindringt, die Meßzelle erreicht und die Messung verfälscht. Diese Möglichkeit muß vor allem von Brillenträgern ins Auge gefaßt werden, die keinen so lichtdichten Abschluß zwischen Suchereinblick und Kopf herstellen können wie jene, die keine Brille tragen. Obgleich einige Hersteller versucht haben, dieses Licht für die Messung auszuschalten, ist dieses Problem noch nicht völlig gelöst.

Im Vergleich zu eingebauten Belichtungsmessern ist ein *Handbelichtungsmesser* ein Wunder an Robustheit, Einfachheit und Zuverlässigkeit. Ich finde vor allem den Weston-Selen-Belichtungsmesser für Objektmessung als ideal geeignet für die Bedürfnisse eines Farbfotografen, weil seine Skala mit den Grenzen des Tonwertumfangs des Farbfilms bezeichnet ist. Bei Objektmessung geben die Marken »A« und »C« die untere und obere Grenze an, innerhalb derer der Farbfilm richtig belichtete Dias ergibt. Mit anderen Worten, wenn man an Stelle des Pfeiles die C-Marke an den Wert setzt, den man mit Nahmessung für die *hellste Farbe* ermittelt hat (aber NICHT für Weiß!), und der Wert für die *dunkelste Farbe* (aber NICHT für Schwarz!) liegt nicht unterhalb der A-Marke, ist alles in Ordnung, und *alle* Farben des Motives werden im Dia richtig wiedergegeben. Wenn aber der Wert für die *dunkelste Farbe* unterhalb der A-Marke liegt, brauchen die dunklen Teile Aufhellung, oder sie werden eben zu dunkel wiedergegeben. So einfach ist das. Und erfahrene Fotografen benutzen, wie ich schon sagte, wegen seiner Einfachheit und Zuverlässigkeit vielfach einen Handbelichtungsmesser, selbst wenn in ihrer Kamera ein Belichtungsmesser eingebaut ist.

Die Belichtung ist der schwierigste Teil der Herstellung technisch einwandfreier Aufnahmen. Aus diesem Grunde habe ich so viel Platz auf die Voraussetzungen verwendet. Denn solange die Grundlagen der Lichtmessung nicht verstanden sind – das »WARUM?«, das das »WAS?« leiten muß –, ist ein Fotograf nicht in der Lage, einen Belichtungsmesser richtig zu benutzen.

Wie man einen Belichtungsmesser für Objektmessung benutzt

Stellen Sie die DIN-Empfindlichkeitszahl Ihres Filmes am Belichtungsmesser ein. Denken Sie aber daran, daß die Empfindlichkeitsangaben nichts Absolutes sind, sondern nur Leitzahlen, die als Ausgangspunkte für das Testen bestimmt sind. So ziehen beispielsweise manche Farbfotografen Dias vor, die etwas dunkler als »normal« sind, weil diese eine intensivere Farbsättigung aufweisen, oder der Verschluß ihrer Kamera neigt zu etwas längerer Belichtung; oder ihr Belichtungsmesser gibt etwas zu reichlich an. In solchen Fällen ist es praktischer, die DIN-Zahl am Belichtungsmesser von Anfang an etwas höher einzustellen, als für den Film angegeben wird, statt nach jeder einzelnen Messung die Angabe des Belichtungsmessers für die vorliegende Aufnahme zu korrigieren. Z. B. wird man dann an Stelle von 18 DIN – der üblichen Empfindlichkeit von Umkehrfarbfilm – 19 oder 20 DIN einstellen. Was zählt, sind die Resultate, und wenn ein Fotograf gute Resultate erzielt – Resultate, die *ihn* zufriedenstellen –, indem er eine Filmempfindlichkeit einstellt, die von der angegebenen abweicht, soll er das selbstverständlich tun.

Allgemeine Objektmessung. Für eine allgemeine Objektmessung *richtet man den Belichtungsmesser vom Kamerastandpunkt aus auf das Motiv.* Dabei ist zu beachten, daß jede ungewöhnlich helle Fläche oder Lichtquelle innerhalb des erfaßten Meßwinkels des Belichtungsmessers das Meßresultat beeinflußt und Unterbelichtung der dunklen Motivteile ergeben kann. Werfen Sie mit Ihrer Hand einen Schatten auf die Meßzelle, um damit direktes Sonnenlicht oder die Strahlen einer Kunstlichtquelle abzudecken (z. B. wenn man mit Objektmessung bei Gegenlicht mißt), aber achten Sie auch darauf, daß Ihre Hand nicht den Meßwinkel des Instrumentes einengt. In der Regel werden Messungen im Freien so vorgenommen, daß man den Belichtungsmesser auf die Mitte zwischen Horizont (oder Motiv) und dem (dunklen) Vordergrund richtet, damit das helle Licht des Himmels weniger zur Wirkung kommt, also die Messung nicht übermäßig beeinflußt. Das ist vor allem bei leicht bedecktem Himmel wichtig, weil dann die Helligkeit des Himmels wesentlich größer ist als die der Landschaft. Beachten Sie außerdem, daß ein ungewöhnlich heller Vordergrund, wie beispielsweise weißer Sand, eine breite Schneefläche, helle Wasserreflexe oder ein sonnenbeschienener Betonweg, die Messung verfälscht, wenn der Belichtungsmesser nicht korrekt benutzt wird.
Allgemeine Objektmessung ergibt mit Sicherheit gut belichtete Farb-

dias, wenn das Motiv gleichmäßig beleuchtet ist, wenn es eine ziemlich gleichmäßige Verteilung von hellen und dunklen Flächen aufweist und wenn dabei Vorder- und Hintergrund von etwa gleicher Helligkeit sind.

Selektive Objektmessung. Wenn der Motivkontrast den Belichtungsumfang des Filmes überschreitet, ist eine einwandfreie Wiedergabe der hellsten und dunkelsten Farben nicht möglich. Unter solchen Umständen kann der Fotograf durch selektive Messung der Helligkeiten der wichtigsten Bildstellen und einer danach vorgenommenen Belichtungsberechnung noch erreichen, daß wenigstens die wichtigsten Teile seines Motives zufriedenstellend wiedergegeben werden. Solche Situationen kommen vielfach dann vor, wenn ein helles Objekt gegen einen dunklen Hintergrund steht oder von dunklen Objekten umgeben ist; wenn ein dunkles Objekt gegen einen hellen Hintergrund steht oder von hellen Objekten umgeben ist; wenn das Objekt teils im Licht, teils im Schatten liegt und wenn das Motiv allgemein besonders kontrastreich ist, wie z. B. Motive im Gegenlicht oder Szenen, in denen sich Teile des hellen Himmels mit dunklem Laubwerk abwechseln.
Um eine selektive Objektmessung vorzunehmen, richtet man den Belichtungsmesser im Abstand von 20 bis 30 cm auf das Objekt und achtet darauf, daß weder die Hand noch der Belichtungsmesser oder sonst irgend etwas Schatten auf die Fläche wirft, die man mißt, weil sich sonst eine falsche Messung, die zur Überbelichtung führt, ergeben würde.
Mit dieser selektiven Objektmessung auf hellste und dunkelste Teile des Motivs kann der Fotograf auch dessen Kontrastumfang feststellen. Wenn er das aber tut, *darf er nicht auf Weiß und Schwarz messen, sondern nur auf Teile, die farbig sind oder im Bild durchgezeichnet erscheinen sollen* (in der Farbfotografie gilt *Grau* als *Farbe*). Für Farbumkehrfilm sollten die Belichtungsangaben für hellste und dunkelste Farben möglichst nicht weiter auseinanderliegen als zwei Blendenstufen (entsprechend dem Kontrastumfang zwischen den »A«- und »C«-Marken auf der Skala des Weston-Belichtungsmessers). Das entspricht einem Kontrast von 1:4. Der höchste Kontrast, bei dem noch eine einigermaßen befriedigende Farbwiedergabe erwartet werden darf, liegt bei 1:8, was einer Differenz von drei Blendenstufen entspricht. Bei Farbnegativfilm liegt der höchste zulässige Kontrast bei 1:16, also bei einem Unterschied von 4 Blendenstufen zwischen den hellsten und dunkelsten Farben des Motivs, und bei Schwarzweißfilm bei 1:64 (6 Blendenwerte).

Wenn der Motivkontrast den Belichtungsspielraum des Filmes übersteigt, kann der Fotograf folgende Möglichkeiten anwenden:

Wenn der Fotograf die Beleuchtung in der Hand hat, kann er mit Zusatzlicht die Schatten aufhellen, weitere Leuchten nutzen, um den Hintergrund heller zu halten, oder die Abstände zwischen Leuchten und Objekt vergrößern, um übermäßig stark beleuchtete Teile zu dämpfen. Fotografiert er im Freien bei nicht zu großen Motivabständen, kann er blaue Blitzlampen oder Elektronenblitze oder auch Reflektoren benutzen, die aus größeren mit Silberpapier beklebten Flächen bestehen, um Schatten, die zu dunkel erscheinen, aufzuhellen und damit den Kontrastumfang des Motivs dem Belichtungsumfang des Filmes anzugleichen.

Kann der Fotograf aber die Beleuchtung nicht regeln und überschreitet der Kontrast im Motiv den Belichtungsumfang des Farbfilmes, kann er folgendes tun:

Bei Farbumkehrfilm stellt er an seinem Belichtungsmesser auf eine Blende *unter* dem ermittelten Lichtwert für die *hellsten* Motivteile ein (die hellsten *Farben* des Motivs); wenn er einen Weston-Belichtungsmesser benutzt, setzt er die »C«-Marke an die Zahl, die sich bei Messung der hellsten Farbe ergibt. Benutzt er einen Farbumkehrfilm mit einem relativ großen Belichtungsspielraum, kann er die Marke sogar eineinhalb oder auch zwei Blendenstufen unter den Wert für die größte Helligkeit rücken. Für Farbnegativfilm sind die entsprechenden Werte zwei bis zweieinhalb Blendenstufen. Eine solche Belichtung sorgt für gute Farbwiedergabe in den hellsten und mittelhellen Bildteilen, aber dunkle Teile und Farben werden zu dunkel wiedergegeben und zeigen wenig oder keine Einzelheiten. Wenn der Motivkontrast ungewöhnlich groß ist, gibt diese Methode, die man *»Belichtung auf die Hochlichter«* nennt, gewöhnlich die *besten Ergebnisse, wenn Farbumkehrfilm* verwendet wird.
Umgekehrt: Wenn ein Fotograf Farbumkehrfilme benutzt, kann er die Marke des Belichtungsmessers eine Blende *über* den Wert rücken, der der Messung der *geringsten* Helligkeit entspricht (der dunkelsten *Farbe* im Motiv); bei einem Weston-Belichtungsmesser rückt er die »A«-Marke an den Wert, der sich bei Messung auf die *dunkelste* Farbe ergeben hat. Arbeitet er mit einem Farbfilm von verhältnismäßig großem Belichtungsspielraum, rückt er die Marke eineinhalb oder zwei Blendenstufen über den Wert für die dunkelste Farbe. Für Farbnega-

tivfilm liegen die entsprechenden Werte bei zwei bis zweieinhalb Blendenstufen. Eine solche Belichtung wird die dunklen Teile des Motivs und die etwas helleren gut wiedergeben, aber die hellsten Bildteile und Farben werden zu hell und oftmals völlig ausgewaschen erscheinen. Normalerweise gibt diese Methode, die man *»Belichtung auf die Schatten«* nennt, bei ungewöhnlich hohen Lichtkontrasten *die besten Ergebnisse, wenn Farbnegativfilm verwendet wird.*
Schließlich kann der Fotograf auch mit einer mittleren Belichtung arbeiten, bei der dann alle mittleren Töne und Farben korrekt wiedergegeben werden, während allerdings dunkle Farben zu dunkel und helle Farben zu hell erscheinen. Falls sehr helle und sehr dunkle Teile klein und unwichtig sind, ergibt *diese Methode gewöhnlich die am meisten zufriedenstellenden Resultate.*

Wenn Glanz und Reflexe ungewöhnlich hohen Motivkontrast verursachen, benutzen Sie ein Polarisationsfilter, was oft genügt, um den Helligkeitsumfang des Motivs auf normale Verhältnisse zu vermindern. Diese Methode ist dann besonders wirkungsvoll, wenn der außergewöhnlich hohe Motivkontrast durch Sonnenreflexe auf dem Wasser, Glanz auf nassem Pflaster oder Laubwerk oder leuchtende Reflexe auf poliertem Holz, auf Glas, Porzellan oder anderem hochreflektierendem Material – *ausgenommen Metall* – entsteht oder wenn es erwünscht ist, einen hellblauen Himmel etwas dunkler wiederzugeben.

Messung mit Graukarte. Ich habe bereits erwähnt, daß Belichtungsmesser nicht »denken« können und jedes Motiv als eines von durchschnittlicher Helligkeit ansehen, ob das nun zutrifft oder nicht. Ich wies auch schon darauf hin, daß eine Nahmessung oder eine Fleckmessung auf ein stark gebräuntes Gesicht – auf ein »Motiv von durchschnittlicher Helligkeit« – vor einer weißen Mauer zu Ergebnissen führt, die ein korrekt belichtetes Farbdia ergeben, wogegen das bei einer allgemeinen oder integralen Objektmessung nicht immer der Fall ist. Allerdings sind nicht alle Gesichter »Motive von durchschnittlicher Helligkeit«, denn die meisten Gesichter von Angehörigen der kaukasischen Rasse sind beträchtlich heller als das sprichwörtliche »Motiv von durchschnittlicher Helligkeit«; wenn man dann nach einer unsachlichen Nahmessung belichtet, wird ein solches Gesicht zu dunkel wiedergegeben. In solchen Fällen ist eine Lichtmessung mit Hilfe der Kodak-Neutralgrau-Karte der einfachste Weg, um zu richtiger Belichtung zu kommen.

Die Kodak-Neutral-Karte ist eine etwa 20 × 25 cm große Karte, die auf der einen Seite grau, auf der anderen weiß ist. Die graue Seite reflektiert 18% des auffallenden Lichtes, die weiße Seite 90%, also fünfmal mehr. Das Reflexionsvermögen der grauen Seite beträgt deshalb 18%, weil das der Prozentsatz von Licht ist, den das durchschnittliche Innenraummotiv reflektiert (das durchschnittliche Freilichtmotiv reflektiert etwas weniger).

Zur Benutzung halten Sie die Graukarte unmittelbar vor das Objekt (z. B. an ein Gesicht) mit der grauen Seite zur Kamera gerichtet und machen aus der Nähe eine Objektmessung von der Karte. Achten Sie dabei darauf, daß kein Schatten von Hand oder Belichtungsmesser auf die Karte fällt. Mit Blende und Belichtungszeit des Meßresultates bekommen Sie eine exakt belichtete Wiedergabe des Gesichtes, gleichgültig, wie hell oder dunkel die Haut ist. Diese Methode eignet sich vor allem für *Innenaufnahmen und für Nahaufnahmen* im Innenraum oder im Freien.

In seiner Wirkung gleicht die Belichtungsbestimmung mit Graukarte und Belichtungsmesser für Objektmessung der Lichtmessung mit einem Belichtungsmesser für Lichtmessung. Folglich kann ein Fotograf durch Messen der Graukarte an verschiedenen Stellen des Motivs – wobei die Graukarte stets zur Kamera gerichtet wird – die Gleichmäßigkeit oder die Unterschiede der Beleuchtung überprüfen. Bei Innenaufnahmen kann er zum Beispiel sicherstellen, daß der Hintergrund in seiner richtigen Farbe wiedergegeben wird, indem er seine Beleuchtung so anordnet, daß der Hintergrund dieselbe Lichtmenge erhält wie das Vordergrundobjekt.

Andererseits kann er aber auch den Hintergrund im Bilde heller oder dunkler erscheinen lassen, indem er die Beleuchtung des Hintergrundes so regelt, daß die Graukarte vor dem Hintergrund höhere oder niedrigere Lichtwerte anzeigt.

Mit Graukartenmessung der beleuchteten und beschatteten Motivteile kann der Fotograf den *Beleuchtungskontrast* seines Motivs feststellen. Bei Farbumkehrfilm sollte der Beleuchtungskontrast nicht das Verhältnis 1:4 überschreiten, was eineinhalber Blendenstufe auf der Belichtungsmesserskala entspricht. Beleuchtungskontrast hat allerdings nichts mit Farbkontrast zu tun, der wiederum etwas anderes ist als Motivkontrast; genauere Unterrichtung folgt später. Jedoch – wenn der Motivkontrast ungewöhnlich niedrig ist, d. h. also, wenn alle Farben im Motiv entweder hell oder mittel oder dunkel sind, ist ein *Beleuchtungskontrast* von 1:7 (der zweiundeinerhalber Blendenstufe auf der Belichtungsmesserskala entspricht) noch zu überbrücken. Für

Farbnegativfilm betragen die entsprechenden Beleuchtungskontraste 1:6 und 1:9.
Bei Freilichtaufnahmen erweist es sich als besonders praktisch, die Graukarte mit einem Spotmeter zu messen, das, wie schon erläutert, nur jeweils einen kleinen Fleck des Motives mißt. Ist die allgemeine Helligkeit mehr oder weniger »durchschnittlich«, bekommt man mit Fleckmessung auf einzelne Teile des Motivs eine verwirrende Zahl von verschiedenen Ergebnissen. Dagegen gibt eine einzelne Fleckmessung auf die Graukarte das Meßresultat, das normalerweise zur besten Belichtung führt. Die Beleuchtung der Graukarte an der Kamera muß natürlich die gleiche sein wie für ein entfernteres Objekt, und um zu einer korrekten Messung zu kommen, muß man die Graukarte so halten, daß sie halbwegs zwischen Sonne und Kamera zeigt. Die einzige Korrektur, die dabei zu machen ist, besteht darin, daß man mit der Blende belichtet, die eine halbe Blendenstufe größer ist als die vom Belichtungsmesser angezeigte, weil die allgemeine Reflexion bei Freilichtmotiven etwas unter dem 18%-Reflexvermögen der Graukarte liegt.

Messung mit Weißkarte. Eine saubere, weiße, matte Karte oder die weiße Seite der Kodak-Graukarte reflektiert etwa 90% des auffallenden Lichtes. Das ist fünfmal soviel, wie die graue Seite der Kodak-Graukarte reflektiert. Diese Tatsache macht es mitunter möglich, auch noch dann einen Zeigerausschlag des Belichtungsmessers zu bekommen, wenn das Licht zu schwach ist, um bei üblicher integraler Messung oder bei Messung auf Graukarte ein Meßresultat zu ergeben. Man benutzt dazu die weiße Karte genau wie die Graukarte, muß aber natürlich die *Belichtung um das Fünffache* verlängern. Der einfachste Weg dazu besteht darin, die DIN-Zahl des Filmes um 8 herabgesetzt am Belichtungsmesser einzustellen. Andrerseits kann man auch die Filmempfindlichkeit wie üblich (nach DIN-Zahl) einstellen und die gemessene Belichtungszeit mit 5 multiplizieren. Wenn also der Belichtungsmesser 1/15 Sekunde angibt, multipliziert man diese Zeit mit 5 und erhält 1/3 Sekunde und, da normale Verschlüsse diese Zeit nicht enthalten, stellt man entweder 1/2 oder 1/4 Sekunde ein.

Handmessung. In Fällen, in denen es unmöglich, unpraktisch oder unerwünscht ist, eine Nahmessung des Objektes vorzunehmen, kann der Fotograf am Kamerastandpunkt auf seine Handfläche messen, *vorausgesetzt, die Beleuchtung ist für das Aufnahmeobjekt und für die Handfläche dieselbe und die vom Belichtungsmesser angegebene Be-*

lichtung wird um eine halbe oder ganze Blendenstufe vergrößert (da die Hand ein Objekt mit einem etwas höheren Reflexionsvermögen ist, als der Durchschnittshelligkeit entspricht). Diese Methode ist besonders für Bildnisaufnahmen zu empfehlen, da das Reflexionsvermögen des Gesichtes ungefähr dem der Hand entspricht, sowie für andere Motive, bei denen helle und mittlere Töne überwiegen.

Wie man einen Belichtungsmesser für Lichtmessung benutzt

Viele integral arbeitenden Belichtungsmesser sind auch für Lichtmessung eingerichtet. Man versteht darunter eine Messung des in der Aufnahmeebene vorhandenen Lichtes, die keine Rücksicht auf das Reflexionsvermögen des Objektes nimmt, ähnlich wie die Messung mit Graukarte. Bei den meisten Belichtungsmessern wird für Lichtmessung ein Diffusor in Scheibenform oder als Halbkugel vor die Meßzelle gesetzt, der den Meßwinkel auf 180° ausweitet.
Man stellt die Filmempfindlichkeit, wie schon beschrieben, am Belichtungsmesser ein und mißt dann das Licht, das auf das Motiv fällt, und zwar unmittelbar vor dem Aufnahmeobjekt, indem man von dort aus *den Belichtungsmesser auf die Kamera richtet.* Wenn im Freien die Beleuchtung am Motiv dieselbe wie an der Kamera ist, kann man auch mit *dem Belichtungsmesser vor der Kamera auf der Linie vom Objekt zum Objektiv messen, so daß die Meßzelle zum Objektiv gerichtet ist.*
Die Lichtmessung eignet sich besonders für Innenraumaufnahmen, vor allem, wenn man dabei mehrere Lampen benutzt, und für Außenaufnahmen von Gegenlichtmotiven.
Nun eine Zusammenstellung der wichtigsten Voraussetzungen für richtiges Belichten:

> Stellen Sie die Filmempfindlichkeit am Belichtungsmesser genau ein. Falls Belichtungsmessung auf weiße Karte erfolgt, um 8 DIN niedriger einstellen.
> Schützen Sie die Zelle des Belichtungsmessers vor zu starkem Licht und direktem Sonnenlicht.
> Farbfilm hat einen wesentlich geringeren Belichtungsspielraum als Schwarzweißfilm und muß daher entsprechend genauer belichtet werden.
> Der Belichtungsspielraum verändert sich mit dem Motivkontrast. Wenn dieser geringer ist, wird der Belichtungsspielraum größer. Je kleiner die Helligkeitsunterschiede zwischen hellsten und dun-

kelsten Motivteilen sind, um so größer ist der Belichtungsspielraum. Die Belichtung von Motiven mit geringem Kontrast kann daher bis zu zwei Blendenstufen nach oben oder unten von der richtigen Belichtung abweichen, ehe das Negativ oder Farbdia über- oder unterbelichtet wirkt.
Mit zunehmendem Motivkontrast verringert sich der Belichtungsspielraum des Filmes und sinkt eventuell auf Null. Folglich müssen kontrastreiche Motive besonders genau belichtet werden.
Wenn der Motivkontrast den Belichtungsumfang des Filmes übersteigt, ist eine gleichzeitige korrekte Wiedergabe von hellsten und dunkelsten Motivteilen nicht möglich. In diesem Falle wirken im allgemeinen Farbdias, deren helle Töne (und Spitzlichter) richtig belichtet sind, während die dunklen Teile (und Schatten) unterbelichtet bleiben und zu dunkel aussehen, besser als Farbdias, in denen auf die dunklen Teile belichtet wurde, wobei die hellen Farben und Spitzlichter überbelichtet und »ausgewaschen« erscheinen.
In der Farbfotografie mit Umkehrfilm ist Überbelichtung der größte Fehler.

Wie man die Belichtung regelt

Wie schon angedeutet wurde, gibt es viele Umstände, die dazu führen, daß der Belichtungswert, der mit Hilfe eines Belichtungsmessers festgestellt wurde, modifiziert werden muß, ehe man ein richtig belichtetes Negativ oder Farbdia erhalten kann. Im einzelnen ist dabei folgendes zu beachten:

Die mit einem Belichtungsmesser ermittelte Belichtung muß verlängert werden, und zwar um eine halbe bis eineinhalbe Blendenstufe (indem man eine größere Blendenöffnung einrückt oder eine längere Belichtungszeit einstellt), wenn ein Motiv fotografiert wird, das geringen Kontrast mit *überdurchschnittlicher Helligkeit* verbindet, wie das bei vielen Schnee- und Strandmotiven und dunstigen Luftaufnahmen der Fall ist.
Die Belichtung muß um $1/2$ bis $1/3$ Blendenstufe verlängert werden, wenn der Motivkontrast gering und die Beleuchtung flach, diffus und gleichmäßig ist wie z. B. bei Aufnahmen an dunstigen Tagen oder im Regen.

Die Belichtung muß um eine ganze oder eineinhalb Blendenstufen verlängert werden, wenn der Motivkontrast noch geringer ist wie z. B., wenn man Aufnahmen bei Schneefall macht oder in dichtem Nebel.
Die Belichtung muß etwa um eine halbe Blendenstufe verlängert werden, wenn im Motiv sehr viel dunkelgrünes Laub vorhanden ist.

Die mit einem Belichtungsmesser ermittelte Belichtung muß verkürzt werden, und zwar um eine oder zwei Blendenstufen (indem man eine kleinere Blende oder eine kürzere Belichtungszeit einstellt) bei Sonnenuntergangsaufnahmen gegen den Himmel; wenn man einen Regenbogen gegen einen Hintergrund von dunklen Wolken fotografiert, während der Vordergrund von der Sonne beleuchtet wird; bei Gegenlichtaufnahmen von in der Sonne glitzerndem Wasser und bei Aufnahmen, in denen die dunkle Stimmung von Dämmerung oder Halbdunkel betont werden soll.
Die Belichtung muß um eine halbe bis eine ganze Blendenstufe verkürzt werden, wenn das Objekt gleichmäßig dunkel ist oder wenn man unter ungewöhnlich dunklen Lichtbedingungen im Freien fotografiert (aber NICHT bei Nacht).

Der Filterfaktor. Wenn man ein Farbkonversions-, Farbausgleichs- oder Farbkorrekturfilter oder irgendeine Art von Filter benutzt, muß die Belichtung mit dem Faktor dieses Filters multipliziert werden. Er ist in der Gebrauchsanweisung angegeben, die dem Filter beiliegt, oder kann der Filterbroschüre des Filterherstellers entnommen werden. Wenn zwei oder mehr Filter gleichzeitig benutzt werden, *muß man ihre Faktoren miteinander multiplizieren* (nicht addieren!), und die Belichtung muß dann mit dem gemeinsamen Faktor multipliziert werden.

Der Polarisationsfaktor. Wird ein Polarisationsfilter benutzt, muß die Belichtung mit dessen Filterfaktor multipliziert werden, der meist bei 3 liegt. In dieser Hinsicht spielt es keine Rolle, ob das Polarisationsfilter in einer Stellung für höchste, mittlere oder geringe Wirkung benutzt wird: der Filterfaktor bleibt immer gleich.

Der Abstandsfaktor. Wenn *Farbumkehrfilm* benutzt wird und der Abstand zwischen Motiv und Objektiv (die Gegenstandsweite) beträgt die *achtfache Brennweite des benutzten Objektives* oder wenn *Farbnegativfilm oder Schwarzweißfilm* verwendet wird und der Objekt-Objektiv-Abstand liegt unter der *fünffachen Brennweite des benutzten Objektives,* muß die Belichtung mit dem entsprechenden Abstandsfaktor multipliziert werden. Er wird mit folgender Formel bestimmt:

Zum Beispiel: Ein Fotograf will eine Nahaufnahme eines Insekts machen. Er benutzt dazu ein Objektiv von 50 mm Brennweite, und der Abstand zwischen Objektivmitte und Film betrage 100 mm. Er findet den dafür notwendigen Abstandsfaktor durch folgende Gleichung:

Das bedeutet, daß er sein Motiv viermal so lange belichten muß, als sein Belichtungsmesser anzeigt, um ein richtig belichtetes Negativ oder Farbdia zu erhalten. Falls der Belichtungsmesser z. B. eine Belichtung von $^1/_{30}$ Sekunde bei Blende 11 angibt, muß er mit dem Faktor 4 multipliziert und entweder $^1/_8$ Sekunde bei Blende 11 oder $^1/_{30}$ Sekunde bei Blende 5,6 belichten. Dazwischen liegen noch weitere Möglichkeiten. Solche Berechnungen sind natürlich unnötig bei Messung durch das Objektiv – eine Messung mit einem in die Kamera eingebauten Belichtungsmesser berücksichtigt bereits den Motivabstand und darf daher *nicht* um den Aufnahmefaktor verlängert werden.
Eine praktische Hilfe für unmittelbare Bestimmung der Belichtung für Nahaufnahmen ist der »Effektive Aperture Kodaguide«, der von Kodak herausgegeben wird. Es handelt sich um eine Karte mit aufgesetzter Scheibe, die nach Einstellung die *tatsächliche* Öffnung angibt (d. h. den Wert der Blendenzahl, die für diesen besonderen Fall zutrifft), den Abstandsfaktor, mit dem die Belichtung multipliziert werden muß, und die Vergrößerungszahl (oder Verkleinerungszahl) des Bildes auf dem Film.

Der Schwarzschildeffekt. Theoretisch müßte nach dem Reziprozitätsgesetz die Wirkung auf eine fotografische Emulsion die gleiche sein, wenn ein Film eine Sekunde lang bei einer Beleuchtung von 100 Lumen belichtet wird oder 100 Sekunden bei 1 Lumen. Dies ist jedoch nur dann der Fall, wenn Belichtungszeit und Lichtintensität einigermaßen normal sind. Wenn die Belichtungszeit abnorm lang oder kurz ist und wenn die Lichtintensität entweder abnorm hoch oder niedrig ist, verliert das Reziprozitätsgesetz seine Gültigkeit. Man spricht hier vom »Schwarzschildeffekt« (nach seinem Entdecker benannt).
Der Schwarzschildeffekt macht sich in folgender Weise bemerkbar: Wenn die Lichtintensität sehr niedrig ist, verdoppelt die doppelte Belichtung keineswegs die Dichte des Filmes, sondern erzeugt weniger als zweifache Dichte. Soweit das sehr kurze Belichtungszeiten betrifft,

ergeben 1000 Belichtungen zu je $^1/_{1000}$ Sekunden keineswegs die Dichte, die eine einzige Belichtung von einer ganzen Sekunde bewirkt, sondern rufen eine geringere Wirkung hervor. Da die verschiedenen Filme verschieden auf den Schwarzschildeffekt reagieren, können nur Testaufnahmen dazu helfen, festzustellen, wie lang die Belichtung verlängert werden muß, wenn die Lichtverhältnisse ungewöhnlich schwach oder die Belichtungszeiten ungewöhnlich kurz (Elektronenblitz) sind.
In der Farbfotografie ergeben sich dadurch zusätzliche Komplikationen, daß die verschieden sensibilisierten Schichten des Farbfilmes in verschiedener Weise auf den Schwarzschildeffekt reagieren. Dadurch wird das Farbgleichgewicht des Filmes gestört: das Farbdia bekommt einen Farbstrich. Um dem Fotografen zu helfen, soweit wie möglich die Wirkung des Schwarzschildeffektes zu korrigieren, geben Agfa-Gevaert und Kodak ihren Planfilmen, falls notwendig, Angaben über Belichtungsfaktoren und Filter bei, die für ungewöhnlich lange oder kurze Belichtungszeiten zutreffen.

High-Key- und Low-Key-Wiedergabe. Will der Fotograf eine High-Key-Wirkung in zarten Tönen oder in blassen, pastellartigen Farben erzielen (nur möglich bei Motiven mit geringem Kontrast; schattenlose Beleuchtung und helle Farben eignen sich am besten für diese Art der Darstellung, die mit großem Erfolg für Modeaufnahmen und Damenbildnisse verwendet wird), muß die Belichtung um eine bis zwei Blendenstufen verlängert werden. Andrerseits muß die Belichtung um eine halbe bis eine ganze Blende verkürzt werden, wenn der Fotograf eine Low-Key-Wirkung mit besonders reichen Grautönen oder gesättigten Farben erzielen will. Die besten Resultate bekommt man dabei, wenn die Farben des Motivs sehr rein sind und der Motivkontrast gering ist. Bei Farbdias, die als Druckvorlagen dienen sollen, ist eine gesättigte Farbwiedergabe ganz besonders erwünscht.

Einkreisen der Belichtung (Belichtungsreihen)

Aufmerksame Leser haben sicher festgestellt, daß in den bisherigen Kapiteln die Anleitungen für »korrekte« Belichtung öfters nicht allzu exakt waren. Ausdrücke wie »Verlängerung der Belichtung um eine halbe bis einundeinhalbe Blendenstufe«, »Motive von mehr als durchschnittlichem Kontrast« (um wieviel mehr?) usw. erschienen hier und da. Darin drückt sich der ziemlich große Untersicherheitsfaktor aus, der immer wieder besonders in der Farbfilmbelichtung wiederkehrt.

Fügt man noch dazu, daß ein Farbdia, das den einen Fotografen zufriedenstellt, von einem anderen als zu hell oder zu dunkel beurteilt wird, bekommt man einen Eindruck davon, wie verwickelt die Filmbelichtung sein kann. Der sicherste Weg, diese Schwierigkeiten zu überwinden, besteht darin, wo immer es möglich ist, eine Reihe von verschiedenen Belichtungen desselben Motives unter sonst gleichen Bedingungen herzustellen, die sich um die Belichtung gruppieren, die Belichtungsmesser und Erfahrung als wahrscheinlich richtige fanden. Diese Methode nennt man Einkreisen oder Belichtungsreihen machen.

Diese Methode hat wesentliche Vorteile: Sie bietet die sicherste Garantie für richtige Belichtung. Sie gibt dem Fotografen eine Auswahl von mehreren Negativen oder Dias desselben Motivs, die in ihrer Helligkeit nur geringe Verschiedenheiten aufweisen. Einige sind heller, einige dunkler. Solche geringen Unterschiede in den Tonwerten machen aber oftmals den Unterschied zwischen einem annehmbaren und einem vollkommenen Negativ oder Farbdia aus. Und man versorgt sich dabei mit mehreren »Reservedias« als Versicherung gegen zufällige Beschädigung oder Verlust eines kostbaren Dias, wozu noch der Vorteil kommt, mehrere »Originale« zu haben an Stelle eines einzigen. Aus diesem Grunde benutzen insbesondere erfahrene Farbfotografen dieses »Einkreisen«, wo immer es möglich ist, und es trägt zu dem Erfolg ihrer Farbaufnahmen wesentlich bei.

Unerfahrene Fotografen wenden gegen dieses Einkreisen oft ein, es sei zu verschwenderisch für ihre Mittel. Das ist ein Trugschluß. Was hingegen wirklich verschwenderisch ist: teuren Film durch schlechte Belichtung zu verderben und am Ende nichts davon zu haben. Ein Fotograf, der seine Belichtungen einkreist, mag dabei ein oder zwei Aufnahmen verschwenden, aber er hat die Gewißheit, daß er ein vollkommenes und wahrscheinlich zwei oder drei annehmbare Negative oder Farbdias erhält. Schließlich ist meine Meinung: Wenn es ein Motiv wert ist, überhaupt fotografiert zu werden, ist es auch wert, daß man es gut fotografiert. Wer Film sparen will, sollte wählerischer sein: *weniger Motive* aufzunehmen ist dazu der *richtige* Weg.

Bei Farbaufnahmen auf Farbumkehrfilm sollten die einzelnen Belichtungen beim »Einkreisen« mit einer halben Blendenstufe Abstand gemacht werden, bei Farbnegativfilm und Schwarzweißfilmen dagegen mit einer ganzen Blendenstufe. Engere Abstände sind Verschwendung, größere Abstände können dazu führen, daß die beste Belichtung dazwischen liegt. Die Belichtungszeiten aller Aufnahmen sollen dabei natürlich die gleichen sein.

Unter normalen Lichtverhältnissen und bei normalen Motivkontrast hängt man an die voraussichtlich richtige Belichtung eine zweite mit einer kleineren und eine dritte mit einer größeren Blendenöffnung an. Unter schwierigeren Umständen – wenn der Motivkontrast den Belichtungsumfang des Filmes überschreitet oder bei Gegenlichtaufnahmen – wird man eine größere Zahl von Belichtungen mit verschiedenen Blenden machen.
Bei *Farbumkehrfilm* sollte die Zahl der Belichtungen, die *kürzer* als die angenommen richtige Belichtung sind, die Zahl der längeren Belichtungen übersteigen. Dagegen macht man bei *Farbnegativfilm und Schwarzweißfilm* mehr *»länger als normal«*-Belichtungen gegenüber den »kürzer als normal«-Belichtungen.

Motive, die man nicht mit einem Belichtungsmesser »messen« kann

Neonlichter und Großstadtstraßen bei Nacht, Feuerwerk, Lagerfeuermotive, die kreisenden Sterne und weitere Motive kann man mit dem Belichtungsmesser nicht messen, weil kein Instrument diese Art von Motiven meßtechnisch erfassen kann. Statt dessen muß sich hier der Fotograf auf Belichtungstabellen, Erfahrung und Tests verlassen. Die nachfolgenden Angaben gelten als ungefähre Anhaltspunkte.

	15 DIN	18 DIN	24 DIN
Großstadtstraßen bei Nacht, helles Neonlicht	1:2 1/4 Sekunde	1 2 1/8 Sekunde	1:2 1/30 Sekunde
Feuerwerk, Verschluß auf B stellen, mehrere Raketen abwarten	1:5,6	1:8	1:16
Lagerfeuer, brennendes Haus	1:2 1/30 Sekunde	1:2,8 1/30 Sekunde	1:5,6 1/30 Sekunde
Sternenbahnen bei Nacht, kein Mond, kein Dunst, sehr dunkler Himmel	3 Stunden 1:4	3 Stunden 1:5,6	3 Stunden 1:11

Verschiedene Verschlüsse weisen verschiedene Verschlußgeschwindigkeiten auf, und keiner besitzt alle die verschiedenen Belichtungszeiten, die man in den Belichtungstabellen findet. Für die Praxis spielen jedoch Unterschiede wie beispielsweise zwischen 1/25 und 1/30 Sekunde, 1/50 und 1/60 Sekunde, 1/100 und 1/125 Sekunde usw. natürlich keine Rolle.

Wie man eine Aufnahme macht – Zusammenfassung

Von außerordentlicher Wichtigkeit ist, daß der angehende Fotograf erkennt, wie eng die drei Einstellungen von Entfernung, Blende und Belichtungszeit zusammenhängen. Ändert man die eine, muß man meist auch die anderen entsprechend verstellen, damit das Resultat ein technisch vollkommenes Negativ oder Farbdia wird. Wenn z. B. der Fotograf schnelle Schnappschüsse von bewegten Menschen macht, hat er kaum die Zeit, um die Entfernung so genau einzustellen, wie es erwünscht wäre, da er ja den flüchtigen Moment erfassen will. Um sich dabei gegen unscharfe Aufnahmen zu sichern, benutzt er eine kleinere Blende, die ihm eine weiter ausgedehnte Sicherheitszone von Schärfentiefe bietet; aber die kleinere Blende muß durch entsprechende Verlängerung der Belichtung ausgeglichen werden. Dies kann wiederum zu Unschärfe durch Bewegung des Objektes oder der Kamera führen. Um diese Gefahren zu verringern, kann ein Film höherer Empfindlichkeit benützt werden, der eine kürzere Belichtungszeit ermöglicht, andrerseits aber Negative oder Farbdias liefert, die etwas körniger sind und etwas weniger Feinheiten enthalten, als wenn man einen Film geringerer Empfindlichkeit benutzt. Und so weiter.

In der Praxis läßt sich das Problem, fototechnisch vollendete Negative oder Farbdias herzustellen, selten vollkommen lösen. Gewöhnlich ist ein *vorteilhafter Kompromiß* noch das günstigste, was ein Fotograf bei diesen einander widerstrebenden Anforderungen erreichen kann. Die Grundlage dafür bilden die Angaben eines Belichtungsmessers, der exakt justiert gleichzeitig sämtliche möglichen Kombinationen von Blende und Belichtungszeit anzeigt, die für einen Film bestimmter Empfindlichkeit unter den herrschenden Lichtverhältnissen ein tech-

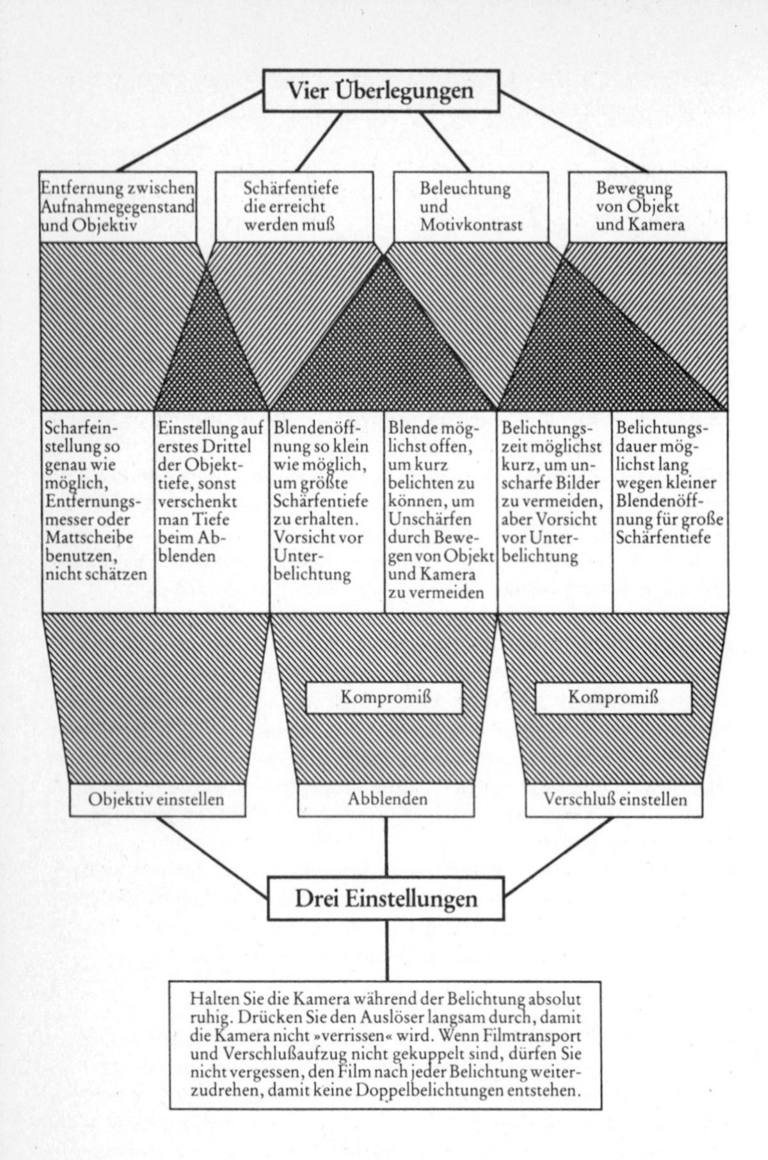
Vier Überlegungen
Entfernung zwischen Aufnahmegegenstand und Objektiv
Schärfentiefe die erreicht werden muß
Beleuchtung und Motivkontrast
Bewegung von Objekt und Kamera
Scharfeinstellung so genau wie möglich, Entfernungsmesser oder Mattscheibe benutzen, nicht schätzen
Einstellung auf erstes Drittel der Objekttiefe, sonst verschenkt man Tiefe beim Abblenden
Blendenöffnung so klein wie möglich, um größte Schärfentiefe zu erhalten. Vorsicht vor Unterbelichtung
Blende möglichst offen, um kurz belichten zu können, um Unschärfen durch Bewegen von Objekt und Kamera zu vermeiden
Belichtungszeit möglichst kurz, um unscharfe Bilder zu vermeiden, aber Vorsicht vor Unterbelichtung
Belichtungsdauer möglichst lang wegen kleiner Blendenöffnung für große Schärfentiefe
Kompromiß
Kompromiß
Objektiv einstellen
Abblenden
Verschluß einstellen
Drei Einstellungen
Halten Sie die Kamera während der Belichtung absolut ruhig. Drücken Sie den Auslöser langsam durch, damit die Kamera nicht »verrissen« wird. Wenn Filmtransport und Verschlußaufzug nicht gekuppelt sind, dürfen Sie nicht vergessen, den Film nach jeder Belichtung weiterzudrehen, damit keine Doppelbelichtungen entstehen.

nisch einwandfreies Negativ oder Farbdia ergeben. Im einzelnen sind dabei folgende Aspekte zu beachten:

Entfernungseinstellung. Ist das Objektiv exakt eingestellt, ergeben sich keine Probleme. Bei schnellen Schnappschüssen bleibt oft aber keine Zeit, um sorgfältig einzustellen, und als Versicherung gegen unscharfe Bilder wählt man meist eine ziemlich kleine Blende, die durch extra Schärfentiefe eine entsprechende »Sicherheitszone« schafft.

Abblendung. Soll die Schärfe in die Tiefe reichen, muß eine entsprechende kleine Blende benutzt und die Belichtungszeit demgemäß verlängert werden. Das kann dazu führen, daß relativ lange Verschlußgeschwindigkeiten ein Belichten aus der Hand unmöglich machen. Welche Blende benutzt werden muß, kann mit Hilfe einer Schärfentiefenskala an der Kamera oder durch Mattscheibenbeobachtung bestimmt werden.

Belichtungszeit. Nur wenige können eine Kamera einwandfrei ruhig halten, wenn die Belichtungszeit länger als etwa 1/60 Sekunde ist. Um also Unschärfe zu vermeiden, die durch versehentliche Kamerabewegung während der Belichtung verursacht wird (sogenannten »Verreißen«), sollte keine Belichtungszeit benutzt werden, die länger als 1/60 Sekunde ist, wenn aus der Hand belichtet werden muß. Dementsprechend ist abzublenden. Ferner: Wenn ein bewegtes Objekt scharf dargestellt werden soll, spielt die entsprechende Belichtungszeit die Hauptrolle, und die Blende ist dementsprechend einzustellen. Die entsprechende Verschlußgeschwindigkeit kann der Tabelle auf Seite 381 entnommen werden.
Die Grafik auf der vorhergehenden Seite zeigt das Zusammenwirken der wichtigsten Faktoren, die das Ergebnis einer Belichtung bestimmen.

Praktische Ratschläge

Soweit nicht andere wichtigere Überlegungen dagegen sprechen, sollte man stets die kürzestmögliche Belichtungszeit verwenden. Wenn auch das Objektiv bei einer kleineren Blende etwas schärfer arbeitet, kann doch die dann notwendige längere Belichtungszeit diesen Schärfengewinn durch Bewegungsunschärfe wieder aufheben, die durch »Verreißen« der Kamera entsteht, weil man nun die längere Belichtungszeit aus der Hand nicht mehr völlig ruhig halten kann.

Denken Sie auch daran, den Deckel vom Objektiv zu nehmen, wenn Sie mit einer Sucherkamera arbeiten. Andrerseits kann man auch ein farbloses UV-Filter als transparenten Objektivschutzdeckel verwenden. Es kann dauernd auf dem Objektiv bleiben, da es keine unerwünschten Farbwirkungen ergibt. Aber es schützt jedenfalls das Objektiv gegen Fingerabdrücke, Regentropfen, Wasserspritzer, Staub usw.

Nachdem Sie die Kamera mit Film geladen haben, dürfen Sie nicht vergessen, den Bildzähler einzustellen. Einige Kameras machen das automatisch.

Um sich zu vergewissern, daß der Film einwandfrei transportiert wird, beobachtet man beim Spannen die Rückwickelscheibe. Dreht sie sich dabei, ist alles in Ordnung. Tut sie es nicht, wird der Film nicht transportiert.

Beim Arbeiten mit Planfilm dürfen Sie nicht vergessen, vor dem Belichten den Schieber der Kassette herauszuziehen. Bei viel Licht im Freien schützt man das Rückteil der Kamera mit einem schwarzen Tuch, um den Planfilm gegen Lichteinfall zu schützen.

Um nicht zu vergessen, mit welchem Filmtyp man die Kamera geladen hat, reißt man den Teil der Rollfilmschachtel ab, der diese Bezeichnung enthält, und heftet ihn an die Kamera, darf aber nicht vergessen, dieses Merkmal zu ändern, wenn man einen anderen Filmtyp einlegt.

Falls Sie einen Blitz an einer Kamera mit verstellbarer Synchronisation verwenden, vergessen Sie nicht, diese auf die Type des Blitzes einzustellen.

Weißes Klebeband von 2 bis 4 cm Breite läßt sich gut beschreiben. Ich verwende es für Notizen auf der Rückseite der Kamera und Kassetten, Kamera- und Objektivbehältern, Kamerataschen usw. und gehe grundsätzlich nie zum Fotografieren, ohne eine Rolle davon dabei zu haben. Auch schwarzes Klebeband ist in Hunderten von Fällen eine wertvolle Hilfe.

Wie man entwickelt und kopiert

Nach der Belichtung Ihrer Filme, wenn Sie also Ihre Aufnahmen gemacht haben, bieten sich Ihnen drei Möglichkeiten:

Sie können Ihren Film einem Drogisten oder Fotohändler zur weiteren Verarbeitung übergeben. Diesen Weg sollten vor allem diejenigen wählen, die ausschließlich in Farbe arbeiten.

Oder Sie können Ihre Filme entwickeln lassen und dann selbst vergrößern. Dies ist oft die beste Lösung für den durchschnittlichen Fotografen, der sowohl Farbnegativfilme wie Schwarzweißfilme verwendet. Auf diese Weise umgeht er die »Schmutzarbeit« und beginnt mit sauberen, gleichmäßig entwickelten Negativen. Das Schönste aber und immer wieder Erregende bleibt ihm, zu beobachten, wie die eigenen Bilder in der Dunkelkammer mit ihrer schöpferischen Atmosphäre Gestalt annehmen.

Und drittens können Sie auch noch Ihre Filme selbst entwickeln. In Schwarzweiß ist dies völlig problemlos. Für die Dunkelkammerarbeit in Farbe allerdings ist es meistens nötig, sich Temperaturregler und Spannungsmesser oder -regler anzuschaffen, dazu eventuell einen »Farbkopf« für das Vergrößerungsgerät, um zu gleichmäßig guten Ergebnissen zu kommen. Dieser dritte Weg ist der des schöpferischen Fotografen, der niemandem traut außer sich selbst – und zwar bei jedem Teil des Verarbeitungsprozesses. Zeit, Können und Hingabe sind unerläßlich. Die Ergebnisse können aber auch außerordentlich lohnend sein.

Die Entscheidung darüber, ob man sich eine eigene Dunkelkammer einrichten soll oder nicht, wird leichter, wenn man die folgenden Pros und Kontras durchgeht:

Ja – eine Dunkelkammer ist der Mühen wert. Für den Anfang braucht man keine permanente Dunkelkammer, denn erstklassige Arbeit kann auch in einer improvisierten geleistet werden. Hauptargument zugunsten einer Dunkelkammer ist, daß man nur genau das gewünschte Ergebnis erzielen kann, wenn man selbst vergrößert. Man kann von einem Negativ Hunderte der verschiedenartigsten Vergrößerungen herstellen (worauf wir später noch zu sprechen kommen), und nur der Fotograf selbst kann entscheiden, welches die wirksamste ist. Außerdem ist es auf lange Sicht betrachtet auch bei Berücksichtigung der Amortisationskosten der Dunkelkammer-Ausrüstung billiger, selbst zu entwickeln und zu vergrößern, als diese Arbeit von anderen machen zu lassen. Vor allem bietet die eigene Ausarbeitung ständig neue Anregungen. Denn jede Vergrößerung ist gewissermaßen ein Experiment, das neue Erfahrungen bringt und sich auf das gesamte eigene fotografische Schaffen auswirkt.

Nein – eine Dunkelkammer lohnt sich nicht, vor allem nicht für Fotografen, die vornehmlich farbig fotografieren. Die Entwicklung von Farbfilm und die Herstellung farbiger Papierbilder erfolgt am besten in klimageregelten Laboratorien und mit Geräten, deren Temperatur und Stromspannung automatisch geregelt wird. Das aber kann sich nur ein größeres Unternehmen leisten. (Trotzdem beweisen viele Amateure, daß gute Farbpapierbilder auch unter einfachen Bedingungen geschaffen werden können, wenn sauber, exakt und mit Liebe gearbeitet wird.)

Schwarzweißfilme werden gleichmäßiger in großen Tanks mit Stickstoff-Wirbelung entwickelt als in kleinen Dosen mit ihrer Gefahr ungleichmäßiger Entwicklung (streifig, wolkig) bei unsachgemäßer Hantierung.
Ein gutes gewerbliches Labor spart dem Amateur den Platz für die Dunkelkammer, die Kosten der Ausrüstung und die Vorratshaltung von Chemikalien und Fotopapieren.

Ein Tip für alle, die ihre Kleinbildfilme in fremden Labors entwickeln lassen: Um Verluste durch Verwechslungen oder Abhandenkommen der Adresse zu vermeiden, fotografiere man seinen Namen mit Anschrift als erste oder letzte Aufnahme auf jeden Film.

Die Dunkelkammer

Für die meisten Anfänger verbindet sich mit dem Wort Dunkelkammer der Begriff des Besonderen und Kostspieligen. Aber eine arbeitsfähige Dunkelkammer ist im Grunde wirklich nichts anderes als ein dunkler Raum. Sie braucht kein *fließendes* Wasser, kein eingebautes

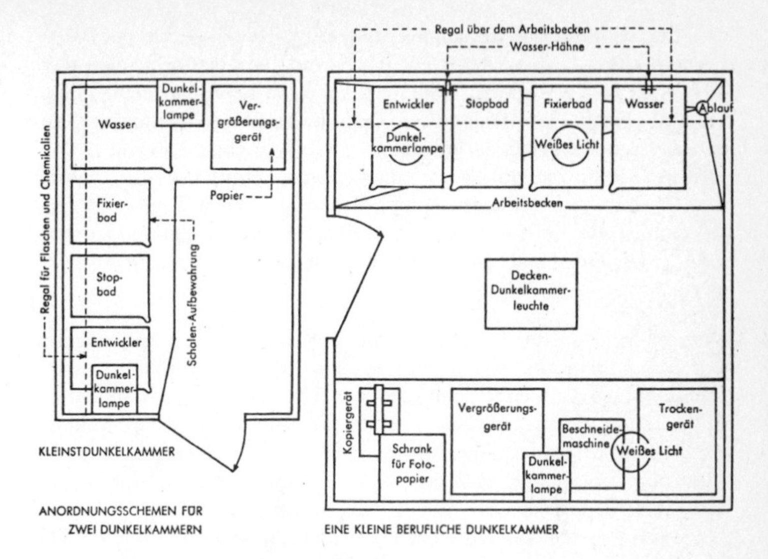

ANORDNUNGSSCHEMEN FÜR
ZWEI DUNKELKAMMERN

Waschbecken und keinen wasserdichten Fußboden zu haben. Sie muß nicht einmal ständig Dunkelkammer sein, denn man kann sie auch in der Ecke eines gewöhnlichen Raumes »behelfsmäßig« herrichten. Das Fehlen einer »richtigen« Dunkelkammer ist keine Entschuldigung für schlampiges Arbeiten oder völligen Verzicht auf die eigene Ausarbeitung. Viele unserer besten Fotografen begannen ihre Karriere in improvisierten Dunkelkammern.

Mindestanforderungen

Eine brauchbare Dunkelkammer muß dunkel sein. Sind Fenster vorhanden, muß man sie gegen Licht durch undurchsichtige Blenden abdichten. Schwarze Rollos, die in Nuten laufen, wie sie in Vortragssälen verwendet werden, sind besonders praktisch, aber teuer. Bequemer Ersatz ist schwarzer Köper, der mit Reißnägeln am oberen Fensterrahmen befestigt wird und bis zum Fensterbrett oder Fußboden reicht. Als ich für LIFE arbeitete, habe ich Filme des Nachts in Hotel- und Motelzimmern aus- und eingelegt, deren Fenster ich durch Decken verdunkelte, die ich mit zwei extra mitgeführten Stiften am oberen Fensterrahmen befestigte. Wenn man zu Hause genug Platz zur Aufbewahrung hat, sind selbstgefertigte Blenden aus Hartfaserplatten auf Holzrahmen ein einfaches Mittel zur Abdichtung der Fenster. Sollte dies alles noch zu teuer oder zu kompliziert sein, so kann man seinen Film auch des Nachts im Kleiderschrank ein- und auslegen (wenn das Licht in den Nebenräumen ausgeschaltet wird, brauchen die Fugen und etwaigen Risse im Holz nicht einmal abgedichtet zu werden). Oder man benutzt zur Filmentwicklung eine sogenannte Tageslicht-Entwicklungsdose, bei der man den Film im Hellen einlegen und entwikkeln kann. Oder man gibt den Film dem Fotohändler zum Entwikkeln.

Vergrößern kann man nachts. Dicke Vorhänge reichen aus, um das schwache Licht der Straßenlampen und des Nachthimmels auszuschalten. Das dann etwa noch gegebene schwache Streulicht macht im allgemeinen nichts aus. Zur Prüfung der Abdunklung des Raumes mache man folgenden Test: Man verdunkle den Raum und schalte die Dunkelkammerlampe *nicht* ein. Dann lege man ein paar Münzen auf ein Blatt Fotopapier und lasse es vier bis fünf Minuten auf dem Arbeitstisch liegen. Dann entwickelt und fixiert man dieses Blatt in völliger Dunkelheit. Ist es dann gleichmäßig weiß, so ist der Raum gut genug verdunkelt. Ist das Blatt jedoch an allen den Stellen, die nicht von Münzen bedeckt waren, grau, dann ist der Raum zu hell, und man muß die Verdunklung verbessern.

Eine elektrische Steckdose muß für den Anschluß von Dunkelkammerlampen und Vergrößerungsapparat vorhanden sein.

Die Raumtemperatur sollte nicht tiefer sein als 18° C und nicht höher als 27° C. Ist der Raum kälter oder wärmer, so wird es zu schwierig, die Lösungen auf der richtigen Temperatur zu halten. Im Winter kann man ein elektrisches Heizgerät verwenden, um die Temperatur zu erhöhen. Im Sommer kann ein lichtsicher eingebauter Ventilator oder besser noch eine Zimmer-Klimaanlage vor zu hoher Raumtemperatur schützen.

Der Wasseranschluß sollte nicht allzu weit weg sein. In der Dunkelkammer selbst braucht man nur einen Eimer und eine Schale voll Wasser, Negative und Kopien kann man später außerhalb der Dunkelkammer dort wässern, wo ein Wasserhahn ist.

Der Arbeitstisch sollte mit einem Stück Wachstuch oder Linoleum belegt sein, die von Wasser und fotografischen Lösungen nicht angegriffen werden. Mehrere Lagen Zeitungspapier unter den Schalen verhüten, daß versehentlich verschüttete Flüssigkeit über den Tisch oder auf den Boden läuft. Ein sorgfältig arbeitender Fotograf allerdings verschüttet keine Lösungen – denn er füllt seine Schalen nicht randvoll!

Wände und Decken sollten weiß sein, damit das Dunkelkammerlicht möglichst stark reflektiert wird und die Sicht im ganzen Raum verbessert.

Ein Fotograf, dem ein ganzes Haus zur Verfügung steht, dürfte keine Schwierigkeiten haben, einen Raum zu finden, in dem er eine ständige Dunkelkammer, wenn auch nur bescheidenen Ausmaßes, einrichten kann. Der Bewohner einer Mietwohnung – und besonders der Mieter eines möblierten Zimmers – muß sich schon sehr viel mehr einfallen lassen, um sich eine Dunkelkammer für seine Arbeiten einrichten zu können.
Als Orte für behelfsmäßig und ständige Dunkelkammern kommen – ihrer Eignung nach geordnet – in Betracht:

Der Keller. Eine trockene Ecke eines ausgebauten Kellers, die abgeteilt werden kann, ist ein hervorragender Platz für eine Dunkelkammer. Vorteile: ziemlich gleiche Temperatur zu allen Jahreszeiten, Strom und fließendes Wasser meist in der Nähe. Da es sich um eine ständige Dunkelkammer handelt, kann man sie allmählich zu einer erstklassigen ausbauen.

Ein Abstellraum oder eine Kammer, wie man sie oft in alten Häusern findet, läßt sich leicht in eine ausgezeichnete Dunkelkammer verwandeln, wenn man das Ventilationsproblem durch einen Entlüfter mit Lichtjalousie löst, den man in oder über der Tür installiert. Negative und Kopien können im Badezimmer gewässert werden.

Die Küche gibt nach »Arbeitsschluß« eine ausgezeichnete Behelfs-Dunkelkammer. Sie hat Wasser- und Stromanschluß und ausreichenden Arbeitsplatz. Entwickler- und Wässerungsschalen können in die Abwaschbecken gestellt werden. Und wenn man Glück hat, kann man sogar einen Küchenschrank für die ganze Dunkelkammereinrichtung frei machen.

Der Dachboden. Die Vorteile sind Ungestörtheit und Abgeschlossenheit, die eine Dauerlösung erlauben. Allerdings gibt es auch ernste

Nachteile: Im Sommer ist es leicht zu heiß, im Winter zu kalt, und fließendes Wasser ist auf dem gleichen Flur nicht immer gegeben.

Ein gewöhnliches Zimmer. Vorteile: reichlich Platz und gleichmäßige Temperatur zu allen Jahreszeiten. Nachteile: vor Beginn der Arbeit müssen der Raum verdunkelt, der Tisch abgeräumt, die Geräte aufgebaut, Wasser aus dem Badezimmer geholt und die Tischlampe zur Dunkelkammerlampe hergerichtet werden. Aber wenn diese Extraarbeiten erledigt sind, kann man so bequem und reibungslos arbeiten wie in jeder ständigen Dunkelkammer.

Das Badezimmer. Trotz der Vorzüge des fließenden Wassers und wasserfesten Fußbodens ist das Badezimmer am wenigsten als Behelfs-Dunkelkammer geeignet. Nachteile: Abdämpfe und Feuchtigkeit verderben Ausrüstung, Chemikalien und lichtempfindliche Materialien in kürzester Zeit. Unterbrechungen machen ein konzentriertes Arbeiten unmöglich.

Leistungsfähigkeit und Bequemlichkeit einer jeden Dunkelkammer hängen von der Arbeitsweise ab. Klare Trennung der trockenen und nassen Arbeitsvorgänge ist entscheidend. Am besten ordnet man den Arbeitsplatz für die trockenen Arbeiten auf der einen Seite und die Naßarbeitsgeräte auf der gegenüberliegenden Seite an. Zwischen beiden sollte ein Gang von etwa 1 m sein. Der trockene Arbeitsplatz sollte etwa 75 cm hoch und 50 cm breit sein. Er sollte mit Formica belegt sein (nächstbestes Material: Linoleum).
Die Geräte ordnet man in folgender Reihenfolge an (Arbeitsrichtung von links nach rechts bei Rechtshändern und umgekehrt bei Linkshändern): Trockengeräte, Beschneidemaschine, Kopiergerät, Aufbewahrungsschränkchen für das Fotopapier und Vergrößerungsapparat; auf der Naßbank (im Spültisch oder dem Becken des Abwaschtisches) die Schalen für Entwickler, Stoppbad, Fixierbad und Wasser.

Abstellraum. Über dem Abwaschbecken bietet ein Regal, das möglichst über die ganze Wand läuft, Raum für Flaschen mit den Verarbeitungsbädern. Unter dem Abwaschbecken bewahrt man die Schalen (senkrecht stehend) auf.

Das Arbeitsbecken sollte einen Abfluß und Platz für mindestens vier Schalen des größten verwendeten Formats haben. Der Wasserabfluß

muß ein Gefälle von $1^1/_2$ cm pro Meter haben. Die Schalen stellt man am besten auf Holzroste (möglichst Dreikantstäbe verwenden). Heiß- und Kaltwasser-Hähne sollten etwa 40 cm über dem Waschbecken angebracht sein, damit man auch 3- und 5-Liter-Flaschen mit Wasser füllen kann.
Zwei Hähne – eine Mischbatterie für Heiß- und Kaltwasser und ein Kaltwasser-Hahn mit einem Gummischlauch zum Spülen von Schalen und Becken – machen das Arbeiten bequemer. Weitere Erleichterung – bei der Entwicklung von Farbfilmen fast eine Notwendigkeit – bietet ein thermostatisch geregeltes Mischventil, das die Wassertemperatur konstant hält.

Elektrische Installationen. Zur Allgemeinbeleuchtung dient eine große indirekte Dunkelkammerleuchte in der Mitte der Dunkelkammer. Sie wirft ihr Licht gegen die weiße Decke. Zur Arbeitsplatzbeleuchtung dienen einzelne Dunkelkammerlampen mit 15-Watt-Birnen. Eine davon sollte über der Entwicklerschale hängen, eine andere dicht beim Vergrößerungsapparat. Diese verbindet man am besten mit der Vergrößerungslampe durch einen Fußschalter so, daß sie beim Einschalten der Lampe des Vergrößerers automatisch ausgeschaltet wird (und umgekehrt). Eine wohlabgeschirmte Lampe mit weißem Licht an einem Zugkabel, die man über einen Fußschalter bedient, gehört über die rechte Fläche der Naßbank, damit man Kopien im Fixierbad und in der Wässerung genau (bei weißem Licht) beurteilen kann. Eine weitere Lampe mit weißem Licht, die auch als allgemeine Raumbeleuchtung bei Aufräum- und Reinigungsarbeiten in der Dunkelkammer dient, sollte über der Beschneidemaschine hängen.
Weil Metall und Wasser elektrisch leitfähig sind, kann eine Dunkelkammer ein gefährlicher Aufenthaltsort werden, wenn man nicht folgende Sicherheitsvorkehrungen trifft: Alle nicht stromführenden Metallteile der fest montierten und der transportablen elektrischen Ausrüstung müssen geerdet werden; dies gilt für Kopier- und Vergrößerungsgeräte, Trockenpressen, Fußschalter, elektrische Zeitgeber, Dunkelkammerlampen usw.
Außerdem sollte man die »Ein-Hand-Regel« strikt befolgen: Wenn man ein elektrisches Gerät oder einen Schalter bedient, darf die andere Hand mit keinem Gegenstand und mit keiner Lösung in Berührung kommen, um die Möglichkeit einer direkten Erdverbindung auszuschließen. Ein elektrischer Schalter darf *niemals* mit feuchten Händen berührt werden. Steckdosen sollten oberhalb des »Trockenarbeitsplatzes« installiert und so nah wie möglich bei den jeweiligen Geräten

angebracht werden, um die möglichen Gefahren auszuschalten, die von frei herumhängenden Leitungsdrähten kommen können.

Staub kann zur Quelle endlosen Ärgers in der Dunkelkammer werden. Er setzt sich auf Negative und verursacht weiße Flecken auf den Kopien, was sich um so mehr auswirkt, je kleiner das Negativ ist. Das beste Mittel gegen Staub in der Dunkelkammer ist regelmäßiges Staubsaugen des ganzen Raumes, der Wände, Decke und des Inneren des Vergrößerungsgerätes. Die folgenden Sicherheitsvorkehrungen helfen, die Staubbildung auf ein Minimum zu beschränken.
Wenn man wählen kann, sollte man sich für einen Belüfter entscheiden, der die gefilterte Luft unter Druck in die Dunkelkammer hineinpreßt. Ein Exhauster-System ist weniger gut. Staubproduzierendes Baumaterial, wie Faserplatten oder -stoffe, sollte man für die Dunkelkammer nicht verwenden. Leere Behälter und Abfall sollten sich nicht ansammeln. Ein Betonfußboden sollte gestrichen und gebohnert werden. Versehentlich verschüttete Lösungen müssen aufgewischt werden, bevor sie trocknen und als kristallines Pulver die gesamte Dunkelkammer »verseuchen«. Und um saubere Gegenstände sauber zu halten, sollte man Vergrößerungs- und Kopiergeräte durch Plastiküberzüge gegen Staub schützen, wenn sie nicht benutzt werden. Und hier noch ein letzter Tip:

Rauchen Sie nicht in der Dunkelkammer!

Ausstattung der Dunkelkammer

Wieviel oder wie wenig wir für die Ausstattung der Dunkelkammer ausgeben, hängt fast ausschließlich von uns selbst ab. Mit Ausnahme des Vergrößerungsgerätes sind die wesentlichen Ausstattungsgegenstände verhältnismäßig billig. Kostspielig sind Geräte und Zubehör, die in der Hauptsache die Arbeit angenehmer machen und erleichtern, ohne die Qualität der Kopien zu steigern – wie z. B. elektrische Schaltuhren und Trockengeräte, Wässerungswanne mit Motorantrieb, Belichtungsmesser für Vergrößerer u. ä. Die folgende Aufstellung enthält nur solche Gegenstände, die nach meiner Ansicht für erfolgreiches Arbeiten in der Dunkelkammer unbedingt notwendig sind.

Die Dunkelkammerbeleuchtung. Es sollten nur Spezial-Dunkelkammerlampen mit austauschbaren Filtern verwendet werden. Gefärbte Glühlampen sind nicht »sicher«. Die Farbe des Dunkelkammerfilters richtet sich nach der Art der Arbeit.
Grün/matt (Agfa 108) für die Entwicklung panchromatischer Filme. Da aber panchromatische Filme für *alle* Farben empfindlich sind, sind die empfohlenen dunkelgrünen Filter nur sicher, wenn die Lampe mindestens 75 cm vom Film entfernt ist. Dieses Licht ist *nur* als allgemeine Dunkelkammer-Beleuchtung gedacht und *nicht* für Prüfung der Negative während des Entwickelns dicht an der Lampe.
Dunkelrot (Agfa 107) für die Entwicklung orthochromatischer Filme.
Gelbgrün/matt (Agfa 113 D) für die Verarbeitung schwarzweißer Vergrößerungspapiere bei indirekter Beleuchtung.
Gelb/matt (Agfa 112) für die Verarbeitung von Kontaktpapieren.
Olivgrün (Agfa 166) für die Verarbeitung von Agfacolor-Papier und -Positivfilm.

Schaltuhren. Eine federgetriebene Signaluhr für einen Bereich von 1 Sekunde bis zu 60 Minuten mit Weckeranlage reicht für die meisten Zwecke aus. Eine elektrische Schaltuhr, mit der bis auf Bruchteile einer Sekunde genau belichtet werden kann, läßt sich auf das Vergrößerungsgerät aufsetzen.

Das Thermometer soll auf einen halben Grad genau anzeigen. Ein Quecksilber-Thermometer ist gewöhnlich genauer als ein Thermometer mit Fernanzeige. Man sollte am besten beide Typen besitzen und eines am anderen überprüfen, dann jedoch mit dem Fernanzeige-Thermometer arbeiten, weil es bequemer in der Verwendung ist.

Meßbehälter verwendet man, um Flüssigkeiten zu messen (vor allem Entwickler-Stammlösungen, die mit Wasser in vorgeschriebenem Verhältnis verdünnt werden müssen) und um Chemikalien aufzulösen. Man braucht zwei, einen kleinen und einen größeren.

Trichter, um Lösungen in die Flaschen zurückgießen und Lösungen filtrieren zu können.

Rührstäbchen, um Chemikalien beim Auflösen umzurühren. Am besten aus Glas.

Kunststoff-Flaschen. Braune Flaschen für Entwickler, weiße für Fixierbad und andere Lösungen. Ihre Größe hängt davon ab, welches Volumen die Arbeit des Fotografen verlangt. Die Fixierbadflasche sollte jedoch mindestens fünf Liter fassen.

Filtrierpapier oder Watte, um Emulsionsteilchen oder andere Unreinheiten aus den gebrauchten Entwickler-Lösungen vor erneutem Gebrauch herauszufiltrieren.

Ein Handtuch, das an der Tür aufgehängt wird.

Schwamm, um die Becken auswischen und versehentlich verschüttete Lösungen aufsaugen zu können.

Schürze, zum Schutz der Kleidung – Entwicklerflecken lassen sich nicht wieder entfernen. Das beste ist eine für Flüssigkeiten undurchdringliche Plastikschürze.

Papierkorb oder Mülleimer. Das beste ist ein großer Plastikeimer.

Eine Rolle breites weißes Leukoplast. Benutzen Sie es zur Kennzeichnung von Flaschen und Büchsen, für Angaben über das Alter von Lösungen, um die Zahl der Filme zu registrieren, die in einem Entwickler schon entwickelt worden sind, und um die Regeneratormenge zu notieren.

Block und Bleistift, um Belichtungs- und Nachbelichtungszeiten, erforderliche Anschaffungen und Ideen zu notieren, die einem bei der Arbeit kommen.

Ein Schemel ist bei langem Arbeiten in der Dunkelkammer sehr angenehm.

Bodenmatten mit gerippter Vinyl-Oberfläche und flüssigkeitsabstoßender Unterseite vor dem Vergrößerungsgerät und der Entwicklerschale sind eine Wohltat für ermüdete Füße.

Sauberkeit ist entscheidend für erfolgreiche Arbeit in jeder Dunkelkammer. Um Verschmutzung von Chemikalien und Lösungen, Meßbehältern, Trichtern, Rührstäbchen, Schalen usw. zu vermeiden, muß alles sogleich nach Gebrauch gespült werden, ehe etwas antrocknen kann.

Film-Entwicklungsdose. Ihre Größe hängt natürlich von der Filmgröße ab. Es gibt Dosen für die Entwicklung von Kleinbild- und Rollfilmen für jeweils einen, zwei oder mehrere Filme. Manche Dosen haben verstellbare Einsätze, so daß man entweder Kleinbild- oder Rollfilme darin entwickeln kann. Andere gestatten das Einlegen und Entwickeln der Kleinbild- und Rollfilme auch bei Tageslicht. Planfilme entwickelt man am besten in Rahmen aus rostfreiem Stahl in offenem Tank. Planfilmrahmen aus Kunststoff sind weniger zu empfehlen.

Filmklammern, an denen man den Film an einem von einer Wand zur anderen gespannten Draht über dem Becken zum Trocknen aufhängen kann. Klammern aus rostfreiem Stahl sind die besten. Pro Film braucht man zwei Klammern, eine für oben, eine für unten, damit sich der Film nicht rollen kann.

Negativentwickler. Konfektionierte Entwickler in Pulverform oder in hochkonzentrierten Vorratslösungen sind praktischer als Entwickler, die man sich selbst aus den einzelnen Substanzen nach Rezept zusammenstellt. Sie sind im allgemeinen gleichmäßiger und verläßlicher, können (in ungeöffneten Flaschen) fast unbegrenzt gelagert werden. Mit Wasser verdünnt oder in Wasser aufgelöst sind sie sofort gebrauchsfertig. Man braucht keine Waage und braucht auch nicht eine große Zahl verschiedener und manchmal leichtverderblicher Chemikalien in platzraubenden Behältern aufzubewahren. Vor allem aber vermeidet man so die Sorge um die Reinheit der Chemikalien, das versehentliche Vergessen einer Substanz, ungenaues Maß und Gewicht, fehlerhaften Ansatz und Materialverluste durch Zerfall, Verschmutzung und unsachgemäße Lagerung.
Andererseits sind selbst angesetzte Entwickler etwas, wenn auch nicht viel billiger als konfektionierte. Ein Vorteil liegt darin, daß der Fotograf ihre genaue Zusammensetzung kennt, so daß er die Wirkungsweise unter Umständen auf eine gegebene Spezialaufgabe abstimmen kann.
Jahrelange Erfahrung hat mich gelehrt, daß es sich immer lohnt, stets den Entwickler zu verwenden, den der Filmhersteller empfiehlt. Wohl auf keinem Sektor der Fotografie sind die Meinungsverschiedenheiten unter Fotografen größer als bei der Bewertung verschiedener Entwickler, besonders der Feinkorn-Entwickler. Dutzende verschiedener Re-

zepte sind auf dem Markt, über die zeitweilig die phantastischsten Behauptungen aufgestellt werden. Jedes Rezept hat seine Anhänger, die kein anderes verwenden würden. Ich persönlich habe herausgefunden, daß die meisten Standard-Entwickler praktisch so feinkörnig arbeiten wie die speziellen Feinkorn-Entwickler, wenn man die Entwicklungszeit etwas verkürzt und die Negative ebenso zart entwickelt wie mit einem Feinkorn-Entwickler. Der wirkliche Vorteil der Feinkorn-Entwickler liegt darin, daß sie weniger leicht zu Überentwicklungen führen.

Entwickler können in fünf Gruppen eingeteilt werden, aus denen sich der Fotograf die für seine Arbeit bestgeeignete heraussuchen muß.

Standard-Entwickler arbeiten rasch und gründlich; sie nutzten die Empfindlichkeit des Films voll aus. Sie sind die besten Entwickler für Filme mittleren und größeren Formats.

Rapid-Entwickler. Häufig benutzt von Pressefotografen und gewerblichen Entwicklungsanstalten, arbeiten schneller als Standard-Entwickler. Sie ergeben meist etwas härtere Negative als die Standard-Entwickler. Besonders geeignet sind sie für Aufnahmen kontrastarmer Motive und für unterbelichtete Filme.

Feinkorn-Entwickler ergeben Negative relativ feiner Körnigkeit und sind vor allem für Kleinbildfilme gedacht. Manche Feinkorn-Entwickler erfordern Überbelichtung des Filmes, das Maß hängt vom Entwicklertyp ab (vgl. die Anweisungen des Herstellers). Nicht alle Feinkorn-Entwickler sind gleichermaßen geeignet zum Entwickeln aller Kleinbildfilme. Dünnschichtfilme müssen in Ausgleichs- und Feinkorn-Entwicklern entwickelt werden. Höchstempfindliche Kleinbildfilme sollten niemals in Feinkorn-Entwicklern entwickelt werden, sondern in Standard-Entwicklern.

Tropen-Entwickler ermöglichen die Entwicklung auch noch bei Temperaturen von etwa 35° C, wo sonst die Gelatine der Emulsion normalerweise zu schmelzen und vom Film abzuschwimmen beginnt. Diese Entwickler sollten nur dann verwendet werden, wenn die klimatischen Bedingungen die Verwendung normaler Entwickler ausschließen.

Dokumenten-Entwickler ergeben Negative von überdurchschnittlichem Kontrast und sind in erster Linie gedacht für die Entwicklung von Reproduktionen und Strichzeichnungen, Druckseiten und anderen rein schwarz-weißen Vorlagen.

Stoppbad. Das Stoppbad oder Unterbrechungsbad beendet den Entwicklungsprozeß, indem es die Alkalität des in die Schicht eingedrungenen Entwicklers neutralisiert. Gleichzeitig schützt es dadurch den Säuregehalt des Fixierbades und verhindert so seine vorzeitige Erschöpfung. Stoppbad mit einem Härtungsmittel als Zusatz härtet die Gelatine des Filmes, mildert die Rolltendenz, verhindert Bildung von Runzelkorn und Schichtablösung an den Filmrändern während der Wässerung.

Fixierbad, auch Hypo genannt. Dieses klärt das Negativ, indem es die unbelichteten Silbersalze (die lichtempfindlichen Partikel der Emulsion) auflöst, die sonst mit der Zeit nachdunkeln und das Bild verschwinden lassen würden.

Negativordner oder durchsichtige Negativtaschen zur Aufbewahrung der Negative.

Ausrüstung für die Herstellung von Schwarzweiß-Papierbildern

Kopiergerät oder Kopierrahmen. Ihre Größe hängt von der Größe der herzustellenden Kontakte ab. Man gebraucht sie in erster Linie zur Herstellung von Kontaktabzügen zur leichteren Identifikation, Katalogisierung und Ordnung der Negative. Meist kontaktiert man sämtliche Negative eines Films in Streifen zu sechs (bei Kleinbild oder zu vier (beim Format 6 × 6) nebeneinander auf ein Blatt 18 × 24 cm oder 8 × 10 Zoll. Man kann sich ein billiges Kopiergerät selbst herstellen, indem man eine Glasscheibe von etwa 20 × 24 cm mit einem breiten Klebeband (das wie ein Scharnier wirkt) an einer Sperrholzplatte von etwa 18 × 24 cm befestigt. (Kanten der Glasscheibe muß man mit Sandpapier abschleifen, damit man sich nicht schneidet.)

Ein Vergrößerungsgerät. Es ist nichts weiter als eine umgekehrte Kamera. Wie diese besitzt der Vergrößerer ein Objektiv, das scharf eingestellt werden muß, um eine scharfe Vergrößerung zu ergeben, und eine Blende, mit der man die Helligkeit des projizierten Bildes und damit die Belichtungszeit für das Papier reguliert. Zwei unterschiedliche Beleuchtungssysteme sind die meistgebräuchlichen:

Diffusbeleuchtung mit Kondensor. Die Lichtquelle ist eine besondere Opalbirne; als Sammellinse für das Licht dient entweder ein Einfach- oder ein Doppelkondensor. Dieses System ergibt Bilder von hervorragender Qualität, ohne die Körnigkeit des Negativs über Gebühr hervortreten zu lassen. Bestgeeignet für Negative vom Kleinbild bis 9 × 12.

Kaltlicht-Beleuchtung. Die Lichtquelle ist entweder eine Quecksilber-Dampflampe oder eine Leuchtstoffröhre, die gewöhnlich die Form einer Flächenleuchte hat. Diese Lampen erzeugen so gut wie keine Wärme. Sie werden vor allem für großformatige Negative verwendet. Allerdings erschweren die besonderen Eigenschaften dieses Lichtes die exakte Scharfstellung ohne besonderes Einstellgerät. Außerdem sind die Kaltlichtquellen für die Herstellung von Farbbildern nicht geeignet.

Einstellen von Hand oder automatisch. Einstellung der Schärfe von Hand bedeutet, daß man das Objektiv auf- und abbewegen muß, während man die Schärfe des projizierten Bildes auf dem Papier visuell kontrolliert. Bei der automatischen Einstellung ist das projizierte Bild stets scharf, gleichgültig, wie stark man vergrößert, weil die Scharfstellung des Objektivs mechanisch mit der Auf- und Abbewegung des Vergrößerungskopfes gekuppelt ist. Jedes System hat seine Vor- und Nachteile. Wenn man von Hand sorgfältig einstellt, sind die Ergebnisse besser, kosten aber mehr Zeit. Die automatische Einstellung ist nicht immer ganz zuverlässig und außerdem bedeutend teurer.

Das Objektiv. Vergrößerungsobjektive sind speziell für optimale Leistung auf kurze Entfernung gerechnet. Das Wichtigste sind Bildschärfe und gute Korrektur der Bildfeldwölbung. Lichtstärke ist unwichtig, denn die meisten Vergrößerungen werden bei Blenden zwischen 5,6 und 11 gemacht (weil bei größeren Blendenöffnungen die Belichtungszeiten sonst häufig sehr kurz und daher schwer regulierbar werden).

Die Blende des Vergrößerungsobjektivs sollte nach Möglichkeit eine Rastblende sein, weil dadurch die Einstellung der Blende im Dunkeln erleichtert wird.

Der Negativhalter. Es gibt zwei Typen: Sogenannte Buchkassetten mit aufklappbarer Doppelglasplatte und glaslose Negativhalter. Die Negativhalter aus Glasplatten sorgen für völlige Planlage des Films, vor allem verhindern sie die Wölbung des Negativs durch Wärmeeinwirkung. Aber sie haben leider auch vier Oberflächen, auf denen Staub haften kann, und sie erzeugen oft »Newtonsche Ringe«, unregelmäßige konzentrische Streifen farbigen Lichtes, die auftreten, wenn Glas und Film nicht vollkommen aneinanderliegen. Newtonsche Ringe sind in der Vergrößerung deutlich zu sehen und sehr schwer zu vermeiden, wenn die Bedingungen für ihr Auftreten gegeben sind. Glaslose Negativhalter beseitigen die Gefahr der Newtonschen Ringe, halten das Negativ aber nicht so plan wie Glasplatten – woraus sich partielle Unschärfe ergeben kann. Im allgemeinen sind glaslose Negativhalter empfehlenswert für Negative bis zum Format 6 × 6 cm, weil hier Staub ein größeres Problem darstellt als mangelnde Planlage. Bei Vergrößerungsgeräten mit automatischer Scharfeinstellung und ganz allgemein für größere Negative, die sich eher wölben und bei denen Staub infolge des normalerweise geringeren Vergrößerungsmaßes nicht so stört wie bei kleineren Negativen, sind Glasplatten als Negativträger ungeachtet ihrer sonstigen Nachteile vorzuziehen.

Besonderheiten. Kein Vergrößerungsgerät kann Negative aufnehmen, die größer sind als die, für die das Gerät ausgelegt ist, aber viele sind so konstruiert, daß man auch Negative kleineren Formats damit vergrößern kann. Dies sollte man beachten, wenn man zwei oder mehr Kameras mit verschiedenen Filmformaten besitzt oder beabsichtigt, sich noch eine Kamera mit einem anderen Filmformat anzuschaffen. Vergrößerungsgeräte für verschiedene Negativformate haben Einrichtungen zum Auswechseln von Objektiven und Kondensoren, die entweder ausgewechselt oder in ihren Abständen verändert werden können, oder eine verstellbare Negativbühne.

Wenn man das Vergrößerungsgerät zur Herstellung von Farbbildern verwenden will, muß es mit einem Wärmeschutzfilter und Vorrichtungen für Kopierfilter (Farbkorrekturfilter) ausgerüstet werden. Die Filter plaziert man am besten in einer Schublade zwischen Lampe und Negativ, wo sie die Schärfe des Bildes nicht beeinträchtigen können. Weniger empfehlenswert ist es, sie in einem Halter unterhalb des Objektivs unterzubringen. Die Vergrößerungslampe muß eine Glühlampe sein; Kaltlichtlampen, denen der Rotanteil des Lichtes fehlt, würden zu hohe Filterungen erfordern, wodurch die Belichtungszeit verlängert und die Schärfe der Vergrößerung leiden würde. Kondensorlinsen müssen aus farblosem Glas sein; Kondensoren aus grünlichem Glas erfordern unnötig hohe Filterungen und können außerdem zu Farbdifferenzen zwischen Bildmitte und Bildecken führen.

Wenn »stürzende Linien« bei Architekturfotos senkrecht und parallel entzerrt werden sollen, muß das Vergrößerungsgerät eine neigbare Negativbühne haben (dies ist die bessere Lösung) oder ein verschwenkbares Objektiv. Wird das Vergrößerungspapier entsprechend gegenläufig geneigt, kann man perspektivische Verzeichnungen korrigieren und Kopien herstellen, die über die ganze Fläche scharf sind, ohne daß man stärker als normal abblenden muß.

Der Abbildungsstab vergrößert sich mit größerem Abstand des Objektivs vom Papier (der Vergrößerungsmaßstab ist gleich Entfernung Papier/Objektiv dividiert durch die Entfernung Objektiv/Negativ). Normalerweise begrenzt die größte Höhe des Vergrößerungsobjektivs über dem Grundbrett den Vergrößerungsmaßstab. Wesentlich größere Vergrößerungsmaßstäbe lassen sich erzielen mit Vergrößerungsgeräten, bei denen entweder der Kopf des Gerätes um die Säule oder die ganze Säule um 180° geschwenkt werden kann, so daß das Bild auf einen Stuhl oder auf den Fußboden projiziert wird, oder deren Kopf horizontal schwenkbar ist, so daß man das Bild an die Wand projizieren kann. Vergrößerungsgeräte ohne solche Einrichtungen können trotzdem für Horizontalprojektion benutzt werden, wenn man unterhalb des Objektivs einen Oberflächenspiegel im Winkel von 45° anbringt.

Einige übliche Fehler. Viele Vergrößerungsgeräte ergeben Bilder, die in der Mitte dunkler sind als an den Rändern. Um die Lichtverteilung zu prüfen, belichtet man ein Blatt Papier harter Gradation ohne Negativ im Vergrößerer. Man belichtet dabei so, daß die Vergrößerung einen mittleren Grauton hat. Dieses Blatt zeigt nach dem Entwickeln und Fixieren, ob das Gerät die Bildfläche gleichmäßig ausleuchtet.

Manchmal muß man feststellen, daß die Säule des Vergrößerungsgerätes nicht stabil genug ist, daß der Vergrößerungskopf schwankt und die Bilder daher Doppelkonturen haben. Am anfälligsten gegen solche Erschütterungen sind die Vergrößerer mit dünnen, röhrenförmigen, senkrechten Säulen. Nicht nur daß sie wackeln, die Säulen sind einem auch im Wege, wenn man große Vergrößerungen machen will, und reflektieren Licht auf das Fotopapier, wenn der Vergrößerungskopf so hoch geschoben ist, daß der Lichtkegel den unteren Teil der Säule trifft (hiergegen hilft Umwickeln des unteren Teils der Säule mit schwarzem Papier). Vergrößerer mit schrägen Säulen vermeiden diesen Fehler. In einer ständigen Dunkelkammer kann man wacklige Vergrößerer gegen Erschütterungen absichern, indem man zwei Drähte vom oberen Ende der Säulen zu zwei Punkten an der Wand spannt.

Ein Vergrößerungsrahmen ist unbedingt notwendig, um das Vergrößerungspapier in der Einstellebene plan zu halten.

Entwicklerschalen in verschiedenen Größen. Man wählt sie zweckmäßig um eine Formatgröße größer als das Papier, das man verarbeiten will, also z. B. 24 × 30 cm für Vergrößerungen 18 × 24 cm. Kleinere Schalen als 18 × 24 cm sind selbst für kleinere Formate unpraktisch. Am besten sind Schalen aus rostfreiem Stahl; danach kommen die aus unzerbrechlichem Kunststoff (PVC). Emailleschalen blättern leicht ab und rosten.

Schalen für das Stoppbad. Wie vorstehend.

Fixierbadschale. Diese soll größer und tiefer sein als die größte Entwicklerschale. Rostfreier Stahl oder PVC-Kunststoff sind das bestgeeignete Material.

Wässerungswanne. Durch einen Gummischlauch an die Wasserleitung angeschlossen. Dient zum Wässern der Kopien. Um den Abfluß frei zu halten, setze man die Wanne im Ausguß auf Ziegelsteine.

Scharfeinstellgerät zur Erleichterung des Scharfstellens. Am besten sind so stark vergrößernde Geräte, daß man auf die Körnigkeitsstruktur des Negativs einstellen kann (man nennt dies »kornscharf einstellen«).

Zwei oder drei Entwicklungszangen, um die Kopien zu greifen, zu bewegen und aus einem Bad ins nächste zu befördern. Die Zange, die man im Entwickler benutzt, darf nicht mit Fixierbad in Berührung kommen, weil dieses den Entwickler verdirbt. Wenn sie doch versehentlich ins Fixierbad getaucht wurde, muß sie abgespült werden, ehe sie erneut zum Entwickeln benutzt werden darf.

Marderhaar-Pinsel oder Anti-static-Pinsel, um Negative von Staub zu reinigen, ehe man sie in den Vergrößerer legt.

Vaseline. Hauchdünn aufs Negativ gerieben, füllt sie leichte Verschrammungen und Verkratzungen aus, so daß diese in der Kopie nicht sichtbar werden.

Lochzange. Negative, die man vergrößern will, kann man sich auf dem sogenannten Sechser- oder Viererstreifen dadurch kennzeichnen, daß man sie am Rand durch eine Lochzange mit einer Kerbe versieht. Diese Kerbe kann man im Dunkel leicht durch Tasten finden. Eine andere Möglichkeit besteht darin, eine entsprechende Markierung mit einem Filzschreiber auf dem durchsichtigen Negativrand anzubringen.

Hilfsmittel zum Nachbelichten und Abwedeln. Runde Pappstückchen in verschiedenen Größen werden am Ende steifer Drähte von ca. 20 cm Länge befestigt und ergeben so gute Abwedler für das Zurückhalten dünner Negativpartien während der Belichtung, damit diese nicht zu dunkel werden. Beide Enden des Drahtes biegt man zu kreisförmigen Schlingen von der Größe der entsprechenden Pappscheiben und klebt dann die Pappscheiben mit schwarzem Tesaband auf die Drahtschlingen. Pappen von etwa 18 × 24 cm, die ein Loch unterschiedlicher Größe etwa im Mittelpunkt haben, sind Nachbelichtungshilfen für zu dichte Negativpartien, die stärker belichtet werden müssen als die übrigen Partien des Negativs. Die dichten Negativpartien werden durch das Loch partiell zusätzlich belichtet, während die Pappe das übrige Bild vor Überbelichtung bewahrt.

Frisörscheren – schmalblattige Scheren – sind besonders gut geeignet zum genauen Beschneiden der Filme in Streifen, auch wenn die einzelnen Bilder sehr dicht nebeneinandersitzen, ferner zum Schneiden von Negativmasken, Klebeetiketten von Klebestreifen u. ä.

Hochglanzplatten und einen Rollenquetscher braucht man, um Kopien auf glänzendem Papier hochglänzend zu machen. Matte und halbmatte Kopien trocknet man bequemer in einer Rolle aus Fließpapier. Elektrisch beheizte Trockenpressen arbeiten schneller und bequemer, sind jedoch ziemlich teuer; ihre Wärme wird thermostatisch geregelt.

Beschneidemaschine zum Abschneiden der weißen Ränder von den Bildern, ehe man sie aufzieht.

Braunes Einwickelpapier zum Schutz der Kopien beim Aufziehen auf Karton mit einem Bügeleisen oder einer Heißpresse.

Retuschierfarben und feine Aquarellpinsel zum Ausflecken und Retuschieren.

Papierentwickler. Um beste Ergebnisse zu erzielen, verwende man einen der vom Hersteller empfohlenen Papierentwickler. Meist kann man wählen zwischen neutralschwarz, blauschwarz oder braunschwarz arbeitenden Entwicklern.

Stoppbad. Ein kurzes Zwischenbad zwischen Entwickeln und Fixieren. Es verhindert, daß die Kopien im Fixierbad bei ungenügender Bewegung fleckig werden. Außerdem hat es dieselbe Aufgabe wie das Stoppbad bei der Entwicklung von Filmen.

Fixierbad. Saure Fixierbäder mit härtender Wirkung sind für Papierbilder am besten geeignet.

Fotopapier aller Marken und Sorten kann man nach vier verschiedenen Eigenschaften unterteilen:

1. *Empfindlichkeit.* Es gibt geringempfindliche Chlorsilber- und hochempfindliche Bromsilberpapiere und zwischen ihnen noch Chlor-Bromsilberpapiere. Chlorsilberpapiere werden zur Herstellung von Kontaktabzügen verwendet, weil sie so geringempfindlich sind; hochempfindliche Emulsionen sind hierfür ungeeignet, weil sie viel zu kurze Belichtungen erfordern. Bromsilberpapiere werden zur Herstellung von Vergrößerungen verwendet, weil sie so empfindlich sind; Chlorsilberpapiere würden unerträglich lange Belichtungen erfordern. Chlor-Bromsilberpapiere kann man sowohl für Kontakte wie für Vergrößerungen verwenden.

2. *Gradation* (Härtegrad). Fotopapiere werden in verschiedenen Härtegraden hergestellt, und zwar von »weich« (kontrastarm) über »normal« bis »hart« (konstrastreich). Wenn ein Negativ normalen Kontrastes auf ein Papier von normaler Gradation kopiert wird, wird die Kopie einen normalen Kontrast haben; auf weiches Papier kopiert wird der Abzug kontrastärmer, auf hartes Papier kopiert dagegen kontrastreicher ausfallen als auf normalem Papier. Daher kann man durch die Wahl des entsprechenden Papiers Kopien mit befriedigendem Kontrast auch von Negativen herstellen, deren Kontraste entweder zu groß oder zu gering sind.

3. *Oberfläche.* Fotopapiere werden mit den verschiedensten Oberflächen hergestellt: glänzend, halbmatt, matt und mit Oberflächen, die die Strukturen von Geweben, Tapeten etc. imitieren. Ich persönlich finde solche Imitationen geschmacklos und ziehe glänzende, halb-

matte und matte Papiere vor. Von diesen bietet das glänzende die reichsten grafischen Möglichkeiten: Es liefert leuchtendere Weißen und sattere Schwärzen als alle anderen; Kopien für Reproduktionszwecke sollten immer auf glänzendem Papier angefertigt werden. Um die ganze Schönheit einer glänzenden Oberfläche herauszuarbeiten, muß man den Abzug auf Hochglanz bringen (mit der Schichtseite aufgequetscht auf einer verchromten Hochglanzplatte trocknen). Werden glänzende Papiere mit der Papierseite auf der Hochglanzplatte aufgequetscht und dann getrocknet, so sind sie nicht so glänzend und funkelnd (nur glänzend, nicht hochglänzend), dafür aber gegen Fingerabdrücke weniger empfindlich und dadurch länger ansehnlich. Halbmatte und matte Oberflächen eignen sich für Ausstellungs- und Wandbilder am besten, weil sie weniger oder gar nicht spiegeln.

4. *Papierstärke.* Fotopapiere werden in zwei Standarddicken hergestellt: papierstark (relativ dünn) und kartonstark (ungefähr zweimal so dick wie papierstark, etwa so dick wie eine Postkarte). Papierstarke Papiere sind am besten geeignet für Abzüge bis zu 18 × 24 cm einschließlich und für stärkere Vergrößerungen, die aufgezogen werden sollen. Kartonstarke Papiere sind vorzuziehen für unaufgezogene Vergrößerungen über 18 × 24 cm. Papierstarkes Papier ist billiger, läßt sich schneller auswässern und trocknen, leichter aufziehen und erfordert zur Aufbewahrung weniger Platz als kartonstarkes. Dieses wiederum rollt sich nicht so leicht, läßt sich rauher behandeln und ist vorzuziehen, wenn die Bilder oft in die Hand genommen werden sollen.

Wenn sie sich »Ihr« Papier auswählen wollen, dann lassen Sie sich von Ihrem Fotohändler die sogenannten Oberflächenalben der Herstellerfirmen zeigen. Um ein bestimmtes Papier zu bestellen, muß man angeben: Name des Herstellers, Handelsnamen des Papiers, Typ und Farbe der Oberfläche, Papierstärke und Härtegrad und schließlich Papierformat. Hier ein Beispiel: Agfa Brovira, weiß, glänzend, kartonstark, normal, 18 × 24 cm.

Wie man einen Film entwickelt

Jeder, der eine Uhr und ein Thermometer ablesen kann, ist auch in der Lage, einen Schwarzweißfilm richtig zu entwickeln – denn die Entwicklungszeit richtet sich nach der Temperatur des Entwicklers. Wenn dieser warm ist, muß die Entwicklungszeit kürzer bemessen werden als bei kaltem Entwickler (die Begriffe »warm« und »kalt« bezeichnen hier einen Temperaturbereich von 16°–24°; Normaltemperatur ist stets 20° C). Natürlich erfordern verschiedene Filmsorten ebenso wie die verschiedenen Entwicklersorten auch verschiedene »Normalzeiten« der Entwicklung bei 20° C. Aber diese kann man leicht aus den handlichen kleinen Tabellen und Diagrammen ablesen, welche die Filmhersteller für diesen Zweck liefern.

Der Vorteil dieser Methode – die man Entwickeln nach Zeit und Temperatur nennt – besteht darin, daß selbst ein Anfänger so gleichmäßig gute Ergebnisse erzielt. Alles, was er tun muß, ist, den Entwickler zu verwenden, den der Filmhersteller empfiehlt, und die dem Film beigegebene Gebrauchsanleitung zu lesen – dann findet er die der Temperatur seines Entwicklers entsprechende Entwicklungszeit. Die einzigen benötigten Kontrollinstrumente sind ein Thermometer und eine Uhr.

Richtige Entwicklung ergibt Negative, deren dichteste Partien (Spitzlichter genannt) nicht zugegangen sind, sondern Differenzierungen aufweisen, und deren dünnste Partien (Schatten) nicht glasklar sind, sondern Details zeigen. Wenn ein solches Negativ auf eine Druckseite gelegt wird, sollte man die Druckbuchstaben durch die dunklen Stellen hindurch gerade noch sehen können, während die dünnsten Stellen einen deutlichen Grauwert aufweisen müssen.

Überentwicklung resultiert, wenn man den Film zu lange im Entwickler beläßt oder wenn der Entwickler zu warm ist oder wenn beides der Fall ist. Die Negative werden dann zu dicht und zu kontrastreich (»hart«). Man kann sie im Vergrößerer nur schwer scharf einstellen, weil das Bild sehr dunkel ist, und die Belichtungszeiten werden so lang, daß die Hitze der Vergrößerungslampe das Negativ unter Umständen aus der Einstellebene herauswölbt. Wenn man solche Negative auf Papier des Härtegrades Normal vergrößert, erhält man Kopien, die in der Regel zu kontrastreich, zu körnig und nicht völlig scharf sind.

Unterentwicklung resultiert, wenn man den Film zu früh aus dem Entwickler herausnimmt oder wenn der Entwickler zu kalt ist oder wenn beides zusammentrifft. Die Negative werden dann zu dünn und kontrastarm. Sie sehen grau und weich aus. Wenn man ein solches

Negativ auf eine Druckseite legt, kann man die Druckbuchstaben selbst durch die dunkelsten Stellen hindurch leicht lesen. Vergrößert man unterentwickelte Negative auf Papier des Härtegrades Normal, dann wirken die Vergrößerungen flau und grau und haben kein richtiges Schwarz und Weiß.

Die Praxis der Filmentwicklung

Gewohnheiten bilden sich rasch, aber nur schwer kommt man von ihnen wieder los. Daher ist es wichtig, daß der Anfänger zu Beginn gleich richtig zu arbeiten lernt. Zunächst einige allgemeine, aber wichtige Hinweise.

Versuchen Sie nicht, beim Material zu »sparen«, am wenigsten beim Entwickler, Fixierbad und anderen Chemikalien, von denen die meisten ohnehin relativ billig sind. Man gieße Entwickler und Fixierbad weg, bevor sie »erschöpft« sind. »Einsparungen« an Chemikalien führen unweigerlich zur Vergeudung weit größerer Werte wie unersetzliche Negative oder auch einfach nur Zeit. Man muß dann die Arbeit u. U. zweimal machen – vorausgesetzt, daß man eine zweite Möglichkeit überhaupt hat.

Kaufen Sie nur Produkte anerkannter Firmen. »Namenlose« Filme, Entwickler und Chemikalien, wie man sie in gewissen Ketten- oder Diskontläden erhält, sind zugegebenermaßen billiger. Leider sind sie aber oftmals überlagerte Waren oder sonst von geringerer Qualität, so daß es sinnlos ist, sie zu kaufen.

Machen Sie jeden Handgriff immer in der gleichen Weise. Standardisieren Sie, was sich nur standardisieren läßt. Erarbeiten Sie sich Ihr System und bleiben Sie dabei. Wechseln Sie Ihren Entwickler, Ihre Arbeitsweise nicht deswegen, weil ein anderer mit einer anderen Erfolg hatte. In der Fotografie gibt es persönlichen Geschmack und individuelle Vorlieben wie in jedem anderen Handwerk, in jeder anderen Kunstgattung. Methoden, die zum Temperament und zur Arbeitsweise eines anderen ausgezeichnet passen, können für Sie völlig ungeeignet sein.

Beste Resultate erhält man mit Sicherheit, wenn man Belichtung und Entwicklung des Filmes durch sinnvolle Anwendung von Belichtungs-

Wie man einen Schwarzweißfilm entwickelt

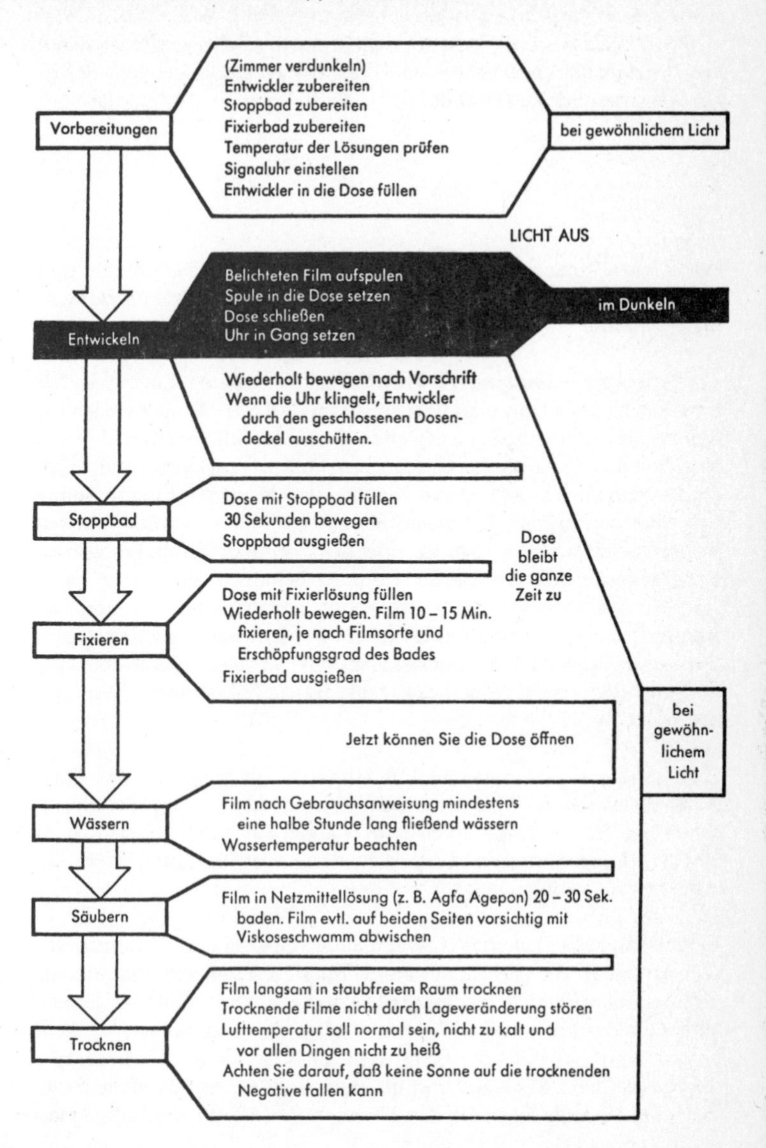

messer, Uhr und Thermometer standardisiert. Die so gewonnenen Negative sind technisch denen weit überlegen, die mit »subjektiven« Methoden erzielt werden. Meiner Ansicht nach ist die Methode, Filme »nach Erfahrung« zu belichten und ihre Entwicklung »nach Sicht« zu kontrollieren, veraltet und der »Zeit-und-Temperatur-Methode« unterlegen.

Vorbereitungen

Die Vorbereitungsarbeiten sind stets die gleichen für alle Filme und Entwickler. Vergleichen Sie das Schema auf der *folgenden Seite* beim Weiterlesen.

Zubereitung des Entwicklers. Entscheiden Sie, welchen Entwickler Sie verwenden wollen, an Hand der Übersicht auf S. 174. Im Zweifelsfall richten Sie sich nach den Empfehlungen des Filmherstellers. Ehe Sie einen echten Feinkorn-Entwickler verwenden, vergewissern Sie sich, ob der Film auch entsprechend belichtet wurde, sonst gibt es zu dünne Negative. Entwickler, die schon einmal verwendet wurden, müssen filtriert werden, bevor man sie nochmals benutzt, damit Emulsions- und Schmutzpartikel entfernt werden. Benutzen Sie hierzu einen Trichter, den Sie mit einem Wattepropfen nicht zu fest verstopfen. Die Lösungen dürfen nicht zu kalt filtriert werden, weil sonst unter Umständen auskristallisierte Chemikalien aus der Lösung entfernt würden und dadurch der Entwickler eine falsche Zusammensetzung erhielte.

Zubereitung des Stoppbades. Ein Stoppbad für Negative, das einen größeren Härteeffekt hat als übliche Härtebäder, können Sie sich folgendermaßen ansetzen: 30 Gramm Kalium-Chromalaun werden in 30 cm^3 fünfprozentiger Schwefelsäure aufgelöst und mit Wasser auf 1000 cm^3 aufgefüllt.

Zubereitung des Fixierbades. Wenn Sie konfektioniertes Fixiersalz ansetzen, sollten Sie die Anweisungen zum Auflösen der Bestandteile genauestens beachten; anderenfalls kann das Bad sofort verderben. Wenn Sie das Fixierbad nach Rezept selbst ansetzen wollen (was sehr einfach und viel billiger ist), müssen Sie folgende Regeln beachten: Lösen Sie zuerst das Natriumsulfit auf und geben erst dann die Essigsäure zu. Danach fügen Sie den Härtezusatz (Alaun) zur Sulfit-Essig-

säure-Lösung. Mischen Sie nie Natriumsulfit und Alaun miteinander, weil sich dabei schwerlösliches Aluminiumsulfit bilden würde. Natriumthiosulfat lösen Sie in warmem Wasser und lassen es abkühlen. Gießen Sie nie die Essigsäure zur noch warmen Natriumthiosulfat-Lösung, weil sich dann ein Teil verflüchtigen würde. Ist die Lösung wärmer als 30° C, dann wird sie beim Zugießen von Essigsäure milchig. Ein milchiges Fixierbad ist verdorben und muß weggeschüttet werden.
Nachdem die Lösung auf 30° C heruntergekühlt ist, mischt man die Sulfit-Essigsäure-Alaun-Lösung mit der Thiosulfat-Lösung.

Temperatur der Lösungen messen. Normaltemperatur ist 20° C. Temperaturen, die bis zu 4° höher oder niedriger liegen, schaden nichts, sofern alle Lösungen – auch das Wässerungswasser – die gleiche Temperatur haben. Unterschiede in der Temperatur der verschiedenen Lösungen können zu Runzelkorn führen (die Emulsion bekommt eine Art Gänsehaut). Lösungen, die zu warm sind, können die Emulsion zum Schmelzen bringen, so daß sie sich von der Unterlage ablöst. Zu kalte Lösungen arbeiten träge und unter Umständen unvorhersehbar – oder überhaupt nicht. Wenn die Temperaturen der Lösungen höher als 24° C oder tiefer als 16° C sind, müssen sie gekühlt oder erwärmt werden, indem man einen mit Eis oder mit heißem Wasser gefüllten Behälter in die Lösung setzt. Metallene Entwicklungsschalen sind gute Wärmeleiter und reagieren schnell auf Temperaturänderungen; Plastikschalen sind dagegen schlechte Wärmeleiter und reagieren auf Temperaturänderungen nur langsam. Sie halten die Lösungstemperatur länger konstant, dafür dauert es länger, wenn man die Bädertemperatur dadurch ändern will, daß man die Schale in heißes oder kaltes Wasser taucht.

Füllen Sie die Entwicklungsdose mit Entwickler. Achten Sie darauf, daß sie weder zu hoch gefüllt ist (dann läuft sie über, wenn man die Filmspule hineingibt) noch zu niedrig (sonst bleibt ein Streifen am Rande des Films unentwickelt oder der Film wird streifig).

Stellen Sie die Signaluhr ein. Die Entwicklungszeit hängt ab von der Filmsorte, dem Entwickler und der Temperatur der Lösung. Lesen Sie in der Gebrauchsanleitung, was der Filmhersteller empfiehlt.

Beschicken Sie die Entwicklungsdose. Wenn Sie eine Tageslicht-Entwicklungsdose verwenden, wie z. B. die Agfa Rondix oder Rondinax, können Sie den Film bei Tageslicht oder bei gewöhnlicher Zimmerbeleuchtung in die Dose einspulen. Andere Entwicklungsdosen verlangen hierzu völlige Dunkelheit. Wenn Sie eine Dunkelkammer haben, müssen Sie auch das Dunkelkammerlicht ausschalten. Wenn Sie keine Dunkelkammer haben, legen Sie den Film in einem lichtdichten Schrank oder in einem fensterlosen Raum im Keller o. ä. in die Entwicklungsdose ein. Vergewissern Sie sich aber, daß der Raum auch wirklich dunkel ist, weil Ihr Film sonst schleiert oder möglicherweise sogar verdirbt. Ordnen Sie die mit Entwickler gefüllte Dose, den Dosendeckel, die Filmspule und den Film so, daß Sie alles in der Dunkelheit leicht finden können. Dann schalten Sie das Licht aus und arbeiten gemäß den Anweisungen der Gebrauchsanleitung zu ihrer Entwicklungsdose.

Rollfilmentwicklung

Spulen Sie den Film in die Spiralspule. Ehe Sie es riskieren, Ihren ersten belichteten Film zu verderben, opfern Sie einen nicht belichteten Rollfilm und üben Sie das Einspulen – zuerst bei Tageslicht, hernach im Dunkeln. Zuerst ist es nicht ganz einfach, wenn Sie aber den Trick heraushaben, ist das Einspulen kinderleicht. Achten Sie darauf, daß die *Filmspule absolut trocken ist.* An feuchten Stellen klebt der Film nämlich fest, bekommt Wasserflecke oder legt sich in der Dose in Knicken und Schleifen – und Sie haben das, was man im Jargon der Filmbranche »Filmsalat« nennt.

Setzen Sie die beladene Spule in die Dose und schließen Sie sie mit dem Deckel. Die Dose dann ein paarmal hart auf den Tisch aufstoßen, um Luftblasen zu entfernen, die sich zwischen den Windungen des Films angesetzt haben können.

Setzen Sie sofort die Signaluhr in Gang.

Jetzt können Sie weißes Licht einschalten und im Hellen weiterarbeiten oder mit der Dose in einen normal beleuchteten Raum gehen.

Wiederholt bewegen. Richtige Bewegung ist äußerst wichtig, wenn Sie gleichmäßig entwickelte Negative erhalten wollen. Mechanisch gleichförmige Bewegung führt allerdings zu streifiger Entwicklung. Nehmen Sie die Dose ein paar Sekunden nach dem Eintauchen des Films in den

Entwickler in beide Hände und bewegen Sie sie gleichzeitig leicht drehend und neigend etwa fünf Sekunden lang. Wiederholen Sie dies alle halbe Minute während der gesamten Entwicklungszeit. Bei Dosen mit von außen her drehbarer Spule drehen Sie langsam, aber ungleichmäßig in der ersten Minute vor und zurück und dann alle zwei Minuten ca. fünf Sekunden lang.

Wenn die Signaluhr klingelt, gießen Sie den Entwickler, ohne den Deckel von der Dose zu nehmen, in die Flasche zurück und füllen Sie die Dose mit dem Stoppbad.

Stoppbad. Ungefähr 30 Sekunden lang bewegen, wie eben beschrieben, dann das Stoppbad durch den Tankdeckel aus- und fortgießen. Man kann es nur einmal verwenden.

Fixierbad. Fixierbad eingießen. Sofort eine halbe Minute lang bewegen; dies ab und zu wiederholen, bis der Fixiervorgang beendet ist. Die Negative müssen im Fixierbad ungefähr das Doppelte der Zeit bleiben, die gebraucht wird, bis sie klar erscheinen. Ein Fixierbad ist erschöpft, wenn die zum »Klären« eines Negativs erforderliche Zeit doppelt so lang ist wie bei einem frischen Bad. Zwar klärt ein erschöpftes Fixierbad noch den Film, aber die Negative sind nicht haltbar und verblassen innerhalb einer relativ kurzen Zeit.

Am sichersten fixiert man Negative und Papierbilder, wenn man zwei Fixierbäder verwendet. Im ersten wird die vorgeschriebene Zeit fixiert, dann bringt man die Negative oder Papierbilder in das zweite Bad und fixiert sie darin fünf Minuten lang. Wenn das erste Bad Zeichen der Erschöpfung zeigt, gießt man es fort, ersetzt es durch das zweite Bad und setzt ein neues für das zweite Bad an.

Negative und Papierbilder leiden nicht, wenn man sie so fixiert wie oben beschrieben. Wenn sie allerdings länger als zehn Minuten im Fixierbad liegenbleiben, kann dies zu einem starken Aufquellen und Aufweichen der Emulsion führen, besonders dann, wenn das Bild nicht die genügende Menge Härtemittel enthält. Papierbilder verlieren dann an Kraft. Außerdem läßt sich das Fixiersalz dann nur sehr schwer, unter Umständen gar nicht mehr aus dem Papierfilz auswässern.

Jetzt können Sie den Dosendeckel abnehmen.

Sodabad. Wässern Sie den Film auf der Spule unter fließendem Wasser zwei Minuten lang, dann füllen Sie die Dose mit einem einprozentigen Sodabad, setzen die Spule mit dem Film wieder ein und bewegen sie zwei bis drei Minuten lang.

Wässern. Sachgemäßes Wässern ist für die Haltbarkeit der Negative entscheidend. Selbst winzige Spuren von Chemikalien in der Schicht rufen nach einer gewissen Zeit Verfärbungen hervor oder lassen das Bild verblassen. Rollfilm kann auf der Spule in der Entwicklerdose gewässert werden. Hierzu legt man zuerst ein Stück Kork so unter die Spule, daß die Öffnung des Spulenkerns etwas höher liegt als der Rand der Dose. Diese wird sodann unter den Wasserhahn gestellt. Jetzt lassen Sie das Wasser in dünnem Strahl in die Öffnung der Spule rinnen. Ebenso wirksam ist es, einen Gummischlauch über den Wasserhahn zu ziehen und sein anderes Ende in die Mittelöffnung der Spule zu stecken. In beiden Fällen muß das Wasser durch den Spulenkern hindurch und wird dann von unten zwischen den Windungen des Films hindurchgepreßt, wobei alle zu entfernenden Chemikalien herausgewaschen werden. Die meisten anderen Wässerungsmethoden sind weniger wirksam. Film in einer Schale zu wässern, indem man einfach Wasser einlaufen und über den Rand abfließen läßt, ist sinnlos, weil Hyposulfit schwerer ist als Wasser und auf den Boden sinkt, wo es bei dieser Wässerungsmethode nur langsam entfernt wird. Die Temperatur des Wässerungswassers darf nur um wenige Grade von der Temperatur der anderen Bäder abweichen, sonst besteht bei den Negativen die Gefahr von Runzelkorn. Es ist daher zu empfehlen, die Temperatur des Wassers hin und wieder zu überprüfen. Negative sollen eine halbe Stunde unter fließendem Wasser gewässert werden. Der Wasserzufluß sollte so stark sein, daß das Wasser im Wässerungstrog innerhalb fünf Minuten erneuert ist.

Nach dem Wässern folgt etwa eine Minute lang ein Netzmittelbad (Agfa Agepon 1 + 200), um zu verhindern, daß sich Wassertropfen auf dem trocknenden Film bilden.

Säubern. Nehmen Sie den Film aus dem Netzmittelbad heraus, befestigen Sie am einen Ende eine Filmklammer und hängen Sie den Film auf. Dann wird der Film zwischen zwei gut durchfeuchteten, aber ausgedrückten Viskoseschwämmen hindurchgezogen, um beide Seiten des Films gleichzeitig abzuwischen und alle Wassertröpfchen und lose Gelatineteilchen zu entfernen. Nach 10 Minuten prüfen Sie den Film noch einmal. Wenn sich Tropfen gebildet haben, entfernen Sie diese nicht durch Wischen, sondern durch Aufsaugen mit der Ecke eines feuchten Viskoseschwammes.

Trocknen. Filme müssen langsam und gleichmäßig in staubfreier Luft getrocknet werden. Schnelles Trocknen scheint die Größe der Negativkörnung zu erhöhen. Wenn die Luft nicht gefiltert ist, führt Trocknen mit dem Fön mit Sicherheit zum Ruin des Filmes, weil der harte Luftstrom Staub- und Schmutzteilchen gleich kleinen Geschossen in die Schicht jagt. Filme, die während des Trocknens bewegt wurden, können streifig auftrocknen, denn Lageveränderungen bedingen meist auch Temperaturänderungen und Luftbewegungen, die das Trockentempo beeinflussen. Die Teile des Negativs, die schneller trockneten, werden eine andere Dichte aufweisen als die langsamer getrockneten. Um zu verhindern, daß Filme beim Trocknen zusammenkleben, hänge man sie weit genug auseinander und beschwere sie unten mit Filmklammern. *Filme sollen niemals in der Sonne getrocknet werden!*

Sobald die Filme trocken sind, schneide man sie in Längen zu sechs Negativen (bei Kleinbild) oder zu vier (bei 6 × 6) und stecke sie in einzelne durchsichtige Filmtaschen, um sie vor Beschädigungen zu schützen.

Tankentwicklung für Planfilme

In völliger Dunkelheit werden die Filme in die Entwicklungsrahmen eingelegt. Dann taucht man sie vorsichtig in den mit Entwickler gefüllten Tank und setzt die vorher eingestellte Signaluhr in Betrieb. Stoßen Sie die Filmrahmen dreimal hart auf, um Luftbläschen vom Film zu lösen. Danach die Filme ungefähr 5 Sekunden lang auf und ab bewegen. Dunkelkammerlicht anschalten. Die Filmrahmen eine Minute lang ruhig hängen lassen, dann das ganze Gestell (die Rahmen mit den Filmen) aus dem Entwickler heben, den Entwickler über eine Ecke ablaufen lassen, das Gestell wieder in den Tank zurückstellen. Dies während der gesamten Entwicklungszeit jede Minute einmal wiederholen und dabei den Entwickler einmal über die eine Ecke des Films, das andere Mal über die andere ablaufen lassen.

Wenn die Signaluhr läutet, das ganze Gestell aus dem Tank heben, abtropfen lassen und in einen zweiten, mit Stoppbad gefüllten Tank bringen. Etwa vier- oder fünfmal herausheben und ablaufen lassen, dann die Filmrahmen in einen dritten, mit Fixierbad gefüllten Tank bringen.

Bewegen Sie die Negative im Fixierbad ungefähr eine halbe Minute lang auf und ab, dann heben Sie alle zwei Minuten die Filmrahmen heraus und lassen sie abtropfen, bis das Fixieren beendet ist. Jetzt können Sie wieder weißes Licht anmachen.

Die Filme kommen jetzt zwei bis drei Minuten in ein einprozentiges Sodabad. Dabei werden sie ständig bewegt.

Gewässert werden die Negative in ihren Filmhaltern in einem Extratank unter fließendem Wasser eine halbe Stunde. Dann kommen sie kurz in ein Netzmittelbad, worauf sie einzeln aus den Filmrahmen genommen, auf beiden Seiten vorsichtig abgewischt und zum Trocknen in der gleichen Weise aufgehängt werden, wie oben für Rollfilme beschrieben.

Filmpack- und Planfilmentwicklung in der Schale

Wenn bis zu 6 Filmpack- oder Planfilmnegative eilig entwickelt werden müssen, kann man folgende Methode anwenden, sofern man sorgfältig arbeitet, kurzgeschnittene Fingernägel hat und die Temperatur des Entwicklers nicht höher ist als 20° C (weil sonst die Gelatine weich und zu empfindlich wird).

In völliger Dunkelheit werden die Filme mit der Schicht nach oben nacheinander in eine Schale mit Wasser getaucht, das nicht wärmer als 20° C sein darf. Man achte darauf, daß der erste Film völlig benetzt ist, ehe man den nächsten darüber legt, da sie sonst fest aneinander kleben. Nach dem Eintauchen des letzten Filmes zieht man den untersten Film vorsichtig heraus und legt ihn obenauf, wobei man die Filme nur an den Rändern anfaßt. Achten Sie darauf, daß die Ecken die anderen Filme nicht zerkratzen. Auf diese Weise wird ein Film nach dem anderen von unten nach oben gelegt, bis der ganze Stapel zweimal umgeschichtet ist.

Jetzt setzen Sie die vorher eingestellte Signaluhr in Gang und legen die Filme in den Entwickler, wobei immer nur einer von unten aus der

Schale mit Wasser geholt wird. Wenn alle Filme umgelegt sind, werden die Filme in der gleichen Weise während der ganzen Entwicklungsdauer langsam umgeschichtet, wobei man die Negative ab und an seitwärts umwendet, die Schichtseite aber stets oben läßt. Nachdem die Negative ungefähr eine Minute im Entwickler sind, kann man das Dunkelkammerlicht einschalten.

Wenn die Signaluhr läutet, legt man die Negative eins nach dem andern ins Stoppbad und schichtet sie wie oben beschrieben zweimal um.

Schließlich nimmt man ein Negativ nach dem anderen heraus und bringt sie ins Fixierbad, in dem man sie sofort zweimal umschichtet. Dies wiederholt man alle zwei Minuten, bis die Filme ausfixiert sind.

Die Negative kommen dann wie schon beschrieben in ein Sodabad. Anschließend werden sie in einem Becken mindestens eine halbe Stunde lang gewässert. Das Becken muß ein Überlaufrohr haben, das das Wasser vom Boden her entfernt. Nach dem Wässern wieder Netzmittelbad und dann trocknen wie bereits beschrieben.

Wie man eine Schwarzweißkopie herstellt

Man unterscheidet Kontaktabzüge und Vergrößerungen. Ein Kontaktabzug hat genau die Größe des Negativs, von dem er gemacht wird. Er ist ein positives Doppel des Negativs und enthält die meisten seiner guten und schlechten Eigenschaften. Kontaktabzüge werden mit einem Kopierrahmen oder einem Kopiergerät auf geringempfindlichem Chlorsilberpapier gemacht.

Eine Vergrößerung ist, wie ihr Name sagt, größer als das Negativ, von dem sie gemacht wird. Man kann Vergrößerungen in hohem Maße beeinflussen und unerwünschte Eigenschaften des Negativs weitgehend korrigieren. Vergrößerungen macht man mit einem Vergrößerungsapparat auf hochempfindlichem Bromsilberpapier oder auf mittelempfindlichem Chlorbromsilberpapier.

Von diesen Unterschieden abgesehen, ist die Verarbeitung von Kontaktkopien und Vergrößerungen die gleiche.

Wie man eine Schwarzweißkopie herstellt

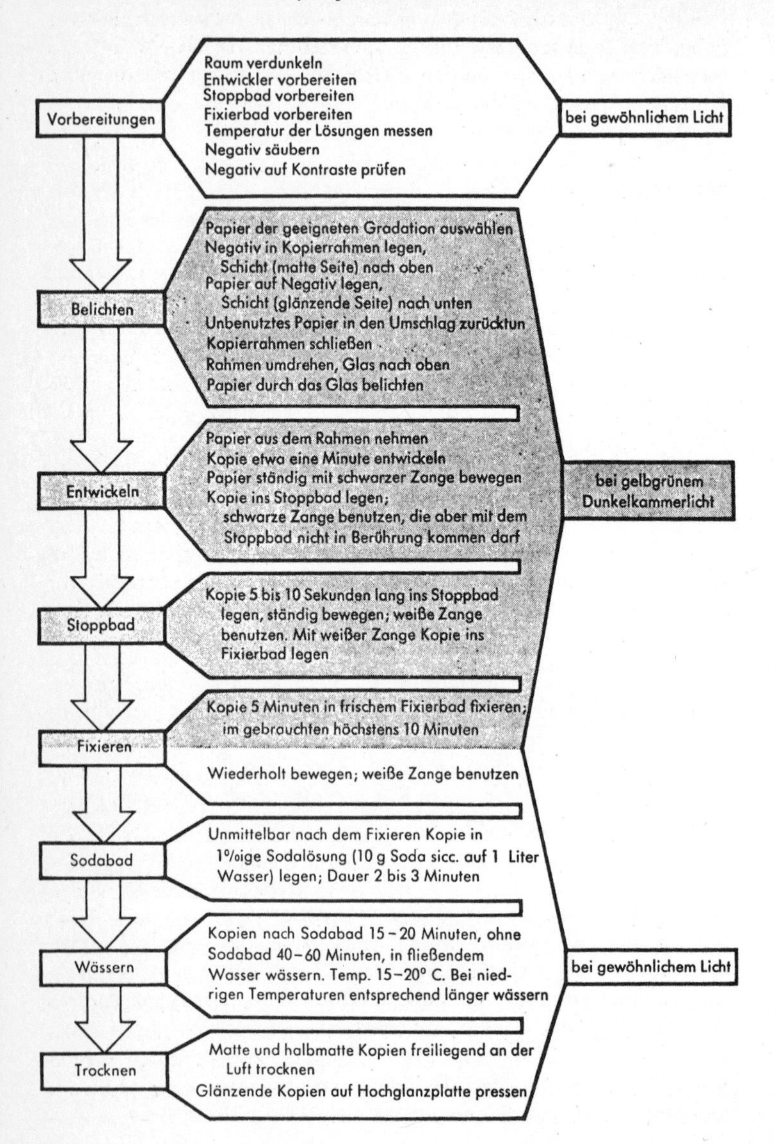

Die beiden Diagramme zeigen die einzelnen Arbeitsstufen bei der Herstellung von Kontakten und Vergrößerungen. Die meisten Arbeitsvorgänge sind so einfach, daß weitere Erläuterungen unnötig sind. In den folgenden Abschnitten werden zusätzliche Anleitungen für die etwas komplizierteren Vorgänge gegeben.

Das Negativ

Die gute Kopie setzt ein gutes Negativ voraus. »Gut« ist eine Kopie, die richtig belichtet und entwickelt und außerdem sauber ist. Ehe man ein Negativ in den Kopierrahmen oder das Vergrößerungsgerät legt, entfernt man Staubteilchen mit einem Marderhaarpinsel. Bei kaltem und trockenem Wetter ist dies schwierig, weil das Negativ beim Abstauben mit dem Pinsel mit statischer Elektrizität aufgeladen wird, wodurch die Staubteilchen am Negativ festgehalten werden. Bei solchen Bedingungen bringe man den Negativträger in Berührung mit dem geerdeten Vergrößerer, wodurch sich die statische Elektrizität entlädt, bürste dabei das Negativ sehr vorsichtig ab und blase dann mit einer kleinen Gummispritze die Staubpartikelchen durch kurze, scharfe Luftstöße fort. Ob ein Negativ sauber ist, prüft man unter dem Lichtstrahl des Vergrößerers, wobei man das Negativ schräg in den Lichtstrahl hält. Selbst winzigste Staubteilchen zeichnen sich dann scharf auf dem dunklen Hintergrund des Films ab. Frische Fingerspuren kann man manchmal entfernen, indem man das Negativ mit einem in Tetrachlorkohlenstoff getauchten Baumwolltuch oder Wattebausch abwischt (Tetrachlorkohlenstoff ist giftig und darf nicht eingeatmet werden). Alte Fingerabdrücke, die sich in den Film »eingefressen« haben, können nicht beseitigt werden. Kleinere Kratzer und Schrammen kann man weitgehend dadurch ausschalten, daß man das Negativ hauchdünn mit Vaseline einreibt. Dies geht allerdings nur dann, wenn das Negativ in einem Gerät mit glaslosem Negativträger vergrößert werden soll. Sonst würde die Vaseline die Glasflächen oder das Kontaktpapier verschmieren. Nach der Vergrößerung muß man die Vaseline mit Tetrachlorkohlenstoff vom Negativ entfernen.
Während es bei Kontaktkopien nicht sehr darauf ankommt, ob ein Negativ dicht oder dünn ist, müssen außergewöhnlich dichte Negative vor der Vergrößerung »abgeschwächt«, d. h. durch Baden in einem Abschwächer durchsichtiger gemacht werden. Sonst müßte man so lange belichten, daß sich der Film durch die aufgestaute Hitze der Vergrößerungslampe krümmen und Streulicht und reflektiertes Licht

Wie man eine Schwarzweißvergrößerung erstellt

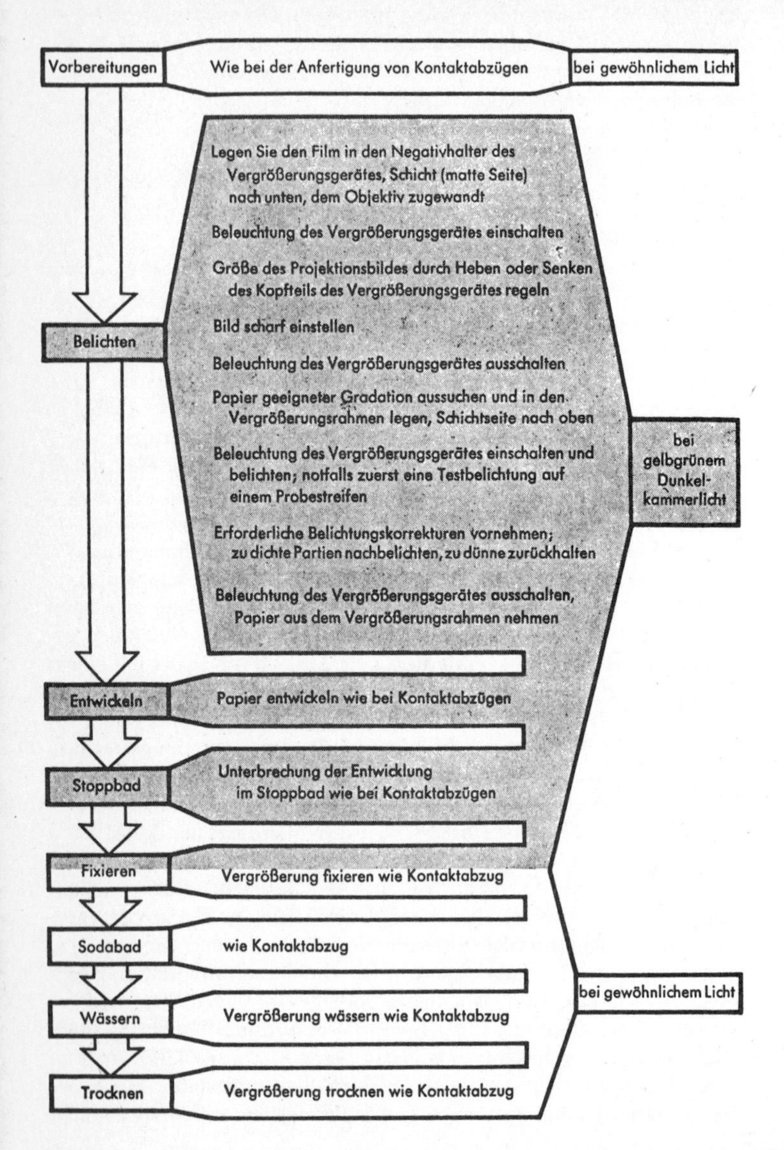

das Papier verschleiern würde. Ein Negativ ist zu dicht, wenn die erforderliche Belichtungszeit eine Minute überschreitet. Ehe man ein zu dichtes Negativ abschwächt, prüft man seine Gradation: Ist es zu kontrastreich (gewöhnlich das Ergebnis von Überentwicklung), schwächt man es durch Umentwicklung ab (z. B. nach dem Agfarezept 710). Wenn es zu kontrastarm ist (gewöhnlich das Ergebnis von Überbelichtung), benutzt man Farmerschen Abschwächer. Wenn ein Negativ so dünn ist, daß es eine technisch nicht mehr zu erzielende kurze Belichtungszeit erfordert, blendet man das Objektiv des Vergrößerungsapparates auf die kleinste Öffnung ab; wenn dies nicht ausreicht, vergrößert man das Negativ auf geringempfindliches Kontaktpapier.

Erste Voraussetzung für erfolgreiches Kopieren und Vergrößern: ein sauberes Negativ richtiger Dichte und richtigen Kontrastes.

Das Papier

Leider ist nicht jedes Negativ in Dichte und Schwärzungsaufbau (Kontrast) so, wie es sein sollte. Hierfür gibt es verschiedene Gründe: entweder war die Belichtung zu lang oder zu kurz, der Entwickler zu warm oder zu kalt, die Entwicklung zu lang oder zu kurz oder der Motivkontrast außergewöhnlich groß, und der Fotograf hat es versäumt, vor der Aufnahme Korrekturmaßnahmen zu ergreifen. Glücklicherweise kann man solche Fehler gewöhnlich beim Kopieren korrigieren, indem man Papier des geeigneten Härtegrades verwendet.

Bei der Prüfung eines Negativs auf die passende Papiergradation darf man Gradation nicht mit Dichte (Schwärzung) verwechseln. Das eine hat mit dem anderen nichts zu tun. Ein sehr dünnes Negativ kann sehr kontrastreich sein (Ergebnis von Unterbelichtung und Überentwicklung) oder extrem kontrastarm (überbelichtet und unterentwickelt). Und ein sehr dichtes Negativ, das fast gleichmäßig schwarz aussieht, kann sehr kontrastreich sein (wenn es erheblich überentwickelt ist) oder sehr kontrastarm (wenn es erheblich überbelichtet ist). Im Zweifelsfalle macht man einen Probeabzug auf Papier von normaler Gradation. Fällt er zu hart (kontrastreich) aus, macht man die endgültige Kopie auf weicherem Papier. Fällt er dagegen zu weich aus (kontrastarm), dann wählt man ein Papier härterer Gradation. Vgl. hierzu die folgende Tabelle:

	Kontrast					
Art des Negativs	extra groß	groß	kräftig bis normal	normal	gering	sehr gering
Empfohlene Papiergradation (in Klammern Kurzbezeichnung der Gradation)	extra weich (EW)	weich (W)	spezial (S)	normal (N)	hart (H)	extra hart (EH)

Zweite Voraussetzung für gute Kopien und Vergrößerungen ist die Wahl eines Papiers mit einer Gradation, die dem Kontrast des Negativs angemessen ist.

Scharfstellen

Ein unscharfes Negativ kann natürlich keine scharfe Kopie ergeben; aber unscharfe Abzüge von scharfen Negativen sind keineswegs selten. Der sicherste Weg zu scharfer Vergrößerung ist die Benutzung eines Scharfstellgerätes, mit dem man auf die Körnung des Negativs einstellen kann (wobei man unabhängig davon ist, wo sich zum Einstellen geeignete feine Details im Bild befinden). Das ist leicht, wenn das Negativ plan zwischen Glasscheiben im Negativträger des Vergrößerers liegt. Bei glaslosen Negativträgern kann sich das Negativ unter dem Einfluß der Hitze der Vergrößerungslampe nach dem Scharfstellen aus der Einstellungsebene herauswölben, so daß man trotz scharfer Einstellung eine unscharfe Vergrößerung erhält. Man kann dies dadurch vermeiden, daß man das Negativ vor dem Scharfstellen etwa eine halbe Minute »aufheizt« und bei mehreren Vergrößerungen vom gleichen Negativ die Einstellung vor jeder Belichtung nachprüft.

Dritte Voraussetzung für gute Vergrößerungen ist richtiges Scharfstellen.

Die Belichtung

Die Hauptschwierigkeit bei der Herstellung von Kopien ist die richtige Belichtung. Anders als die meisten Filme, die einen relativ großen Belichtungsspielraum haben, also beträchtliche Überbelichtung und selbst eine gewisse Unterbelichtung vertragen und doch noch brauchbare Negative liefern, muß Fotopapier genau belichtet werden, wenn man gute Abzüge erhalten will. Das Negativ ist im gesamten Prozeß der Bildentstehung nur eine Zwischenstufe, und Fehler im Negativ kann man beim Kopieren weitgehend berichtigen. Aber die Kopie selbst ist die letzte Stufe, und Fehler beim Kopieren kann man nicht mehr beheben. Die einzige »Korrektur« ist ein neuer Abzug.

Bestimmen der Belichtungszeit von Kontaktabzügen. Die Belichtungszeit hängt ab von der Intensität der Lichtquelle, dem Abstand zwischen Lichtquelle und Papier, der Empfindlichkeit des Kontaktpapiers, der Dichte des Negativs. Die ersten drei Faktoren kann man festlegen, indem man die gleiche Sorte Papier bei der gleichen Lichtquelle und im gleichen Abstand verwendet. Die einzige Variable ist dann die Dichte des Negativs. Bei kleinen Negativen macht man einfach ein paar Probebelichtungen, bis man die richtige gefunden hat. Man belichtet z. B. ein Blatt Agfa Lupex oder Agfa Portriga vier Sekunden lang mit einer 40-Watt-Lampe, die 20 Zentimeter über dem Kopierrahmen hängt. Bei großen Negativen belichtet man – um Papier zu sparen – einen zwei bis drei Zentimeter breiten Streifen von der Länge des Negativs zur Probe. Man entwickelt nach der von der Herstellerfirma genannten Zeit, fixiert und prüft die Proben bei weißem Licht. Ist das Bild dann zu dunkel, dann hat man zu lange belichtet; ist es zu hell, war die Belichtung zu kurz.

Bestimmen der Belichtungszeit bei Vergrößerungen. Im Prinzip hängt die Belichtung einer Vergrößerung von den gleichen Faktoren ab wie bei einem Kontaktabzug. In der Praxis muß man jedoch noch zwei zusätzliche Variable berücksichtigen: den Vergrößerungsmaßstab und

die Abblendung des Objektivs. Je größer der Vergrößerungsmaßstab und je stärker die Abblendung, desto länger muß belichtet werden. Bei Negativen normaler Dichte sollte das Objektiv auf 8 bis 11 abgeblendet werden, um Belichtungszeiten von 10 bis 20 Sekunden zu erzielen – d. h. Zeiten, die lang genug sind, um genau eingehalten werden zu können, und genügend Zeit für Abwedeln lassen, jedoch noch kurz genug, um zu verhindern, daß das Negativ durch Wärmestau sich aus der Einstellebene wölbt.
Am einfachsten bestimmt man die Belichtungszeit für eine Vergrößerung mit Probestreifen. Man schneidet ein Blatt Papier entsprechender Gradation in Streifen von 2 bis 3 cm Breite. Einen Streifen legt man auf den Vergrößerungsrahmen, deckt vier Fünftel mit einem Stück Pappe zu und belichtet das freiliegende Stück 32 Sekunden lang. Nun wird ein weiteres Fünftel aufgedeckt und 16 Sekunden lang belichtet. Das wiederholt man und belichtet die restlichen drei Fünftel des Streifens 8,4 und 4 Sekunden lang. Auf diese Weise sind die fünf Abschnitte des Probestreifens 64, 32, 16, 8 und 4 Sekunden belichtet worden. Nun entwickelt man den Streifen so, wie der Hersteller es empfiehlt, fixiert ihn und beurteilt ihn bei weißem Licht. Jetzt entscheidet man, welche Belichtung richtig war, und macht sie zur Grundlage für die endgültige Vergrößerung. Natürlich kann die richtige Belichtung auch zwischen zwei Stufen liegen. Dann muß man diese für die endgültige Belichtung nehmen. Hat man erst einige Vergrößerungen richtig belichtet, erwirbt man sich auch als Anfänger rasch die nötige Erfahrung, um die Dichte der meisten Negative richtig abzuschätzen. Die ausschlaggebende Probe für die Richtigkeit einer Belichtung ist die Reaktion des Fotopapiers im Entwickler. Die Vergrößerung muß mit Ablauf der vom Hersteller anempfohlenen Entwicklungszeit befriedigend sein; wenn sie nach dieser Zeit zu hell ist – die hohen Lichter kalkig und die Schatten grau anstatt schwarz –, war die Belichtungszeit zu kurz. Sie war zu lang, wenn das Bild bereits einige Sekunden nach dem Eintauchen in den Entwickler hervorschießt und schnell zu dunkel wird. In beiden Fällen ist die Vergrößerung wertlos. Im ersten Falle würde eine verlängerte Entwicklungszeit nur zu Grauschleier und gelben Flecken durch den oxydierenden Entwickler führen. Im zweiten Fall wäre das Ergebnis, wenn man das Papier vorzeitig aus dem Entwickler nähme, ein bräunliches Bild mit schlierigen und streifigen Zwischentönen.

Vierte Voraussetzung für gute Kopien und Vergrößerungen ist richtige Belichtung des Papiers.

Die Entwicklung

Die Belichtung des Fotopapiers erzeugt ein latentes Bild, das genau wie das latente Bild eines Negativs entwickelt werden muß, nur daß hier ein Papierentwickler zu verwenden ist. Die besten Ergebnisse erzielt man im allgemeinen mit dem Entwickler, den der Papierhersteller für seine Papiere empfiehlt.

Die Temperatur des Entwicklers. Dieser Faktor beeinflußt nicht nur die Dauer der Entwicklung, sondern auch den Ton der Kopie. Zu kalte Papierentwickler arbeiten unberechenbar und träge und liefern Kopien, die wie unterbelichtet aussehen mit kalkigen Lichtern und grauen Schatten. Zu warme Entwickler liefern bräunliche Kopien, die den überbelichteten ähneln.

Fünfte Voraussetzung für gute Kontakte und Vergrößerungen ist eine Entwicklertemperatur von 20° C.

Die Entwicklungszeit. Um den ganzen Reichtum der Papiere an Grauwerten herauszuarbeiten, müssen die Bilder innerhalb einer bestimmten Zeit – meist anderthalb bis zwei Minuten – voll ausentwickelt sein. Kopien, die in kürzerer Zeit ausentwickelt erscheinen, und solche, die dann noch nicht zu voller Kraft entwickelt sind, wurden falsch belichtet und sehen auch so aus. Der einzige Weg zur richtigen Entwicklungszeit ist die richtige Belichtung!

Sechste Voraussetzung für gute Kopien und Vergrößerungen ist die Einhaltung einer Entwicklungszeit von 90 bis 120 Sekunden.

Entwickeln. Berühren Sie niemals die Schichtseite des Papiers mit den Händen. Schieben Sie das Papier, Schicht nach oben, über eine Langseite in den Entwickler. Achten Sie darauf, daß das Papier glatt und ohne Unterbrechungen eintaucht, sonst kann es Streifen geben. Ständig bewegen! Kleine Entwicklungsschalen leicht schaukeln, abwechselnd in Quer- und in Längsrichtung. Bei großen Schalen das Papier mit Entwicklerzangen im Entwickler bewegen. Fassen Sie nicht in den Entwickler, denn Rückstände anderer Lösungen an Ihren Fingern können ihn in kürzester Zeit unbrauchbar machen, und das Ergebnis sind dann Kopien mit braunen und gelben Streifen oder Flecken. Benutzen Sie nie dieselben Papierzangen für Entwickler, Stoppbad und Fixierbad, denn Stoppbad und Fixierbad verderben jeden Entwickler, auch wenn nur Spuren mit den Zangen verschleppt werden.

Stoppbad. Wenn die Kopie ausentwickelt ist, legt man sie für 5 bis 10 Sekunden ins Stoppbad. Man benutzt dabei die Entwicklerzange, achtet aber darauf, daß sie nicht mit dem Stoppbad in Berührung kommt. Man läßt die Kopie seitlich ins Stoppbad gleiten und taucht sie dann mit der Fixierzange »unter«. Ständig bewegen. Das Stoppbad unterbricht nicht nur sofort die Entwicklung, sondern verhindert auch, daß das Bild im Fixierbad fleckig wird. Solche Flecken treten häufig auf, wenn man die Kopien direkt aus dem Entwickler in das Fixierbad bringt und sie dort nicht genügend bewegt.

Fixieren. Kopie aus dem Stoppbad nehmen und ins Fixierbad legen. Dazu Fixierzangen verwenden. Ungefähr 10 Sekunden lang kräftig bewegen. Das Fixieren dauert 5 bis 10 Minuten (je nach dem Alter des Fixierbades); die Bilder, die sich in dieser Zeit ansammeln, dürfen nicht aneinanderkleben und müssen gelegentlich bewegt werden. Läßt man die Kopien zu lange im Fixierbad, so bleichen die Bilder aus und zeigen unter Umständen eine eigentümliche Marmorierung, die nach einiger Zeit in gelbe Flecken übergehen kann. Wenn man die Bilder besonders haltbar machen will, wendet man am besten die oben beschriebene Zweibad-Fixiermethode an und läßt die Bilder nur 3 bis 5 Minuten in jedem Bad. Bilder, die bereits eine Minute fixiert sind, können ohne Risiko bei weißem Licht beurteilt werden.

Sodabad. Dies Bad ist zwar nicht unbedingt notwendig, verlängert jedoch die Lebensdauer der Kopien optimal. Man nehme die Kopie aus dem Fixierbad, spüle sie kurz ab und bringe sie ins Sodabad. Papierstarke Bilder läßt man mindestens zwei, kartonstarke mindestens drei Minuten darin, wobei man sie ständig bewegt. Das Sodabad verkürzt die Zeit der anschließenden Wässerung auf dreißig Minuten.

Wässern. Ausreichende Wässerung ist entscheidend für die Haltbarkeit der Kopien, denn chemische Rückstände in der Schicht und im Papierfilz führen nach einiger Zeit zu Flecken und zum Ausbleichen des Bildes. Dies passiert besonders leicht dann, wenn die Kopien in zu stark konzentrierten Stoppbädern, in erschöpften Fixierbädern oder in beiden zu lange behandelt wurden. Kartonstarke Bilder mindestens eine Stunde in fließendem Wasser bei 20° C wässern (wenn sie durch ein Sodabad gegangen sind, nur eine halbe Stunde). Man wässert in einer tiefen Schale mit einem Überlauf, der das Wasser vom Boden der Schale absaugt. Nicht zu viel Kopien auf einmal wässern, damit sie nicht aneinanderkleben, denn dann können sie nicht richtig ausgewässert werden. Von Zeit zu Zeit bewegt man die Kopien, legt zuunterst liegende nach oben und kontrolliert, daß alle Kopien ausreichend gewässert werden. Steht fließendes Wasser nicht zur Verfügung, legt man die Kopien in eine große, tiefe Schale, wechselt nach fünf Minuten das Wasser und wiederholt dies zwölfmal. Während des Wässerns auch hier darauf achten, daß die Kopien genügend bewegt werden und nicht aneinanderkleben.

Trocknen. Um das überflüssige Wasser zu entfernen, bringe man den Abzug auf eine saubere, glatte, geneigte Fläche (im Waschbecken lehne man eine Glasscheibe gegen die Wand oder benutze den Boden einer großen Schale, die man umdreht und schräg aufstellt). Abzug abtropfen lassen und dann mit einem Viskoseschwamm abwischen oder mit einem Rollenquetscher abrollen, ehe man ihn auf die elektrische Trockenpresse oder auf Fließpapier auslegt. Um glänzende Abzüge auf Hochglanz zu bringen, säubere man die Hochglanzplatte mit einem weichen Tuch unter fließendem Wasser und quetsche den Abzug mit einem Roller auf die Hochglanzplatte. Abzug völlig trocknen lassen – entweder bei Zimmertemperatur oder auf einer Heizpresse. Abzüge nicht vorzeitig von der Hochglanzplatte lösen, sonst gibt es »Muschelbruch«. Völlig trockene Abzüge lassen sich leicht abheben. Man hebt eine Ecke an und zieht den Abzug diagonal von der Platte. Wenn er an einzelnen Stellen festkleben sollte, war die Platte nicht sauber. Gelbe Flecken sind Zeichen für ungenügende Bewegung beim Fixieren oder ungenügende Wässerung. Matte Stellen im Hochglanz sind durch Luftblasen verursacht, die zwischen der Hochglanzplatte und dem Papier eingeschlossen waren. Man kann sie folgendermaßen vermeiden: Man bringt den tropfnassen Abzug mit der Schmalseite auf die Hochglanzplatte und läßt ihn langsam so herunter, daß das vom Abzug herniederrinnende Wasser zwischen ihm und der Platte ein Kissen bildet, das alle Luft vor sich herschiebt und die Bildung von Luftbläschen ausschließt. Dann quetscht man den Abzug mit dem Rollenquetscher fest auf. Die Wirkung eines Bildes hängt in überraschendem Maße von seiner Präsentation ab. Wenn der Abzug vollkommen eben oder tadellos aufgezogen ist, sauber beschnitten, frei von Stäubchen und Flusen, ist der Betrachter weit eher geneigt, kleine Fehler in Komposition, Schärfe oder Kontrast zu übersehen oder zu entschuldigen. Wenn dagegen ein Foto sonst gut ist, aber schlecht getrocknet, buckelig, gewellt, wenn es die Spuren von Staubpartikelchen auf dem Negativ zeigt, schlecht beschnitten ist und ausgefranste Ecken von sorgloser Behandlung hat, dann werden diese Fehler meist alle seine guten Eigenschaften zurückdrängen.

Glätten. Papiere mit einer Neigung zum Krümmen können geglättet werden, indem man sie auf der Rückseite mit einem feuchten Tuch oder Schwamm anfeuchtet und sie über Nacht zwischen Fließpapier legt und beschwert.

Beschneiden. Um vollkommen gerade, saubere Ränder zu erhalten, benutze man eine Schneidemaschine oder lege den Abzug auf eine dicke Glasplatte und schneide die Ränder mit einer Rasierklinge mit einseitiger Schneide an einem Stahllineal entlang. Natürlich macht die Glasplatte die Klinge in verhältnismäßig kurzer Zeit stumpf; aber eine andere Unterlage ergibt eben keine so scharfen Schnittkanten. Wenn die Klinge stumpf ist, bricht man einfach die stumpfe Ecke ab und hat wieder eine scharfe Klinge. Wenn rings ums Bild ein schmaler weißer Rand gelassen wird, muß man darauf achten, daß er auch gleichmäßig breit ist. Ich ziehe randlose Bilder vor, weil meiner Ansicht nach ein weißer Rand die hellen Grautöne des Fotos durch den Kontrast dunkler grau erscheinen läßt. Andererseits schützt ein weißer Rand die Abzüge, die oft in die Hand genommen werden. Wenn der weiße Rand ausfranst, schneidet man ein bißchen ab, und das Foto sieht wieder wie neu aus.

Ausfleckretusche. Beim Ausflecken beginnt man mit dem Wegschaben dunkler Flecken mit einem Messer – einem Schnitzmesser oder einer

Rasierklinge, die man scharfhalten kann, indem man stumpfe Stückchen abbricht. Mit leichter Hand arbeiten! Emulsion vorsichtig Schicht um Schicht abschaben, bis die entsprechende Stelle den Grauton der Umgebung hat. Vorsicht, nicht bis auf den Papierfilz schaben – Anfänger machen diesen Fehler häufig. Üben Sie an weniger wertvollen Abzügen, ehe Sie sich an die guten wagen. Wenn man zu stark geschabt hat und die Stellen nun zu hell sind, dunkelt man sie später mit einem Bleistift oder mit Aquarellfarbe nach, wenn man die hellen Flecken ausfleckt. Helle Flecken muß man mit einem harten Bleistift oder Aquarellfarben nachdunkeln. Für glänzende Abzüge gibt es spezielle Retuschierfarben, die in Fotogeschäften erhältlich sind. Tragen Sie Farbe auf, die um einen Ton heller ist als die Umgebung des Fleckens, weil Aquarellfarben beim Trocknen nachdunkeln. Den entsprechenden Grauton mischt man sich zuerst und trägt ihn mit der Spitze eines feinen Aquarellpinsels auf. Farbe so trocken wie möglich in sehr dünnen Schichten auftragen, die den Flecken allmählich mit dem Grauton der Umgebung verschmelzen lassen. Wenn nötig, nach dem Trocknen des ersten Farbauftragens nochmals mit etwas dunklerer Farbe nacharbeiten oder mit einem Bleistift. Wenn eine Stelle nach dem Trocknen zu dunkel ist, schabe man sie ab, bevor man einen helleren Ton aufträgt; dann verhindert man, daß sich auf dem Bild ein erhöhter Farbklecks bildet.

Aufziehen. Bilder kann man auf verschiedene Arten auf Ausstellungskarton aufziehen. Die fachmännische und zugleich auch die dauerhafteste ist das Aufziehen mit einer Klebefolie, die speziell für Fotozwecke hergestellt ist, gegen Feuchtigkeit und Wasser unempfindlich ist und weder das Bild noch den Karton verzieht. Das Aufziehen selbst ist einfach. Am besten geht es mit einer Heißpresse, es geht aber auch mit einem gewöhnlichen Bügeleisen. Gebrauchsanleitungen sind den Packungen der Klebefolien beigefügt. Klebefolien auf Gummi-Wachs-Basis halten nicht lange, weil die organischen Gummibestandteile sich schnell zersetzen. Gummilösung ist verführerisch leicht zu handhaben, verfärbt aber die Bilder mit der Zeit und macht sie fleckig. Wasserlösliche Leime und Kleister zerstören das Papier und führen dazu, daß sich der Abzug wellt und der Karton sich wirft – nur ein gelernter Buchbinder oder Tapezierer kann mit Leim fachmännisch umgehen.

Schöpferisches Vergrößern

So wichtig ein gutes, d. h. technisch einwandfreies Negativ auch für die Herstellung guter Fotos ist, es stellt doch nur eine Zwischenstufe dar. Wer die Fototechnik beherrscht, kann vom gleichen Negativ viele Vergrößerungen machen, die sich voneinander so unterscheiden, daß ein Uneingeweihter ihren Ursprung im gleichen Negativ nicht glauben würde. Anleitungen für »normale« Kopien und Vergrößerungen wurden schon gegeben. Die folgenden Ratschläge wenden sich hauptsächlich an die Leser, deren Interesse über die rein technische Perfektion hinausgeht.

Bildausschnitte. Statt ein ganzes Negativ zu vergrößern, kann man einen Ausschnitt daraus vergrößern. Um den richtigen Ausschnitt für die Vergrößerung zu finden, prüft man seine Kontaktabzüge daraufhin, welche Partien des Bildes wichtig sind. Hierzu verwendet man zwei L-förmige Stückchen Pappe, mit denen man die Ränder des Kontaktabzuges abdeckt. Dabei verringert man allmählich die Größe des Bildes und verändert gleichzeitig das Seitenverhältnis, bis man den wirkungsvollsten Ausschnitt herausgefunden hat. Diesen markiert man mit einem Fettstift (dessen Strich man später leicht mit einem Lappen und etwas Reinigungsflüssigkeit entfernen kann). Man lasse unscharfen Vordergrund, unruhigen Hintergrund, Drähte, die sich quer über den Himmel ziehen, und andere überflüssige und unwichtige Details des Motivs weg, bis der Bildgegenstand selbst in seiner konzentriertesten Form hervortritt. Dann vergrößere man diesen Ausschnitt auf das wirkungsvollste Format.

Abdecken. Wenn ein Ausschnitt eines Negativs vergrößert werden soll, muß man den Rest mit schwarzem Papier abdecken. Anderenfalls kann Streulicht, das durch die benachbarten Flächen des Negativs dringt, das Fotopapier verschleiern, die Glanzlichter würden grau statt weiß erscheinen, und der Kontrast der Vergrößerung würde geringer sein als erwartet. Das Unterlassen dieser Vorsichtsmaßnahme ist eine häufige Ursache für das flaue Aussehen vieler Vergrößerungen von Amateuren.

Größe und Seitenverhältnis eines Fotos sollten vom Bildgegenstand her, nicht von den Proportionen des Negativs oder des Papiers, bestimmt werden. Wenngleich die Standard-Proportionen der meistgebrauchten Papierformate 4 × 5 oder 3 × 4 sind, erscheinen doch viele

Bilder wirkungsvoller, wenn man sie in schmaleren Hoch- oder Querformaten oder als Quadrate präsentiert. Wenn man sein Vergrößerungspapier auf solche Formate zurechtschneidet, erhält man aus den abfallenden Streifen geeignete Probestreifen für die Feststellung der richtigen Belichtung.

Entzerren. »Stürzende Linien« in Negativen von Architekturaufnahmen kann man beim Vergrößern zu Parallelen machen. Diese Korrektur, die während des Vergrößerungsprozesses vorgenommen wird, stellt die Parallelität dadurch wieder her, daß der optische Prozeß, der die Senkrechten zum Verjüngen brachte, umgekehrt wird. Negativ und Vergrößerungspapier sind dabei nicht mehr parallel wie bei üblichen Vergrößerungen, sondern so geneigt, daß die Seite des projizierten Bildes, nach der die parallelen Linien hin zusammenlaufen, etwas weiter vom Vergrößerungsobjektiv entfernt ist als die andere Seite. Wird dieser Neigungswinkel richtig gewählt, wird die Parallelität der ursprünglich parallelen Linien, die im Negativ konvergieren, in der Vergrößerung wiederhergestellt.
Um diese Bedingung zu erfüllen, hebt man die betreffende Seite der Papierunterlage oder der Vergrößerungskassette an und legt etwas unter, bis nach erneutem Einstellen die konvergierenden Linien im projizierten Bild parallel erscheinen. Leider ergibt sich bei diesem Verfahren als Nebenwirkung, daß das entstehende Bild nur in einer schmalen Zone scharf ist. Ist der erforderliche Neigungsgrad verhältnismäßig klein, erreicht man, daß das gesamte Bild scharf wird, indem man das Vergrößerungsobjektiv entsprechend abblendet. Aber meistens genügt das nicht. Dann muß man völlige Schärfe auf eine der folgenden Weisen herstellen:
Entweder *neigt man das Negativ in umgekehrter Richtung* zur Neigung des Vergrößerungspapiers, bis das Bild allgemein scharf erscheint. Das verlangt nur einen sehr kleinen Neigungswinkel. Manche Vergrößerungsgeräte sind mit einer Vorrichtung zum Neigen des Negativhalters ausgerüstet. Fehlt diese, muß man den Negativträger, so gut man eben kann, in der erforderlichen geneigten Lage festklemmen.
Oder man *neigt das Vergrößerungsobjektiv in derselben Richtung,* in der das Papier geneigt ist. Auch das verlangt nur einen kleinen Neigungswinkel. Für diesen Zweck sind manche Vergrößerungsgeräte mit Objektivneigung versehen. Wie diese Verstellungen angewendet werden, um gleichmäßige Schärfe über das ganze Bild zu erzielen, ist auf der folgenden Seite im Bild gezeigt.

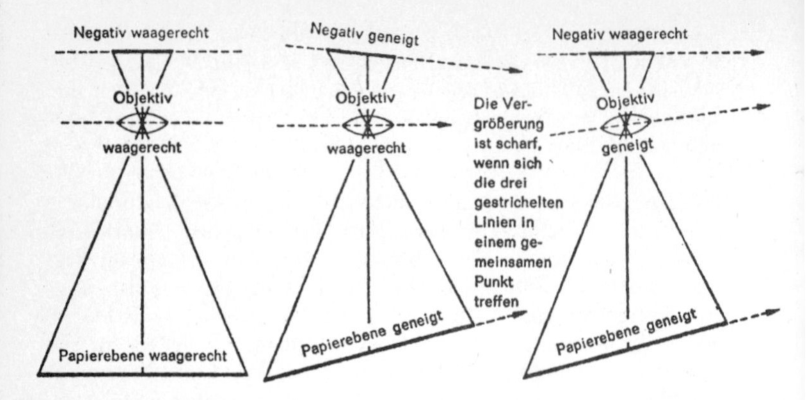

Gleichmäßige Schärfe in der Vergrößerung ergibt sich, wenn die entsprechenden Neigungen so ausgeführt sind, daß gedachte gerade Linien durch die Negativebene, die Blende und das Vergrößerungspapier sich bei entsprechender Verlängerung in einem gemeinsamen Punkt schneiden. Ist diese Bedingung erfüllt, wird die ganze Vergrößerung scharf, ohne daß man dazu stärker als normal abblenden müßte. Ist die Neigung der Vergrößerungsebene ziemlich erheblich, muß der Teil des Bildes, der vom Objektiv am weitesten entfernt ist, beim Vergrößern entsprechend nachbelichtet werden, um gleichmäßige Lichtverteilung über das ganze Bild zu erzielen.

Partielle Beeinflussung des Kontrastes. Häufiger Fehler vieler Negative ist, daß sie gleichzeitig zu kontrastreich (hart) und zu kontrastarm (weich) sind. So sind zum Beispiel in einem in hellem Sonnenlicht aufgenommenen Porträt die Kontraste zwischen den sonnenlichtbeschienenen und den beschatteten Stellen des Gesichts sehr groß, wenn die Schatten nicht aufgehellt werden. Zugleich sind die Kontraste in den Schatten und die Kontraste in den Lichterpartien sehr gering. Wenn ein solches Negativ auf Papier von weicher Gradation vergrößert wird, werden zwar die Kontraste zwischen Licht und Schatten bewältigt; aber *innerhalb* der beschatteten und der sonnenbeschienenen Partien werden die Kontraste viel zu gering, und das Ergebnis wäre ein flauer Eindruck. Es gibt nur einen Weg, solch ein Negativ befriedigend zu vergrößern, indem man ein verhältnismäßig hartes Papier wählt und dadurch ausreichenden Kontrast innerhalb der Lichter- und Schattenpartien erzielt und daß man den Gesamtkontrast durch partielles Nachbelichten und Zurückhalten mildert.

Durch partielles Nachbelichten und Zurückhalten erreicht man, daß die dichten Partien des Negativs länger belichtet werden als die dünnen. Dichte Partien des Negativs, die normalerweise zu hell wiedergegeben würden, werden nachbelichtet. Zu diesem Zwecke schneidet man in ein Stück Pappe ein entsprechend großes Loch, durch welches man noch eine Extradosis Licht auf die nachzudunkelnde Partie fallen läßt, während das übrige Bild durch die Pappe vor Überbelichtung geschützt wird. Entsprechend kann man dünne Negativbereiche, die normalerweise zu dunkel würden, durch Abwedeln aufhellen. Hierzu bedient man sich eines »Abwedlers«, eines kleinen, kreisrunden Stückchens Pappe an einem Drahtgriff, mit dem man die dünnen Partien vor dem Licht des Vergrößerers schützt, während man das übrige Bild belichtet. In beiden Fällen muß man die Pappe mit dem Loch bzw. den Abwedler beständig leicht hin- und herbewegen, um den Grauton der Randpartien der behandelten Flächen dem der nichtbehandelten anzugleichen und häßliche »Höfe« rund um die behandelten Zonen zu vermeiden. »Alte Hasen« nehmen meist ihre Hände zum Nachbelichten und Abwedeln und formen die entsprechenden Flächen mit den Fingern.

Partielle Nachbehandlung. Aller Vorsicht zum Trotz geschieht es manchmal, daß gegen Ende des Entwicklungsprozesses eine Bildpartie (beispielsweise der Himmel) zu hell erscheint. Wenn der Abzug klein ist, ist es gewöhnlich einfacher, einen neuen anzufertigen, als zu versuchen, den ersten zu verbessern. Aber wenn es sich um einen großen Abzug handelt, und besonders dann, wenn er schwierig herzustellen war, weil viel manipuliert werden mußte, kann man ihn auf zwei Arten verbessern:

Abzug mit Schicht nach unten unter den Warmwasserhahn halten. Das warme Wasser sollte nur die Partie treffen, die zu hell ist. Abzug leicht hin- und herbewegen, solange er unter den Warmwasserstrahl gehalten wird, um Streifen zu vermeiden und behandelte wie unbehandelte Bildpartien einander tonlich anzugleichen. Abzug dann in den Entwickler zurückgeben und weiter entwickeln. Wenn nötig, dies ein- oder zweimal wiederholen.
Oder man dunkelt zu helle Partien nach, indem man sie für sich mit konzentriertem Entwickler behandelt. Zu diesem Zweck halte man sich stets einen kleinen Behälter mit konzentriertem Entwickler bereit. Man trägt ihn auf den Abzug mit einem Wattebausch auf. Wenn die zu behandelnde Bildpartie sehr klein ist – z. B. ein kleines Gesicht mit

einer Menschenmenge –, trage man den konzentrierten Entwickler mit einem Q-tip (Wattestäbchen) auf. Man muß außerordentlich vorsichtig arbeiten, um Streifen und Flecken zu vermeiden, die durch Tropfen und Laufbahnen des Entwicklers hervorgerufen werden können, und um die nachbehandelten Stellen der Umgebung richtig anzupassen. Um solche Entwicklerbahnen und -streifen zu vermeiden, lege man den Abzug horizontal auf die Rückseite einer Schale im Waschbecken, bearbeite die einzelne Stelle wie beschrieben und entwickle dann den ganzen Abzug nach. Da diese Techniken nur mit einem erheblichen Maß an Kunstfertigkeit zu guten Resultaten führen, sollte man zuerst mit Probeabzügen üben, ehe man die Technik bei einem wichtigen Abzug anwendet.

Stellenweise Aufhellung. Bildpartien, die nach dem Entwickeln zu dunkel erscheinen (Schattenpartien, in denen wichtiges Detail verlorenging, oder Lichter, die vergraut sind), kann man mit Farmerschem Abschwächer aufhellen. Dieser Abschwächer ist sehr giftig, hält sich nicht lange und muß jedesmal vor dem Gebrauch frisch angesetzt werden. Man löst einen halben Teelöffel der roten Kristalle in einer kleinen Schale, die zur Hälfte mit Wasser gefüllt ist, völlig auf. Die Stärke der Lösung ist nicht so entscheidend, nur wenn sie zu stark konzentriert ist, arbeitet sie so schnell, daß man das Ergebnis nicht steuern kann und unter Umständen fleckige Abzüge erhält. Ein richtig zubereiteter Farmerscher Abschwächer ist hellgelb. Sieht er orange oder rot aus, so ist er zu konzentriert und muß mit Wasser verdünnt werden. Wird er grün, so ist er erschöpft. Abzüge, die abgeschwächt werden sollen, müssen vollkommen fixiert sein, sonst werden sie fleckig. Man nimmt den Abzug aus dem Fixierbad und trägt den Abschwächer mit einem Wattebausch auf die aufzuhellenden Bildzonen auf (für sehr kleine Bereiche verwendet man einen Q-tip). Man muß dies alles sehr schnell erledigen, anschließend den Abzug sofort ins Fixierbad zurückgeben und intensiv bewegen, um Fleckenbildung zu verhindern (das Fixierbad neutralisiert den Abschwächer). Bildpartien, die erheblich aufgehellt werden müssen, sollte man in Etappen abschwächen. Hat man zu stark abgeschwächt, ist der ganze Abzug verdorben. Außerdem muß man sehr vorsichtig arbeiten, um Streifen und Flecken zu vermeiden, die sich ergeben, wenn der Abschwächer quer über das Bild läuft oder darauf tropft und dabei Bildpartien erfaßt, die gar nicht abgeschwächt werden sollen. Der richtige Gebrauch eines Abschwächers erfordert erhebliches Können und viel Erfahrung. Aber da er das einzige Mittel ist, um bestimmte Effekte zu erzielen, scheint es mir wichtig, daß ein Fotograf, der seine eigenen Abzüge macht, sich im Abschwächen übt, indem er es an Probevergrößerungen ausprobiert, die eigens für diesen Zweck angefertigt werden.

Probestreifen. Erfahrene Fotografen notieren auf Probestreifen für Belichtungsermittlung und Nachbelichtung bzw. Abwedeln mit Bleistift die Belichtungszeiten auf der Rückseite des Papiers, bevor sie die Streifen entwickeln. Sonst kann man die Belichtungszeiten vergessen und müßte die ganze Prozedur wiederholen.

Prüfung auf reines Weiß. Ob Glanzlichter und Weiß in einem Abzug auch wirklich weiß und nicht leicht grau sind, prüft man am besten, indem man eine Ecke des Fotopapiers umbiegt, während es im Entwickler liegt, und es gegen das Bild hält. Da die Rückseite des Papiers rein weiß ist, kann man mit dieser Gegenüberstellung auch den leichtesten Grauton in einem scheinbar weißen Spitzlicht entdecken. Selbst überraschend dunkle Grautöne kann man bei Dunkelkammerlicht für weiß halten, wenn man keinen Vergleich hat.

Prüfung des Schwärzungsgrades. Abzüge erscheinen im Fixierbad oder im Wasserbad immer heller als in trockenem Zustand. Wenn ein nasser Abzug bei Dunkelkammerlicht gerade richtig erscheint, kann man fast sicher sein, daß er nach dem Trocknen zu dunkel ist. Man berücksichtige dieses Nachdunkeln, indem man die Abzüge etwas heller entwickelt, als man sie nach dem Trocknen haben will.

Handschutz. Bei längerem Arbeiten in der Dunkelkammer ist es einfach nicht zu vermeiden, daß die Hände wiederholt in Kontakt mit chemischen Lösungen kommen. Um die Haut zu schützen, ziehen manche Fotografen in der Dunkelkammer dünne Gummihandschuhe über. Ich persönlich nehme lieber eine Spezialschutzcreme, die, richtig angewendet, die Haut völlig gegen Ekzembildung und Aufspringen schützt.

Die Verarbeitung von Farbmaterialien

In der Schwarzweißfotografie kann der Fotograf, der seine Filme und Abzüge selbst bearbeitet, durch entsprechende Abweichungen von der »normalen« Arbeitsweise bei der Entwicklung der Negative und der

Herstellung der Vergrößerungen das Aussehen seiner Vergrößerungen bis zu einem fast unglaublichen Grad beeinflussen. In der Farbfotografie dagegen liegen die Dinge etwas anders. Bei Umkehrfarbfilmen ist eine ähnliche Steuerung der Ergebnisse begrenzt. Die besten Resultate erzielt man hier, wenn man die Verarbeitungsvorschriften genauestens befolgt. Bei Negativfarbfilm kann man die Herstellung der Positive natürlich genauso steuern wie in der Schwarzweißfotografie. Allerdings ist dies keine leichte Aufgabe, weil die technische Seite so entscheidend ist und ein hohes Maß an fachmännischem Können verlangt, wenn man die im Verfahren gegebenen Möglichkeiten auch wirklich ausschöpfen will.
Angesichts dieser Tatsachen glaube ich, daß sich zu wenige Leser für das Entwickeln und Vergrößern von Farbfilmen interessieren dürften, als daß ich hier detaillierte Anleitungen geben sollte. Außerdem veralten solche technischen Anweisungen nur allzu rasch, weil die Verfahren laufend weiterentwickelt werden. Daher gebe ich im folgenden nur Umrisse der Entwicklungs- und Vergrößerungsverfahren für Farbfilme, um denjenigen meiner Leser, die sich dafür interessieren, zu zeigen, worum es dabei geht. Wenn sie sich dann entschließen sollten, ihre Farbarbeiten selbst auszuführen, können sie alle nötigen Informationen den authentischen und stets dem neuesten Stand der Entwicklung entsprechenden Gebrauchsanleitungen entnehmen, die den jeweiligen Farbmaterialien beiliegen.

Entwicklung von Agfacolor-Umkehrfilmen

Dieser Prozeß – der rund 95 Minuten dauert – besteht aus 12 Schritten, von denen die ersten drei bei völliger Dunkelheit durchgeführt werden müssen (wenngleich nicht notwendigerweise in der Dunkelkammer). Die übrigen Arbeitsvorgänge können bei normalem Licht erledigt werden. Drei Dinge sind entscheidend wichtig: Die Temperatur des Erstentwicklers muß auf ± 1/2 °C genau eingehalten werden und die Bewegung genau nach Vorschrift des Filmherstellers erfolgen. Außerdem sind nach meiner Erfahrung Kleinbild- und Rollfilme zur Zweitbelichtung von der Spule zu nehmen (die Filmhersteller sind anderer Ansicht und empfehlen die Zweitbelichtung auf einer durchsichtigen Spule!). Die einfachste Methode hierfür: Film horizontal unter eine Fotolampe halten, die von der Decke herabhängt, und den Film nur auf der Schichtseite (d. h. *nicht* durch die Rückseite hindurch) belichten. Bei Agfacolor-Umkehrfilmen sind im einzelnen folgende Verarbeitungsschritte erforderlich: 1. Erstentwicklung, 2. Wässerung, 3. Stoppbad, 4. Wässerung, 5. Zweitbelichtung, 6. Farbentwicklung, 7. Wässerung, 8. Bleichbad, 9. Wässerung, 10. Fixierbad, 11. Schlußwässerung, 12. Agepon-Bad.

Wie man fertige Farbdias behandelt

Die in den Farbfilmen verwendeten Farbstoffe sind so beständig, wie es die chemischen und optischen Forderungen gestatten, aber sie sind keineswegs permanent. Wenn auch in dieser Hinsicht beachtliche Unterschiede zwischen den einzelnen Farbfilmtypen bestehen, sind jedenfalls alle Farbdias besonders empfindlich gegen den zersetzenden Einfluß von Feuchtigkeit, Hitze und Licht. Daraus folgt, daß man fertige Farbfilme grundsätzlich nur dort aufbewahren sollte, wo es trocken, kühl und dunkel ist.
Kodak empfiehlt, entwickelte Farbumkehrfilme bei einer relativen Feuchtigkeit von 25 bis 50% und bei Temperaturen von 21°C oder niedriger aufzubewahren. Diese Verhältnisse findet man am ehesten in einem Zimmer im Erdgeschoß eines Gebäudes. Der Keller ist meist zu feucht, das Dachgeschoß dagegen zu warm.
Feuchtigkeit ist der größte Feind von Farbfilmen, weil sie Schwammbildung begünstigt. Übersteigt die relative Feuchtigkeit des Aufbewahrungsraumes 50%, lagert man Farbdias am besten in einem feuchtigkeitssicheren Metallbehälter mit zugelöteten Ecken, dessen Deckel mit Klebeband luftdicht verschlossen ist. Aktiviertes Silica-Gel wird benutzt, um die Luft in dem Behälter trocken zu halten. Ein Farbindikator, der sich von Blau nach Rosa umfärbt, wenn das Gel Feuchtigkeit aufgenommen hat, zeigt an, wann es notwendig ist, das Mittel durch Erhitzen wieder zu aktivieren.
Setzt man einen Farbfilm längere Zeit dem Licht aus – vor allem sehr starkem oder ultraviolettem Licht –, bleichen seine Farben aus. Gewöhnlich wirkt solches Licht auf die verschiedenen Farbschichten des Farbfilmes unterschiedlich, wodurch zum Beispiel alle Farben ausbleichen können mit Ausnahme von Rot, so daß sich in solchen Fällen das einst farbige Bild in ein einfarbiges verwandelt. Um das zu vermeiden, sollte man Farbdias nicht länger projizieren, als notwendig ist. Fernerhin darf die Projektionslampe keine höhere Wattzahl aufweisen, als vom Hersteller des Projektors vorgesehen wurde, weil sie sonst mehr Hitze erzeugen würde, als das Wärmeschutzfilter des Projektors bewältigen kann.

Um fertige Farbdias vor Beschädigung zu schützen, bewahrt man Planfilme am besten in durchsichtigen Hüllen auf, Rollfilme in entsprechenden transparenten Umschlägen mit seitlichem Falz. Kleinbildfarbdias sind natürlich am besten geschützt, wenn sie zwischen zwei Glasplatten eingeglast sind. Daß die Oberfläche ungeschützter Farbdias niemals mit den Fingern berührt werden soll, dürfte selbstverständlich sein. Versehentlich angebrachte Fingerabdrücke und Schmutz können oft mit Kodak-Filmreiniger entfernt werden.

Entwicklung von Agfacolor-Negativfilmen

Der gesamte Prozeß – der ungefähr 50 Minuten dauert – besteht beim Agfacolor-Verfahren aus acht Verarbeitungsstufen.
Die ersten drei müssen in völliger Dunkelheit erledigt werden (nicht unbedingt aber in einer fotografischen Dunkelkammer). In der vierten Stufe, dem Bleichbad, kann bereits nach einer Minute bei Glühlampenlicht weitergearbeitet werden. Die übrigen Arbeitsvorgänge können in normaler Beleuchtung durchgeführt werden. Zwei Dinge sind entscheidend: Die Temperatur des Entwicklers, die bis auf ± ¹/₄° C genau eingehalten werden muß, und die Bewegung. In beiden Fällen müssen die Instruktionen des Filmherstellers strikt befolgt werden. Bei Agfacolor-Negativfilmen hat der gesamte Verarbeitungsprozeß folgende Stufen: 1. Entwicklung, 2. Magnesiumsulfatbad, 3. Wässerung, 4. Bleichbad, 5. Wässerung, 6. Fixierbad, 7. Schlußwässerung, 8. Ageponbad. Danach wird der Film wie üblich getrocknet.

Die Grundlage der Herstellung von Farbpapierbildern

Wer Schwarzweiß selbst vergrößert, der kann auch das Vergrößern in Farbe lernen. Die Ähnlichkeit zwischen beiden Verfahren ist groß, im Grundsätzlichen stimmen sie überein. Da jedoch bei dem Farbbild nicht nur Dichte-, sondern auch Farbwerte übertragen werden, kommt es nicht nur auf die Länge der Belichtung an: Bei der Farbvergrößerung müssen zusätzlich die drei Grundfarben Gelb, Magenta (Purpur) und Cyan (Blaugrün) in das rechte Verhältnis zueinander gebracht werden, damit entweder eine augentreue oder aber eine wunschgemäß verfremdete Farbwiedergabe erzielt wird.
Um diese Farbbalance zu erreichen, bedient man sich Kopierfilter verschiedener Ausführung in eben diesen drei Grundfarben Gelb, Magenta und Cyan. Am feinsten kann man die Abstimmung dosieren,

wenn man mit einem Vergrößerungsapparat arbeitet, der mit einem stufenlos einstellbaren Farbmischkopf ausgerüstet ist. In diesen Mischköpfen finden fast ausschließlich sogenannte dichroitische Filter Verwendung, die außerdem vor allem den Vorteil bieten, daß sie in ihrem Filterwert konstant bleiben, nicht ausbleichen. Das kann man von den Folienfiltern, wie Kodak und Agfa sie als Filtersätze anbieten, nicht sagen – diese Filter bleichen alle mit der Zeit aus und verändern sich dadurch in ihrer Wirkung. Außerdem sind sie lediglich in Abstufungen von 05 Filterdichten zu haben, was eine Feinabstufung schwierig macht. Die Folienfilter sind für Vergrößerungsapparate mit Filterschublade bestimmt. Ein kompletter Satz besteht aus den Dichten 05, 10, 20, 30, 40 und 2 × 50 oder 1 × 99 in jeder der drei Grundfarben. Doch gleichgültig, ob stufenlos oder stufig gefiltert wird – ein zusätzliches Filter sollte auf jeden Fall in die Filterschublade eingelegt werden – das UV-sperrende Filter Kodak CP 2B. Es verringert die Gesamtfilterung wesentlich, macht das Arbeiten leichter.
Bei den stufenlos arbeitenden Filterköpfen werden die Filterdichten meistens in densitometrischen Werten angegeben. Kodak und Agfa haben ihre eigenen Werte. Sie sind nicht exakt umrechenbar, doch gilt als Anhaltswert, daß 1 densitometrische Dichte 2 Agfa-Dichten entspricht, eine Kodak-Dichte 1,5 Agfa-Dichten. In der Praxis spielt das kaum eine Rolle – abgesehen davon, daß bei Kodak-Filtern die Dichtesprünge etwas größer sind und das Arbeiten mit ihnen dadurch noch etwas schwieriger wird als bei Agfa-Filtern. Folienfilter werden grundsätzlich in Glas gefaßt und sollen stets zwischen der Lichtquelle und dem Farbnegativ zum Einsatz gebracht werden – zwischen Objektiv und Farbpapier führen sie zu schlechten Resultaten. Doch auch an dieser Stelle ist zur Feinkorrektur eine zusätzliche Filterung möglich, für die man dann allerdings die wesentlich teureren Aufnahmefilter aus der Kodak CC-Serie verwenden muß.
Gefiltert wird bei allen Systemen grundsätzlich nach denselben Regeln. Und damit man leichter mit Filterwerten rechnen kann, werden sie grundsätzlich in derselben Reihenfolge geschrieben – Gelb, Magneta, Cyan. Die Filterangabe *105 95* – bedeutet also, daß mit 105 Dichten Gelb, 95 Dichten Magenta und 0 Dichten Cyan gefiltert wird: Man verwendet grundsätzlich immer nur zwei Filterfarben, ein Wert ist stets Null.
Filterregel Nummer 1 sagt, daß ein Farbstich durch Filter gleicher Farbe beseitigt wird. Wurde ein Bild beispielsweise mit *75 95* gefiltert und zeigt anschließend einen Gelbstich, der schätzungsweise einer 30er Dichte entspricht, so rechnet man

	75	95	–
+	30	–	–
	105	95	–

und erhöht natürlich die Gelbfilterung entsprechend. Gleiches gilt für die anderen Grundfarben. Doch das Farbbild zeigt nicht nur Grundfarben oder Stiche in diesen Grundfarben. Es zeigt alle Farben des Spektrums und kann auch Stiche in all diesen Farben aufweisen. Entscheidend dabei ist jedoch, daß sämtliche Farben stets aus den drei Grundfarben »ermischt« sind und deshalb die zur Stichkorrektur nötige Filterfarbe ebenfalls mit Hilfe der Filter in den drei Grundfarben ermischt werden kann. Mischt man Magenta und Cyan, bekommt man Blau. Mischt man Gelb und Cyan, bekommt man Grün. Und mischt man Gelb und Magenta, bekommt man Rot. Zwischenwerte ergeben sich, wenn man die jeweiligen Anteile ungleich groß wählt. So ergibt viel Gelb mit wenig Magenta beispielsweise Orange, viel Magenta mit wenig Cyan Violett. Daraus läßt sich Filterregel Nummer 2 ableiten: Filterfarben, die nicht einer der drei Grundfarben entsprechen, werden durch Filter in zwei der Grundfarben ermischt. Dazu ein Beispiel:
Ein Bild, das mit *135 95* gefiltert wurde, zeigt einen deutlichen Blaustich, der wiederum einer geschätzten Dichte von 30 entsprechen soll. Die Filterfarbe Blau erzielt man durch Magenta- und Cyan-Filter gleicher Dichte, wobei die Dichten nicht addiert werden. 30 Blau ist also 30 Magenta plus 30 Cyan, und man rechnet:

	135	95	–
+	–	30	30
	135	125	30

Mit dieser Filterung würde sich das Bild bei einem zweiten Versuch neutral filtern lassen. Doch man filtert grundsätzlich nur mit zwei der Filterfarben. Denn Filterregel Nummer 3 besagt: Jede Kombination der drei Filterfarben enthält einen Grauwert, der lediglich die Belichtungszeit verlängert und daher abgezogen werden muß. Dieser Grauwert entspricht immer der kleinsten Filterdichte und muß von sämtlichen Werten gleichermaßen abgezogen werden.

	135	125	30
–	30	30	30
	105	95	–

Die Filterregel Nummer 4 ist anfangs etwas schwer zu verstehen, denn sie verlangt Denken in komplementären Farbwerten. Doch unbedingt merken muß man sie sich ohnehin nicht, denn folgt man genau den Regeln 1–3, so wird sie automatisch erfüllt. Sie schreibt vor: Wenn vorhanden, werden Filterdichten in der Komplementärfarbe des Stiches abgezogen. Wie das in der Praxis aussieht, darüber gibt die folgende Tabelle Auskunft:

Farbstich	wenn vorhanden, Filterwerte abziehen	oder Filterwerte hinzufügen
Blau	Gelb	Magenta + Cyan
Grün	Magenta	Gelb + Cyan
Rot	Cyan	Gelb + Magenta
Gelb	Magenta + Cyan	Gelb
Magenta	Gelb + Cyan	Magenta
Cyan	Gelb + Magenta	Cyan

Diese Tabelle kann auch für Experimente benutzt werden, bei denen man willkürlich einen Farbstich hervorrufen möchte – man braucht bloß genau das Gegenteil von dem zu tun, was die Tabelle vorschreibt.

Filterregel Nummer 5 ist wiederum allgemeinverbindlich: Zur Beseitigung eines Farbstiches muß die Filterdichte mit der Stichdichte übereinstimmen. Arbeitet man ohne Analyzer, so muß man die Stichdichte schätzen, was anfangs schwierig ist. Doch durch eine Filterprobe, bei der man Streifenbelichtungen mit jeweils um 05 veränderter Dichte um den Schätzwert herum macht, läßt sich der tatsächliche Wert leicht einkreisen und ermitteln. Filter sperren Licht, das ist ihre Aufgabe. Und je dichter sie sind, um so mehr Licht sperren sie. Daher die letzte Filterregel Nummer 6: Wird die Filterung geändert, muß auch die Belichtung entsprechend angepaßt werden. Da nun aber die densitometrischen Dichten nicht mit den Agfa- und Kodak-Dichten übereinstimmen, dichroitische Filter sich in dieser Hinsicht auch etwas anders verhalten als Folienfilter, lassen sich an dieser Stelle keine verbindlichen Angaben machen. Sie sind jedoch in der Gebrauchsanweisung der verschiedenen Filterköpfe enthalten oder vom Filterhersteller zu erfahren.

Moderne Farbnegativ-Materialien sind maskiert, um Fehlabsorptionen der einzelnen Farbschichten korrigierend entgegenzuwirken. Maskierte Farbnegative erkennt man an dem orangefarbenen oder auch braunen Maskenfarbstoff, der das gesamte Negativ – auch die Ränder – überlagert. Negative aus Filmen früheren Typs zeigen diese Maske nicht. Da jedoch die modernen Fotopapiere sämtlich auf maskierte Negative eingestellt sind, lassen sich unmaskierte Negative nur mit Hilfe eines Kunstgriffes kopieren oder vergrößern: Man schaltet zusätzlich zur Farbfilterung ein Maskenersatz-Filter in den Strahlengang des Vergrößerungsapparates. Dieses Filter ist als ME-Filter von Agfa im Fotohandel erhältlich.

Colorpapiere

Die Auswahl unter den Colorpapieren ist lange nicht so groß wie unter Schwarzweißpapieren. Sämtlich sind sie nur in normaler Gradation zu haben, denn ein Gradationsausgleich wie in der Schwarzweißarbeit ist ohnehin fast nicht möglich. Lediglich etwas weicher oder etwas härter kann das Bild durch geringfügiges Verkürzen bzw. Verlängern der Verarbeitungszeit im Farbentwickler hervorgerufen werden, doch für die Praxis genügt das: Farbaufnahmen beziehen ihre Wirkung nicht aus dem Licht-, sondern aus dem Farbkontrast.
Man unterscheidet zwischen konventionellen Colorpapieren auf barytierter Papierunterlage, die auf normalen Trockenpressen oder Trockentrommeln zu trocknen sind, und Colorpapieren auf kunststoffbeschichteter Unterlage, die sich nur in Heißlufttrocknern trocknen lassen. Da die kunststoffbeschichteten Papiere zweifellos den moderneren Typ darstellen, in Schnellprozessen zu verarbeiten sind und sich auch in jeder anderen Hinsicht durch überlegene Qualität vor den konventionellen Papieren auszeichnen, ist zu erwarten, daß sie auf längere Sicht gesehen als einzige übrigbleiben. Die Anschaffung eines Heißlufttrockners lohnt sich also zweifellos, preiswerte Modelle stehen bereits zur Auswahl.
Während die konventionellen Papiere lediglich als Hochglanzpapiere zu haben sind, bieten die kunststoffbeschichteten die Auswahl unter drei Oberflächen – glänzend, halbmatt oder matt und »Seidenraster«. Diese Oberflächeneigenschaften sind dem Papier fabrikatorisch eingegeben, verlangen also keine besondere Behandlung beim Trocknungsprozeß. Lediglich beim Seidenraster-Papier ist eine etwas längere Trockenzeit erforderlich.

Entwickelt werden die Papiere in den Chemikaliensätzen des jeweiligen Herstellers, denn das garantiert typgerechte Entwicklung. Der Einsatz von Chemikalien anderer Hersteller führt nicht immer zu zufriedenstellenden Ergebnissen. Die Praxis hat erwiesen, daß man am besten fährt, wenn man seine Auswahl unter den Produkten führender Hersteller wie Agfa oder Kodak trifft. Trotzdem erscheint es als nicht sinnvoll, an dieser Stelle Produktnamen zu nennen oder gar Verarbeitungsprozesse zu erläutern – gerade auf diesem Gebiet sind in letzter Zeit Fortschritte in so schneller Folge erzielt worden, daß die Darstellung u. U. zu schnell überholt wäre. Doch sowohl Papier wie auch Chemikalien sind stets mit ausführlichen Gebrauchsanweisungen versehen, denen alle erforderlichen Angaben entnommen werden können. Diese Gebrauchsanweisungen sollte man stets peinlich genau befolgen.
Während in Fachlabors große Entwicklungsmaschinen zur Verfügung stehen, die die drei wichtigsten Einflußgrößen einer jeden Farbentwicklung – die Verarbeitungszeit, die Temperatur und den Bewegungsrhythmus – automatisch konstant halten, wird die Entwicklung der Farbpapiere im Amateurlabor heute gewöhnlich in der Entwicklungstrommel vorgenommen – Schalenentwicklung darf besonders bei den »heißen« Prozessen für die kunststoffbeschichteten Papiere als überholt gelten. Entwicklungstrommeln werden in verschiedenen Größen und Ausführungen von mehreren Herstellern angeboten und erfüllen sämtlich ihre Aufgabe mehr oder minder zufriedenstellend: Man beschickt die Trommel bei Dunkelkammerlicht mit dem zu entwickelnden, belichteten Papier, verschließt sie und kann anschließend bei normaler Raumbeleuchtung weiterarbeiten. Die Chemikalienlösungen werden durch eine lichtdichte Schleuse im Trommeldeckel ein- und ausgegossen, die Trommel selbst wird während der Verarbeitung auf einem Tisch von Hand gerollt. Die Kontrolle von Zeit, Temperatur und dem Bewegungsrhythmus bleibt dem Verarbeiter überlassen. Zu einigen Trommeln gibt es Geräte, auf denen die Trommel automatisch bewegt wird, so daß der Bewegungsrhythmus automatisiert ist und der Verarbeiter nur noch Zeit und Temperatur zu kontrollieren braucht. Da aber gerade die Temperaturkontrolle bei normaler Raumtemperatur sehr schwierig ist, einige Prozesse heute schon bei Temperaturen von 38° C mit einer Toleranz von $\pm\ ^1/_3$° C laufen und für die Zukunft generell Verarbeitung bei höheren Temperaturen zu erwarten ist, erscheint diese Lösung nicht sinnvoll. Vorteilhafter dagegen ist das

von Jobo unter dem Namen Color Processor Professional auf den Markt gebrachte, motorisierte Mantelbad, bei dem zusätzlich zum Bewegungsrhythmus die Temperatur mittels eines thermostat-gesteuerten Wasser-Mantelbades konstant gehalten wird und nur noch die Verarbeitungszeit mit Hilfe einer Uhr kontrolliert werden muß. Dieses Gerät kann übrigens auch mit Trommeln zur Filmentwicklung beschickt werden – für all diejenigen, die ihre Farbfilme selbst entwickeln wollen, was für etwas laborerfahrene Amateure durchaus im Bereich des sinnvoll Möglichen liegt.

Dunkelkammerleuchten

Da Colorpapiere, um ihren Zweck zu erfüllen, für Licht aller Farben empfindlich sein müssen, können Schwarzweiß-Dunkelkammerleuchten für die Farbarbeit nicht verwendet werden. Bei den meisten Leuchten sind jedoch die Schutzfilter auswechselbar, und es genügt, die Filter gegen solche auszuwechseln, die der Hersteller des Papiers für die Verarbeitung empfiehlt. Agfa-Filter für die Colorarbeit sind tief dunkelgrün, die von Kodak tiefbernsteinfarben, doch lassen sich Agfa-Papiere auch beim Schein von Kodak-Filtern verarbeiten und umgekehrt. Nachteil all dieser Filter ist, daß sie sehr wenig Licht durchlassen, man sich also mühsam an den Schein gewöhnen muß, um überhaupt etwas sehen zu können. In dieser Hinsicht vorteilhafter, jedoch wesentlich teurer sind die mit Natriumdampflampen bestückten Spezialleuchten wie beispielsweise die SANAT von Durst – sie geben verhältnismäßig helles Licht in einem Wellenbereich, den wohl das menschliche Auge, nicht aber das Colorpapier »sieht«.

Arbeitsverlauf

Sieht man von den Besonderheiten ab, die sich bei der Verarbeitung der Papiere eines bestimmten Herstellers ergeben, so ist der generelle Arbeitsablauf beim Vergrößern und Entwickeln eines Farb-Papierbildes folgendermaßen zu umreißen:
Vorbereitend werden die chemischen Bäder des jeweils erforderlichen Colorprozesses genau nach Angaben des Herstellers angesetzt. Dabei ist peinliche Sorgfalt und Sauberkeit oberstes Gebot. Schon geringe Spuren von Bleich-, Fixier- oder Bleichfixierbad-Chemikalien im Entwickler können diesen völlig unbrauchbar machen. Grundsätzlich ver-

wendet man getrennte Ansatzgefäße, Rührlöffel und Trichter für den Entwickler und die übrigen Lösungen, die man in Flaschen aus Glas oder speziell für fotografische Zwecke hergestellten Kunststoff-Flaschen aufbewahrt. Gewöhnliche Plastikbehälter sind nicht immer geeignet, das Plastik kann mit den Lösungen reagieren und sie unbrauchbar machen. Die Flasche für den Entwickler muß braun und soll stets hochgefüllt sein, um Oxydation durch Luftsauerstoff zu verhindern. Ist die Flasche nicht hochgefüllt – und das muß zwangsläufig der Fall sein, sobald man Entwicklerlösung verbraucht –, verdrängt man die Luft durch chemisch inaktives Schwergas wie beispielsweise den Protectan-Spray von Tetenal.
Die meisten chemischen Lösungen sind sofort nach Ansatz und Temperierung gebrauchsfertig. Entwicklerlösungen jedoch müssen häufig mindestens 12 Stunden vor Gebrauch angesetzt werden, denn sonst sind keine konstanten Ergebnisse zu erwarten.

Praxis des Vergrößerns

Vergrößert wird im Prinzip wie bei Schwarzweiß: Man legt das sorgsam von Staub befreite Farbfilmnegativ in die Bildbühne des Vergrößerungsapparates und stellt auf dem Vergrößerungsrahmen den gewünschten Ausschnitt scharf ein, der dabei bereits das endgültige Format haben soll. Anschließend blendet man das Objektiv um ein bis zwei Stufen ab.
Am Filterkopf dreht man nach Erfahrung die Ausgangsfilterung für die Proben ein – oder legt entsprechende Filter in die Filterschublade, falls man mit Folienfiltern arbeitet. Eine gute Ausgangsfilterung bei Vergrößerungsapparaten mit Halogen-Lampen ist für Negative auf Agfacolor Professional 80 S beispielsweise 80 90 –, für Negative auf Kodak Vericolor Professional II 120 90 –.
Mit dieser Filterung macht man den ersten Probestreifen. Man viertelt ein Blatt Papier des Formates, das man für die endgültige Vergrößerung verwenden will, sofern das Format 18 × 24 cm oder größer ist. Bei 13 × 18 cm nimmt man ein halbes Blatt. Dieses Stück Papier legt man auf den bildwichtigen Teil, deckt es mit einem Stück Pappe bis auf einen schmalen Streifen ab und belichtet beispielsweise 5 Sekunden. Anschließend wird die Pappe verschoben und abermals 5 Sekunden belichtet. Dies wiederholt man noch zweimal und hat nun eine Belichtungsreihe mit Stufen von 5, 10, 15 und 20 Sekunden Belichtungszeit. Diese Probe wird entwickelt und getrocknet, denn erst am

trockenen Bild kann man Farbe und Dichte einwandfrei beurteilen – nasse Colorpapiere zeigen einen Farbstich nach Blau oder Gelb.
Sobald die Probe trocken ist, wählt man die Streifen mit der Dichte, die das Bild am besten zur Geltung bringt. Liegt die Idealdichte zwischen zwei Probebelichtungen, schätzt man die Differenz. Gleichzeitig schätzt man die Dichte und Farbe des sicherlich noch vorhandenen Farbstiches und korrigiert die Filterung entsprechend den Filterregeln. Die als ideal ermittelte Belichtungszeit muß entsprechend der veränderten Filterung und anhand der Herstellertabellen umgerechnet werden.
Mit der korrigierten Filterung und der umgerechneten Belichtungszeit macht man die zweite Probe, die bei schwierigen Motiven vollformatig aufbelichtet werden sollte. Diese Probe zeigt nun nämlich, an welchen Stellen – analog der Schwarzweißarbeit – bei der endgültigen Vergrößerung nachbelichtet oder abgewedelt werden muß. Hat man sehr viel Glück, ist diese zweite Probe bereits das endgültige Bild – und Erfahrung erlaubt natürlich, diesem Glück nachzuhelfen. Anfangs jedoch wird die zweite Probe in den meisten Fällen eben nur eine zweite Probe sein und das endgültige Bild noch geringfügige, zusätzliche Filter- und Dichtekorrekturen verlangen.
Wichtig ist, daß man die Proben mit der gleichen Sorgfalt und Genauigkeit entwickelt und trocknet wie die endgültigen Ergebnisse. Denn schon geringe Schwankungen in Zeit, Temperatur und Bewegungsrhythmus wirken sich auf Dichte und Farbwiedergabe aus und führen gegebenenfalls zu Beurteilungsfehlern, die man mit zusätzlichen, unnötigen Proben bezahlt.

Praktische Fotochemie

Jeder Fotograf, der an Dunkelkammerarbeit denkt, muß wissen, wie er Chemikalien aufbewahrt und Lösungen ansetzt. Manche Chemikalien verderben in kurzer Zeit, wenn sie falsch gelagert werden; giftige Chemikalien sind gefährlich, wenn sie falsch gehandhabt werden; chemische Lösungen können verderben, noch bevor sie gebraucht werden, wenn man sie falsch ansetzt. Die folgenden Seiten enthalten Informationen, die helfen sollen, dies zu verhüten.

Die Ausrüstung für den Selbstansatz

Die Ausrüstung ist einfach und nicht teuer. Die Ersparnisse durch den Selbstansatz dürften ausreichen, die Anschaffungskosten rasch zu amortisieren. Zusätzlich zur Dunkelkammerausrüstung, wie sie oben beschrieben wurde, braucht man:
Eine Laborwaage auf 0,1 Gramm genau mit einem Satz Gewichte von 1 bis 100 Gramm.
Ein Satz Löffel zum Entnehmen von Chemikalien aus ihren Behältern, am besten aus rostfreiem Stahl oder aus Glas. Holzlöffel sind ungeeignet, weil sie sich nur schwer reinigen lassen.
Becher aus Polyäthylen oder Polystrol in verschiedenen Größen bis zu 5-l-Gefäßen zum Auflösen und Mischen von Chemikalien.
Eine Anzahl Flaschen mit weitem Hals und Plastik-Schraubverschlüssen in verschiedenen Größen zum Aufbewahren trockener Chemikalien. Manche Chemikalien sind lichtempfindlich und müssen in braunen Flaschen aufbewahrt werden.
Außerdem 1-Liter und 5-Liter-Flaschen aus braunem Polyäthylen oder aus braunem Glas zur Aufbewahrung konzentrierter Lösungen.

Wie man Chemikalien kauft

Die Kosten für die meisten Chemikalien machen nur einen Bruchteil der Gesamtkosten eines Fotos aus und stehen in keinem Verhältnis zu ihrer Bedeutung für das Gelingen des Bildes. Chemikalien ungenügenden Reinheitsgrades können einen Entwickler oder ein Korrekturbad so aus dem Gleichgewicht bringen, daß die Negative ein für allemal verdorben sind. Daher sollte man nur Chemikalien von garantierter Reinheit, Gleichmäßigkeit und Frische verwenden, auch wenn sie etwas teurer sind als Lagerware ohne Garantie. Und man sollte sie nur in Fotofachgeschäften kaufen.

Für den Grad der Reinheit von Chemikalien gibt es folgende Handelsbezeichnungen:

rein (purum)
reinst (purissimum)
DAB 6 (deutsches Arzneibuch)
Zur Analyse (pro analysi = p. a.)

Der erforderliche Reinheitsgrad richtet sich nach dem Verwendungszweck der Chemikalien und wird in den Rezepten meist angegeben. Die beste Gewähr für einwandfreie Beschaffenheit hat man, wenn man geprüfte Fotochemikalien kauft (z. B. Agfa-Metol, Agfa Natriumsulfit sicc. usw.).

Wie man Chemikalien aufbewahrt

Die meisten für die fotografische Arbeit benötigten Chemikalien sind entweder feuchtigkeits-, luft-, hitze- oder kälteempfindlich. Wenn sie diesen Einflüssen unterliegen, verderben sie mit der Zeit und werden unbrauchbar. Am besten bewahrt man Chemikalien in Glasbehältern auf; am ungeeignetsten sind Papiertüten. Auch Pappbehälter sind ungeeignet, weil sie Feuchtigkeit anziehen und halten. Einmachgläser sind – im Dunkeln aufbewahrt – ausgezeichnet geeignet für sämtliche Trockensubstanzen. Braune Polyäthylen- oder Glasflaschen mit Gummistöpseln eignen sich am besten für Lösungen. Glasstöpsel neigen leider zum Festbacken im Flaschenhals. Um sie in einem solchen Fall zu lösen, wärmt man den Flaschenhals von allen Seiten leicht mit ein oder zwei Streichhölzern an, klopft ihn vorsichtig mit einem Stückchen Holz und dreht den Stöpsel dann entgegengesetzt dem Uhrzeigersinn. Wenn man den Stöpsel wieder hineinsteckt, darf man nicht vergessen, ihn leicht mit Vaseline einzureiben, damit man sich derartigen Ärger in Zukunft erspart.
Chemikalien sollten in trockenen, dunklen, kühlen (aber nicht kalten) Räumen aufbewahrt werden. Um Irrtümer zu vermeiden, soll man alle Flaschen und Töpfe mit festsitzenden Etiketten versehen. Giftige Che-

mikalien müssen deutlich als »GIFTIG« gekennzeichnet werden. Man lasse Chemikalien nicht unnötig lange an der offenen Luft – sie könnten sonst Feuchtigkeit anziehen.

Alle Entwickler sind außerordentlich sauerstoffempfindlich – sie nehmen ihn aus der Luft auf. Aus diesem Grunde füllt man Flaschen mit Stammlösungen randvoll, um Luft auszuschließen. Wenn eine Flasche nicht ganz voll ist, füllt man den Rest mit kleinen Glaskugeln. Oder man verdrängt die Luft durch chemisch inaktives Schwergas, z. B. den Protectan-Spray von Tetenal. Große Mengen von Entwickler-Stammlösungen sollte man in verschiedenen kleineren Flaschen, nicht aber in einer einzigen großen aufbewahren. Man braucht dann immer nur eine kleine Flasche mit einer geringen Menge Lösung (die vermutlich schnell aufgebraucht ist) zu öffnen und der Luft auszusetzen, so daß der Hauptvorrat unberührt bleibt.

Dämpfe steigen auf von Ammoniakwasser und Ammoniumsulfid; aus diesem Grunde muß man sie getrennt von allen anderen Chemikalien und von Filmen und Fotopapieren aufbewahren.

Feuchtigkeitsempfindlich in außergewöhnlich hohem Maße sind die folgenden Chemikalien, die auch bei Aufbewahrung in Flaschen mit Glasstöpseln in vollkommen trockenen, feuchtigkeitssicheren Räumen gelagert werden müssen: Amidol, Ammoniumpersulfat, Ätznatron, Brenzkatechin, Glycin, Hydrochinon, Metol, Kaliumkarbonat und Pyrogallol.

Lichtempfindlich in ungewöhnlich hohem Grade sind die folgenden Chemikalien, die trotz Verwendung in braunen Flaschen im Dunkeln aufbewahrt werden müssen: Ferrioxalat, Goldchlorid, Kaliumferricyanid, Jodkalium, Kaliumpermanganat und Silbernitrat.

Ungewöhnlich wärmeempfindlich sind die folgenden Chemikalien, die man nur in kaltem Wasser auflösen und nur kalten Lösungen zusetzen darf: Essigsäure (Eiessig), Ferrioxalat, Kaliummetabisulfit, Natriumsulfat.

Giftig sind folgende Chemikalien, die niemals berührt werden und/ oder an die Haut gelangen dürfen: Ätznatron (Entwickler-Alkali), Kaliumbichromat (Verstärkermittel), Schwefelsäure (zum Reinigen von Entwicklerschalen; sondert giftige Dämpfe ab, die für die Lungen außerordentlich schädlich sind), Uraniumnitrat (Verstärkermittel), Ferrizyankalium (Abschwächermittel), Pyrogallol (Entwicklersubstanz).

Wie man Lösungen ansetzt

Konfektionierte Entwickler, Fixiersalz usw. haben immer gedruckte Gebrauchsanleitungen in der Packung, die unbedingt befolgt werden müssen, wenn man Fehlschläge vermeiden will. Wenn man seine eigenen Lösungen zusammenstellt, beachte man folgende Regeln:
Nur Behälter aus Glas oder rostfreiem Stahl sind zum Lösen und Mischen von Chemikalien geeignet. Hartgummi absorbiert bestimmte Chemikalien, so daß später anzusetzende Lösungen verunreinigt werden können. Emaillierte Behälter springen und rosten und geben manchmal Alkali ab (was für Feinkornentwickler katastrophale Folgen hat). Glasierte Keramikgefäße haben manchmal Risse, durch die Chemikalien eindringen und dann andere Lösungen verderben können.
Wenn man nach einem gedruckten Rezept arbeitet, soll man die Substanzen stets in der angegebenen Reihenfolge lösen.
Niemals eine neue Chemikalie in eine Lösung geben, ehe die vorher zugegebene Substanz völlig gelöst ist.
Beim Abwiegen von Chemikalien schüttet man diese niemals direkt auf die Waagschale, sondern legt ein Stück Papier auf beide Schalen (um das Gleichgewicht zu wahren) und schüttet die Substanz dann auf das Papier – um eine Verunreinigung durch andere Chemikalien zu vermeiden. Man kann jedoch das gleiche Papier zum Abwiegen aller Chemikalien benutzen, die zur gleichen Rezeptur gehören.
Winzige Mengen von Chemikalien müssen besonders genau abgemessen werden. Wenn man Flüssigkeiten abmißt, halte man das Meßglas so, daß der Flüssigkeitsspiegel in Augenhöhe ist; man liest dann am tiefsten Punkt der von der Oberflächenspannung auf dem Flüssigkeitsspiegel gebildeten Kurve ab. Wenn man ein Thermometer abliest, halte man das obere Ende der Quecksilbersäule in Augenhöhe, weil man sonst bis zu zwei Grad falsch ablesen kann – denn durch das Glas der Quecksilbersäule wird das Licht gebrochen, und die Glasröhre wirkt bei Schrägsicht wie ein Vergrößerungsglas. Wasserfreie Substanzen (sicc.) müssen immer in das Wasser hineingeschüttet werden. Gießt man Wasser auf diese Chemikalien, backen sie zu einer steinharten Masse zusammen und brauchen sehr lange zum Auflösen. Dies gilt insbesondere für konfektionierte saure Fixiersalze.

Um den Auflösungsprozeß zu beschleunigen, rührt man kräftig, während man die Chemikalien langsam in das Wasser oder in die Lösung hineingibt. Man achte aber darauf, daß man bei der Zubereitung eines Entwicklers nicht Luft in die Lösung hineinquirlt, denn der Sauerstoff der Luft könnte die Lösung vorzeitig zersetzen (zu erkennen an bräunlicher Verfärbung).

Jede Flasche mit Vorratslösungen sogleich nach Zubereitung etikettieren und datieren. Daran kann man später abschätzen, ob die Lösung noch als brauchbar betrachtet werden kann. Wenn man einen Entwickler mehrmals verwenden will, notiere man auf der Flasche die Anzahl der mit ihm bereits entwickelten Filme, damit man sich über den Erschöpfungsgrad des Entwicklers vergewissern kann. Dies ist wichtig für die Bestimmung der notwendigen Verlängerung der Entwicklungszeiten. Entwickler vor Gebrauch filtrieren. Man gießt sie durch einen Trichter, in den locker ein Wattebausch gestopft wird, um Schlamm, Gelatineteilchen und Schmutz zurückzuhalten, die sich sonst bei der Entwicklung auf den Film setzen und Flecken verursachen können. Vor dem Filtern vergewissere man sich, daß der Entwickler auf die korrekte Arbeitstemperatur angewärmt ist. Die Löslichkeit der meisten Chemikalien nimmt mit sinkenden Temperaturen ab; wenn Lösungen bei verhältnismäßig niedrigen Temperaturen gelagert wurden, können daher manche ihrer Bestandteile auskristallisieren und auf den Boden der Flasche absinken. Wird eine solche Lösung bei einer Temperatur unter 20° C filtriert, so können einige ihrer wesentlichen Bestandteile unbeabsichtigterweise mit herausfiltriert werden, so daß die ganze Lösung wertlos würde.

Wenn man ein Fixierbad ansetzt oder benutzt, darf man die Salzkristalle oder Lösung nicht verschütten. Fixiernatron ist »Gift« für den Entwickler. Verschüttete Fixierbadlösung trocknet auf; und dann verseucht das feine Pulver die ganze Dunkelkammer und hinterläßt dort Flecke, wo immer es sich auf Film oder Fotopapier setzen kann.

Das Wasser für Lösungen

Entwickler-Stammlösung muß mit abgekochtem Wasser angesetzt werden. Beim Kochen entweicht der größte Teil des im Wasser enthaltenen Sauerstoffes, der sonst den Entwickler vorzeitig oxydieren würde. Überdies fällt das Abkochen des Wassers die meisten schwebenden Verunreinigungen aus und beseitigt einen hohen Prozentsatz an Kalk- und Magnesiumsalzen.

Feinkorn-Entwickler muß man mit destilliertem Wasser ansetzen, das zusätzlich abgekocht werden muß. Destilliertes Wasser ist chemisch rein, enthält jedoch noch viel Sauerstoff, den man durch Abkochen beseitigen muß.

Stoppbäder und Fixierbäder können mit jedem Wasser zubereitet werden, das auch für Trinkzwecke geeignet wäre.

Verstärker sind sehr empfindlich gegen chemische Verunreinigungen und sollten nur mit destilliertem Wasser angesetzt werden.

Abschwächer können normalerweise mit normalem Leitungswasser angesetzt werden.

Unreinheiten im Wasser können folgende Wirkungen haben: Schwefel, gewöhnlich in Form von Schwefelwasserstoff, verbindet sich mit dem Silber der Schicht, bildet Silbersulfid und beeinträchtigt richtiges Entwickeln und Fixieren. Kalzium und Magnesium können mit anderen Chemikalien lösliche Salze bilden, die auf der Emulsion in Form von feinen Kristallen oder weißem Schaum trocknen und sich als Flekken auf dem Abzug abzeichnen. Oder sie bilden unlösliche Salze, die sich auf dem Boden des Tanks niederschlagen. Diese Salze müssen durch Filtrieren beseitigt werden, weil sie sich sonst beim Umrühren auf die Emulsion festsetzen und dort haften bleiben, wodurch gleichfalls Flecken entstehen. Eisen erhöht das Oxydationstempo des Entwicklers, verursacht Rostflecken auf Negativen und Abzügen und muß durch Filtrieren entfernt werden. Es gibt auch besondere Wasserfilter, die unmittelbar an den Wasserhahn angeschlossen werden können.

Die Temperatur der Bäder

Die Geschwindigkeit chemischer Reaktionen wächst mit steigender Temperatur. Daher lösen sich alle Chemikalien leichter und in größeren Mengen, wenn sie in warmem, nicht in kaltem Wasser angesetzt werden. Einige Chemikalien sind allerdings so wärmeempfindlich, daß schon mäßige Temperaturen ihre chemischen Eigenschaften in einem Maße verändern, das sie für fotografische Zwecke wertlos macht. Solche Chemikalien muß man natürlich bei entsprechend niedrigen Temperaturen lagern, auflösen und benutzen.

Gleichwertige Belichtungen

Ein Foto ist richtig belichtet, wenn die Blendenöffnung und relativ dazu die Verschlußzeit so gewählt werden, daß sie der Helligkeit des einfallenden Lichtes entsprechen. Die notwendigen Daten dafür können vom Belichtungsmesser abgelesen werden.

Allerdings gibt es für jede Aufnahme nicht nur *eine* richtige Blenden-Verschluß-Kombination, sondern eine ganze Reihe von Kombinationsmöglichkeiten, wobei man wählen kann zwischen relativ großen Blenden mit kürzeren Belichtungszeiten und relativ kleinen Blenden mit längeren Belichtungszeiten. Die Dichte des Negativs oder die Farben eines Dias werden davon zwar nicht beeinflußt, doch wird es andere erhebliche Unterschiede in der Art der Motivdarstellung geben.

Im ersten Fall wäre der Tiefenschärfebereich verhältnismäßig begrenzt, doch würde ein sich bewegendes Objekt scharf abgebildet, im zweiten Fall würde umgekehrt das sich bewegende Objekt mehr oder weniger unscharf (genauer: verwischt) erscheinen, aber der Tiefenschärfebereich würde größer sein.

Ehe sich der Fotograf für eine der vielen gleichwertigen Paarungen von Blende und Verschlußzeit entscheidet, wägt er sorgfältig ab, in welchem Tiefenbereich sein Motiv scharf abgebildet sein soll. Nimmt er ein in Bewegung befindliches Motiv auf, dann überlegt er, ob er es in der Bewegung »einfrieren« will oder ob er lieber durch eine gewisse Unschärfe den Eindruck der Bewegung symbolisch veranschaulichen sollte.

Schauen Sie sich in dieser Hinsicht die nebenstehenden Bilder an und achten Sie auf die Unterschiede! Die Belichtungswerte von oben nach unten: Blende 2,8 und $^{1}/_{1000}$ Sekunde, Blende 8 und $^{1}/_{125}$ Sekunde, Blende 22 und $^{1}/_{15}$ Sekunde.

In der Farbfotografie ist der Belichtungsspielraum viel geringer als in der Schwarzweißfotografie. Durch Überbelichtung — zu lange Verschlußzeit oder zu große Blende — werden die Farben zu hell wiedergegeben; durch Unterbelichtung — zu kurze Verschlußzeit oder zu kleine Blende — werden sie zu dunkel, wie auf den Bildern links oben und links unten. Zum Vergleich eine richtig belichtete Aufnahme in der Mitte.

Um bei der Belichtung sicherzugehen, sollte man nach Möglichkeit mehrere Aufnahmen desselben Motivs mit etwas veränderter Belichtungszeit oder Blendenöffnung machen. Dabei wird der vom Belichtungsmesser abgelesene, vermutlich richtige Wert sozusagen »eingekreist«. Meist reicht zum Einkreisen schon eine Serie von drei Aufnahmen: die erste exakt nach Belichtungsmesser, die zweite etwas länger und die dritte etwas kürzer belichtet. Unter besonderen Umständen sind manchmal auch vier oder mehr Aufnahmen ratsam. Um brauchbare Ereignisse zu liefern, müssen die Belichtungsunterschiede bei Umkehrfilm eine halbe und bei Negativfilm oder Schwarzweißfilm eine ganze Blendenstufe betragen. Kleinere Abstufungen bedeuten Filmverschwendung, größere können dazu führen, daß man die beste Belichtungszeit gerade verfehlt. Die Abbildungen auf der gegenüberliegenden Seite verdeutlichen, was mit »Einkreisen« gemeint ist. Von den sechs Aufnahmen sind mindestens zwei brauchbar, wobei der eine Fotograf ein etwas helleres, der andere vielleicht ein etwas dunkleres Bild bevorzugt.

Normales »weißes Tageslicht«

Goldenes Spätnachmittagslicht

Die verschiedenen Farben des Tageslichts

Tageslichtfilme sind so abgestimmt, daß sie in »normalem« Tageslicht farbgetreue Aufnahmen ergeben. Unter »normalem« Tageslicht versteht man eine Mischung aus direktem Sonnenlicht und Licht von einem klaren blauen Himmel mit ein paar weißen Wolken bei einem Sonnenstand von mindestens 20 Grad über dem Horizont. Bei jedem anderen Licht haben Aufnahmen mit Tageslichtfarbfilm einen mehr oder weniger ausgeprägten Farbstich, der die Farben eines Aufnahmeobjekts unnatürlich erscheinen läßt.

Rötliches Licht bei Sonnenuntergang

Blaues Tageslicht im Schatten im Freien

Für die vier Abbildungen oben wurde eine weiße Gipsfigur auf Tageslichtfarbfilm in verschiedenen Tageslichtarten fotografiert. Nur bei »normalem« Tageslicht erscheint die Statue in ihrem natürlichen Weiß. In jedem anderen Licht hat sie einen Farbstich in der Farbe der Lichttönung, in der sie aufgenommen wurde. Solange der Farbstich noch nicht zu ausgeprägt ist (die obigen Bilder zeigen Extremfälle), kann man ihn mit Hilfe eines geeigneten Filters korrigieren, wie ich es auf den Seiten 286—288 beschrieben habe. Ich meine aber, daß man oft interessantere Ergebnisse erzielt, wenn man ganz bewußt diese »unnatürlichen« Farben benutzt, um in seinen Aufnahmen die besondere Stimmung ungewöhnlicher Lichtverhältnisse wirkungsvoll festzuhalten.

Freilichtporträt, auf Tageslichtfarbfilm im hellen Schatten aufgenommen. Einzige Lichtquelle: der tiefblaue Himmel. Ohne Filter hat das Bild einen unnatürlichen blauen Farbstich (links). Durch ein gelbliches Lichtausgleichsfilter (z. B. die Kodak 81er Serie) erscheint die Farbe der Hauttöne »natürlich« trotz des stark blaustichigen Lichts (Bild rechts).

Farbkorrektur durch Filter

Freilichtporträt, auf Tageslichtfarbfilm im »goldenen« Nachmittagslicht aufgenommen. Ohne Filter wirkt das Gesicht rötlich, und der in Wirklichkeit weiße Pullover wird gelb wiedergegeben (Bild links). Durch ein bläuliches Lichtausgleichsfilter (z. B. die Kodak 82er Serie) erscheinen Gesicht und Pullover in ihren »natürlichen« Farben, wie wir sie in der Erinnerung bei farblosem, »weißem« Licht vor uns sehen (Bild rechts). Mehr darüber auf den Seiten 286—288.

Hier wurde durchs Fenster einfallendes Sonnenlicht zur Schattenaufhellung mit Lampenlicht gemischt. Die linke Aufnahme wurde auf Tageslichtfarbfilm gemacht und ergibt einen wärmeren, gelblichen Ton, für die rechte wurde Kunstlichtfarbfilm verwendet; sie hat einen kälteren, bläulichen Ton. Von den beiden Aufnahmen entspricht die linke trotz des leichten Rotstichs der Eigenart des Motivs besser als die rechte, die »kalt« wirkt.

Tageslicht- oder Kunstlichtfarbfilm

Die beiden Farbdias unten wurden unmittelbar nacheinander aufgenommen, das linke auf Tageslichtfarbfilm, das rechte auf Kunstlichtfarbfilm. Bei einer solchen Mischung von Tages- und Kunstlicht wird weder der eine noch der andere Film völlig natürlich wirkende Farben ergeben, und die Wahl des Filmtyps hängt von der beabsichtigten Bildaussage und vom Geschmack des Fotografen ab.

Links: Die ungefilterte Aufnahme eines Schaufensters zeigt die Auslagen nur undeutlich und zum Teil durch Spiegelungen verdeckt. Rechts: Ein Polarisationsfilter löscht die Reflexe und zeigt die Auslagen in ihren natürlichen Farben. Mehr darüber auf den Seiten 88 und 322.

Kontrolle von Spiegelungen durch ein Polarisationsfilter

Links: mit Polarisationsfilter. Rechts: Aufnahme ohne Polarisationsfilter. Achten Sie auf die unterschiedliche Wiedergabe der Spiegelungen im Wasser und der Lichtreflexe auf den Blättern.

So sieht es das Auge ... ... und so »sieht« es die Kamera.

Im Gegensatz zur Kamera paßt sich das Auge automatisch verschiedenen Helligkeitsstufen an. Selbst im Schatten oder in dunkleren Partien des Blickfeldes erkennen wir deutlich Einzelheiten, während solche Partien auf dem unkontrollierten Foto als mehr oder weniger einheitlich dunkle oder schwarze Flächen erscheinen.

»Sehunterschiede« zwischen Auge und Objektiv

Wenn wir an einem hohen Gebäude emporschauen, korrigiert unser Auge automatisch die scheinbare Konvergenz der senkrechten Linien nach oben hin — die Kamera tut das nicht. Die Hauswände erscheinen uns parallel, aber für den unkontrollierten »Blick« der Kamera sieht es so aus, als würden sie im nächsten Augenblick zusammenstürzen.

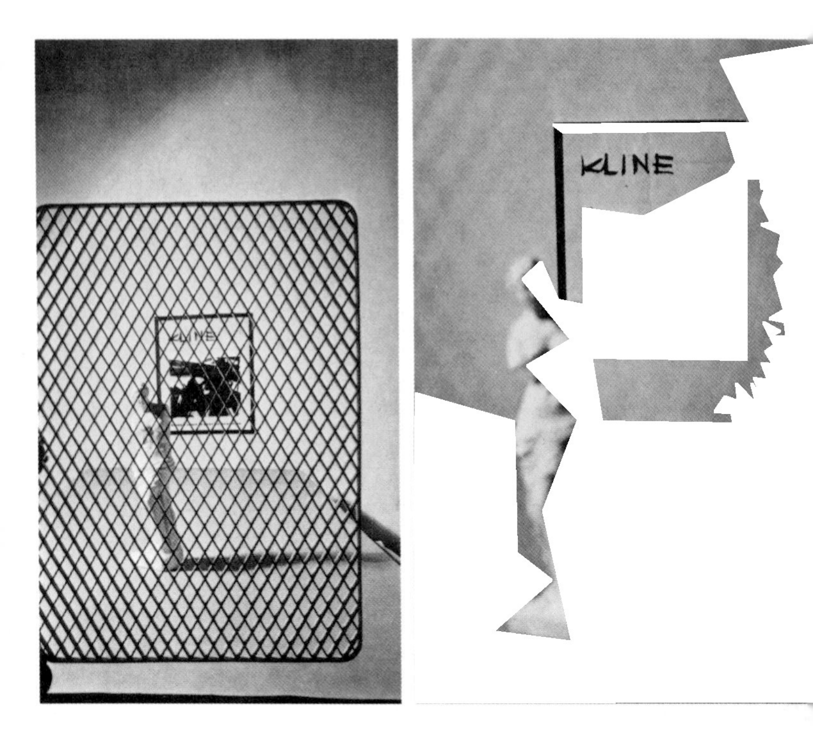

Einstellung: der »selektive Schärfebereich«

Im Gegensatz zur Kamera stellt sich das Auge automatisch auf Objekte in verschiedenen Entfernungen ein. Während alle Dinge in unserer Umgebung, ob nah oder fern, gleichmäßig scharf erscheinen, kann die Kamera immer nur auf einen bestimmten Entfernungsbereich scharf eingestellt werden. Dieser scheinbare Nachteil der Fotografie kann aber in eine Stärke verwandelt werden: Durch Einstellung des Objektivs auf eine vorbestimmte Tiefenschärfenebene kann der Fotograf das Motiv seiner Wahl hervorheben und scharf wiedergeben, während mit zunehmender Entfernung von dieser Schärfenebene alle

Objekte immer unschärfer abgebildet werden. Im Vergleich zu einheitlich scharfen Aufnahmen erwecken Fotos mit »selektivem Schärfebereich« einen größeren Eindruck von räumlicher Tiefe.

Um sich mit der praktischen Anwendung dieser Technik vertraut zu machen, sollte der Leser eine Versuchsanordnung ähnlich der im Bild oben links gezeigten aufbauen. Dieser Aufbau wird dreimal fotografiert: einmal mit Scharfeinstellung auf den Hintergrund, dann auf ein Objekt in der Mitte und schließlich auf den Vordergrund. Der Eindruck räumlicher Tiefe, der dabei entsteht, wird um so stärker sein, je größer die Blendenöffnung und je länger die Brennweite des Objektivs sind.

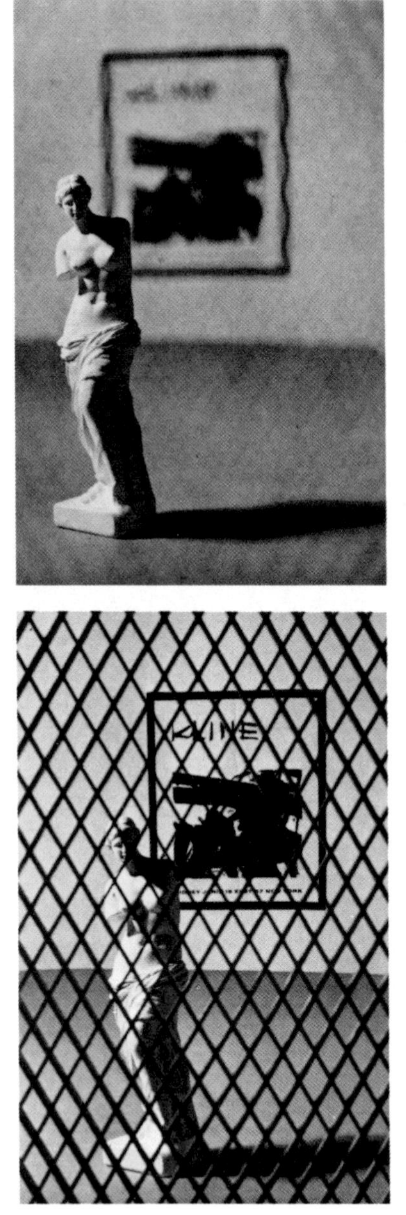

Die Wahl der Tiefenschärfe

Mit Hilfe der Blendeneinstellung können wir den Bereich beeinflussen, in dem Objekte in der Tiefe des Raums scharf abgebildet werden: je kleiner die Blendenöffnung, desto größer die Tiefenschärfe. Das günstigste Verhältnis von Tiefenschärfe und Abblendung wird erreicht, wenn man das Objektiv auf eine Ebene scharf einstellt, die ungefähr am Ende des ersten Drittels der Gesamttiefe liegt, und dann so weit abblendet, bis auf dem Tiefenschärfering des Objektivs der gewünschte Schärfebereich abgelesen werden kann. Die Bilder auf dieser Seite entstanden bei Scharfeinstellung auf die Statue und Abblendung auf Blende 1,8, 11 und 22. Mehr darüber auf den Seiten 143 und 147.

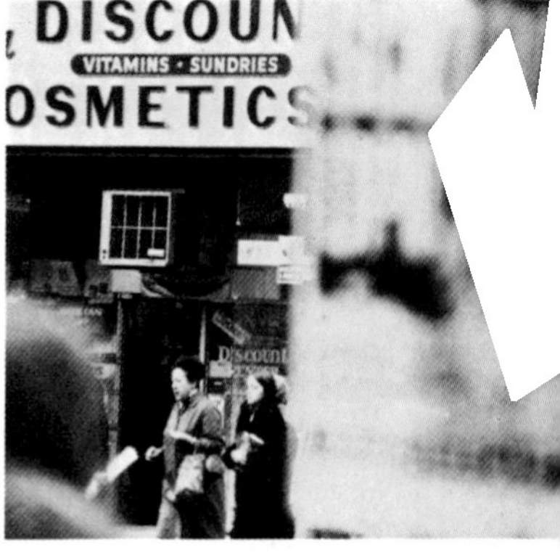

Die vier Arten von Unschärfe

Totale, richtungslose Unschärfe (oben links) ist die Folge falscher Entfernungseinstellung.

Partielle, richtungslose Unschärfe (oben rechts) entsteht entweder durch falsche Entfernungseinstellung oder durch zu große Blendenöffnung, d. h. zu wenig Tiefenschärfe, oder durch beides zusammen.

Vollständige Schärfe (rechts) ist das Ergebnis von exakter Entfernungseinstellung und richtig gewählter Blende und Verschlußzeit.

Partielle gerichtete Unschärfe (unten links) ergibt sich, wenn die Verschlußzeit zu lang ist, um die Eigenbewegung des Motivs zu »stoppen«.

Totale gerichtete Unschärfe (unten rechts) ist die Folge versehentlicher Kamerabewegung während der Belichtung.

0.2
50
6.5
0.2
50
6.5

Belichtungsmesser für reflektiertes Licht »denken« in Grauwerten

In der Bildserie links trägt das Mädchen eine weiße Bluse und einen schwarzen Umhang, davor ist zum Vergleich eine neutralgraue Kodak-Testkarte. Die Zahlen geben die mit einem Weston-Belichtungsmesser ermittelten Helligkeitswerte an. Belichtet wurde im ersten Bild nach einer Messung auf die weiße Bluse, im zweiten auf die graue Karte, im dritten auf den schwarzen Umhang. Infolgedessen erscheint in den Abbildungen der Teil des Motivs, dessen Lichtwert gemessen wurde, jeweils in einem mittleren Grauton. Wir sehen daraus, daß die vom Belichtungsmesser angegebenen Helligkeitswerte gegebenenfalls entsprechend ausgewertet werden müssen. Mehr darüber auf den Seiten 151—161.

Die Lichtspeicherungsfähigkeit der Negativemulsion

Lichteindrücke können in der Filmschicht innerhalb gewisser Grenzen addiert werden. Je länger die Belichtung, desto dichter das Negativ (bzw. desto blasser und »verwaschener« das Farbdia). Diese Tatsache kann man sich besonders bei Nachtaufnahmen zunutze machen: Durch Verlängerung der Belichtungszeit wird die Nacht zum Tag. Die Bildserie links wurde mit 1 bzw. 60 und 300 Sekunden belichtet. Die erste Aufnahme entspricht ungefähr dem, was das Auge im Moment der Belichtung wahrnahm. Die letzte zeigt nicht weniger Einzelheiten als eine Tageslichtaufnahme desselben Motivs.

Zu kurz belichtet

Zu kurz entwickelt

Normales Negativ

Zu lange belichtet

Zu lange entwickelt

Die Beurteilung des Negativs. Es ist eine unerläßliche Voraussetzung für erfolgreiches Fotografieren, daß wir an einem Negativ »ablesen« können, ob es richtig oder falsch belichtet und entwickelt wurde. Das Bild oben Mitte zeigt, wie ein einwandfreies Negativ in bezug auf Dichte und Kontrast aussieht. Die Mängel der anderen vier Negative und deren Ursachen sind in der folgenden Übersicht zusammengestellt.

Aussehen des Negativs		Fehlerquelle	
zu dünn	und zu kontraststark	= Belichtung	zu kurz
	und zu kontrastschwach	= Entwicklung	
zu dicht	und zu kontrastschwach	= Belichtung	zu lang
	und zu kontrastreich	= Entwicklung	

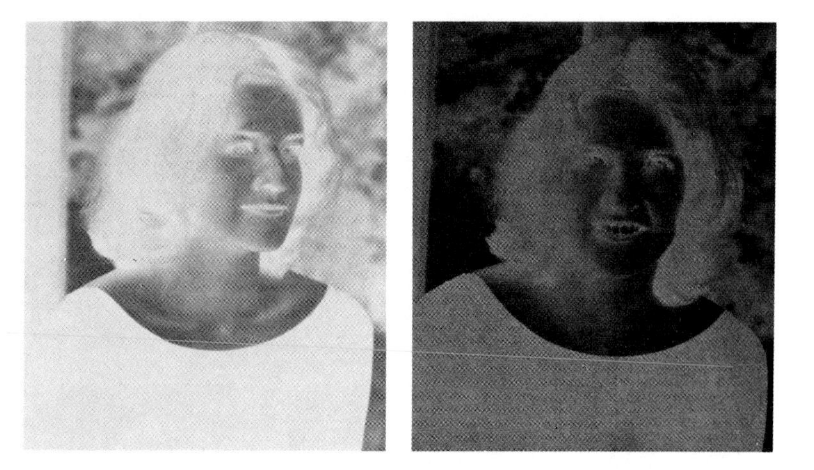

Dichte nennen wir den Helligkeits- bzw. Dunkelheitsgrad eines Negativs oder einer Negativstelle. Bei zu geringer Dichte (Bild links) werden die Details nur ungenügend durchgezeichnet. Bei zu großer Dichte (Bild rechts) wird das Negativ körnig, die Schärfe läßt durch Lichthofbildung in der Emulsion zu wünschen übrig, und die Herstellung der Abzüge wird erschwert.

Der Unterschied zwischen Dichte und Kontrast

Kontrast nennen wir den Unterschied zwischen der hellsten und der dunkelsten Stelle eines Negativs. »Weiche« Negative haben zu wenig Kontrast (Bild links), ergeben zu grau wirkende Abzüge und enthalten nie gleichzeitig schwarze und weiße Partien. »Harte« Negative haben zu viel Kontrast (Bild rechts), ergeben hart wirkende Abzüge und sind arm an grauen Zwischentönen.

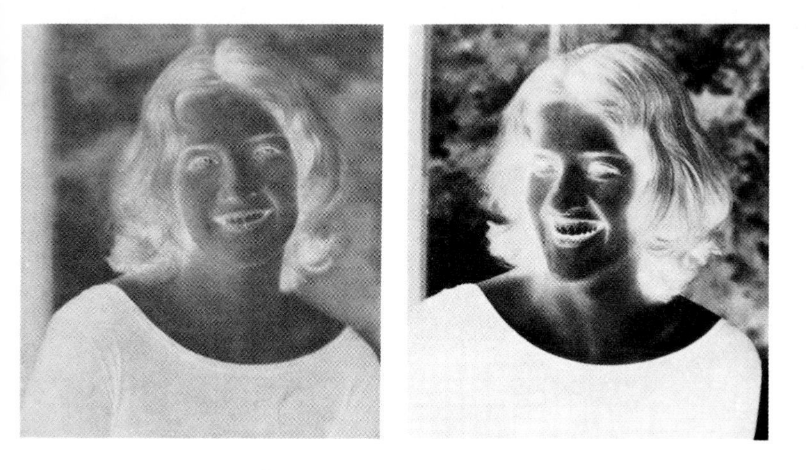

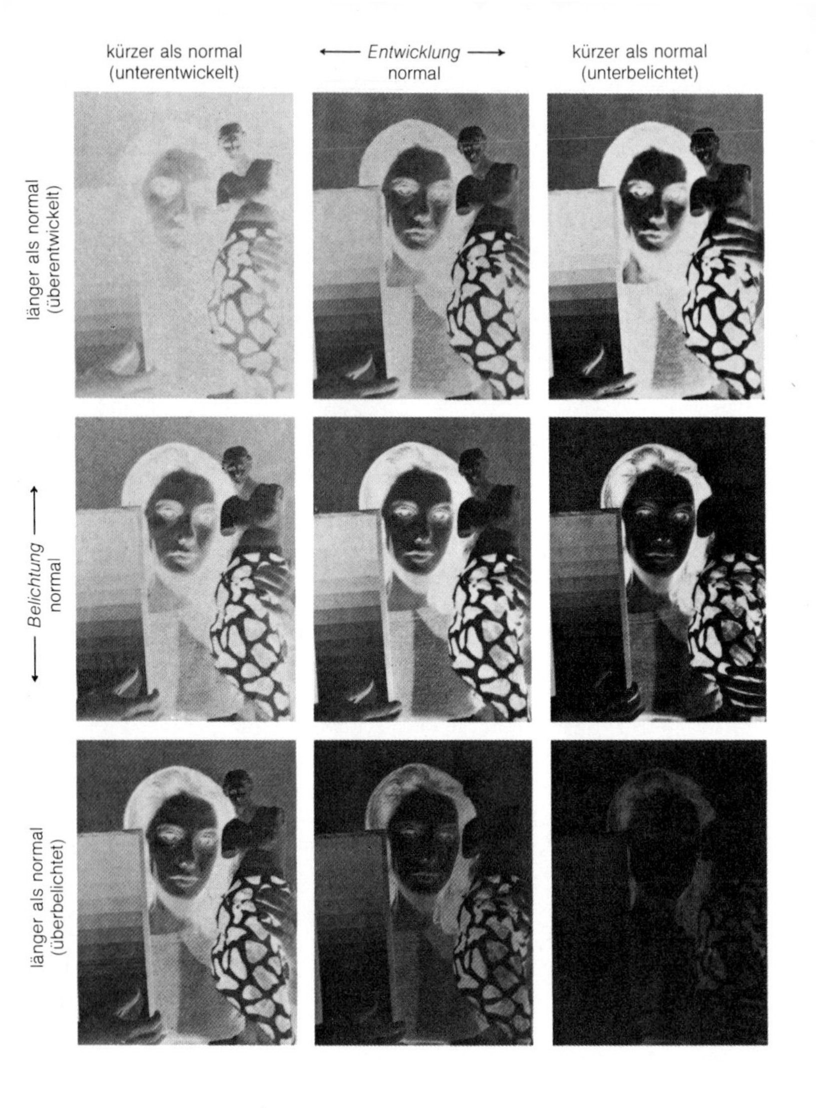
kürzer als normal
(unterentwickelt)
← Entwicklung →
normal
kürzer als normal
(unterbelichtet)
länger als normal
(überentwickelt)
← Belichtung →
normal
länger als normal
(überbelichtet)

Die neun Negative

Von links nach rechts und oben nach unten sind hier die neun möglichen Kombinationen von Belichtungs- und Entwicklungszeit und ihre Auswirkung auf Dichte und Kontrast des Negativs dargestellt. Zu den neun abgebildeten Möglichkeiten kommen natürlich noch weitere Übergangsstufen und Extremfälle.

1. *Unterbelichtet und unterentwickelt.* Das Negativ hat viel zu geringe Dichte und Kontrast, Details in den Schattenpartien fehlen, und Spitzlichter sind zu schwach. Gegenmittel: Keines. Ein solches Negativ gehört in den Papierkorb.

2. *Unterbelichtet und normal entwickelt.* Dichte ist zu gering, Kontrast etwas zu stark. Durchzeichnung in den Schattenpartien ist ungenügend, Spitzlichter gerade noch ausreichend für brauchbare Abzüge. Gegenmittel: Wenn überhaupt noch Details in den Schatten erkennbar sind, auf hartem Papier abziehen, Spitzlichter nachbelichten.

3. *Unterbelichtet und überentwickelt.* Dichte ziemlich normal, Kontrast relativ hoch. Dünne Stellen wirken verschleiert, Spitzlichter gerade noch ausreichend für brauchbare Abzüge. Gegenmittel: Auf entsprechend weichem Papier abziehen.

4. *Richtig belichtet, aber unterentwickelt.* Dichte insgesamt ziemlich gering, wenig Kontrast. Spärliche Details in den Schatten, Spitzlichter zu schwach. Gegenmittel: Auf hartem Papier abziehen.

5. *Richtig belichtet und entwickelt.* Dichte, Kontrast und Durchzeichnung in den Schatten normal. Kräftige, gerade noch transparente Spitzlichter. Solche Negative ergeben die besten Abzüge auf Papier mit der Gradation spezial oder normal.

6. *Richtig belichtet, aber überentwickelt.* Dichte insgesamt zu groß, Kontrast zu stark. Reichliche Durchzeichnung in den Schatten, Spitzlichter zu dicht, teilweise undurchsichtig. Ausgesprochen körnig. Gegenmittel: Auf weichem Papier abziehen. Falls möglich, Negativ in Agfa-Rezept 710 umentwickeln.

7. *Überbelichtet und unterentwickelt.* Dichte annähernd normal, Kontrast verhältnismäßig schwach, gute Durchzeichnung der Schatten, Spitzlichter kommen beim Abziehen schön heraus. Geeignetes Papier: normal oder hart.

8. *Überbelichtet, aber normal entwickelt.* Dichte insgesamt zu groß, wenig Kontrast. Gute Durchzeichnung in den Schatten, Spitzlichter zu dicht. Verminderte Schärfe durch Lichthofbildung in der Filmschicht und übermäßig grobe Körnigkeit. Gegenmittel: Im Farmerschen Abschwächer (Kodak R-4a) nachbehandeln.

9. *Überbelichtet und überentwickelt.* Dichte insgesamt viel zu groß, das Negativ ist fast vollkommen schwarz. Kontrast annähernd normal, Spitzlichter kommen auf dem Abzug nicht mehr heraus. Extreme Lichthofbildung und Körnigkeit. Gegenmittel: Im Proportionalabschwächer (Kodak R-4b oder R-5) nachbehandeln, anschließend auf normalem Papier abziehen.

Die Behandlung des Lichts

Da ein hell beleuchtetes Objekt heller abgebildet wird als ein Objekt, auf das weniger Licht fällt oder das im Schatten liegt, ist es sehr einfach, den Kontrast des Aufnahmeobjekts zu verändern, wenn der Fotograf Einfluß auf die Beleuchtung hat.

Die folgende einfache Übung veranschaulicht den Zusammenhang von Beleuchtung und Motivkontrast (vgl. Abbildungen oben, von links nach rechts): Eine weiße Figur wird vor einen weißen Hintergrund gestellt und mit einer Fotolampe dreimal verschieden beleuchtet. 1. Motiv und Hintergrund werden beide voll ausgeleuchtet. 2. Der Hintergrund ist voll beleuchtet, die Figur liegt im Schatten. 3. Die Figur wird angestrahlt, der Hintergrund liegt im Schatten. — Außer den normalen Abzügen machen wir dann vom ersten Negativ zwei weitere Abzüge, und zwar zuerst mit etwas verlängerter Belichtungszeit, so daß Figur und Hintergrund mittelgrau erscheinen (Bild oben rechts), dann mit noch längerer Belichtung, so daß Figur und Hintergrund fast schwarz werden (Bild rechts unten).

Dieses kleine Experiment ist ein überzeugender Beweis für die gestaltende Kraft des Lichts. Lediglich mit Hilfe des Lichts erscheint dieselbe weiße Figur vor weißem Hintergrund in der Abbildung weiß auf weiß, grau auf grau, schwarz auf schwarz, schwarz auf weiß oder weiß auf schwarz oder in anderen, hier nicht abgebildeten Grauwerten.

Blaufilter Ohne Filter

Grauwertveränderung einer Farbe: Blau

Für unser Sehen beruht die gegenständliche Unterscheidung größtenteils auf Farbkontrasten. Leider wird jedoch diese Unterscheidungsmöglichkeit auf Grund von Farbkontrasten in der Schwarzweißfotografie oft verringert oder geht sogar gänzlich verloren, da Farben unterschiedlicher Tönung, aber ähnlicher Helligkeit bei der Übertragung in Grautöne ähnlich oder sogar identisch wiedergegeben werden. Das kann man vermeiden, indem man Farbfilter benutzt.

Der Effekt von Filtern für die differenzierte Schwarzweißwiedergabe von Farben beruht auf dem Prinzip, daß im Bild die Eigenfarbe eines Filters heller, die Komplementärfarbe dagegen dunkler erscheint, als dies ohne Filter der Fall gewesen wäre. Mehr darüber auf den Seiten 83—90 und 354.

Gelbfilter

Rotfilter

Die Bilder dieser Serie wurden im Abstand von wenigen Minuten aufgenommen. Sie zeigen, wie man die Wiedergabe von Wolken und Himmel mit Hilfe von Filtern verändern kann. Meist werden die Wolken stärker hervorgehoben; braucht man aber einmal einen neutralen Hintergrund, z. B. wenn ein komplexes Objekt gegen den Himmel fotografiert werden soll, dann kann man sie auch verschwinden lassen.

Rotfilter + Polarisationsfilter

Grauwertbeeinflussung von zwei Farben: Rot und Grün

Wenn ein Fotograf geschickt mit Filtern umzugehen versteht, hat er eine weitgehende Kontrolle über die Umsetzung der Objektfarben in Grauwerte. Mit dem folgenden Experiment lernen Sie die Wirkung von Farbfiltern auf zwei verschiedene Farben kennen und entwickeln dabei Ihr Fingerspitzengefühl für die richtige Verwendung von Filtern: Bringen Sie ein farbiges Objekt vor einen komplementärfarbigen Hintergrund, und machen Sie nun mit Hilfe der entsprechenden Filter eine Serie von Aufnahmen, in der Objekt und Hintergrund einmal weiß auf weiß, dann grau auf grau, schwarz auf schwarz, weiß auf schwarz und schließlich schwarz auf weiß wiedergegeben werden. Daß das möglich ist, beweisen die Abbildungen auf dieser Doppelseite, die eine knallrote Paprikaschote vor einem saftiggrünen Kohlblatt zeigen. An den Schatten erkennt man, daß alle Bilder Positive sind, aber die Unterschiede zwischen den diagonal gegenübergestellten Bildern sind so groß, daß sie wie Positiv und Negativ derselben Aufnahme wirken, ein Hinweis auf das weite Feld von Möglichkeiten in der kreativen Bildgestaltung.

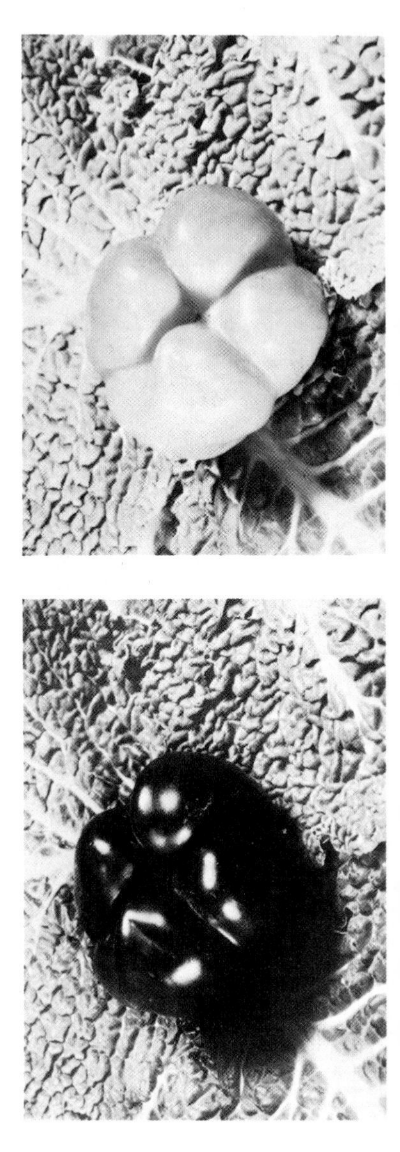

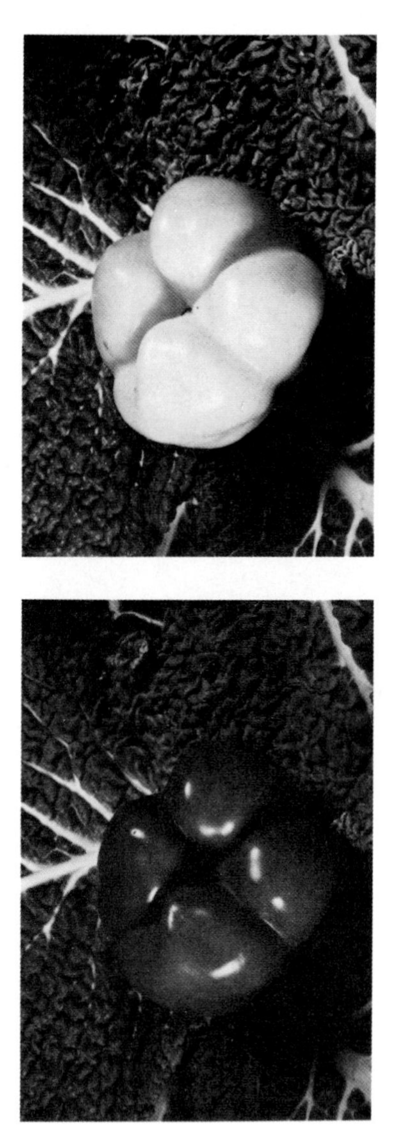

Beeinflussung der Darstellung des Raumes

Die Bilder auf dieser Seite wurden mit Objektiven verschiedener Brennweite gemacht: einem Weitwinkel-, einem Standard- und einem Teleobjektiv. Da der Abstand zwischen Objekt und Kamera derselbe blieb, ist die *Perspektive* — das gegenseitige Größenverhältnis der aufgenommenen Objekte — bei allen drei Aufnahmen dieselbe, lediglich der *Abbildungsmaßstab* veränderte sich.

Die Bilder auf der rechten Seite wurden mit denselben Objektiven aufgenommen wie die auf der linken Seite; gleichzeitig wurde aber der Kamerastandpunkt, d. h. der Abstand der Kamera vom Objekt, so verändert, daß das Verkehrsschild jedesmal in gleicher Größe erscheint. Hier handelt es sich um eine Veränderung der *Perspektive*, während der *Abbildungsmaßstab* gleichbleibt.

Diese zwei Bildfolgen zeigen, in welchem Umfang der Fotograf die Darstellung des Raumes auf der Abbildung beeinflussen kann. In Übereinstimmung mit seiner Bildidee kann er entweder die Perspektive oder den Abbildungsmaßstab oder beides zugleich verändern, indem er die Brennweite des Objektivs und den Abstand der Kamera vom Objekt entsprechend wählt. Mehr darüber auf den Seiten 374—376.

Korrektur der Raumabbildung mit Hilfe einer Studiokamera

Um ein hohes Gebäude frei von perspektivischer Verzerrung aufzunehmen, geht man folgendermaßen vor (mehr darüber auf den Seiten 378—380.

1. Man richtet die stativ-montierte Kamera wie üblich auf das Motiv und stellt scharf ein. Auf der Mattscheibe werden jetzt die Seitenwände des Gebäudes nach oben hin zusammenlaufen (Bild oben links).

2. Man stellt die Kamera waagerecht. Nun laufen die senkrechten Linien auf der Mattscheibe zwar wieder parallel, zugleich aber wird der obere Teil des Gebäudes abgeschnitten (Bild oben rechts).

3. Man verstellt das Objektiv nach oben, bis das Gebäude wie gewünscht auf der Mattscheibe erscheint (Bild links).

Korrektur der Raumabbildung mit dem Vergrößerungsgerät

Ein verzerrtes Negativ läßt sich beim Vergrößern nach folgender Methode »entzerren«:

1. Das Negativ in den Apparat einlegen und auf den Vergrößerungsrahmen projizieren. Es erscheint zunächst ein verzerrtes Bild (oben links).

2. Durch entsprechendes Schrägstellen des Rahmens erreicht man, daß die senkrechten Linien des Bildes parallel abgebildet werden. Der Rahmen muß natürlich in der passenden Stellung fixiert werden. Man erhält ein trapezförmiges, teilweise unscharfes Bild (oben rechts).

3. Die Negativbühne wird in der entgegengesetzten Richtung zum Rahmen schräggestellt und damit die Schärfe des Bildes korrigiert, bis es in allen Teilen scharf erscheint (rechts). Mehr auf Seite 208.

Darstellung des Raumes und die vier Grundarten der Perspektive

In der Fotografie haben wir die Wahl zwischen vier Arten der Perspektive. Jede hat ihre eigenen Gesetzlichkeiten und ihr eigenes Anwendungsgebiet, die auf den Seiten 377 und 380 näher erläutert werden.

1. *Akademisch geradlinige Perspektive.* Gerade Linien werden gerade abgebildet, die Senkrechten erscheinen parallel. Parallele Linien (mit Ausnahme der Senkrechten), die nicht parallel zur Filmebene laufen, konvergieren auf Fluchtpunkte hin.

2. *Echte geradlinige Perspektive.* Gerade Linien werden als Gerade wiedergegeben. Alle Parallelen, die nicht parallel zur Filmebene verlaufen, konvergieren auf Fluchtpunkte hin. Das gilt auch für die Senkrechten, z. B. bei Schrägaufnahmen.

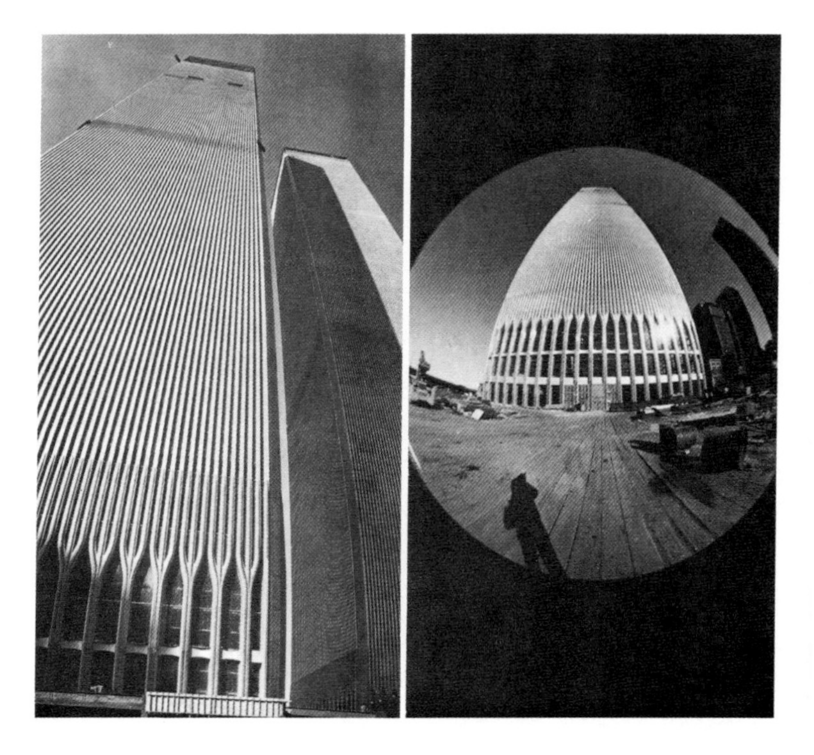

3. *Zylinderperspektive.* Diese Art der Perspektive findet man bei den sogenannten Panoramakameras. Diese sind mit einem Schwenkobjektiv ausgerüstet, das während der Belichtung einen Bogen beschreibt und den Film streifenweise belichtet. Gerade Linien, die nicht parallel zur Drehachse des Objektives verlaufen, werden gekrümmt wiedergegeben, und zwar um so mehr, je näher sie den Längskanten des Bildes kommen. Der Bildwinkel beträgt im allgemeinen 140 Grad.

4. *Kugelperspektive.* Die typische Perspektive der Fischaugen-Objektive. Alle Geraden werden gekrümmt wiedergegeben, ausgenommen solche, die parallel zur optischen Achse verlaufen und als Radien in der Abbildung erscheinen. Der Bildwinkel dieser Objektive beträgt im allgemeinen 180 Grad, die Abbildung gleicht dem Spiegelbild auf einer reflektierenden Kugel.

Der Aufbau einer zylindrischen Perspektive

Das zusammengesetzte Bild links läßt erkennen, warum gerade Linien auf extrem weitwinkligen Aufnahmen zwangsläufig gekrümmt erscheinen müssen. Das Bild besteht aus drei Einzelaufnahmen, die mit einer Rolleiflex und einem Objektiv normaler Brennweite gemacht wurden. Für sich betrachtet und auf die jeweilige Blickrichtung bezogen, erscheint die Perspektive auf jedem der drei Bilder normal: Auf dem mittleren Bild werden die Senkrechten parallel wiedergegeben, weil bei waagerechter Kamerahaltung die Senkrechten parallel zur Filmebene verlaufen. Auf dem oberen und unteren Bild laufen die Senkrechten in Fluchtpunkten zusammen, weil die Kamera schräg gehalten wurde. Jedes dieser — einzeln gesehen normalperspektivischen — Bilder umfaßt einen Bildwinkel von etwa 45 Grad. Sobald sie aber zusammengesetzt werden und der Wolkenkratzer in seiner ganzen Höhe (ein Bildwinkel von ungefähr 140 Grad!) erscheint, entsteht der Eindruck, als wäre er in der Mitte dicker und zu den Enden hin dünner. Vergleiche das Bild auf der gegenüberliegenden Seite, das in zylindrischer Perspektive mit einer Panoramakamera mit einem Bildwinkel von 140 Grad aufgenommen wurde, nur daß in diesem Fall die unnatürlichen Nahtstellen des linken Bildes durch weiche Kurven ersetzt sind — dieselben fließenden Linien, die wir mit dem bloßen Auge sehen, wenn wir unsern Blick von oben nach unten über das Gebäude gleiten lassen. Dabei werden wir uns der perspektivischen Krümmungen deshalb nicht bewußt, weil der Blick nur einen Winkel von fünf Grad scharf erfaßt, während der hier gezeigte Bildwinkel etwa 30mal so groß ist.

Belichtungszeit $^{1}/_{1000}$ Sekunde, die Bewegung ist »eingefroren«. Der Wagen fährt, aber es entsteht der Eindruck, als stände er still.

Belichtungszeit $^{1}/_{25}$ Sekunde, die Unschärfe beweist, daß der Wagen in Fahrt ist. Vom Grad der Unschärfe schließen wir auf die Höhe der Geschwindigkeit.

Belichtungszeit $^{1}/_{5}$ Sekunde, die Verwischung ist stärker. Der Wagen scheint sehr schnell zu fahren. Mehr darüber auf den Seiten 410 bis 411.

Symbolische Darstellung der Bewegung

Da ein Foto an sich statisch ist, kann Bewegung nur symbolisch dargestellt werden. Das grafische Symbol für Bewegung ist die Verwischung. Normalerweise wird Bewegung suggeriert, wenn ein sich bewegendes Objekt unscharf vor einem scharfen Hintergrund erscheint. Je unschärfer, desto stärker ist der Bewegungseindruck. Möchte man umgekehrt das sich bewegende Objekt scharf und den Hintergrund verwischt wiedergeben, um das Objekt genau erkennen zu können, dann benutzt man die Technik des »Mitziehens«: Man hält das sich bewegende Objekt im Sucher fest wie in einem Visier und betätigt den Auslöser, während man gleichzeitig die Kamera in der Bewegungsrichtung »mitzieht« (wie das Gewehr bei der Jagd auf Federwild). Der verwischte Hintergrund, vor dem das Motiv jetzt scharf abgebildet wird, drückt dann die Bewegung aus, wie im obigen Bild. Mehr darüber auf den Seiten 407—408.

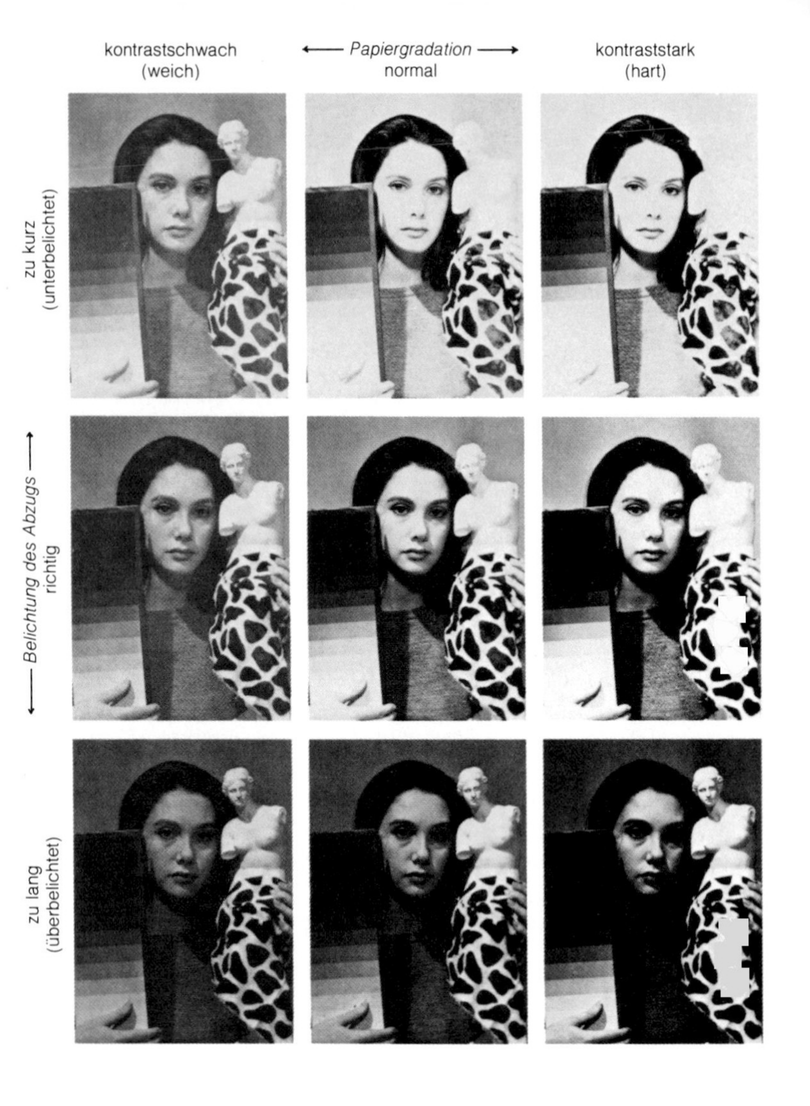
kontrastschwach
(weich)
← Papiergradation →
normal
kontraststark
(hart)
zu kurz
(unterbelichtet)
← Belichtung des Abzugs →
richtig
zu lang
(überbelichtet)

Die neun Positive

Von links nach rechts und oben nach unten sehen Sie hier die neun möglichen Kombinationen zwischen der Länge der Belichtungszeit beim Abziehen und der Gradation des verwendeten Papiers und die entsprechenden Ergebnisse in bezug auf Helligkeit und Kontrast. Auch hier gibt es natürlich noch weitere Zwischenstufen und Extremfälle.

1. *Zu weiches Papier, Abzug unterbelichtet.* Gesamteindruck: überaus flau und farblos. Grautöne wirken trüb und fleckig. Reine Schwarz- und reine Weißtöne treten nie zusammen im selben Bild auf.

2. *Papiergradation normal, Abzug jedoch unterbelichtet.* Gesamteindruck: zu hell, »verwaschen«, Grauwerte nicht genügend differenziert.

3. *Zu hartes Papier, Abzug unterbelichtet.* Gesamteindruck: hart, grell und kalkig weiß, zu kontrastreich. Grautöne fehlen, das Bild besteht fast nur aus Schwarz und Weiß.

4. *Zu weiches Papier, aber richtig belichtet.* Gesamteindruck: Kontrast zu gering. Der Abzug wirkt schmutzig-trüb und »flächig«.

5. *Papiergradation normal und richtig belichtet.* Gesamteindruck: lebendig und ansprechend. Befriedigender Kontrast und gute Nuancierung der Grautöne.

6. *Zu hartes Papier, aber richtig belichtet.* Gesamteindruck: zu kontrastreich, hart und unausgeglichen. Grauwerte ungenügend differenziert.

7. *Zu weiches Papier, Abzug überbelichtet.* Gesamteindruck: zu dunkel, zu weich und kontrastarm.

8. *Papiergradation normal, Abzug überbelichtet.* Gesamteindruck: etwas dunkel, aber nicht ausgesprochen störend.

9. *Zu hartes Papier, Abzug überbelichtet.* Gesamteindruck: zu dunkel und zu kontrastreich. Grauwerte ungenügend differenziert.

Kontrastbeeinflussung mit Hilfe der Papiergradation

Die einfachste, wenn auch nicht unbedingt beste Art, den Kontrastumfang eines Abzugs zu beeinflussen, ist die Wahl eines Fotopapiers mit entsprechendem Härtegrad. Fotopapiere gibt es meist in vier Härtegraden, manchmal auch in fünf und seltener in sechs. Die Skala reicht von »extraweich« (sehr kontrastarm) bis »extrahart« (sehr kontrastreich). Für den nor-

malen Gebrauch reichen die vier Grade »weich«, »spezial«, »normal« und »hart«. Den Kontrastumfang dieser Papiere verdeutlichen die vier obigen Bilder, die alle vom selben Negativ stammen. Für noch weichere oder härtere Abzüge gibt es Spezialtechniken, mit denen man z. B. von normalen Negativen Abzüge machen kann, die nur noch reines Weiß und Schwarz enthalten.

Helles oder dunkles Bild?

Durch die Wahl der Belichtungszeit beim Vergrößern bestimmen Sie selbst, wie hell oder dunkel das Bild werden soll, und legen damit dessen Grundstimmung fest: Ein heller Allgemeinton erweckt einen leichten, heiteren, spielerischen Eindruck, dunkle Töne schaffen eher eine ernste und düstere oder melancholische Stimmung.

Entwickler kann man mit Wasser bis zu 40° C ansetzen. Heißer darf es nicht sein. Eine solche Lösung muß vor Gebrauch selbstverständlich auf die Normaltemperatur von 20° C abgekühlt werden.

Fixiersalzkristalle kann man in Wasser auflösen, das so heiß ist, wie es gerade aus der Warmwasserleitung kommt. Wenn man Fixiersalzkristalle in Wasser von 60° C gibt, sinkt die Temperatur fast augenblicklich auf ungefähr 10° C ab. Die Temperatur eines solchen Bades muß vor Gebrauch natürlich auf 20° C erhöht werden.

Das Härtemittel eines sauren Fixierbades ist etwas wärmeempfindlich und zersetzt sich bei Temperaturen über 50° C. Es sollte stets getrennt vom Fixiersalz in Wasser gelöst werden, das nicht wärmer ist als 40° C, und mit dem Fixiersalz nur gemischt werden, wenn beide Lösungen die Normaltemperatur von 20° C haben.

Die Konzentration von Lösungen

Die Konzentration einer Lösung kann auf zwei Arten angegeben werden: In *Prozenten,* meist eine Bezeichnung, die für feste Stoffe gewählt wird; oder in *Teilen,* eine Bezeichnung, die meist für die Verdünnung einer Lösung in Wasser angegeben wird.

Eine Prozentlösung wird hergestellt, indem man die angegebene Menge (in Gramm) eines Chemikals in einer kleinen Menge Wasser auflöst und dann mit Wasser auf 100 ccm auffüllt. Zum Beispiel: Um eine 5prozentige Lösung zu bekommen, löst man 5 Gramm der Substanz in einem Meßbecher, der eine geringe Menge Wasser enthält; dann füllt man Wasser bis zum 100-ccm-Strich auf.

Eine Lösung aus Teilen stellt man her, indem man eine Mengeneinheit einer gegebenen Stammlösung mit einer bestimmten Mengeneinheit Wasser mischt. Solche Einheiten können jedes Gewicht haben, von Gramm bis zu Tonnen, vorausgesetzt, daß alle Mengen in den gleichen Gewichts- oder Volumen-Einheiten gerechnet werden. Zum Beispiel: Um einen Entwickler aus einem Teil Stammlösung und 5 Teilen Wasser herzustellen, mischt man eine Einheit Stammlösung mit 5 Einheiten Wasser – 100 ccm Stammlösung mit 500 ccm Wasser oder 30 g Stammlösung mit 150 g Wasser – das Ergebnis wird identisch sein, solange man identische Maßeinheiten für Stammlösung und Wasser benutzt. Wenn Lösungen und Feststoffe in »Teilen« angegeben werden, muß man selbstverständlich gleichwertige Maßeinheiten benutzen. Dabei entsprechen Grammangaben bei festen Stoffen den Kubikzentimetern bei Flüssigkeiten.

Umwandlung einer »Lösung aus Teilen« in eine »Lösung nach Prozenten«. Hierbei geht man folgendermaßen vor: Der oben erwähnte Entwickler bestand aus einem Teil Stammlösung und 5 Teilen Wasser, zusammen also aus sechs gleichen Teilen. Um dieses Verhältnis in Prozentsätze umzurechnen, teilt man 100 durch 6. Ergebnis: 16,7%. Mit anderen Worten: eine Lösung von 1:5 entspricht einer 16,7prozentigen Lösung.

Die »Kreuzregel« bietet die leichteste Möglichkeit, die Verdünnung einer hochprozentigen Stammlösung in eine niedrigprozentige Gebrauchslösung umzurechnen. Das zeigt das folgende Diagramm:

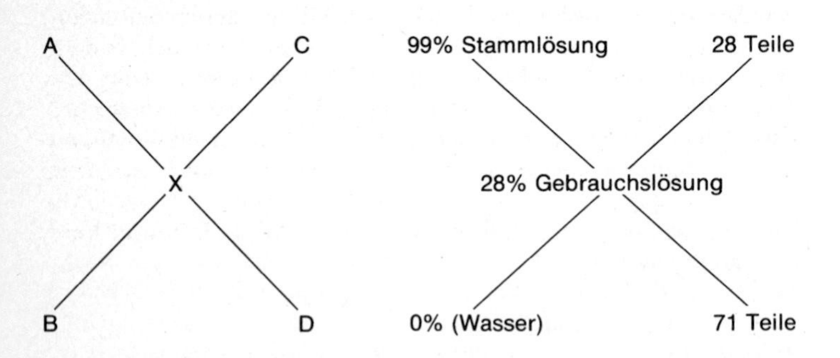

Man setzt die prozentuale Konzentration der Stammlösung bei A ein, die prozentuale Konzentration der Lösung, mit der man verdünnt, bei B (was im Falle von Wasser natürlich 0% ist). Die verlangte prozentuale Konzentration setzt man bei X ein. Nun zieht man X von A ab und schreibt das Ergebnis bei D ein. Dann zieht man B von X ab und schreibt das Ergebnis bei C ein. Schließlich nimmt man C-Teile von A und mischt sie mit D-Teilen von B und erhält eine Lösung von X%.

Beispiel: Um eine 99prozentige Stammlösung von Essigsäure auf eine 28prozentige Gebrauchslösung zu verdünnen, nimmt man 28 Teile der 99prozentigen Stammlösung und mischt sie mit 71 Teilen Wasser.

Wie man fotografisch sieht

Der Leser sollte jetzt an einem Punkt angekommen sein, wo die Gefahr, daß er ein »bildmäßig« schlechtes Bild macht, größer ist als die Gefahr, daß er eine »fototechnisch« schlechte Aufnahme herstellt. Leider ist das auch der Moment, von dem an viele Anfänger in der Fotografie aufhören weiterzustreben, da sie in dem Irrtum befangen sind, wenn man das Fototechnische gemeistert habe, so sei man automatisch ein guter Fotograf. Sie glauben, sie hätten nichts mehr zu lernen – sie seien »arriviert«.
Den Beweis dafür, daß das nicht stimmt, liefern unzählige Fotografien, die technisch einwandfrei sind: frisch und scharf, gute Farben oder Grautonwerte, und trotzdem – irgend etwas ist »falsch«. Das Motiv ist abgedroschen und scheint kaum wert, fotografiert zu werden. Die Art der Darstellung ist langweilig, die Komposition armselig, und man wundert sich angesichts unzähliger unglücklicher Zusammenstellungen, warum der Fotograf jenes nicht machte oder dieses nicht änderte und wie er überhaupt diese oder jene Einzelheit übersehen konnte. Das sind so die typischen Produkte von Fotografen, die zwar die technischen Aspekte der Fotografie gemeistert haben, aber nicht wissen, wie sie ihr technisches Können anwenden müssen, um Fotos zu schaffen, die etwas sagen, geschweige denn, etwas ausdrucksvoll sagen. Die Grundursache dieses Fehlens ist eine Unfähigkeit, die Wirklichkeit fotografisch zu sehen.

Warum ist es notwendig, die Wirklichkeit »fotografisch zu sehen«?

Das Auge und die Kamera sehen die Dinge auf verschiedene Weise. Was dem einen gut erscheint, erscheint dem anderen oft schlecht. Diese Wahrheit wurde mir wieder bewußt, als ich an einem Buch über Bäume arbeitete. Viele meiner Freunde erzählten mir von wundervollen Bäumen und beschrieben ihren Standort. Wenn ich dann hinging, waren dort natürlich die Bäume vorhanden, und jedes Wort, was über die Schönheit gesagt worden war, stimmte. Aber leider konnte ich keinen einzigen dieser wirklich wundervollen Bäume zufriedenstellend fotografieren. Warum? Weil sich entweder hinter den Bäumen Gebäude befanden oder davor ein Zaun oder eine verkehrsreiche Straße oder Telefondrähte und elektrische Leitungen die Luft durchkreuzten oder Bäume im Hintergrund es unmöglich machten, diesen besonderen Baum isoliert darzustellen und von ihm ein eindrucksvolles Bild zu bekommen. Meine Ratgeber hatten ihre Bäume mit dem »Auge des Gemütes« gesehen. Sie hatten nur das gesehen, was sie sehen wollten, eben die Dinge, die sie interessierten, und hatten in ihrer Begeisterung vergessen, daß das unpersönliche »Auge« der Kamera *alles,* was im Blickwinkel liegt, registriert.

Ich bin überzeugt, daß die Gewohnheit vieler Autoren von Fotobüchern, Auge und Kamera miteinander zu vergleichen und dabei nur die *Ähnlichkeiten* im Aufbau der beiden zu betonen, während sie die *Unterschiede* in ihrer Wirkungsweise weitgehend vernachlässigen, der Sache der Fotografie viel geschadet hat. Denn schließlich sind die Ähnlichkeiten, soweit es sich darum handelt, gute Fotografien zu machen, nur oberflächlich und von geringer Bedeutung, während dagegen die Unterschiede fundamentaler Natur sind und entscheidende Folgerungen nach sich ziehen. Das soll natürlich nicht heißen, das Auge sei der Kamera überlegen oder die Kamera dem Auge. Ohne Verallgemeinerung ist jedoch festzustellen, daß in gewisser Hinsicht das Auge der Kamera überlegen ist zum Beispiel in seiner Fähigkeit, sich auf das Wichtigste zu konzentrieren und unwichtige Einzelheiten zu übersehen, während die Kamera Wichtiges und Unwichtiges gleichmäßig behandelt. In anderer Hinsicht ist wiederum die Kamera dem Auge überlegen. So können beispielsweise Objektive verschiedener Brennweiten und Bildwinkel benutzt werden, während Brennweite und Bildwinkel des Auges unveränderlich sind. Als Ergebnis: Es kommt oft vor, daß eine technisch unangreifbare Fotografie einen Eindruck vermittelt, der schwächer ist als der, den das Motiv ergab. Andererseits ist es auch möglich, daß ein Bild einen tieferen Eindruck macht als das Ereignis selbst. Um die erste Möglichkeit zu vermeiden, aber die zweite Möglichkeit wahrnehmen zu können, muß der Fotograf um den Unterschied zwischen dem »Sehen« von Auge und Kamera Bescheid wissen.

Was sind die Unterschiede im »Sehen« zwischen Auge und Kamera?

Das vom Verstand geleitete Auge sieht selektiv. Es sieht subjektiv und bemerkt normalerweise nur, was der Verstand sehen möchte oder gezwungen ist zu sehen. Im Gegensatz dazu sieht die Kamera unterschiedslos, sieht »objektiv« und registriert *alles,* was in ihrem Bildwinkel vorhanden ist. Das ist die Erklärung, warum so viele Fotos mit unwichtigen Dingen überladen sind. Fotografen, die verstehen, fotografisch zu sehen, sind wählerisch, und ehe sie fotografieren, schalten sie überflüssige Dinge aus: durch einen angemessenen Bildwinkel, entsprechenden Aufnahmeabstand, Wahl der günstigsten Objektivbrennweite oder mit Hilfe anderer Mittel.

Das Auge sieht alles, auf das es sich richtet, im Zusammenhang mit seiner Umgebung, betrachtet also Einzelheiten als Teile eines größeren Ganzen. Wir vernehmen keine scharfen Grenzen zwischen den Dingen, die wir scharf sehen, und den Dingen, die wir nur undeutlich oder überhaupt nicht sehen, weil sie am Rande oder außerhalb unseres Blickfeldes liegen. Trotzdem sind wir uns normalerweise keines ausgesprochenen Gesamtplanes bewußt, weil unser Auge nach und nach die verschiedenen Teile dieses viel größeren Ganzen abtastet, das wir nie auf einmal übersehen können. Im Gegensatz hierzu bildet ein Foto ein gegebenes Motiv ohne Zusammenhang mit dem Ganzen ab, rückt es also aus seiner Umgebung heraus und nimmt die gesamte Aufmerksamkeit des Beschauers in Anspruch. Um wirksam zu sein, muß ein solches Bild natürlich aus sich heraus bestehen können. Da es verhältnismäßig klein ist, kann die ganze Darstellung mit einem einzigen Blick erfaßt werden. Jede Komponente des Bildes wird im Verhältnis zu den anderen gesehen und beurteilt, und wenn die Komposition schwach ist, fällt das Bild ab. Ein Motiv, das in Wirklichkeit reizvoll erschien, weil es durch seine Umgebung gewann, die ihm eine bestimmte Atmosphäre oder Stimmung gab, verliert in einem Foto, das es von diesen Elementen trennt.

Das menschliche Sehen ist zweiäugig und räumlich, die Kamera dagegen sieht einäugig, also flach. Das erklärt, warum so vielen Fotos die »Tiefe« fehlt. Der Fotograf sah mit seinem zweiäugigen Sehen das Motiv dreidimensional und vergaß, daß seine einäugige Kamera das Motiv ohne Tiefe sah. Wird im Foto diese Tiefe nicht auf andere Weise vermittelt, wirkt das Bild »flach«.

Das Auge reagiert gewöhnlich nicht auf geringe Veränderungen in der spektralen Zusammensetzung des Lichtes. Andererseits aber ist Farbfilm sehr empfindlich für selbst kleinste Schwankungen in der Farbe des Lichtes. Da wir also unempfindlich gegen geringere Veränderungen der Lichtfarbe sind, obwohl diese zu erheblichen Änderungen in der Farbwiedergabe des Dias führen können, wundern wir uns über solche Farbänderungen im Farbdia. Es sind diese Schwankungen in der Farbe des Aufnahmelichtes, die daran schuld sind, daß so viele Farbaufnahmen Farben aufweisen, die uns »unnatürlich« erscheinen. Würden wir allerdings solche Bilder mit ihrem Motiv unter denselben Lichtbedingungen vergleichen, die im Augenblick der Aufnahme herrschten, könnten wir wahrscheinlich feststellen, daß der Farbfilm recht und wir unrecht hatten.

Dem normalen Auge erscheinen alle Dinge gleichzeitig scharf – eine Täuschung, die durch seine Fähigkeit verursacht ist, seine Scharfeinstellung blitzschnell anzupassen, wenn es ein Motiv der Tiefe nach abtastet. Dagegen kann die Kamera nicht nur Bilder mit jedem gewünschten Grad von Schärfe oder Unschärfe herstellen, sondern im Foto auch eine gewünschte Tiefenzone scharf erfassen, während alles andere unscharf erscheint.

Die Brennweite der Augenlinse ist konstant, aber eine Kamera kann mit Objektiven von fast jeder beliebigen Brennweite bestückt werden. Damit ist der Abbildungsmaßstab der fotografischen Darstellung fast unbegrenzt.

Die Einstellmöglichkeit des Auges auf kurze Abstände ist ziemlich begrenzt. Was näher liegt als etwa 25 cm, erkennt es nur undeutlich, und zwar um so undeutlicher, je kürzer der Abstand zwischen Objekt und Auge ist. Kleine Gegenstände werden um so unklarer gesehen, je kleiner sie sind, und zwar bis zu einer Grenze, von der ab sie dem unbewaffneten Auge überhaupt unsichtbar sind. Dagegen kennt die Kamera, die mit einem Objektiv geeigneter Brennweite versehen ist oder in Verbindung mit einem Mikroskop verwendet wird, keine derartigen Einschränkungen.

Der Blickwinkel des Auges ist unveränderlich, aber die Bildwinkel der Objektive reichen von engsten Winkeln bis zu 180°. Also kann man für die fotografische Abbildung im Gegensatz zu unserem Sehen denjenigen Bildwinkel wählen, der die beste Wirkung ergibt.

Unser Sehen arbeitet so, daß wir dreidimensionale Dinge in einer geradlinigen Perspektive sehen. Auch die meisten fotografischen Objektive sind so gebaut, daß sie mit dieser Art von Perspektive abbilden. Es gibt jedoch spezielle Objektive, die eine zylindrische oder sphärische Perspektive liefern. Bemerkenswert ist an diesen Eigenschaften, daß man damit Eindrücke vermittelt und Beziehungen zwischen dem Objekt und seiner Umgebung darstellen kann, die außerhalb der Möglichkeiten anderer grafischer Mittel liegen.

Das Auge paßt sich automatisch etwaigen Helligkeitsänderungen an – seine Pupille zieht sich zusammen oder erweitert sich beim Betrachten heller oder dunkler Teile des Motivs. Daher ist der Kontrastumfang unseres Sehens außerordentlich groß und befähigt uns, in den hellsten und dunkelsten Teilen eines Motivs Zeichnung zu erkennen. Nun ist zwar die »Pupille« der Kamera, die Blende, veränderlich, kann jedoch für jede Aufnahme ohne Rücksicht auf den Kontrastumfang des Motivs nur auf eine bestimmte Öffnung eingestellt werden, so daß man hellste Lichter und tiefste Schatten mit derselben Blendenöffnung aufnehmen muß. Was dabei herauskommt, ist bekannt: Bilder, in denen über- und unterbelichtete Partien nebeneinanderstehen, falls der Motivkontrast den Belichtungsspielraum des Filmes überstieg und der Fotograf vergaß – oder nicht imstande war –, etwas dagegen zu unternehmen.

Das Auge kann Motive in schneller Bewegung nicht genau erkennen, kann das gesehene Bild nicht festhalten und kann nicht mehrere Seherlebnisse zu einem einzigen Bild zusammenfassen. Die Kamera dagegen kann jede dieser drei Aufgaben bewältigen. Folglich kann ein Fotograf eine Bewegung entweder scharf darstellen, grafisch durch Bewegungsunschärfe symbolisieren oder mit Hilfe von Mehrfachbelichtung erfassen. Damit kann er Bewegung in bisher unbekannter Schönheit und Ausdruckskraft zur Darstellung bringen.

Das Auge ist unfähig, Lichteindrücke zu sammeln und zu addieren. Je schwächer das Licht ist, um so weniger sehen wir, gleichgültig, wie lange und angestrengt wir hinschauen. Fotografische Emulsionen dagegen können Lichteindrücke speichern und somit innerhalb gewisser Grenzen Bilder produzieren, deren Kraft und Klarheit mit der Länge der Belichtung wächst. Diese Fähigkeit, Lichteindrücke zu addieren, macht es möglich, unter Lichtverhältnissen, die so schwach sind, daß das Auge nur wenig oder überhaupt nichts sieht, noch klare und detailreiche Fotos zu erzielen.

Diese Zusammenfassung berücksichtigt nur die wichtigsten Unterschiede zwischen Auge und Kamera, die für den Fotografen von Bedeutung sind. Es gibt noch weitere – wie zum Beispiel die Tatsache, daß das Auge unfähig ist, ein farbiges Motiv in neutral grauen Tönen zu sehen wie ein Schwarzweißfilm, oder seine Blindheit für Infrarot, Ultraviolett und Röntgenstrahlen, Energieformen, für die fotografische Schichten empfindlich sind, und so weiter. Hier wollte ich vor allem auf die fundamentalen Unterschiede zwischen Auge und Kamera hinweisen. Nur wenn ein Fotograf diese Unterschiede kennt, kann er sich die wertvollen Eigenschaften des fotografischen Prozesses zunutze machen und seine unerwünschten Eigenschaften vermeiden.

Was ist »fotografisches Sehen«?

Jeder Fotograf, der trotz hohen technischen Könnens nicht weiterkommt, jedes Foto, das unbefriedigend bleibt, weil es nicht das ausdrückt, was der Fotograf angesichts seines Motives empfunden hat, jede Verzeichnung des Objektes, häßliche Schatten, überstrahlende Spitzlichter usw. sind ein Beweis dafür, daß der Autor solcher mißglückten Bilder einfach nicht »fotografisch sehen« kann.
Die meisten Fotografen verschanzen sich hinter dem Kinderglauben des alten Spruches »Die Kamera lügt nicht«. Wenn aber die Kamera nicht lügen kann, wie kann sie dann etwas abbilden, was der Fotograf nicht gesehen hatte, als er die Aufnahme machte, oder – andererseits – warum bildete sie etwas nicht ab, was der Fotograf zu sehen glaubte? Warum stellt das Bild das Motiv nicht so dar, wie es der Fotograf in der Erinnerung hat, wie er es also in der Fotografie bewahren wollte?
Obgleich es wörtlich genommen zutrifft, daß die Kamera nicht lügt (insofern, als sie sklavisch alles registriert, was sich in ihrem Bildwinkel befindet), weiß jedermann, daß ein Foto oft keineswegs den Eindruck vermittelt, den der Fotograf festhalten wollte, als er die Aufnahme machte. Aber das ist gewöhnlich nicht der Fehler der Kamera, sondern der Fehler des Fotografen, der eben nicht »fotografisch sehen« konnte. In Wirklichkeit wurde er von seinen eigenen Augen betrogen. Er war es, der die Lüge empfand, und nicht die Kamera.
Dazu ein Beispiel:
Ein Fotograf schaut in den Sucher seiner vertrauten Spiegelreflexkamera. Die Blende ist weit geöffnet, damit er besser sehen kann. Er stellt das Bild seiner hübschen Freundin ein und löst den Verschluß weich aus, wie ein behutsamer Meisterschütze, der sein Ziel nicht verfehlen will. Das Bild weist gestochene Schärfe und kristallene Klarheit auf, seine Farben leuchten. »Aber wieso scheint da ein verwünschter Telegrafenmast aus dem Kopf meines Mädchens herauszuwachsen? Der

war doch bestimmt nicht da, als ich die Aufnahme machte ... oder war er vielleicht doch da ... jedenfalls sah ich ihn nicht!«
Und das trifft genau zu: Der Fotograf hatte den Telefonmast nicht gesehen (obgleich er genügend dick war). Ganz versunken in sein hübsches Modell sah er nichts anderes und vergaß völlig, auf seine Umgebung zu achten oder den Hintergrund auf störende Dinge zu überprüfen. Und außerdem übersah er den Telegrafenmast, weil dieser bei weitgeöffneter Blende und der sich daraus ergebenden geringen Schärfentiefe auf der Mattscheibe unscharf und daher unbedeutend erschien. Da aber gutes Licht vorhanden war, blendete er für die Belichtung auf 16 ab, die Schärfentiefe breitete sich gewaltig aus, und der anstößige Telefonmast erschien in seiner ganzen Häßlichkeit im Bild.
Andere Pannen dieser Art sind Nasen, die in Nahaufnahmen von Gesichtern zu groß erscheinen; Hände oder Füße, die gegen die Kamera gestreckt wurden und unmöglich riesig aussehen; Gebäude, die sich nach oben verjüngen, weil der Fotograf die Kamera nach oben gerichtet hatte; Telefondrähte oder Stromkabel, die einen sonst herrlichen Himmel zerschneiden; häßliche Schatten, die ein junges Gesicht alt erscheinen lassen; Augen, die in das Licht blinzeln; Äste, die anscheinend aus lieblichen Köpfen herauswachsen, weil der liebliche Kopf genau vor einem Baum war, den der Fotograf nicht genügend beachtet hatte; verwirrende Hintergründe, die im Bild mit dem Aufnahmeobjekt verschmelzen, und unzählige weitere Katastrophen, die sich leicht hätten vermeiden lassen. Obwohl die unerwünschten Objekte und Erscheinungen deutlich genug da waren, sah sie der Fotograf nicht und konnte daher nichts gegen sie unternehmen. Aber die unbestechliche Kamera »log nicht«, sondern gab alles genauso wieder, wie es vorhanden war, einschließlich all des malerischen Plunders, den niemand wollte, und somit entstand eine weitere Enttäuschung, ein weiteres Bild, das »nicht ganz gelang«.
Eins der bekanntesten Argumente zugunsten der einäugigen oder zweiäugigen Spiegelreflexkamera ist: »Sie erfaßt genau das, was Sie sehen.« Aber die große Frage ist: »Was sehen Sie denn eigentlich?« Oder genauer: »Was haben Sie diesmal übersehen?« Die Antwort darauf hängt selbstverständlich davon ab, ob Sie die Wirklichkeit *fotografisch* sehen können oder nicht.

Die Wirklichkeit fotografisch zu sehen bedeutet Möglichkeiten zu realisieren – die Möglichkeiten, die im Motiv für bildmäßige Wirkungen stecken: Beleuchtung, Farbe, Kontrast, Perspektive, Schärfe, Un-

schärfe. Es bedeutet, nicht nur *das zu sehen, was man vor dem Objektiv hat* – vom eigentlichen Objekt bis zu allem anderen daneben, dahinter und davor –, sondern auch, *was man sieht, zu zergliedern* und in seine bildmäßigen und grafischen Komponenten aufzulösen – Licht und Schatten, Linie und Form, Farbharmonien, Tiefe und Raum. Es bedeutet, nicht nur im physikalischen Sinne zu sehen – mit den Augen –, sondern auch in einem weiteren Sinne: mit dem Auge des Geistes zu sehen. Den guten und schlechten Möglichkeiten zuvorzukommen: mit einem wirkungsvolleren Blickwinkel, einer anderen Art, das Motiv in den Sucherrahmen zu stellen, einer interessanteren Beleuchtung, einer anderen Tonwertskala ... Pannen in Form von perspektivischen Verzeichnungen zu vermeiden, störendes Nebeneinander oder Überlappen von Formen, Bewegungsphasen im ungünstigen Moment erfaßt, häßliche Schatten, extreme Kontraste, Reflexe und Lichthöfe und rechtzeitig Gegenmaßnahmen zu ergreifen, ehe es zu spät ist, ehe die Gelegenheit verpaßt, der Schaden angerichtet, das Bild verdorben ist.
Natürlich: Die Kamera »lügt nicht«. Wie könnte es auch sein, da sie doch *alles* innerhalb ihres Blickwinkels genauso darstellt, wie es ist. Und trotzdem: Die Kamera »lügt«, *genau deshalb* nämlich, *weil* sie alles, was in ihrem Blickwinkel liegt, genauso darstellt, wie es ist; denn das ist gewöhnlich *nicht* dasselbe, was der Fotograf sah. Und das bringt uns zu einem der wichtigsten grundlegenden Unterschiede zwischen Auge und Kamera: Die Kamera ist eine Maschine, sie ist objektiv, kann nicht denken und ist seelenlos. Das Auge ist ein Teil des menschlichen Seins, des Besitzers eines Führungssystems, eines Informationszentrums, Gehirn genannt, das eine Menge von verschiedenen Sinneseindrücken koordiniert und sie zu Konzeptionen und Bildern kombiniert, die subjektiv überprüft und in Übereinstimmung mit Geschmack und Vorliebe, Voreingenommenheit und Ablehnung, Wünschen und Bedürfnissen des Einzelmenschen ausgewertet werden. Mit anderen Worten: Soweit es den Fotografen angeht, ist das menschliche Sehen etwas, das nur im Zusammenhang mit dem ganzen System bewertet werden kann und nicht alleinstehend zu erklären ist. Es ist NICHT mit dem »Sehen« der Kamera zu vergleichen, weil es immer durch andere Sinneseindrücke beeinflußt und erweitert wird: Geräusch, Geruch, Geschmack, Gefühl und fühlbare Eindrücke verbinden sich mit dem Sehen, um uns über die verschiedenen Seiten unserer Umwelt zu informieren. Stehen wir am Ozean, *sehen* wir Wasser, Sand und Himmel, wir *hören* den Wind und die Wellen, wir *riechen* den Tang, wir *schmecken* die salzige Gischt, und wir *fühlen* das Donnern der Brandung. Kein Wunder daher, daß wir so oft von unseren Auf-

nahmen enttäuscht sind, die alle Wirkungen solcher Eindrücke vermissen lassen, obwohl es unsere Absicht war, solche Erlebnisse in unseren Bildern zu bewahren.

Fotogene Eigenschaften und Techniken

Die technischen Fortschritte in der Fotografie haben es längst möglich gemacht, jedes erdenkliche Motiv zu fotografieren und es wirklichkeitsgetreu wiederzugeben. Leider ist aber dieses »wirklichkeitstreu« kein Kriterium für die künstlerische Gestaltung, und manche »wirklichkeitstreue« Wiedergabe ist so bedeutungslos und platt wie das Objekt selbst. Wirklichkeitstreue ist natürlich bei wissenschaftlichen, medizinischen, dokumentarischen, erzieherischen und für Kataloge bestimmten Aufnahmen unbedingte Voraussetzung. Sie ist aber nicht notwendig in der gestaltenden Fotografie, bei der andere Voraussetzungen wichtiger sind, wie Ausstrahlung, Bedeutung, grafische Wirkung – kurz eben die Eigenschaften, die eine Fotografie »gut« machen.
Auf der Suche nach »guten« Fotografien haben schöpferische Fotografen die Erfahrung gemacht, daß gewisse Arten von Motiven bildwirksam sind, andere dagegen nicht. Motive, die sich »gut« zum Fotografieren eignen, besitzen Eigenschaften, die man allgemein als »fotogen« bezeichnet, Eigenschaften also, die unfotogenen Objekten fehlen. Wenn daher die Wahl freisteht, ziehen erfahrene Fotografen fotogene Objekte unfotogenen vor, da sie gefunden haben, daß es einfacher und lohnender ist, auf ein ungeeignetes Objekt zu verzichten und dafür ein besseres zu finden, als zu versuchen, eine gute Aufnahme von einem Motiv zu machen, das wenige oder keine fotogenen Eigenschaften besitzt.
Eine Erklärung des Begriffes »fotogene Eigenschaften« hängt natürlich großenteils vom Geschmack und der Vorliebe der befragten Person ab. Blaue Augen, blonde Haare oder ein Motiv, das es möglich macht, das Bild in Form eines Dreiecks oder einer S-Kurve zu komponieren, mögen fotogene Eigenschaften im Auge des Anfängers sein. Aber ein erfahrener und in Geschmacksfragen reiferer Fotograf hat bedeutend kultiviertere Vorstellungen. Ich persönlich finde es schwierig, spezifische Eigenschaften aufzuzählen, die ich als fotogen ansehe, wenn ich auch aus Erfahrung gelernt habe, daß bestimmte *Kombinationen* von Eigenschaften des Motivs, der Zustände im Augenblick der Aufnahme und der Fototechnik bessere Resultate ergeben als andere. Im besonderen möchte ich den Leser bitten, folgendes zu überlegen:

Einfachheit, Klarheit und Ordnung sind meiner Meinung nach die wichtigsten fotogenen Eigenschaften. Da die Kamera *alles* innerhalb ihres Blickwinkels zeigt, aber der Beschauer in der Regel nur für eine gewisse, spezifische Seite eines Motivs oder Ereignisses Interesse hat, ist es stets ratsam, »aufzuräumen«, im direkten wie auch im übertragenen Sinne, ehe man belichtet. Ein solches Aufräumen sollte das direkte Entfernen überflüssiger Dinge soweit wie möglich treiben, ferner unwesentliche Dinge dadurch aus dem Bild ausschließen, daß man einen günstigeren Blickwinkel benutzt, den Abstand zwischen Objekt und Kamera entsprechend ändert, eine längere Objektivbrennweite wählt oder auf andere Weise Ordnung im Bilde schafft.
Ist das Objekt ungewöhnlich komplex, ist es ratsam, es einmal in einer Gesamtansicht zu zeigen und fernerhin in einer Anzahl von Nahaufnahmen, von denen jede mit einer bestimmten Ansicht oder einer bestimmten Einzelheit in klarer und eindrucksvoller Weise die Gesamtansicht des Objektes ergänzt. Kann aber nur eine Aufnahme gemacht werden, ist es oft möglich, das Wesentliche des Objektes mit einer Teilaufnahme wirkungsvoller auszudrücken, als dieses mit einer Totalansicht möglich gewesen wäre.
Die größte Klarheit und stärkste grafische Ausdruckskraft findet man bei Motiven, die »Plakatwirkung« besitzen, Motiven also, die so einfach und gleichzeitig so kühn im Entwurf sind, daß sie selbst aus einer Entfernung noch wirken, die die Einzelheiten untergehen läßt. Das Endglied dieser Reihe ist die Silhouette.

Ursprünglichkeit und Echtheit sind als Eigenschaften schwierig zu beschreiben, aber leicht im Bild zu erkennen. Ursprünglichkeit entfaltet sich in natürlichem Ausdruck und ungezwungener Geste, Bewegung und Anordnung; Echtheit ist die Eigenschaft, die einer Fotografie den Stempel der Ehrlichkeit, Glaubwürdigkeit und Überzeugung aufdrückt. Überbetonung eines Objektes schwächt diese bedeutenden Bildeigenschaften ab, die Pose zerstört sie.

Das Ungewöhnliche ist *ipso facto* interessanter und informativer als das Gewöhnliche und Gewohnte. Das gilt sowohl für das Motiv selbst, seine Farbgebung und die Umstände, unter denen das Bild gemacht wird, als auch für die Art der Wiedergabe, die der Fotograf dazu wählt. Zum Beispiel kann eine gewöhnliche Landschaft in einem ungewöhnlichen Licht sehr ansprechend wirken. Ein abgedroschenes Motiv, das aber auf eine neue und ungewöhnliche Weise »gesehen« ist, erregt das Interesse des Beschauers. Wird allerdings Ungewöhnlichkeit in erster Linie als Selbstzweck verwendet, d. h., ohne daß es Positives zum Inhalt des Bildes beiträgt, ist es wertlos und wird zum »Trick«. Fotografen, die das wissen, vermeiden, wo immer es geht, abgedroschene Motive und Situationen sowie technische Tricks.

Farbigkeit des Motivs. Farbe ist natürlich sehr wichtig und oft die Haupteigenschaft eines Motives oder Bildes. Soweit das fotogene Überlegungen betrifft, hat die Erfahrung gezeigt, daß gewöhnliche, alltägliche Farben, mögen sie in einem Farbbild auch noch so lebensecht wiedergegeben werden, weniger interessant wirken als ungewöhnliche Farben. Besonders wirkungsvoll sind Farben, die außergewöhnlich kräftig und gesättigt sind; sehr zarte, weiche Farben und Pastelltöne; Objekte, die im wesentlichen farblos sind, d. h., nur durch zarte Nuancen delikater Farbe charakterisiert sind; Szenen, die im Dunst oder Nebel aufgenommen worden sind, im Regen oder während eines Schneefalls; Motive, die hauptsächlich schwarz, grau und weiß sind, aber dabei ein oder zwei kräftige Farben von begrenztem Umfang aufweisen; unerwartete und »unnatürliche« Farben. Allerdings darf bei diesem Problem der »ungewöhnlichen« Farbe der Fotograf nicht vergessen, daß die Farbe eine Beziehung zum Objekt und zum Zweck und Sinn des Bildes haben muß, sonst wird die Farbe zum »Trick« und das Bild zur Posse.

Objekte, die belebt oder in Bewegung sind, eignen sich im allgemeinen besser für gute Fotos als Objekte, die unbelebt oder in Ruhe sind.

Langbrennweitige und Teleobjektive sind meiner Meinung nach den normalbrennweitigen oder Weitwinkelobjektiven vorzuziehen, da sie den Fotografen zwingen, aus größerem Abstand zu fotografieren, und damit die Proportionen des Motives besser bewahren.

Nahaufnahmen führen in der Regel zu interessanteren Darstellungen als große Übersichten, weil das Objekt in größerem Maßstab abgebildet wird.

Gegenlicht ist für mich die dramatischste, wenn auch die schwierigste Art der Beleuchtung, in Schönheit und Kraft dem Vorderlicht und dem Seitenlicht bei weitem überlegen. Darauf wird später noch näher eingegangen.

Unfotogene Eigenschaften und Techniken

Mitunter kann es bei der Unterweisung eines Schülers wichtiger sein, zu sagen, wie man es *nicht* machen soll, als wie man es machen soll. Das trifft auch auf fotogene Eigenschaften zu, wo es oft leichter ist, ein Motiv, eine Situation oder Technik, denen fotogene Eigenschaften fehlen, zu erkennen, als unzweideutig zu erklären, welche fotogene Eigenschaften besitzen. Hier folgt nun eine Übersicht über Motive, Praktiken und Techniken, die meiner Meinung nach unfotogen sind, gewöhnlich zu unbefriedigenden Bildern führen und daher gemieden werden sollten.

Fadheit und uninteressantes Objekt sind wahrscheinlich die beiden häufigsten Gründe für wertlose Bilder. Man kann sie nur durch gutes Urteilsvermögen und Selbsterziehung von seiten des Fotografen überwinden.

Unordnung und Verwirrung stehen an der Spitze aller unfotogenen Eigenschaften. Vergessen Sie nie, daß die Kamera *alles* zeigt, was in ihrem Bildwinkel liegt, während der Fotograf normalerweise nur an *gewissen Seiten oder Teilen des Motives oder der Szene interessiert ist* und alles andere als überflüssig und ablenkend betrachtet, ganz gleich, unter welchen Gesichtspunkten er auch sein Bild machen will. Fotos, die mit unwichtigen Dingen überladen sind, sind verwirrend und wirkungslos.

Ungünstiger Hintergrund ist einer der häufigsten Fehler, der andernfalls erfolgreiche Fotos ruiniert hat. Im einzelnen: Vermeiden Sie Telefondrähte und elektrische Leitungen, die den Himmel durchkreuzen; Stangen und Masten, Bäume und Äste, die das Objekt stören; helle Himmelsflecken, die von dunklem Laubwerk umgeben sind; unscharf abgebildete Objekte in kräftigen Farben, die die Aufmerksamkeit vom eigentlichen Motiv ablenken; Flecken und Farben, die denen das Objektes so ähnlich sind, daß sie mit dem Objekt zusammengehen und es mit dem Hintergrund verschmelzen lassen; Hintergründe, die ungewöhnlich kontrastreich sind, »unruhig« und »laut«. Auch solche Hintergründe sind ungeeignet, deren Farbe zu kräftig ist, besonders in Verbindung mit zartfarbigen Objekten, wie Juwelen, Keramik, Porzellan, Muscheln usw. oder weibliche Akte. Oft scheint es, als ob Fotografen bei Objekten, denen kräftige Farben fehlen, versuchen, das Bild durch einen Hintergrund von schreienden Farben zu »verbes-

sern«, eine Praktik, die natürlich die Wirkung des Objektes selbst völlig vernichtet.
Ein anderer, oft gemachter Fehler besteht darin, den Schlagschatten des Objektes auf den Hintergrund fallen zu lassen. Dieser Fehler ist besonders unschön, wenn man mehrere Lampen benutzt, wobei sich überkreuzende Schatten ergeben. Ein Versuch, diesen Fehler durch Benutzen zusätzlicher Lampen zu korrigieren, um die Schatten »herauszuleuchten«, macht die Sache meist noch schlimmer, weil damit nur neue Schatten entstehen. Der einzige Weg, diesen Fehler zu vermeiden, ist, das Objekt genügend weit vom Hintergrund entfernt aufzustellen.

Bedeutungsloser leerer Vordergrund ist ein häufiger Fehler mancher sonst annehmbarer Bilder. Man vermeidet ihn, indem man den Abstand zwischen Objekt und Kamera verringert oder – noch besser – wenn man mit einem Objektiv längerer Brennweite fotografiert.

Häßliche Schatten im Bild kennzeichnen den Anfänger. Im besonderen vermeide man: daß der eigene Schatten ins Bild fällt; daß der Schatten des Objektes auf dem Hintergrund sichtbar wird (es sei denn, ein solcher Schlagschatten trage zur Bildwirkung bei); daß im Gesicht harte Schatten auftreten, vor allem um die Augen und unter Nase und Kinn; daß bei Innenaufnahmen mit mehr als einer Lichtquelle sich die Schatten kreuzen.

Mehrfache Lichtquellen. In der Regel sollte man – abgesehen von Aufhellbeleuchtung – *eine* Lichtquelle der Beleuchtung mit zwei Lampen vorziehen, und zwei Leuchten sind wiederum besser als drei oder mehr, weil die Gefahren der unruhigen Ausleuchtung, der Schatten in den Schatten und der Schatten, die nach verschiedenen Richtungen fallen (einige der störendsten fotografischen Fehler), mit der Anzahl der Lichtquellen wachsen.

Zu starke Aufhellung. An sonnigen Tagen sind im Freien die Kontraste oft so groß, daß die Schatten bei Nahaufnahmen zu dunkel erscheinen, wenn man sie nicht aufhellt. Wenn man aber die Aufhellbeleuchtung nicht sachgemäß abstimmt, ergeben sich entweder im Schatten neue Schatten oder die Schatten werden zu hell. Beide Fehler kommen oft vor, vielleicht, weil derartige zu stark aufgehellte Bilder vielfach von den Herstellern der Blitzgeräte in ihrer Werbung als erstrebenswerte Beispiele gezeigt werden. »Aufhellen« ist auch so stark propagiert worden, daß manche Fotografen anscheinend vergessen haben, daß man Freilichtaufnahmen auch ohne Blitz machen kann. Wenn zusätzliche Aufhellbeleuchtung nicht richtig abgestimmt verwendet wird, zerstört sie die Stimmung des Motivs.

Blitz an der Kamera. Bei dieser Beleuchtungsmethode erscheinen kameranahe Objekte zu hell, die weiter entfernt liegenden aber zu dunkel. Außerdem wird der Eindruck der Tiefe zerstört, weil dieses Vorderlicht eine schattenlose Beleuchtung ergibt und gerade die Schatten das beste Mittel sind, im Foto die Tiefe anzudeuten.
Blitz an der Kamera als einzige Lichtquelle ist nicht zu verwechseln mit Blitz an der Kamera zur Schattenaufhellung, d. h. als Lichtquelle für zusätzliches Licht, oder Blitz an der Kamera für indirekte Beleuchtung, mit der man eine verhältnismäßig gleichmäßige Lichtverteilung in der Tiefe bekommt. Diese beiden Möglichkeiten, den Blitz an der Kamera zu verwenden, sind empfehlenswerte fotografische Techniken, die in den Händen erfahrener Fotografen zu ausgezeichneten Resultaten führen können.

Aufnahmen aus zu großer Entfernung, die zuviel unwichtige Dinge mit ins Bild einbeziehen, sind typische Anfängerfehler. In diesem Zusammenhang ist es interessant, daß ein Anfänger bei der Wahl eines zweiten Objektives meist zu einem Weitwinkel greift (der noch mehr vom Motiv erfaßt als das normale Objektiv), während das zweite Objektiv eines erfahrenen Fotografen gewöhnlich ein langbrennweitiges ist (das einen engeren Bildwinkel erfaßt und damit das Bild verbessert).

Posen. Selbst fotogene Objekte können schlechte Fotos ergeben, wenn Fotografen Anweisungen mit »Stellen« verwechseln. Anweisungen sind oft von entscheidender Wichtigkeit, während das »Stellen« die Natürlichkeit zerstört, wie man in Werbefotos mit hübschen Mädchen sieht, die an Stelle eines natürlichen Lächelns ein gefrorenes Grinsen auf den Lippen haben. Und die Resultate des »Stellens« sind genauso unglücklich in den meisten akademischen Aktstudien.

Fälschen führt ebenfalls zu schlechten Fotos. Unter »Fälschen« verstehe ich hier das Verfälschen der Echtheit eines Objektes, einer Situation oder eines Ereignisses. Das bekannteste Beispiel dafür ist die »Freilichtaufnahme« im Studio. Gleichgültig, wie gut ausgerüstet und wie geschickt der Fotograf auch sei, stets sieht man an irgend etwas im

Bild, daß es eine Fälschung ist: Der Hintergrund hat keine Tiefe; da sind Schatten in den Schatten; Schatten sind so gut aufgehellt, daß sich die Verwendung von Kunstlicht zeigt; das Haar ist zu schön frisiert; die Kleidung zu faltenlos, die Zubehörteile zu tadellos, die ganze Szene zu vollkommen. Alles zusammen zerstört diesen Hauch von Wirklichkeit und Leben, der über dem Bild liegen sollte. In Freilichtaufnahmen kommt Licht nur aus einer Richtung, Schatten sind an sonnigen Tagen schwer, die Menschen sind vom Wind zerzaust, und Vollkommenheit gibt es nicht.
Fälschen schließt auch, meiner Meinung nach, die Verwendung von Berufsmodellen ein, die als Ärzte, Ammen, Fotografen, Arbeiter usw. verkleidet sind und in der Fotografie offenbar nicht das sind, was sie sein sollten. Das verraten die zu schön manikürten Hände, die zu langen Fingernägel, die zu großartig gelegten Haare und die Posen, die der Wirklichkeit nicht entsprechen. Ein geschultes Auge sieht das sofort und lehnt das Bild als Fälschung ab.

Der Trick. In unserer schnellebigen Zeit scheint das Wichtigste die Neuheit zu sein. Jedes Ding geht, solange es »neu« ist: in der Kunst, in der Wirtschaft, in der Fotografie ... Daher versuchen Fotografen oft, »originell« um jeden Preis zu sein, auch wenn der Preis dafür ein albernes Bild ist. Aufnahmen durch Prismen oder die Wabenscheibe eines Belichtungsmessers; Fotografien, in denen groteske perspektivische Verzeichnung keineswegs zum besseren Verständnis des Objektes beiträgt, sondern als Mittel zum Aufsehenerregen verwendet wird; die kritiklose Verwendung von farbigen Folien vor Fotoleuchten und andere »neuen Errungenschaften« werden allein durch den Wunsch nach »Neuheit« motiviert, sind aber meiner Meinung nach nur »Tricks« und Geschmacklosigkeiten.

Wie man die Wirklichkeit fotografisch sehen kann

Um erfolgreich die Lücke zwischen menschlichem und fotografischem Sehen zu überbrücken, muß der Fotograf lernen, so zu sehen, wie die Kamera sieht. Er muß sich so mit den Grundlagen des *fotografischen Sehens* vertraut machen, daß er nun umgekehrt die Kamera dazu verwenden kann, Bilder zu schaffen, die zwar mechanisch mit den Mitteln der Fotografie entstehen, aber trotzdem das Motiv in der Art zeigen, wie es das menschliche Sehen erfaßt.

Um das fertigzubringen, muß ein Fotograf alle seine Sinne mit Ausnahme des Sehens ausschalten. Für die Kamera ist z. B. ein Mensch etwas, was aus verschiedenen helleren und dunkleren Flächen besteht, deren jede ihre bestimmte Farbe und Struktur aufweist. Ein Teller ist eine ovale Form von bestimmter Farbe und Helligkeit oder auch ein Kreis, wenn ihn die Kamera direkt von oben her sieht. Ein Gebäude ist eine Komposition aus rechteckigen und trapezförmigen Formen, die sich in Struktur und Farbe unterscheiden. Und so weiter. Darin liegt kein Gefühl, kein Sinn, keine Bedeutung und kein Wert, abgesehen von den grafischen Werten von Form, Farbe, Struktur, Helligkeit und Dunkelheit, keine Tiefe und keine Perspektive, nur die einäugige Projektion der Wirklichkeit auf die Oberfläche des Filmes oder Papieres, ein Nebeneinander von zweidimensionalen Formen, keine Bewegung und kein Leben, nur Schärfe, Unschärfe oder Verwischung, kein strahlendes Licht, sondern nur das Weiß des Papiers oder des Projektionsschirmes.

Hiermit betreten wir jedoch bereits ein Gebiet, dessen Behandlung über den Rahmen dieses Buches hinausgeht, um so mehr, als ich es in meinem im Econ Verlag erschienenen Buch *Richtig sehen – besser fotografieren* eingehend behandelt habe, auf das der interessierte Leser verwiesen sei.

Zusammenfassung und Abschluß

Gute Fotografen wissen, daß das Auge und die Kamera die Welt verschieden »sehen«, daß das Auge der Kamera in mancher Hinsicht überlegen ist und die Kamera dem Auge wiederum in anderer; daß jedes Motiv auf die verschiedensten Weisen fotografiert werden kann und daß manche Wiedergabeweisen wirkungsvoller sind als gewisse andere.
Erwägen wir nun jede dieser Feststellungen und ziehen daraus die logischen Schlüsse, wird es klar, daß 1. ein »schlecht gesehenes« Motiv im Bild einen Eindruck ergeben muß, der schwächer ist als das Erlebnis im Augenblick der Aufnahme, während 2. ein »gut gesehenes« Motiv – ein »fotografisch gesehenes« Motiv – im Bild oft stärker wirkt als der Eindruck, den das Auge hatte, als der Fotograf die Aufnahme machte. Mit anderen Worten: Es hängt ausschließlich vom Fotografen ab, ob die Fotografie gut oder schlecht wird – ER HAT DIE WAHL.

Um aber die richtige Wahl treffen zu können, muß der Fotograf drei Dinge wissen: *was* zu tun ist, *wie* es zu tun ist und *warum* es getan werden soll. Das wiederum setzt voraus, daß er »fotografisch sehen« kann; daß er die grafischen Komponenten seiner Wiedergabe zu kontrollieren versteht und daß er mit der Bedeutung der fotografischen Symbole vertraut ist. Wie er das erreichen kann, ist das Thema des folgenden Kapitels.

Wie man das Bild gestaltet

Jede Fotografie ist eine Übersetzung der Wirklichkeit in die Form eines Bildes. Und ähnlich wie eine Übersetzung von einer Sprache in die andere kann die visuelle Übersetzung der Wirklichkeit in die »Bildsprache« der Fotografie auf zwei grundlegend verschiedene Arten vorgenommen werden: buchstäblich oder frei.

Wie bei der Übersetzung von einer Sprache in eine andere ist auch in der Fotografie die *buchstäbliche* Arbeit, die in erster Linie die Oberfläche der Form wahrt, oft ungeschickt und unzulänglich. Dagegen konzentriert sich die *freie* Behandlung, die sich vor allem an den *Inhalt* des Originales hält, auf Bedeutung und Gefühl. Während also die buchstäbliche Behandlung so etwas ist wie eine »Übersetzung« oder eine Fotografie, die dem Original in der Wirkung unterlegen ist, kann eine freie Übersetzung nicht nur das Original erreichen, sondern es sogar an Schönheit, Bedeutung und Klarheit des Ausdruckes übertreffen. Die buchstäbliche Übersetzung ist für den Anfänger charakteristisch, die freie Behandlung für den erfahrenen Fotografen – und den Künstler.

Daß es zwei Einstellungen zu dem Problem der Darstellung eines Objektes mit fotografischen Mitteln gibt, stammt daher, daß die Fotografie – entgegen dem allgemeinen Glauben – nicht ein rein mechanisches Mittel der Reproduktion ist, noch ist eine Fotografie eine »Reproduktion« der Wirklichkeit. Daß die Fotografie kein »rein mechanischer Prozeß« ist, wird jedem klar, der jemals einem guten Fotografen bei der Arbeit zugesehen hat und dabei erkannt hat, wie stark der physikalische Teil des Bildermachens vom Geist und der Phantasie des Fotografen beherrscht wird. Und daß eine Fotografie keine »Reproduktion« der Wirklichkeit ist, wird auch daraus klar, daß eine »Reproduktion« eine Wiedergabe ist, die in allen wichtigen Beziehungen mit dem Original übereinstimmt. Daher können mit Ausnahme von fotografischen Reproduktionen von Drucken wenige Fotografien als Reproduktionen angesehen werden, weil die meisten fotografischen Motive drei Dimensionen aufweisen, während eine Fotografie nur zwei besitzt: die Tiefe hat sie verloren. Ferner bewegen oder verändern sich die meisten fotografischen Motive, aber die Fotografie selbst ist starr, Bewegung und Veränderung gingen verloren. Eine Fotografie veranschaulicht nur einen einzigen Augenblick – der Zeitablauf fehlt. Viele der interessantesten fotografischen Objekte sind lebendig, aber ein

Foto ist ein Gegenstand – das Leben fehlt. Die meisten Motive erwekken auch neben dem visuellen andere Sinneseindrücke – z. B. bei Berührung heißt, kalt, feucht, trocken, weich, hart, sanft, rauh usw., Gehör, Geschmack, Geruch –, aber die Fotografie wendet sich nur an den Gesichtssinn. Kein Wunder, daß so viele Fotografien »unvollkommen« erscheinen, enttäuschend, unwirksam und platt sind ...
Um die Mängel, die dem fotografischen Medium anhaften, auszugleichen, drücken Fotografen Eigenschaften des Objektes, die nicht direkt wiedergegeben werden können, in symbolischer Form aus. Farbe kann zum Beispiel direkt wiedergegeben werden, Bewegung aber nicht. Das scharfe Bild eines fahrenden Autos unterscheidet sich in keiner Weise von dem eines stehenden Autos – das Gefühl für die Bewegung, vielleicht der wichtigste Aspekt dieses Objektes, fehlt in einem solchen Foto – ein gutes Beispiel einer »Kameralüge« ... Allerdings ist hier noch nicht alles verloren, weil die Bewegung in symbolischer Form angedeutet werden kann, indem man die Aufnahme mit einer Belichtungszeit macht, die etwas länger ist als die, mit der die Bewegung scharf wiedergegeben würde. Ein Fotograf kann also das Auto ein bißchen unscharf darstellen, gerade soviel, daß man die Bewegung ahnt. Diese Verwischung ist tatsächlich eines der fotografischen Symbole für Bewegung.
Tiefe ist gleichfalls eine Eigenschaft des Motivs, die nicht unmittelbar in der Fläche einer Fotografie wiedergegeben werden kann. Aber mit Hilfe von »Perspektive« – der anscheinenden Verjüngung in Wirklichkeit paralleler Linien –, Verkürzung, Verkleinerung, Überlappen, Licht und Schatten und anderen »Tiefensymbolen« kann ein kundiger Fotograf in seinem Bild die *Illusion* der Tiefe geben. Fehlt ihm dagegen die Möglichkeit, Tiefe »fotografisch« auszudrücken, weil er nicht versteht, die entsprechenden Symbole zu benutzen, werden alle seine Bilder »flach« aussehen.
Nun wird der Leser vielleicht denken: Gut und schön, alles das ist natürlich sehr interessant, aber warum soviel Lärm um das Selbstverständliche machen? Wenn ich beispielsweise eine Straße aufnehme, werden die Gebäude automatisch perspektivisch dargestellt, ganz von selbst werden sie um so kleiner, je weiter entfernt sie sind, und Menschen und Autos überlappen sich automatisch und ergeben damit das Gefühl der Tiefe, ob ich es will oder nicht, ob ich es als selbstverständlich ansehe oder ob ich mich bewußt darum bemühe.
Wahr genug – aber Sie vergessen dabei eine sehr wichtige Sache: den Schluß, zu dem wir am Ende des vorigen Kapitels kamen, die Tatsache, daß SIE DIE WAHL HABEN.

Sie haben die Wahl, Ihre Aufnahme mit einem Objektiv normaler Brennweite zu machen, mit einem Weitwinkel oder einem Teleobjektiv. Sie haben die Wahl zwischen unzähligen verschiedenen Aufnahmestandpunkten und Blickwinkeln. Sie haben die Wahl zwischen verschiedenen Arten des Tageslichtes oder auf die Sonne zu warten, um ein Gebäude gerade richtig zu treffen und ihm die beste Wirkung in Licht, Schatten und Oberflächenstruktur zu geben. Sie haben die Wahl unter verschiedenen Blenden für verschiedene Grade der Schärfentiefe. Sie haben die Wahl zwischen verschiedenen Belichtungszeiten, was Ihnen verschiedene Grade von Bewegungsunschärfe bietet, um Bewegung zu symbolisieren oder Bewegung scharf wiederzugeben, je nachdem, wie Sie es wünschen. Sie haben die Wahl, auf verschiedene Ballungen des Verkehrs zu warten oder auf besondere Gruppierungen von Menschen ... und so weiter. Und jede dieser verschiedenen Arten, die Dinge zu sehen, und verschiedenen Arten, die Dinge wiederzugeben, führt zu einem Bild, das gewisse Unterschiede aufweist, mögen sie noch so gering sein, *aber einige dieser Bilder werden wirksamer sein als die anderen.* Das ist der Grund dafür, daß ich soviel Lärm um das »Selbstverständliche« gemacht habe: weil SIE DIE WAHL HABEN.

Diese Wahl liegt bei Ihnen, sie ist unabhängig vom Objekt, mag es eine Landschaft oder die Nahaufnahme einer Blume, eine Industrieaufnahme oder das Bild eines Gesichtes sein ... Sehen wir uns zum Beweis nur einmal kurz an, wie verschieden die Wahl ausfallen kann, wenn man ein Bildnis macht. Sie haben die Wahl zwischen verschiedenen Lichtarten – Tageslicht oder Kunstlicht –, im einzelnen zwischen Sonne, offenen Schatten am sonnigen Tag, Licht vom trüben Himmel, Tageslicht im Heim oder Studio, Elektronenblitz, Blitzlampen, Fotoleuchten ... Die Wahl der Kamera: Kleinbild oder 6 × 6 cm für schnelle Aufnahmen, um den flüchtigen Ausdruck zu erfassen, das echte, lebendige Lächeln ... oder ein größeres Format für mehr formale Studien und bessere Strukturwiedergabe ... Die Wahl des Objektives: Brennweite, Lichtstärke – für verschiedene Arten der Perspektive, Schärfentiefe oder selektive Einstellung, die die Schärfe auf die Augen beschränkt, während alles andere in leichter Unschärfe verschwimmt ... oder vielleicht ein Weichzeichnerobjektiv, um das Bildnis mehr zu idealisieren ... Die Wahl der Stellung: stehend, lehnend, sitzend, liegend, in Ruhe oder beschäftigt, eine Zigarette rauchend, die letzten Wahlergebnisse erörternd ... Die Wahl der Ansicht: von vorne, im Halbprofil, Profil, Großaufnahme eines Gesichtsteils, Kopfbildnis, Kopf und Schultern, waagerecht gesehen oder etwas von oben oder

unten ... Die Wahl, ob Hochformat, Querbild oder quadratisch ... Die Wahl der Blende: kleiner oder größer, alles scharf erfaßt oder die Schärfe auf eine bestimmte Zone beschränkt ... Die Wahl der Farbe: Kleidung, die kleinen Dinge, der Hintergrund, die Möbel ... Die Wahl der Zeit: Bestimmung des entscheidenden Augenblickes – der Augenblick, in dem die Haltung bezeichnend, ein Ausdruck bedeutungsvoll, das Gesicht »lebendig« ist ...
Es ist bezeichnend für den Neuling, nämlich für seine Unsicherheit, daß er mit gespieltem Selbstvertrauen seinem Modell autoritär begegnet, nach einem Blick sofort seine Ausrüstung aufbaut, belichtet – einmal – und mit einem hingeworfenen »Erledigt« sein Modell eindrucksvoll verläßt. Im Gegensatz dazu arbeitet ein erfahrener Fotograf ganz anders. Er ist sich der vielen Möglichkeiten, unter denen er zu wählen hat, bewußt, studiert also zunächst einmal sein Modell unter verschiedenen Gesichtspunkten und von allen Seiten, von nahe und weiter weg, und er scheut sich nicht, für eine Sicht von oben oder unten einen höheren Standpunkt einzunehmen oder sich flach auf den Boden zu legen, ungeachtet dessen, ob er dabei elegant oder komisch erscheint, weil er sich in seinem Denken ganz darauf konzentriert, wie er am besten alle Möglichkeiten seiner Wahl ausnützen kann. Und aus demselben Grunde ist er auch nicht damit zufrieden, eine einzige Aufnahme zu machen, sondern fotografiert so lange, wie er es für nötig hält, wobei er sich bewußt ist, daß die erste Aufnahme selten, wenn überhaupt diejenige ist, die das beste Bild ergibt. Und je länger er mit seinem Modell arbeitet, um so stärker engagiert er sich, je mehr er sieht, um so intensiver wirkt die Anregung. Aspekte, die er am Anfang übersehen hat, werden nun klar, neue Konzeptionen ergeben sich daraus, ein anderer Winkel, eine abweichende Perspektive, ein neuer Lichteffekt, ein anderer Kunstgriff (der weit entfernt von einem »Trick« ist). Und er hört erst dann auf, wenn er fühlt, daß er alle Möglichkeiten seines Modells erschöpft hat und überzeugt ist, die bestmögliche Wahl getroffen zu haben.

Der Begriff des fotografischen Symbols

Die Fotografie ist eine Bildsprache und baut sich, wie alle Kommunikationsmittel, auf Symbole auf. Ich erwähnte bereits, daß beispielsweise Tiefe in einem Foto nur *symbolisch* dargestellt werden kann, etwa mit dem anscheinenden Verjüngen der in Wirklichkeit parallelen

Linien, durch Verkleinerung, Verkürzung, Überlappen, Licht und Schatten und andere grafische Mittel, die die *Illusion* einer Tiefenwirkung schaffen. Leider sind die meisten Fotografen an diese Art von bildhaftem Symbolismus so gewöhnt, daß sie sich seiner gar nicht mehr bewußt sind, vor allem auch, weil die Kamera »automatisch« alle diese notwendigen Symbole erzeugt, wenn sie eine Aufnahme machen.

Trotzdem glaube ich, daß ein tieferes Verständnis dieser symbolischen Natur der Fotografie jedem ernsthaften Fotografen nur guttun kann. Hauptsächlich weil Denken in symbolischen Ausdrücken ein Denken über ein Motiv und seine besonderen Eigenschaften in fotografischen Ausdrucksformen und ihren besonderen Eigenschaften voraussetzt, wie Licht und Schatten, Farbe, Kontrast, Perspektive, Schärfe, Unschärfe und so weiter, also in der Art, in der ein *guter* Fotograf sein Objekt sieht: fotografisch.

Ein Vergleich zwischen Fotografie und Sprache mag das klären. Buchstaben sind zum Beispiel Symbole, die für Laute stehen, und Zusammenstellungen von Lauten oder Buchstaben – Wörter – sind Symbole, die für Begriffe, Gegenstände, Tätigkeiten, Ereignisse usw. stehen. Wer mit der deutschen Sprache vertraut ist und lesen kann, versteht ohne weiteres die Bedeutung des Symbols M-ä-d-c-h-e-n, obwohl er es zuerst in seinem Geist in den Begriff übertragen muß, den es vorstellt. Dieser Prozeß geht natürlich völlig automatisch vor sich, und die meisten Leute sind sich seiner gar nicht bewußt.

Aber berufsmäßige Redner und Schriftsteller – Experten in der Verwendung der Sprache und der Wörter – sind sich sehr wohl der Wichtigkeit bewußt, die die Wahl des richtigen Ausdruckes – die Wahl des richtigen *Symbols* – auf die Wirkung ihrer Reden oder ihres Schreibens ausübt, und sie verwenden viel Sorgfalt darauf, diejenigen Wörter und Phrasen zu finden, die das, was sie sagen wollen, am besten ausdrücken. Jeder Schriftsteller ist sich zum Beispiel darüber im klaren, daß beim Schreiben über ein Mädchen noch andere Ausdrücke vorhanden sind, unter denen er wählen kann – *synonyme Symbole,* wie Mädel, Maid, Fräulein, Jungfrau, Mägdelein, Jungfer, Frauenzimmer, Evastochter, Kätzchen usw. –, die alle »Mädchen« bedeuten, deren jedes jedoch einen anderen Beigeschmack hat. In ähnlicher Weise weiß ein *guter* Fotograf, daß ihm nicht nur eine große Anzahl von Symbolen zur Verfügung steht, sondern auch, daß jedes dieser Symbole in vielen verschiedenen Formen erscheint. Zum Beispiel ist Licht in Verbindung mit Schatten ein Symbol für Tiefe. Ein Gesicht, das im flachen Vorderlicht liegt, also in schattenloser Beleuchtung, erscheint »flach«; rückt man aber die Leuchte zur Seite oder dreht man den Kopf so, daß die Sonne das Gesicht mehr oder weniger von der Seite her bescheint, gewinnt das Gesicht durch die Schatten an »Tiefe«. Das weiß bereits jeder Zeichner, der in seiner Zeichnung die Tiefenillusion durch »Schattieren« erzielt: Licht in Verbindung mit Schatten ist ein grafisches Symbol für Tiefe. Da es natürlich unzählige verschiedene Arten von Beleuchtungen gibt, ergeben sich bei jeder Art verschiedene Verteilungen der beleuchteten und beschatteten Flächen, und da die Schatten verschieden fallen, erzeugen sie dabei verschiedene Tiefenwirkungen. Außerdem entstehen verschiedene Arten von Kontrast: weichere, durchsichtigere und aufgehellte Schatten oder härtere, tiefere, dunklere Schatten. Diese Variationen sind analog zu den Synonymen des Schriftstellers. *Zusätzlich* zur Tiefendarstellung ergibt das Vorherrschen des Lichtes über die Schatten außerdem einen helleren, jugendlicheren, fröhlicheren und festlicheren Eindruck, während das Überwiegen der Schatten über das Licht eine dunklere, kraftvollere, ernstere oder tragische Stimmung erzeugt. Für einen Fotografen bedeutet das Beachten solcher Feinheiten, d. h. nicht nur die richtige Wahl, sondern auch die *richtige Abstimmung* eines Symbols, etwa dasselbe wie für einen Schriftsteller, das wirkungsvollste Synonym zu finden: ein Mittel, um die Ausdruckskraft seines Werkes zu steigern.

Diese »Wahl des Synonyms« geht durch die ganze Fotografie. Ein Fotograf, der Tiefe zum Beispiel durch das anscheinende Verjüngen von tatsächlich parallelen Linien ausdrücken will, kann durch entsprechende Wahl von Motivabstand in Verbindung mit Objekten von größerem oder kleinerem Bildwinkel eine große Anzahl »synonymer« Perspektiven schaffen, d. h. eine Reihe von Variationen der Perspektive, in der tatsächlich parallele Linien *mehr oder weniger zusammenzulaufen* scheinen, also *verschiedene* Tiefenwirkungen ergeben. In ähnlicher Weise kann ein Fotograf, der in seinem Bild die »Geschwindigkeit« eines bewegten Objektes durch Verwischung darstellen will, durch entsprechende Wahl der Belichtungszeit jeden gewünschten Grad der Verwischung erzielen. Und so weiter. Die ganze Gestaltung des Bildes liegt bei Ihnen, wenn Sie Ihre »Symbole« und »Synonyme« kennen und verstehen, diese sinngemäß anzuwenden.

Ein Fotograf kann nicht vermeiden, mit Symbolen zu arbeiten, ganz gleich, ob er sich dessen bewußt ist oder unbewußt die fotografischen Symbole als selbstverständlich hinnimmt. Aus dieser symbolischen Natur der Fotografie folgt auch, wie schon gezeigt wurde, daß ein Foto nie eine »Reproduktion« des Objektes, das es darstellt, sein

kann, noch ist es ein minderwertiger Ersatz. Es ist eben ein Werk eigener Art, das mit grafisch-symbolischen Mitteln geschaffen worden ist. Daher ist »Naturalismus« in der Fotografie eine Unmöglichkeit, und jeder Versuch, seine fotografische Arbeit auf »naturalistische« Wiedergaben zu beschränken, führt schnell zu einer herben Enttäuschung des Fotografen, der bald die wenigen Objekte, die sich »naturalistisch« wiedergeben lassen, aufgearbeitet haben würde.
Tatsächlich müßten wir, wenn »Naturalismus« ein Kriterium für »gute« Fotografie wäre, alle Weitwinkel- und Teleaufnahmen zurückweisen, weil sie uns die Welt anders zeigen, als sie unseren Augen erscheint. Ebenso müßten wir alle extremen Momentaufnahmen und alle Zeitbelichtungen von bewegten Objekten verwerfen, ferner die meisten Fotos, die von Bewegungsunschärfe und optischer Unschärfe Gebrauch machen, weil sie Dinge in einer Art wiedergeben, in der das Auge sie in Wirklichkeit nicht sehen kann. Und weiter hätten wir als »unnaturalistisch« alle Schwarzweißfotos abzulehnen, da ihnen die Farbe fehlt, ebenso die meisten Farbfotos, weil sie keine wirkliche Tiefe aufweisen. Das sollte genügen, zu zeigen, wie unsinnig diese Ansicht ist.
Hat er einmal eingesehen, daß die meisten Fotos unnaturalistisch sind, kann ein Fotograf darauf verzichten, nach »Naturalismus« zu streben, zumal dieser nie mehr als eben oberflächlich sein kann und strenggenommen nur einen Pseudorealismus darstellt, der auf alten, überlieferten akademischen Normen beruht, die unweigerlich zu Durchschnittsarbeiten führen müssen. Statt sich einengende Beschränkungen aufzuerlegen, sollte der Fotograf lieber die fabelhaften Möglichkeiten der fotografischen Mittel soweit wie möglich dazu ausnutzen, die »Grenzen des Sehens« zu überschreiten, die durch die Unzulänglichkeit unserer Augen errichtet worden sind. Er sollte also die Kamera als ein Mittel auffassen, die Welt zu erforschen und seinen Horizont zu erweitern; als ein Instrument, das Leben dadurch reicher und sinnvoller zu machen, daß man Einsicht in viele Erscheinungsformen gewinnt, die sonst unbekannt blieben; als ein machtvolles Werkzeug der Forschung und letzten Endes als ein Verbreitungsmittel für Wissen und Wahrheit. Um das zu erreichen, muß ein Fotograf seine Symbole beherrschen und wissen, wie er sie kontrollieren kann.

Notwendigkeit der Kontrolle

Mittel und Technik der Fotografie sind heute bis zu einem solchen Grade vervollkommnet, daß es selbst ein blutiger Anfänger schwierig finden wird, ein Motiv *nicht* so wiederzugeben, daß es im Foto zu erkennen ist. Aber zwischen einem erkennbaren und einem ausdrucksvollen Bild ist ein großer Unterschied. Das Bild, auf dem das Objekt nur zu erkennen ist, mag für viele Zwecke ausreichen, wird aber normalerweise weder einen bleibenden Eindruck hinterlassen noch den Geist anregen. Der Unterschied zwischen dieser Art der Fotografie und einer eindrucksvollen – der Art von Bild, an das man sich erinnert! – wird jedoch weitgehend davon bestimmt, wieweit der Fotograf seine Mittel unter Kontrolle hat.

Leider wird in bezug auf die Fotografie die Bezeichnung »Kontrolle« häufig falsch verstanden, nämlich so, als ob sie entweder Fälschung durch Retusche oder andere unsachliche Mittel oder auch ältere »malerische« Positivprozesse anbeträfe. Unnötig zu betonen, daß ich hier nie solche oder ähnliche Dinge meine. Wenn ich im folgenden von Kontrolle spreche, meine ich wörtlich, was das Wort bedeutet: Macht und Fähigkeit, von den verschiedenen Mitteln und Techniken der fotografischen Wiedergabe jene zu wählen, die am besten geeignet sind, die jeweilige Aufgabe zu erfüllen.

Diese Art von Kontrolle ist in keiner Hinsicht von der verschieden, die andere Handwerker und Künstler in ihren Werken ausüben. Jeder Bildhauer besitzt Dutzende von Meißeln, jeder Maler Dutzende von Pinseln, alle mit geringen Unterschieden, aus denen er den auswählt, der ihm für eine bestimmte Aufgabe am geeignetsten erscheint. Natürlich würde ein Meißel oder Pinsel von etwas anderer Form und Größe vielleicht dasselbe tun, *aber jedenfalls nicht ganz so gut*. Mit anderen Worten: Auch diese Experten benutzen Kontrolle, womit gesagt sein soll, daß sie ihre Arbeit auf beste und wirkungsvollste Weise tun.

Ähnlich ist es auch in der Fotografie. Jedes Objektiv projiziert ein Abbild des Objektes auf den Film. Da es aber viele verschiedene Objektivtypen mit sehr unterschiedlichen Eigenschaften gibt, sind bestimmte Objektive für eine besondere Aufgabe oft besser geeignet als andere, und gelegentlich führt nur ein einziger Objektivtyp zur vollkommenen Darstellung. Der Fotograf, der das weiß und den geeigneten Objektivtyp auszuwählen versteht, übt Kontrolle aus.

Ich weiß, daß fotografische Puristen über den Begriff des fotografischen Symbols und das Ausüben von Kontrolle die Stirne runzeln, obgleich sie unbewußt beide benutzen, wie beispielsweise die Perspektive, die Raum und Tiefe symbolisiert. Der einzige anscheinende Unterschied besteht darin, daß sie das offensichtliche Zufallsauftreten dieser Symbole akzeptieren, aber keine Anstrengungen machen, ihre endgültige Form zu kontrollieren, und daß sie das Wort »Kontrolle« als ein Synonym für Fälschung ansehen. Ihr Ideal ist die »reine« Fotografie. Was aber meint eigentlich der Purist, wenn er von »reiner« Fotografie als Gegensatz zu kontrollierter Fotografie spricht? Unzweifelhaft waren Mathew Bradys Aufnahmen aus dem amerikanischen Bürgerkrieg Beispiele reiner Fotografie wie auch Atgets Bilder von Paris. Ist aber diese Bezeichnung auch für Edward Westons Arbeiten angebracht, welche bei der Positivherstellung zur Verringerung des Kontrastes »abgewedelt« wurden? Und wie steht es mit sich verjüngenden Linien bei Architekturaufnahmen? Diese Art der Perspektive, so richtig und natürlich sie auch sein mag, wird allgemein von den konservativen Fotografen abgelehnt, da sie der Meinung sind, das sei nicht die Art, in der Gebäude dem Auge erscheinen. Aber das Verjüngen paralleler Linien kann nur durch perspektivische Kontrolle mit Hilfe der verstellbaren Vorder- und Rückstandarten einer Studiokamera vermieden werden. Ist der Purist damit einverstanden, oder sieht er das auch als »Fälschung« an? Und sollte das Bild eines über die Piste rasenden Rennwagens scharf oder verwischt sein, also so aussehen, als stände er still oder als wäre er in Bewegung? Und wenn die Praxis einer Gradationsveränderung durch Abwedeln für den Puristen annehmbar erscheint, warum dann nicht die perspektivische Kontrolle oder der Verwischungseffekt? Wo liegt denn die Grenze zwischen »reiner« Darstellung und Fälschung?

Wie unwichtig solche Streitereien sind, wird klar, wenn man einmal folgende Lage betrachtet: Zwei Fotografen fotografieren einen Boxkampf. Einer fotografiert bei vorhandenem Licht, der andere benutzt einen synchronisierten Elektronenblitz. Die Bilder des ersten sind teilweise verwischt und suggerieren Bewegung. Diejenigen des zweiten sind gestochen scharf, die Bewegung ist »eingefroren«. Nehmen wir an, beider Bilder schildern jede in ihrer Weise das Ereignis dramatisch. Können wir nun von einer dieser Bildserien, die doch so verschieden voneinander sind, sagen, daß nur diese »reine« Fotografie wäre? Und welche von beiden?

Für mich sind beide Serien ehrliche und wirkungsvolle Darstellungen des Kampfes, wenn natürlich auch jede aus einer anderen Einstellung heraus entstanden ist. Die eine hat, was der anderen fehlt. Die erste suggeriert durch Bewegungsunschärfe die Gewalt der Bewegungen und illustriert dramatisch den Begriff »Kampf«. Die zweite zeigt mit

Präzision der Darstellung das, was man in Wirklichkeit nicht erkennen konnte, weil alles zu schnell vor sich ging: den Aufschlag auf das Kinn und seine Wirkung auf den Gesichtsausdruck. Jede Auffassung ist legitim. Dieses Beispiel zeigt nur, daß es notwendig ist, zu planen und Kontrolle auszuüben, wenn man in seinen Bildern diejenigen Aspekte des Objektes oder Ereignisses darstellen will, die man als besonders wichtig empfindet. Meiner Meinung nach bedeutet das Theoretisieren über echte gegen kontrollierte Fotografie, experimentelle gegen malerische Auffassung, künstlerische Dramatisierung gegen fälschende Einmischung vergeudete Zeit, was man allerdings denen nachsehen muß, die das Diskutieren der Aufgabe, Bilder zu machen, vorziehen. Es gibt nun einmal nur *zwei* Arten von Fotos und Fotografen: gute und schlechte. Die schlechten Fotografen sind phantasielos, schüchtern in ihrer Arbeit, ahmen eher nach, als daß sie etwas erfinden, und halten sich sklavisch an die alten Regeln. Dagegen sind gute Fotografen dauernd auf der Suche nach neuen grafischen Ausdrucksmöglichkeiten und verbessern ihre Leistungen ständig durch phantasievolle Nutzung aller vorhandenen Mittel.

Der Bereich der fotografischen Kontrollen

In der Fotografie kann Kontrolle mittels verschiedenster Methoden ausgeübt werden. Diese Methoden arbeiten auf drei verschiedenen Gebieten:

Auswahl des Objektes
Einstellung zum Objekt
Wiedergabe des Objektes

Sieht es auch im Anfang so aus, als hätten diese Gebiete keine Verbindung zueinander, ist das doch keineswegs der Fall. Jedes von ihnen ist ein wichtiges Glied in einer Kette, die beim Bild endet, dessen Wirkung zu einem erheblichen Grad von der Geschicklichkeit abhängt, mit der der Fotograf die verschiedenen Kontrollen zu nützen und in einen allgemeinen Plan zu verflechten versteht. Jeder Fehler auf einem dieser Gebiete wird unweigerlich in das nächste übertragen, und keine Anstrengung kann ihn dann wieder völlig ausmerzen. Diese gegenseitige Abhängigkeit der verschiedenen Gebiete der fotografischen Kontrolle voneinander kann gar nicht genug betont werden. Ihre Beachtung von seiten des Fotografen ist unbedingte Voraussetzung für den Erfolg.

Auswahl des Objektes

Der Leser wird sich an unsere Diskussion über fotogene Eigenschaften erinnern, bei der ich sagte, daß erfahrene Fotografen, wenn sie die Wahl haben, sich auf fotogene Objekte konzentrieren und unfotogene meiden, weil sie gefunden haben, daß es einfacher und dankbarer ist, auf ein ungeeignetes Objekt zu verzichten und ein besseres zu finden, als zu versuchen, ein gutes Foto von einem Motiv zu machen, dem fotogene Eigenschaften fehlen. Er wird sich auch an das Beispiel der wundervollen Bäume erinnern, die mir meine Freunde zum Fotografieren für mein Baum-Buch vorgeschlagen haben, die aber dann, obgleich sie zunächst fotogen erschienen, wegen ihrer ungünstigen Umgebung einfach nicht gut zu fotografieren waren. Ich hoffe, er wird den einzig möglichen Schluß daraus ziehen: Um gute Fotos zu bekommen, muß das Objekt *in jeder Hinsicht fotogen sein.* Das wunderschönste Mädchen wird zum fotografischen Unglück, wenn man es in einer unfotogenen Pose, in einer unfotogenen Haltung, in einer unfotogenen Beleuchtung fotografiert. Einer der häufigsten Fehler, die unerfahrene Fotografen machen, besteht darin, daß sie nicht das ganze Bild sehen, sondern nur einen Teil davon – den Teil, der sie interessiert. Wenn das Mädchen hübsch ist, die Eingeborenen farbig oder wenn die Akropolis oder das Taj-Mahal winkt, fotografieren sie, gleichgültig, wie unfotogen die Umgebung, der Hintergrund oder die Beleuchtung auch sein mögen. Ein *guter* Fotograf erkennt, daß es in solchen Fällen unmöglich ist, diese Art von Objekt wirkungsvoll im Foto darzustellen, ändert also entweder seinen Aufnahmestandpunkt, um einen geeigneteren Hintergrund zu bekommen, wartet auf besseres Licht, kommt einige Zeit später wieder zurück – oder verzichtet darauf, dieses Bild zu machen, spart sich also den Film für eine günstigere Gelegenheit auf.

Ausüben der Kontrolle erster Stufe – der Stufe der Auswahl des Objektes – vergrößert gewaltig die Chancen des Fotografen für den Erfolg, da es ihm den unschätzbaren Vorteil eines guten Anfangs gewährt. In dieser Hinsicht ähnelt der Fotograf, der kritisch in der Wahl seines Objektes ist – das Objekt also nach seinen fotogenen Eigenschaften aussucht –, einem Handwerker, der sich davon überzeugt, daß sein Rohmaterial fehlerlos und für das beabsichtigte Werkstück geeignet ist, ehe er Zeit und Arbeit investiert (oder vielleicht vergeudet). Jeder Modeschöpfer, Art-Direktor oder Werbefotograf, der kritisch eine Anzahl von Modellen überprüft, ehe er eines davon als richtig für eine bestimmte Aufgabe wählt, ist mit der Kontrolle der ersten Stufe – der

Auswahl des Objektes – vertraut. Diese Art der kritischen Einstellung zu dem Problem der Objektauswahl ist fast immer auch auf anderen Gebieten der Fotografie möglich. Objektauswahl ist am leichtesten, wenn die Zahl der Objekte sehr groß ist, wie auf Reisen oder bei Landschaftsaufnahmen, wo der Fotograf unter Hunderten verschiedener Motive wählen kann. Sie wird um so schwieriger, je genauer das Objekt vorgeschrieben ist, wie in der Architektur- oder Industriefotografie. Und sie ist am schwierigsten, wenn ein ganz bestimmtes Objekt fotografiert werden muß, wenn auch ein findiger und erfahrener Fotograf selbst unter solchen Beschränkungen in der Regel jene hoffnungslosen Aufnahmen vermeiden kann, die ein weniger erfahrener und weniger kritischer Fotograf doch machen wird – und bedauert, wenn er sieht, was dabei herauskommt.
Trotz sorgfältigster Wahl des Objektes können natürlich viele Dinge noch schiefgehen, und der Fotograf ist am Schluß enttäuscht. Denken Sie immer wieder daran: Das Bild eines schönen Mädchens ist nicht unbedingt ein schönes Bild. Meiner Meinung nach ist es vorteilhafter, ein fotogenes Objekt mit einer einfachen Aufnahmetechnik zu fotografieren, als die raffiniertesten Anstrengungen an ein Objekt zu verschwenden, das von Grund auf unfotogen ist. In diesem Sinne ist die WAHL – die *Auswahl* wie auch die *Ablehnung* des Objektes – die einflußreichste Kontrolle, die einem Fotografen zur Verfügung steht.

Einstellung zum Objekt

Nachdem der Fotograf entschieden hat, *welches* von einer Anzahl möglicher Objekte für die Aufnahme gewählt wird, muß er als nächstes entscheiden, *wie* es wiedergegeben werden soll. Diese Entscheidung besteht aus zwei Phasen: Auffassung des Objektes und Wiedergabe des Objektes. Die erste vollzieht sich im Geist des Fotografen, die zweite ergibt sich aus der physikalischen Durchführung der Aufnahme.

Die Auffassung des Objektes ist die Strategie des Fotografen: Er macht einen Plan, wie er das Bild machen will, der alle bezüglichen Faktoren berücksichtigt: die Natur des Objektes mit besonderer Beachtung seiner Charakteristiken, den Zweck der Aufnahme und die verfügbaren fotografischen Mittel. Und wiederum hat ein Fotograf die Wahl: nämlich zwischen wörtlicher und freier Übersetzung, d. h. zwischen einer illustrativ-dokumentarischen und einer schöpferisch-interpretierenden Darstellung. Der Unterschied zwischen diesen beiden Darstellungen ist im wesentlichen der Unterschied zwischen Tatsache und Empfindung. Wenn man zwischen Bildsprache und Wortsprache eine Parallele ziehen will, kann man sagen, daß die illustrativ-dokumentarisch abbildenden Fotografen mit den Journalisten zu vergleichen sind, dagegen die schöpferisch-interpretierenden mit Romanschriftstellern oder Dichtern.

Die illustrative Auffassung ist unpersönlich und tatsachengebunden – grundsätzlich die Einstellung eines Tatsachenberichters oder eines Wissenschaftlers zu dem Problem des Bildes. Sie ist direkt, vorurteilsfrei und objektiv insofern, als der Fotograf es bewußt vermeidet, seine eigene Meinung über das abgebildete Objekt in der Fotografie zum Ausdruck zu bringen, es dagegen so sachlich und informativ wie möglich darstellt, damit sich der Betrachter seine eigene Ansicht bilden und seine eigenen Schlüsse ziehen kann.

Die schöpferische Auffassung ist persönlich, gefühlsmäßig, stellungnehmend – grundsätzlich die Einstellung eines Künstlers oder Dichters zu dem Problem des Bildes. Sie ist phantasievoll, aber oft auch voreingenommen, also ein ehrlicher Versuch, eine persönliche Ansicht über ein Objekt auszudrücken. Eine solche Einstellung befaßt sich weniger mit Tatsachen und Darstellung der Oberfläche als mit Gefühlen und Folgerungen. Anstatt sich mit einer technisch exakten Wiedergabe des Objektes zufriedenzugeben, versucht der interpretative Fotograf, in seinem Bild dem Betrachter etwas davon zu übermitteln, was er angesichts seines Motives fühlte. Dies ist natürlich eine sehr viel schwierigere Auffassung, aber gegebenenfalls auch eine viel lohnendere, weil das Bild, wenn es gelingt, statt nur eben informativ zu sein, dem Betrachter das Objekt in einem völlig neuen Licht zeigt und ihn zu einer neuen Einsicht und einem unerwarteten visuellen Erlebnis führen kann.

Da sie verschiedene Absichten verfolgen, kann man nicht sagen, daß eine dieser beiden Auffassungen besser als die andere ist. Welche von ihnen man wählen sollte, hängt vom Zweck des Bildes und vom Publikum ab, für das es bestimmt ist. Da eine Tatsache nur richtig oder falsch dargestellt werden kann, ist die Auffassung des Tatsachen-Fotografen von seinem Objekt im Hinblick auf die Zahl der verfügbaren Ausdrucksformen natürlich wesentlich begrenzter als die Auffassung des gestaltenden Fotografen, dessen Ausdrucksformen nur vom Umfang seiner Vorstellungskraft beschränkt werden kann. Jede dieser beiden Auffassungen kann natürlich Elemente der anderen in sich bergen. Ein streng realistischer Bildbericht kann bildmäßig dadurch attraktiv gemacht werden, daß er gewisse phantasievolle Seiten besitzt, ohne dabei an Klarheit zu verlieren. Und eine gestaltende Einstellung zum Objekt muß nicht unbedingt so weit »ausholen«, so »experimentell« sein, daß das Objekt oder die Idee hinter dem Foto unerkannt bleibt; denn das Einbeziehen von realistischen Seiten muß nicht unbedingt seinen subjektiven, schöpferisch-interpretierenden Charakter zerstören. Ein illustratives Foto kann bestenfalls interessieren und informieren, aber ein gestaltetes Foto ist nicht nur interessant, sondern regt auch den Geist zum Denken an.

Die physikalische Seite der Einstellung zum Objekt

Die überwältigende Mehrheit aller Fotografien zeigt dreidimensionale Objekte im dreidimensionalen Raum. Das wirft die Frage auf: Wo soll die Kamera in Beziehung zum Objekt aufgestellt werden? Welchen von den theoretisch unzähligen verschiedenen Kamerastandpunkten soll der Fotograf wählen? Wieder einmal muß Kontrolle ausgeübt und eine Wahl getroffen werden. Ihre Grundlage ist dieselbe wie bei jeder schöpferischen Auswahl: Man weist die absolut ungeeigneten, die unpraktischen und die unmöglichen Kamerastandpunkte zurück und wählt von den verbleibenden Möglichkeiten die beste. Aber welche ist die beste? Die Wahl wird sofort leichter, wenn man logisch an sie herangeht und zwei Seiten der Wahl einzeln klärt:

Aufnahmeabstand
Aufnahmerichtung

Aufnahmeabstand. Die Wahl des besten Abstandes zwischen Objekt und Kamera erfordert große Sorgfalt, weil dieser Faktor zwei wichtige Bildeigenschaften bestimmt:

Den Maßstab, in dem das Objekt wiedergegeben wird.
Die Proportionen der Komponenten des Bildes.

Abbildungsmaßstab. Je kürzer der Aufnahmeabstand ist (und/oder je länger die Brennweite des Objektives ist), um so größer wird das Objekt auf dem Film abgebildet und um so weniger wird von der

Umgebung des Objektes gezeigt und umgekehrt. In dieser Hinsicht ist zwischen drei grundsätzlich verschiedenen Arten von Aufnahmen zu unterscheiden:

Die Übersichtsaufnahme
Die Aufnahme auf mittlere Entfernung
Die Nahaufnahme

Die Übersichtsaufnahme zeigt das Objekt in seiner Gesamtheit zusammen mit seiner Umgebung und dem Hintergrund. Ihre Absicht ist, einen allgemeinen Eindruck der Lage des Objektes zu geben, um zum Beispiel den Leser einer Zeitschrift zu unterrichten und ihn auf die folgenden mehr ins einzelne gehenden Aufnahmen vorzubereiten, die diesem Bilde als sich entwickelnde Bildgeschichte folgen. Da Fotos dieser Art gewöhnlich mit einem Objektiv normaler Brennweite auf eine ziemlich große Entfernung zwischen Objekt und Kamera gemacht werden oder mit einem Weitwinkel, wenn nicht genügend Abstand zur Verfügung steht, wird das eigentliche Objekt immer ziemlich klein abgebildet, und Einzelheiten gehen oft verloren. Außerdem besteht die Gefahr, daß bei diesem großen Bildwinkel zu viele unwesentliche Dinge mit in die Darstellung einbezogen werden und den Eindruck des Bildes »verwässern«. Besonders Anfänger machen oft den Fehler, eine Übersichtsaufnahme da anzuwenden, wo eine Aufnahme auf mittleren Abstand (oder mit einem Objektiv längerer Brennweite) wirkungsvoller gewesen wäre, wahrscheinlich, weil sie versuchen, den Augeneindruck im Bild zu wiederholen. Solche Aufnahmen enttäuschen gewöhnlich wegen der Unterschiede im »Sehen« zwischen Auge und Kamera. Die mächtige Weite des Panoramas wird verniedlicht, Einzelheiten sind zu klein, als daß sie wirken könnten, das Gefühl unbegrenzter Größe geht verloren.

Die Aufnahme auf mittlere Entfernung – die am meisten benutzte Aufnahmeart – wird gewöhnlich mit einem Objektiv normaler Brennweite aus mittlerem Abstand gemacht. Dabei bedeutet »mittlerer Abstand« eine Entfernung, die groß genug ist, das Objekt in seiner Gesamtheit zu zeigen, aber noch nicht so groß, daß man keine Einzelheiten mehr erkennen könnte. Diese Einstellung wird vorzugsweise verwendet, wenn man Menschen, Objekte, Ereignisse fotografiert. Die Wirkung solcher Aufnahmen auf mittlere Entfernung kann mit dem normalen Sehen des Auges verglichen werden – wie man eine Blume aus einem Abstand von 1 bis 1½ m sieht, eine Person aus 3 bis 4,5 m, ein Gebäude aus 15 bis 30 m. Wenn aber auch diese Aufnahme auf mittlere Entfernung die allgemein günstigste und daher am meisten benutzte Aufnahmeart ist, führt sie doch selten zu interessanten oder ungewöhnlichen Bildern, da sie uns die Dinge unserer Umwelt nur so zeigt, wie wir sie zu sehen gewöhnt sind.

Die Nahaufnahme stellt eine Art gesteigerten Sehens dar, eine dramatische und nah gerückte Sicht, die meist wirkungsvoller ist als ein Bild des ganzen Objektes. Nahaufnahmen werden aus verhältnismäßig kurzen Abständen mit jeder Objektivart gemacht, vom Weitwinkel bis zum Teleobjektiv; sie geben das Objekt größer und mit mehr Einzelheiten wieder, als es unserem unbewaffneten Auge in Wirklichkeit normalerweise erscheint. Was den Eindruck auf den Besucher betrifft, so sind Nahaufnahmen im allgemeinen wirksamer als die beiden anderen Arten von Aufnahmen, weil sie drei spezielle Qualitäten aufweisen:
Als stärker konzentierte Darstellungen des Objektes enthalten Nahaufnahmen weniger Überflüssiges und vom Motiv Ablenkendes als Aufnahmen auf mittlere Entfernung oder gar Übersichtsaufnahmen. Sie sind daher eine besonders klare Art der bildlichen Darstellung, und wie ich schon erwähnte, stehen Einfachheit und Klarheit auf der Liste der fotogenen Eigenschaften an der Spitze.
Nahaufnahmen zeigen das Objekt in größerem Maßstab, als es in Durchschnittsaufnahmen zu sehen ist, daher auch mit besserer Darstellung der Oberflächenstruktur und interessanter Einzelheiten. Folglich können sie dem Beschauer Eigenschaften und Erscheinungen vermitteln, die er vorher nicht bemerkt hatte. Sie geben einen stärkeren und intensiver wirkenden Eindruck vom Objekt und können somit die Erfahrung des Betrachters vertiefen.

Da die meisten Aufnahmen auf mittleren oder großen Abstand gemacht werden – d. h. auf durchschnittlichen oder überdurchschnittlichen Abstand zwischen Objekt und Kamera –, sind Nahaufnahmen verhältnismäßig selten. Und Bilder, die man selten sieht, erregen natürlich mehr Interesse als gewohnte.

Die Proportionen der Bildkomponenten. Wenn ein in sich abgeschlossenes Objekt vor einem Hintergrund dargestellt werden soll, kann der Fotograf das Verhältnis der Abbildungsgrößen zwischen beiden und damit auch den scheinbaren Abstand zwischen Objekt und Hintergrund, ohne diesen Abstand zu ändern, einfach dadurch regeln,

daß er den Abstand zwischen Objekt und Kamera entsprechend wählt und
indem er gleichzeitig ein Objektiv mit entsprechender Brennweite für die Aufnahme benutzt.

Nehmen wir einmal an, Sie wollen ein Denkmal in der Mitte eines Platzes aufnehmen, für das alte Gebäude den Hintergrund bilden. Das Denkmal ist dabei das eigentliche Objekt der Aufnahme; es soll die ganze Höhe des Dias füllen, während die Gebäude, um Atmosphäre zu geben, den Hintergrund bilden. Bestücken Sie Ihre Kamera mit einem Objektiv normaler Brennweite und wählen Sie den Aufnahmeabstand so, daß das Denkmal die Bildhöhe füllt. Nun betrachten Sie das Sucherbild: Die Gebäude im Hintergrund erscheinen in einer bestimmten Größe. Wenn Sie diese Abbildungsgröße, dieses Größenverhältnis zwischen Objekt und Hintergrund, nicht gut finden, können Sie es verbessern, ohne dabei den Abstand zwischen Objekt und Hintergrund zu verändern (was in diesem Fall offensichtlich unmöglich wäre), indem Sie Aufnahmeabstand und Brennweite des Objektives zusammen entsprechend verändern. Möchten Sie beispielsweise den *Hintergrund* relativ zum Denkmal *größer* haben, setzen Sie an Stelle des Normalobjektives eines mit *längerer* Brennweite an die Kamera und *vergrößern* den *Aufnahmeabstand,* bis das Denkmal in seiner ganzen Höhe abgebildet wird; dann belichten Sie. Die Gebäude im Hintergrund erscheinen nun *größer* als vorher. Umgekehrt: Möchten Sie die *Gebäude* im Hintergrund *kleiner* im Verhältnis zum Denkmal abbilden, benutzen Sie ein Objektiv von *kürzerer* Brennweite und *verringern den Abstand* zwischen Denkmal und Kamera, bis das Denkmal wieder das ganze Bild füllt; dann belichten Sie. Nun erscheinen die Gebäude im Hintergrund *kleiner* als vorher. In beiden Fällen ist der Abbildungsmaßstab des Denkmals natürlich der gleiche – es füllt jedesmal die volle Höhe des Bildes. Ähnlich können Sie auch vorgehen, wenn Sie statt eines Denkmals vor Gebäuden eine Figur vor einem Schloß oder irgendein beliebiges Objekt vor irgendeinem beliebigen Hintergrund fotografieren wollen. Sie können die Größenverhältnisse zwischen Objekt und Hintergrund kontrollieren und den Zwischenraum in Ihrem Foto weiter oder enger erscheinen lassen, ganz einfach dadurch, daß Sie die Aufnahme aus entsprechendem Abstand mit einem Objektiv von entsprechender Brennweite machen.

Aufnahmerichtung. Ein Fotograf, der im dreidimensionalen Raum arbeitet, hat die Wahl zwischen zwei grundsätzlich verschiedenen Möglichkeiten der physikalischen Annäherung an sein Objekt: Er kann in gerader Linie an das Objekt herangehen, d. h. den Abstand zwischen Objekt und Kamera verkleinern oder vergrößern und dabei *im Bild die Abbildungsgröße des Objektes kontrollieren.* Und er kann das Objekt horizontal und vertikal umkreisen, d. h., es mehr von links oder rechts betrachten, mehr von oben oder unten, und dabei *die Aufnahmerichtung kontrollieren.* Über die Regelung der Abbildungsgröße sprachen wir schon. Was die Aufnahmerichtung anbetrifft, so muß der Fotograf seine Wahl unter Beachtung folgender Faktoren treffen:

Die Eigenschaften des Objektes
Der Zweck der Aufnahme
Das Verhältnis zwischen Objekt und Hintergrund
Die Richtung des einfallenden Lichtes

Die Eigenschaften des Objektes. Gewisse Objekte (ein Mensch, ein Auto, ein Haus) haben bestimmte Vorder-, Seiten- und Rückansichten usw. Anderen (ein Baum, eine Landschaft) fehlen diese Unterscheidungen, obgleich sie von verschiedenen Seiten gleichfalls verschieden aussehen können. Wiederum andere sehen mehr oder weniger gleich aus, gleichgültig, aus welcher Richtung man sie sieht. Ist das Objekt kompliziert, werden seine Komponenten von bestimmten Richtungen aus wahrscheinlich zusammen eine günstigere Wirkung entfalten als von anderen; das Überschneiden seiner verschiedenen Elemente kann zu einer klareren Darstellung führen, und Verkürzungen wirken aus der einen Aufnahmerichtung gesehen besser als aus einer anderen. Solche Überlegungen lassen es ratsam erscheinen, das Objekt, soweit es die Umstände erlauben, aus allen nur möglichen Gesichtspunkten und Blickwinkeln, auch von oben und aus der Froschperspektive, zu studieren, ehe man sich für den endgültigen Kamerastandpunkt entscheidet.

Der Zweck der Aufnahme. Je »wörtlicher« die Wirklichkeit in die Bildform übersetzt werden soll, um so »konventioneller« muß der Blickwinkel sein. Wenn andererseits eine »freie Übersetzung« erlaubt ist, wird eher ein ungewöhnlicher oder phantastischer Blickwinkel zum Ziel führen. Manche Zwecke erfordern, daß perspektivische Verzeichnungen soweit wie möglich vermieden werden. In solchen Fällen ergibt eine Aufnahme senkrecht auf die Breitseite des Objektes (zum Beispiel auf die Vorderseite eines Gebäudes oder die Seite eines Autos), bei der die Filmebene parallel zur Hauptebene des Objektes liegt, die geringste perspektivische Verzeichnung.

Das Verhältnis zwischen Objekt und Hintergrund. Der Aufnahmestandpunkt, der die beste Ansicht des Objektes ergibt, kann es mitunter vor einen weniger geeigneten Hintergrund stellen. Ist das Objekt beweglich oder kann der Hintergrund gewechselt werden (zum Beispiel, wenn man einen Menschen fotografiert oder eine Skulptur in einem Museum), ist Abhilfe natürlich einfach, *vorausgesetzt, daß der Fotograf diese Notwendigkeit des Auswechselns bemerkt, ehe es zu spät ist.* Ist andererseits dieser Wechsel nicht möglich, wird oft ein ungeeigneter Hintergrund weniger auffällig, wenn man ihn dadurch unscharf wiedergibt, daß man genau auf das Objekt einstellt und die Aufnahme mit einer ziemlich großen Blendenöffnung macht, also nur so weit abblendet, als erforderlich ist, um das Objekt in voller Tiefe scharf abzubilden; der Hintergrund wird dann unscharf abgebildet und weniger aufdringlich erscheinen. In anderen Fällen ist es vielleicht möglich, den Hintergrund dunkel zu halten, indem man ihn beschattet oder wartet, bis die Sonne einen entsprechenden Stand erreicht hat. Ein »völlig unmöglicher Hintergrund«, der weder verändert noch in seiner Wirkung gedämpft werden kann, ist allerdings ein triftiger Grund, auf die Aufnahme zu verzichten.

Die Richtung des einfallenden Lichtes. Kann das Licht vom Fotografen kontrolliert werden (im Innenraum durch Standortveränderung der Lichtquellen; im Freilicht, indem man die Stellung des Objektes ändert), ergeben sich keine Probleme. Ist aber ein unbewegliches Objekt im Freilicht schlecht beleuchtet (z. B. ein Gebäude oder eine Landschaft im flachen Licht), hat der Fotograf nur sehr beschränkte Möglichkeiten: Er kann warten, bis sich das Licht geändert hat (Wolken vorbeiziehen, die Sonne einen günstigeren Stand erreicht); er kann zu einer anderen Zeit wiederkommen (wenn die atmosphärischen Bedingungen günstiger sind), oder er kann auf die Aufnahme verzichten und seinen Film für eine günstigere Gelegenheit sparen.

Wiedergabe des Objektes

Hat sich der Fotograf für ein bestimmtes Objekt entschieden und weiß er, wie er es darstellen will, ist er schließlich soweit, daß er die Mittel zu seiner Wiedergabe wählen kann. Hier nun, auf der dritten Stufe der Kontrolle, ist die Wahl der Möglichkeiten – der »Symbole« und »Synonyme« – wirklich unbeschränkt. Aus praktischen Gründen sollte man hier zwischen vier Gruppen von Kontrollen unterscheiden, deren

Komponenten es einem durch entsprechende Anwendung in entsprechenden Kombinationen ermöglichen, fast jede denkbare Wirkung im Bilde zu erzielen.

Mechanische Mittel

Kamera – Objektiv – Blende – Verschluß – Verstellungen zur Perspektivenkontrolle – Farbfilter – Polarisationsfilter – Filmtyp – Filmformat – Fotoleuchte für Dauerlicht – Fotoleuchte für Blitzlicht

Fotografische Techniken

Wahl des Objektes auf Grund fotogener Eigenschaften – Auffassung des Objektes – Scharfeinstellen – Wahl der Verschlußzeit – Wahl der Belichtung – Komponieren – Entwickeln – Vergrößern

Aspekte der Bildgestaltung

Beleuchtung – Farbwiedergabe – Kontrastumfang – Tiefenwirkung – Bewegungsdarstellung – Lichtdarstellung – Wiedergabe von Glanzlichtern und Reflexionen – Oberflächenwiedergabe – Schärfe – Unschärfe – Körnigkeit – Stimmung

Mittel der fotografischen Darstellung

Licht – Farbe – Kontrast – Mittel zur Raumdarstellung – Mittel zur Darstellung von Bewegung – Wahl des Augenblickes für die Aufnahme

Jedes dieser Mittel, die technischen wie auch die gestalterischen, kann in verschiedenem Grade modifiziert werden, und jede Modifikation übt eine andersartige Wirkung auf das Bild aus. Da jede dieser Modifikationen mit jeder Modifikation eines anderen Mittels kombiniert werden kann, ist die Zahl der möglichen Variationen in der Wiedergabe eines gegebenen Objektes wirklich von astronomischer Größe und gibt dem findigen und phantasievollen Fotografen unbegrenzte Kontrolle über die endgültige Form seines Bildes. Die wichtigsten dieser Mittel werden in den folgenden Abschnitten besprochen.

Licht

Licht ist eine Form der Strahlungsenergie, die durch Zerfall von Atomen in der physikalischen Struktur der Materie erzeugt wird. Licht breitet sich von seiner Quelle in alle Richtungen aus, und zwar in Wellenform. Die beiden Charakteristiken jeder Welle sind Länge und Frequenz. Wellenlänge ist der Abstand zwischen den Gipfeln zweier benachbarter Wellen. Als Frequenz bezeichnet man die Anzahl der Wellen, die in einer bestimmten Zeiteinheit einen Punkt passieren. Das Produkt aus Wellenlänge und Frequenz ist die Geschwindigkeit der Ausbreitung. Die Wellenlänge des Lichtes reicht von etwa 380 Nanometer* für blaues Licht bis etwa 760 Nanometer für Rot. Seine Frequenz liegt in der Größenordnung von 600000 Milliarden, d. h., wenn wir also genügend empfindliche Meßinstrumente verwenden, finden wir, daß die Lichtintensität periodisch 600000millardenmal in der Sekunde wechselt. Die Lichtgeschwindigkeit liegt bei 299793 Kilometer in der Sekunde im luftleeren Raum, in dichteren Medien ist sie etwas langsamer. Gewöhnlich spricht man aufgerundet von 300000 km/sek.

Soweit es die Fotografie anbetrifft, hat das Licht vier Haupteigenschaften:

Helligkeit
Richtung
Farbe
Kontrast

Weiter muß man zwischen drei Hauptarten von Licht unterscheiden:

Direktes Licht
Reflektiertes Licht
Gefiltertes Licht

Für die Praxis beachtet man noch die Unterschiede zwischen den beiden wichtigsten Lichttypen:

Tageslicht
Kunstlicht

* Ein Nanometer (abgekürzt nm) ist der millionste Teil eines Millimeters.

Was den Fotografen betrifft, so hat Licht vier wichtige Funktionen:

Es macht das Objekt sichtbar.
Es symbolisiert Masse und Tiefe.
Es gibt dem Bild seine Stimmung.
Es beeinflußt die Hell-Dunkel-Wirkung im Bild.

Helligkeit

Helligkeit ist das Maß der Lichtintensität. Sie kann mit einem Belichtungsmesser gemessen werden, bestimmt die Belichtung, entscheidet darüber, ob man die Kamera aus der Hand verwenden kann oder ob sie auf ein Stativ gesetzt werden muß, und beeinflußt Farbe und Stimmung des Bildes.
Die Skala der Helligkeit reicht von der fast unerträglich intensiven Brillanz sonnenbeschienener Schneeflächen und Gletscher bis zur Dunkelheit einer sternlosen Nacht. Sie beeinflußt nicht nur die Belichtung, sondern auch die Farbwiedergabe und die Stimmung des Bildes. Helles Licht ist hart, kräftig und nüchtern; schwaches Licht wirkt weich, beruhigend und geheimnisvoll. Bei sehr intensiver Beleuchtung erscheinen die Objekte nicht nur heller, sondern auch kontrastreicher und gesättigter in ihren Farben als bei schwacher Beleuchtung. Dementsprechend kann ein Fotograf durch die Wahl oder Abstimmung der Lichtintensität Art und Stimmung seines Bildes beeinflussen.
Wenn im Freilicht die Beleuchtung zu hell ist, kann man ihre Intensität für die Aufnahme mit Hilfe von Graufiltern abschwächen. Diese absorbieren einen Teil des Lichtes, ohne aber die Farbwiedergabe zu beeinflussen. Solche Graufilter sind in verschiedenen Stärken vorhanden. Sie sind dann notwendig, wenn man mit großer Blendenöffnung fotografieren möchte, um die Schärfentiefe zu beschränken, das Licht aber so hell ist, daß auch die kürzeste Belichtungszeit des Verschlusses noch zu Überbelichtung führt. Eine andere Möglichkeit: Man wartet auf günstigere atmosphärische Bedingungen.

Im Innenraum wird die Helligkeit der Einstellebene nicht nur von der Stärke der Fotolampe, sondern auch vom Abstand zwischen Objekt und Lichtquelle bestimmt. Die Intensität der Beleuchtung ist umgekehrt proportional dem Quadrat der Entfernung zwischen beleuchteter Oberfläche und beleuchtender Lampe. Mit anderen Worten: Verdoppelt man den Lampenabstand, wird die Beleuchtungsstärke auf ein

Viertel reduziert. Verdreifacht man den Abstand, wird sie auf ein Neuntel reduziert und so weiter. Allerdings betrifft das Gesetz vom Quadrat nur punktförmige Lichtquellen ohne Reflektor. Wird es für Fotoleuchten angewendet (die »Flächenleuchten« sind), ergeben sich nur annähernde Werte, die man normalerweise mit Hilfe eines Belichtungsmessers und einer Graukarte noch verfeinern muß. Auch versagt dieses Gesetz dann, wenn die Beleuchtung viel reflektiertes Licht enthält, wie zum Beispiel von Wänden oder Decke zurückgeworfenes Licht (indirekte Beleuchtung). Und es trifft fernerhin nicht auf ausgedehnte Lichtquellen zu, wie beispielsweise Leuchtröhren, bei denen die Beleuchtungsdichte *direkt* mit dem wachsenden Abstand zwischen Objekt und Licht abnimmt, d. h., verdoppelt man den Abstand, wird die Beleuchtungsstärke halbiert, verdreifacht man ihn, sinkt sie auf ein Drittel und so weiter. Nebenbei: Die Leitzahlen der Blitzlampen und Elektronenblitze sind genau nach dem Gesetz vom Quadrat berechnet. Das ist der Grund dafür, daß man sie nur als »Anhaltspunkte« und nicht als »absolute« Werte ansehen kann.

Richtung

Die Richtung des einfallenden Lichtes bestimmt Lage und Ausmaß der Schatten. In dieser Hinsicht unterscheidet man fünf Hauptarten des Lichtes, deren jede eine typische Wirkung auf das Bild ausübt:

Vorderlicht. Die Lichtquelle befindet sich hinter der Kamera, beleuchtet also das Objekt mehr oder weniger direkt von vorn. Objektkontrast ist niedriger als bei Licht aus irgendeiner anderen Richtung – ein grundlegender Vorteil für Farbaufnahmen. Allerdings ist Vorderlicht auch die »flachste« Art von Licht, da die Schatten teilweise oder ganz hinter dem Objekt liegen und von der Kamera her kaum oder gar nicht sichtbar sind. Wenn sich auch Vorderlicht ausgezeichnet für naturgetreue Farbwiedergabe eignet, läßt es doch das Objekt weniger »körperlich« und den Raum weniger »tief« erscheinen als Licht, das ausgeprägtere Schatten wirft. Natürlich kann man nur selten mit 100prozentigem Vorderlicht arbeiten. Selbst wenn die Sonne hinter dem Fotografen steht oder mit Blitz an der Kamera gearbeitet wird, ist die Lichtrichtung etwas gegen die Objektivachse verschoben, so daß sich einige Schatten ergeben. Die einzige Lichtquelle für echtes Vorderlicht ist der Ringblitz, ein Elektronenblitz, dessen Blitzröhre ringförmig das Objektiv einschließt und der völlig schattenlos beleuchtet.

Seitenlicht. Die Lichtquelle ist mehr oder weniger zur Seite gerückt, beleuchtet aber immer noch eher von vorne als von rückwärts. Dies ist die am meisten benutzte Lichtrichtung, die sich besonders gut für Farbaufnahmen eignet, bei denen einerseits gute Farbwiedergabe erwünscht ist, andrerseits aber auch das Dreidimensionale angedeutet werden soll. Seitenlicht ist leichter zu verwenden als Licht aus jeder anderen Richtung. Es ergibt stets annehmbare Resultate, führt aber selten zu ungewöhnlichen oder überraschenden Wirkungen.

Gegenlicht. Die Lichtquelle befindet sich mehr oder weniger hinter dem Objekt und beleuchtet es von der Rückseite her, wirft also die Schatten zur Kamera. Der Motivkontrast ist dabei höher als bei Licht aus irgendeiner anderen Richtung, eine Tatsache, die grundsätzlich Gegenlicht ungeeignet für Farbaufnahmen macht. Andererseits ergibt es überzeugender die Illusion des Raumes und der Tiefe als Licht aus jeder anderen Richtung. Was den Farbfotografen betrifft, ist Gegenlicht die Lichtart, die am schwierigsten zu handhaben ist, aber auch diejenige, die bei richtiger Behandlung am meisten lohnt. Fast unweigerlich führt Gegenlicht entweder zu ungewöhnlich schönen und ausdrucksvollen Bildern oder zu Fehlschlägen. Es ist die am dramatischsten wirkende Lichtart und wird, wo es auf Stimmung ankommt, von keiner anderen übertroffen.

Überlicht. Das Licht fällt mehr oder weniger von oben auf das Motiv. Überlicht ist das am wenigsten fotogene Licht, weil senkrechte Flächen für eine gute Farbwiedergabe ungenügend beleuchtet werden und die Schatten zu klein sind und zu schlecht liegen, um eine gute Tiefenwirkung ergeben zu können. Im Freilicht ist es das typische Mittagslicht, das der Anfänger so gerne verwendet, weil es »so schön hell« ist. Dagegen wissen erfahrene Fotografen, daß die richtigen Zeiten für Freilichtaufnahmen die frühen Morgen- und späten Nachmittagsstunden sind, weil dann die Sonne tiefer steht.

Licht von unten. Das Licht beleuchtet das Motiv mehr oder weniger von unten her. Weil man diese Beleuchtung kaum in der Natur findet, erzeugt sie einen unnatürlichen und theatralischen Effekt (eben den des altmodischen »Rampenlichts«). Dieses Licht ist schwierig zu handhaben, weil es zu wilden, unrealistischen und phantastischen Wirkungen führen kann, die leicht übersteigert und trickhaft wirken: ungewöhnlich um des Ungewöhnlichen willen.

Licht, das von einer Lichtquelle ausgestrahlt wird – von der Sonne, von einer Leuchtröhre, von einer Glühlampe –, ist nicht homogen, sondern eine Mischung von verschiedenen Farben – von Licht aller Wellenlängen von 380 nm bis 760 nm zu ziemlich gleichen Teilen. Es ist ein Zusammenklang von gestrahlter Energie. Aber im Gegensatz zu einem musikalischen Akkord, in dem ein geübtes Ohr die einzelnen Töne unterscheiden kann, kann das menschliche Auge die verschiedenen spektralen Komponenten des weißen Lichtes nicht trennen.
Daraus ergeben sich, jedenfalls soweit es die Farbfotografie betrifft, wichtige Folgerungen, zumal es Licht in verschiedenen Zusammensetzungen gibt, die dem menschlichen Auge alle als *weiß erscheinen,* dem Farbfilm gegenüber aber *farbig* wirken. Denn der Farbfilm ist gegen die Unterschiede in der spektralen Zusammensetzung des Lichtes wesentlich empfindlicher als das Auge, und wenn das Licht nicht der Norm entspricht, für die der Farbfilm sensibilisiert ist, ergeben sich Farbdias, die einen mehr oder weniger ausgesprochenen Farbstich aufweisen. Um das zu beweisen, braucht man nur eine Karte, die eine Anzahl von Farbstreifen und einen weißen Fleck enthält, in verschiedenen Arten von »weißem« Licht zu fotografieren, etwa in der Sonne, im Licht eines trüben Tages, einer Glühlampe und einer Leuchtröhre. Dem Auge erschienen die Farben und der weiße Fleck in allen vier Lichtarten gleich. Aber die Unterschiede in der Farbwiedergabe dieser Farbkarte in den verschiedenen Farbdias werden so groß sein, daß die meisten unbrauchbar sind.
Da nun einmal die Farbfilme so sensibilisiert sind, daß sie nur in einer ganz bestimmten Lichtart die Farben zufriedenstellend wiedergeben, und da unsere Augen nicht mit genügender Genauigkeit zwischen den verschiedenen Arten von anscheinend »weißem« Licht unterscheiden können, fragt man sich natürlich, wie man feststellt, ob das Licht »weiß« im Sinne des betreffenden Farbfilmes ist oder nicht, d. h., ob es mit der Norm übereinstimmt, für die der Farbfilm geschaffen wurde. Und woher weiß man, wie weit sich eine Lichtart, die nicht der Norm entspricht, davon entfernt?
Um solche Fragen zu beantworten, brauchen die Farbfotografen ein Maß, um die Farbe des Lichtes zu messen. Dann können sie feststellen, ob eine Lichtart mit der Norm ihres Filmes übereinstimmt, und wenn sie davon abweicht, durch Verwendung des entsprechenden Filters das Licht wieder der Norm anpassen. Dieses Maß für die Farbe des Lichtes ist die Kelvin-Skala.

Die Kelvin-Skala hat ihren Namen von dem britischen Physiker W. T. Kelvin (1824 bis 1907) und drückt die Farbe des Lichtes in Bezeichnungen für die »Farbtemperatur«, in Graden Kelvin aus, d. h. in Centigraden, die bei dem absoluten Nullpunkt – bei minus 273° C – beginnen. Rötliches Licht von glühendem Eisen hat etwa 1000° C und somit eine Farbtemperatur von 1273° K.
Die Farbtemperatur jedes beliebigen Lichtes kann durch Erhitzung eines sogenannten »schwarzen Körpers« in einer »Ulbrichtschen Kugel« mit einer Öffnung an einer Seite, die alles von außen kommende Licht ausschaltet, gefunden werden. Man erhitzt den schwarzen Körper so weit, bis er glüht und seine Strahlung der Farbe des Lichtes, das gemessen werden soll, entspricht. Dann wird die Temperatur des »schwarzen Körpers« gemessen und in Kelvin-Graden ausgedrückt. Das Ergebnis ist die Farbtemperatur der Lichtquelle. In diesem Zusammenhang ist es interessant, darauf hinzuweisen, daß die Künstler zwischen »warmem« (rötlichem) und »kaltem« (bläulichem) Licht unterscheiden. Nach den Gesetzen der Physik ist allerdings das Gegenteil richtig, denn rötliches Licht wird durch Strahlung bei verhältnismäßig niedrigen Temperaturen erzeugt, während bläuliches Licht nur von den heißesten Sternen ausgestrahlt wird. Oder von der Farbtemperatur her betrachtet: Rötliches Licht liegt bei etwa 1200° K, während blaues Licht (zum Beispiel das Licht eines blauen nördlichen Himmels) ungefähr bei 25 000° der Kelvin-Skala liegt.

Echte und falsche Farbtemperatur. Die Lehre von der Farbtemperatur gründet sich auf die Feststellung, daß das Verhältnis zwischen der *Temperatur* eines glühenden Körpers und der *Farbe* des Lichtes, das er aussendet, festliegt. Daher können nur Temperaturstrahler – also glühende Körper – eine Farbtemperatur im Sinne dieser Bezeichnung aufweisen. Die sogenannte »Farbtemperatur« von nichtglühenden Lichtquellen, wie zum Beispiel die des klaren blauen Himmels, ist keine echte Farbtemperatur, denn der Himmel glüht ja nicht mit einer Temperatur von 25 000° über dem absoluten Nullpunkt, wie es seiner »Farbtemperatur« entspräche.
Leider werden die Dinge dadurch noch komplizierter, daß Farbtemperatur nur die *Farbe* des Lichtes mißt, uns aber über seine *spektrale Zusammensetzung* keine Anhaltspunkte gibt. So existieren, wie schon vorher erwähnt, verschiedene Arten von »weißem« Licht, die dieselbe Farbe aufweisen (und damit auch dieselbe Farbtemperatur), aber sich in ihrer spektralen Zusammensetzung unterscheiden (und daher verschieden auf den Farbfilm wirken). So kann zum Beispiel ein Farbtem-

peraturmesser beim Messen von normalem Tageslicht und dem Licht einer Tageslicht-Leuchtröhre dasselbe Resultat ergeben, indem er gleiche Farbtemperaturen anzeigt. Soweit es die Farbe ihres Lichtes anbetrifft, erscheinen auch die beiden Lichtquellen unserem Auge gleichartig. Da aber die spektrale Zusammensetzung der einen völlig verschieden von der der anderen ist, wird dasselbe farbige Objekt, einmal im normalen Tageslicht, das zweite Mal im Lichte dieser Leuchtröhre fotografiert, in den beiden Farbdias sehr verschieden erscheinen.
Die spektrale Zusammensetzung von Licht, das von Glühlampen ausgestrahlt wird, stimmt ziemlich genau mit der spektralen Zusammensetzung des Lichtes überein, das ein »echter« glühender »schwarzer Körper« (die Norm aller Farbtemperaturmessungen) aussendet. Daher geben Farbtemperaturmessungen ihres Lichtes ziemlich genaue Unterlagen für die Wahl des entsprechenden Farbkorrekturfilters. Aber in allen anderen Fällen, d. h., soweit es sich um Licht von Gasentladungslampen (Elektronenblitz), Leuchtröhren, dem Himmel usw. handelt, sind Farbtemperaturmessungen eher irreführend als nützlich, wenn man sich nicht durch Experimente und Tests genügend Erfahrung darüber verschafft hat. Statt dessen kann man etwa nötige Korrekturfilter an Hand von Tabellen wählen, die wie die folgende die echten Farbtemperaturen von Temperaturstrahlern und die empirisch ermittelten Werte von Lichtquellen, die keine echte Farbtemperatur besitzen, enthalten.
Wie man das richtige Lichtausgleichsfilter wählt. Die Aufgabe, das richtige Lichtausgleichsfilter zu wählen, d. h. das Filter, das eine gegebene Lichtart in die Lichtart umwandelt, für die der betreffende Farbfilm sensibilisiert worden ist, wurde durch das auf den Dekamiredwerten aufgebaute Filterklassensystem ungemein vereinfacht. Diese Werte entsprechen den Farbtemperaturwerten in Mired (abgeleitet von »micro reciprocal degree«) geteilt durch zehn. Um auf den Dekamiredwert zu kommen, teilt man 1 000 000 durch die Kelvin-Grade und das Resultat durch 10. Zum Beispiel hat eine Fotolampe für Berufszwecke eine Farbtemperatur von 3200° K, dementsprechend teilt man 1 000 000 durch 3200 und erhält 313 Mired. Um auf Dekamired zu kommen, teilt man dieses Ergebnis durch 10. Der Dekamiredwert einer 3200°-K-Fotolampe (oder Licht mit der Farbtemperatur von 3200° K) beträgt also 31, wie man aus unserer obigen Tabelle ersehen kann.
Wenn zum Beispiel ein Kunstlichtfarbfilm für Licht einer Farbtemperatur von 3200° K sensibilisiert ist, was einem Dekamiredwert von 31 entspricht, kann man sagen, daß dieser besondere Farbfilmtyp einen

Lichtquelle	echte oder entsprechende Farbtemperatur	Dekamired
Kerzenflamme	1500	66
Normalkerze	2000	50
40-Watt-Allgebrauchslampe	2750	36
60-Watt-Allgebrauchslampe	2800	36
100-Watt-Allgebrauchslampe	2850	35
500-Watt-Projektionslampe	3190	31
500-Watt-Fotolampe Type B	3200	31
250-Watt-Amateur-Fotolampe	3400	29
500-Watt-Amateur-Fotolampe	3400	29
Klare Blitzlampen	3800	26
Blaue Blitzlampen	5600	18
Bogenlicht (Weißkohle)	5000	20
Morgen- und Abendsonne	5000– 5500	20–19
Sonnenlicht bei Dunst	5700– 5900	19–18
Mittagssonnenlicht, blauer Himmel, weiße Wolken	5700– 5900	18
Sonnenlicht und Licht vom klaren blauen Himmel	6000– 6500	16
Elektronenblitz	6000– 6800	17–15
Licht bei völlig bedecktem Himmel	6700– 7000	15
Licht bei verhangenem dunstigem Himmel	7500– 8400	12
Licht vom blauen Himmel (Objekt im Schatten)	10000–12000	9
Blauer Himmel, dünne weiße Wolken	12000–14000	7
Klares blaues nördliches Himmelslicht	15000–27000	6– 4

Dekamiredwert von 31 hat. In gleicher Weise kann man bei anderen Farbfilmarten sagen, sie hätten den Dekamiredwert des Lichtes, für das sie bestimmt sind, wie die folgende Tabelle zeigt:

Dekamiredwerte für Farbfilme:

Farbfilm für Tageslicht	18
Farbfilm für Kunstlicht (3400° K)	29
Farbfilm für Kunstlicht (3200° K)	31

In ähnlicher Weise sind die Lichtausgleichsfilter mit den Dekamiredwerten bezeichnet. Siehe dazu die folgende Tabelle der Kodak und Agfa Lichtausgleichsfilter zusammen mit ihren Dekamiredwerten und den Verlängerungsfaktoren für die Belichtung.
Um das richtige Filter zu finden, berechnet man die Differenz zwischen den Dekamiredwerten des Filmes, den man benutzen will, und der Lichtart, bei der man fotografiert. Dieser Unterschied bezeichnet den Dekamiredwert des Filters, das zur Erzielung einer naturgetreuen

Farbwiedergabe benutzt werden muß. Rötliche Filter erniedrigen hierbei die Farbtemperatur und heben den Dekamiredwert, ergeben also eine positive Dekamiredveränderung. Dagegen heben blaue Filter die Farbtemperatur an und erniedrigen den Dekamiredwert, üben darauf also einen negativen Einfluß aus. Dabei ist zu beachten: *Wenn der Farbfilm einen höheren Dekamiredwert hat als das Licht, braucht man ein rötliches Filter* in der entsprechenden Dichte. *Wenn das Licht einen höheren Dekamiredwert hat als der Film, braucht man ein blaues Filter* in der entsprechenden Dichte.
Wird ein Dekamiredfilter von verhältnismäßig hohem Wert gebraucht, ist aber nicht vorhanden, kann man die gewünschte Wirkung dadurch erreichen, daß man zwei oder mehr Filter von niedrigeren Dekamiredwerten kombiniert. Zum Beispiel kann man an Stelle eines Filters der Zahl 9 ein Filter der Zahl 2 und eines der Zahl 7 zusammen verwenden oder eines der Zahl 5, der Zahl 3 und der Zahl 1.

Filterbezeichnung		Veränderung in Dekamired		Belichtungsverlängerung in Blendenstufen	
Kodak-Filter	Agfa-Filter	Kodak	Agfa	Kodak	Agfa
rötliche Filter					
81	1005–	1 (1,0)	1	1/3	1/4
81 A	2010–	2 (1,8)	2	1/3	1/4
81 B	3015–	3 (2,7)	3	1/3	1/2
81 C	4020–	4 (3,5)	4	1/2	1/2
81 D	5025–	4 (4,2)	5	2/3	3/4
81 E	6030–	5 (4,9)	6	2/3	1
81 F		6 (5,6)		2/3	
81 G		6 (6,2)		1	
bläuliche Filter					
82	–0510	–1 (–1,2)	–1	1/3	1/4
82 A	–1020	–2 (–2,0)	–2	1/3	1/2
82 B	–1530	–3 (–3,2)	–3	2/3	3/4
82 C	–2040	–5 (–4,5)	–4	2/3	3/4
82 C + 82	–2550	–6 (–5,5)	–5	1	1
82 C + 82 A	–3060	–7 (–6,6)	–6	1	1 1/4
82 C + 82 B	–3570	–8 (–7,6)	–7	1 1/3	1 1/2
82 C + 82 C		–9 (–8,9)		1 1/3	

Kontrast

Da der Kontrastumfang aller Filme, und ganz besonders aller Farbfilme, verhältnismäßig beschränkt ist, wird man normalerweise eine Beleuchtung mit geringen Kontrasten einer Beleuchtung mit hohen Kontrasten vorziehen. Dazu muß der Fotograf wissen, daß der Grad des Kontrastes einer Beleuchtung umgekehrt proportional der *effektiven* Größe der Lichtquelle ist. (Die *effektive* Größe der Sonne zum Beispiel ist sehr klein, obwohl die *wirkliche* Größe natürlich ungeheuer groß ist.) Je kleiner die effektive Größe der Lichtquelle ist oder je mehr parallel das Strahlenbündel, das sie aussendet, um so kontrastreicher ist das Licht, und um so schärfer und dunkler sind die Schatten, die es wirft. Je größer dagegen die effektive Größe der Lichtquelle und je zerstreuter ihr Licht ist, um so geringeren Kontrast ergibt dieses Licht, und um so weicher und transparenter sind die Schatten, die es wirft.

Beispiele von kontrastreicher Beleuchtung sind direktes Sonnenlicht an einem wolkenlosen Tag sowie das Licht eines Scheinwerfers. Beispiele von kontrastarmer Beleuchtung: Licht von einem gleichmäßig bedeckten Himmel oder von einem Lichtkasten mit Leuchtröhren. Das kontrastreichste Licht ergibt eine Zirkon-Bogenlampe, die Schatten wirft, die so scharf wie mit einer Rasierklinge geschnitten sind. Danach kommen Glühlampen mit sehr kleinen Leuchtkörpern, wie man sie in Vergrößerungsgeräten mit Punktlicht verwendet. Das weichste Licht ist die schattenlose Beleuchtung, die ein Lichtzelt ergibt. Zwischen diesen Extremen gibt es Licht von mittlerem Kontrast: Im Freien: Sonnenlicht in Verbindung mit weißen Wolken von verschiedener Größe und Sonnenlicht, das von Dunst zerstreut ist; im Innenraum: Licht von Fotolampen, Blitzlampen und Elektronenblitz. Bei Kunstlicht hängt der Kontrast stark von der Form und Art des Reflektors und/oder des benutzten Streuschirmes ab. Man kann mit derselben Lampe eine ziemlich kontrastreiche oder auch eine mehr oder weniger zerstreute Beleuchtung erreichen. Um das Licht einer Lichtquelle wirkungsvoll zu zerstreuen, so daß sie weichere Schatten wirft, muß man ihre Leuchtfläche vergrößern. Ein Streuschirm, der genauso groß wie der Reflektor ist und direkt vor die Lampe gesetzt wird, vergrößert nicht ihre effektive Größe oder zerstreut ihr Licht, sondern verringert nur ihre Helligkeit. Damit ein Streuschirm wirken kann, muß er größer als der Reflektor sein, und er muß weit genug vor dem Reflektor angebracht werden, so daß er voll beleuchtet wird. Die folgenden Kombinationen von Lampe, Reflektor und Streuschirm ergeben verschieden kontrastreiche Beleuchtungen. Sie beginnen mit relativ kontrastreichem Licht, gehen durch Vergrößerung der Leuchtfläche zu weniger kontrastreicher Wirkung über und enden bei praktisch schattenloser Beleuchtung: 1. Fotolampe ohne Reflektor; 2. mit einem kleinen, tiefen und engen Reflektor; 3. mit einem kleinen, flachen Reflektor; 4. mit einem mittelgroßen Reflektor; 5. mit einem großen, flachen Reflektor; 6. mit einem großen, flachen Reflektor, der mit einem großen Streuschirm versehen ist, der 15 bis 25 cm davor steht; 7. mit einem großen, flachen Refktor 60 cm hinter einem Streuschirm aus einem Blatt von transparentem Papier von etwa 100 × 100 cm Größe.

Völlig schattenlose Beleuchtung kann man mit einem Lichtzelt erzielen. Weißes Hintergrundpapier wird um das Objekt gespannt, so daß es dieses mit einem großen, viereckigen Zelt umgibt, das nur eine kleine Öffnung hat, die gerade so groß ist, daß das Objektiv durchsehen kann. Eine Anzahl von Fotolampen wird außerhalb des Zeltes aufgestellt und dabei mehr oder weniger gleichmäßig um das Zelt verteilt. Die Lampen müssen so angeordnet werden, daß kein direktes Licht auf das Objektiv fallen kann, sondern daß die gesamte Lichtmenge *auf die Mitte des Zeltes* gerichtet ist, mit dem Ergebnis, daß dieses Licht, völlig zerstreut vom weißen Papier, das Objekt im Inneren des Zeltes völlig diffus beleuchtet.

Direktes Licht

Unter direktem Licht versteht man Licht, das weder reflektiert noch gefiltert oder zerstreut ist oder auf andere Weise, nachdem es von seiner Lichtquelle ausgestrahlt wurde, verändert wurde. Daher ist seine spektrale Zusammensetzung konstant und identisch mit der seiner Lichtquelle. Zum Beispiel hat das direkte Licht, das die Blitzröhre eines Elektronenblitzes ausstrahlt, stets dieselbe Zusammensetzung und ergibt bei der Farbwiedergabe voraussehbare Resultate. Würde man aber dieses Blitzlicht gegen die Decke richten, also als indirektes Licht verwenden, würde das von ihm ausgestrahlte Licht, ehe es das Objekt beleuchtet, von der Decke *reflektiert* und, wenn die Decke nicht rein weiß ist, in seiner spektralen Zusammensetzung verändert werden. Das Resultat: Die Farbe des Objektes wird verändert wiedergegeben, und ein Farbdia erhält einen Farbstich.

Normalerweise darf direktes Licht nicht auf das Objektiv scheinen, weil das Lichtflecke oder Lichthöfe im Film zur Folge haben könnte. Um das zu vermeiden, beachtet man, daß die Lichtquelle selbst weder im Blickfeld des Objektives erscheint noch, wenn auch außerhalb, nah an den Grenzen des Bildfeldes. Natürlich benutzt man eine wirkungsvolle Sonnenblende, die Hand oder irgendein handliches Objekt, um nötigenfalls während der Belichtung auf das Objektiv einen Schatten zu werfen.
Gelegentlich ist es aber wünschenswert (oder unvermeidlich), die Lichtquelle oder Lichtquellen mit im Bild zu haben. Will man dabei den Charakter des direkten oder strahlenden Lichtes bildlich wirksam darstellen, muß man den Eindruck des Strahlens durch Verwendung von Symbolen erzielen.
Die traditionellen Symbole des Strahlens sind schon immer der Lichthof und der Stern gewesen. Künstler, die in ihren Bildern den Eindruck strahlenden Lichtes erzielen wollen, erfanden dazu den vier- oder mehrzackigen Stern – ein künstliches Symbol, das kein Gegenstück in der Wirklichkeit hat, da das Auge »richtige« Sterne als helle Punkte sieht. Ferner malen sie Kerzenflammen oft umgeben von kreisförmigen Lichthöfen. Derartige Lichthöfe existieren gleichfalls nicht in Wirklichkeit, sondern beruhen, wo man sie zu sehen glaubt, auf einer optischen Täuschung.
Fotografen, die strahlendes oder direktes Licht in eindrucksvollerer Art in ihren Bildern ausdrücken möchten als nur mit einem weißen Fleck, stehen die folgenden Techniken zur Verfügung:

Lichthof und Überstrahlung. Nach akademischer Regel handelt es sich hier um Fehler, die man vermeiden muß. Aber nach modernen schöpferischen Begriffen können diese einstmaligen »Fehler« zu wirkungsvollen Mitteln werden, wenn man sie an der richtigen Stelle einsetzt, um in grafischer Weise das Strahlen direkten Lichtes auszudrücken. Obwohl sie in Wirklichkeit nicht vorhanden sind, entsprechen Lichthof und Überstrahlung doch sehr dem Eindruck, den wir haben, wenn wir in eine starke Lichtquelle blicken: Wir werden dabei teilweise geblendet, wir sehen Flecke vor unseren Augen, Gegenstände verschwimmen, und das Bild scheint sich in Licht aufzulösen. Um ähnliche Eindrücke bildlich zu erzielen, sollte man nicht zögern, in das Licht hinein zu fotografieren – und benutzen, was dabei herauskommt. Die Resultate hängen von der Art und Intensität der Lichtquelle, ihrer Lage im Bild, der Konstruktion des Objektives, der Größe der Blendenöffnung und der Dauer der Belichtung ab.

Gazeschirme. Wenn man ein Stück gewöhnlicher feiner Kupferdrahtgaze vor dem Objektiv anbringt, werden aus punktförmigen Lichtquellen (zum Beispiel Straßenlampen bei Nacht) vierzackige Sterne. Will man achtzackige Sterne bekommen, benutzt man zwei solche Gazeschirme und dreht den einen um 45° gegen den anderen. Die Größe dieser Sterne wächst mit der Belichtung. Da der Gazeschirm gleichzeitig als Beugungsgitter, also als Weichzeichner wirkt, wird das Bild nicht völlig scharf. Allerdings ist die dabei entstehende Unschärfe gewöhnlich belanglos für diese Art von Bildern, bei denen man solche Hilfsmittel benutzt: romantische High-Key-Aufnahmen von Frauen und nächtliche Aufnahmen von Großstadtstraßen, bei denen eine dokumentarische Darstellung hinter der Wiedergabe der Stimmung zurückzutreten hat.

Kleine Blendenöffnungen. Bei Aufnahmen mit Blendenöffnungen, die bei Blende 16 und kleiner liegen, werden punktförmige Lichtquellen als vielzackige Sterne wiedergegeben, deren Größe mit der Belichtungszeit wächst. Bei Nachtaufnahmen mit Straßenlaternen, in Fotos von glitzerndem Wasser oder in Bildern, in denen die Sonne direkt erscheint, symbolisieren diese Sternmuster sehr effektvoll das Strahlen des Lichtes. Die Methode, auf diese Weise das Licht darzustellen, hat den Vorteil, daß sie nur die stärksten Lichter im Bild betrifft, während der Rest der Darstellung klar und scharf bleibt.

Weichzeichnerscheiben. Eine vor das Objektiv gesetzte Weichzeichnerscheibe verändert das Bild verschieden: Helle Bildteile werden stärker beeinflußt als dunklere. Wenn zum Beispiel ein Fotograf Sonnenreflexe auf dem Wasser durch eine Weichzeichnerscheibe fotografiert, wird jedes Spitzlicht von einem Lichthof umgeben, während der Rest des Bildes mehr oder weniger normal erscheint. In gleicher Art werden glitzernde Juwelen, Reflexlichter auf dem Haar und die Silhouetten von Objekten im Gegenlicht von einem leichten »Heiligenschein« umgeben. Den besten Effekt erhält man bei sehr kontrastreich beleuchteten Motiven mit brillanten Spitzlichtern; wo Spitzlichter, Glanz und direktes Licht fehlen, enttäuscht die Wirkung der Weichzeichnerscheibe.
Ähnliche, aber auffallendere und ungewöhnliche Effekte ergibt das Rodenstock-Imagon-Objektiv, das mit seiner verstellbaren Siebblende dem Fotografen erlaubt, den Grad der Weichzeichnung je nach Art des Objektes und Zweck der Aufnahme abzustimmen. Punktförmige Lichtquellen und kleine brillante Spitzlichter erscheinen zum Beispiel

in einer Form, die man nur als »Lichtblüten« bezeichnen kann. Dieser Objektivtyp, der sich besonders für malerische Damenporträts eignet, aber andererseits in seiner Verwendung etwas beschränkt ist, wird in Brennweiten für 6 × 6 cm und größere Kameras geliefert.

Unscharfe Einstellung. Wenn man das Bild einer punktförmigen Lichtquelle unscharf einstellt, wird daraus ein Kreis, und zwar ein um so größerer, je unschärfer man einstellt. Gelegentlich kann eine solche absichtlich unscharfe Einstellung dazu benutzt werden, das Strahlen direkten Lichtes grafisch auszudrücken. So erscheinen zum Beispiel Straßenlampen bei Nacht, die unscharf eingestellt sind, nicht mehr als Reihen von kleinen weißen Lichtpunkten, sondern als eine Kette großer leuchtender Perlen. Leicht zerstreut, teilweise sich überlappend und halb durchscheinend, ergeben sie die Vision einer märchenhaften Straße. Da aber natürlich der Rest des Bildes genauso unscharf erscheint wie die Lichter, ist die Anwendung dieser Methode ziemlich begrenzt. Aber hin und wieder findet sich eine Gelegenheit, wo dieses Lichtsymbol, dessen Wirkung man auf der Mattscheibe beobachten muß, vorteilhaft angewandt werden kann, wie Nachtaufnahmen in der Großstadt, wenn man eine unrealistische, traumhafte Stimmung schaffen möchte.

Reflektiertes und gefiltertes Licht

Im Gegensatz zur spektralen Zusammensetzung von direktem Licht, die stets dieselbe ist wie die seiner Lichtquelle, ist die spektrale Zusammensetzung – die »Farbe« – von Licht, das reflektiert, gefiltert, zerstreut oder sonst irgendwie nach der Ausstrahlung verändert wurde, anders als die der Ursprungsquelle. Ist zum Beispiel eine reflektierende Fläche blau, wird sie das Licht eben blau reflektieren, auch wenn das Licht, das sie beleuchtet, für den Farbfilm als »weiß« gelten kann. Eine ähnliche Wirkung ergibt sich, wenn weißes Licht durch ein farbiges Medium geht. Ein Beispiel: Licht im Wald unter einem großen Baum wird durch Reflexion und Filterung durch die grünen Blätter stets mehr oder weniger grün. Und die Farbe des Sonnenlichtes ändert sich mit der Stellung der Sonne am Himmel, weil bei hoher Stellung der Weg der Lichtstrahlen durch die Atmosphäre kürzer ist als bei Sonnenuntergang. Daraus ergibt sich, daß Sonnenlicht am Mittag weniger gestreut wird als bei Sonnenuntergang – die Erklärung, warum das Licht seine Zusammensetzung im Laufe des Tages ändert. Derartig

gefärbtes Licht ist eine häufige Ursache für einen unerwartet auftretenden Farbstich im Farbdia. Der Fotograf war überzeugt, er arbeite mit einer ganz bestimmten Lichtart, und dachte gar nicht an die Möglichkeit, daß das Licht sich nach seiner Ausstrahlung verändert haben könnte.
Reflektiertes Licht kann vorteilhaft sowohl bei Innen- wie auch bei Außenaufnahmen dazu verwendet werden, um Schatten, die sonst zu dunkel erscheinen, aufzuhellen. Das übliche Mittel dazu sind Flächen, die mit Aluminiumfolie überzogen sind. Man stellt sie so auf, daß sie das Licht der Hauptlichtquelle in die Schatten reflektieren. Bei Innenaufnahmen kann man eine sehr wirkungsvolle, indirekte Beleuchtung damit erreichen, daß man große Rahmen mit weißem Stoff oder Papier bespannt und auf das Objekt einrichtet. Fotolampen oder Blitze werden dann auf sie gerichtet und von ihren Oberflächen so reflektiert, daß das Objekt nur mit reflektiertem, weichem, mehr oder weniger schattenlosem Licht beleuchtet wird. Nötigenfalls kann eine solche Beleuchtung natürlich auch mit direktem Vorder- oder Seitenlicht kombiniert werden.
Eine Variante dieser Methode wird vor allem für lebensnahe Schnappschüsse im Zimmer verwendet. Dazu wird der Reflektor einer Blitzleuchte oder eines Elektronenblitzes so nach oben und etwas nach vorwärts gerichtet, daß das Licht die Zimmerdecke trifft, von ihr reflektiert wird und auf diese Weise das Objekt mit gleichmäßig zerstreutem Licht beleuchtet. Wird diese Methode bei Farbumkehrfilm verwendet, muß die Zimmerdecke natürlich rein weiß sein, sonst bekommt das Farbdia einen Farbstich in der Farbe der Zimmerdecke. Bei Farbnegativfilm kann ein solcher Farbstich durch entsprechende Filterung beim Vergrößern meist ausgeschaltet werden.
Die Blende für Aufnahmen mit indirektem Blitz wird meist ebenfalls mit der Leitzahl, allerdings etwas umständlich, errechnet. Man ermittelt die Entfernungen vom Blitz zur Decke und von der Decke zum Objekt, addiert diese und teilt die Summe durch die Leitzahl, macht aber dann die Aufnahme mit einer Blende, die bei normalen Räumen um zwei und bei großen Räumen um drei Stufen weiter geöffnet ist als die errechnete Blende.

Tageslicht

Für den Schwarzweißfotografen ist natürliches oder Tageslicht kein Problem, aber für den Farbfotografen ist es die schwierigste und komplizierteste Lichtart, weil es schwer zu beurteilen und grundsätzlich unbeständig ist. Es ändert dauernd nicht nur seine Helligkeit – die allerdings mit einem Belichtungsmesser ermittelt werden kann –, sondern auch seine Farbe, die einzuschätzen schwierig und exakt zu messen praktisch unmöglich ist. An einem hellen, sonnigen Tag, an dem das Licht voraussichtlich genau dem entspricht, für das der Tageslichtfarbfilm sensibilisiert ist, werden Aufnahmen im offenen Schatten zu blau, Aufnahmen unter belaubten Bäumen zu grün und Aufnahmen neben einer sonnenbeschienenen Ziegelmauer zu rot. Dazu ist in Nahaufnahmen der Kontrast vielfach deshalb zu groß, weil bei Außenaufnahmen nur eine Lichtquelle, die Sonne, vorhanden ist, während bei Aufnahmen im künstlichen Licht gegebenenfalls Lichtquellen zur Schattenaufhellung zur Verfügung stehen. Daher werden bei Nahaufnahmen in der Sonne die Schatten nur von reflektiertem blauem Himmelslicht (oder fast gar nicht) beleuchtet und sind oft so dunkel, daß der Kontrastumfang des Motives den Belichtungsspielraum des Farbfilms überschreitet, falls man nicht die Schatten aufhellt, etwa mit Blitz von der Kamera aus oder mit Aluminiumfolien, weißem Papier usw., die das Sonnenlicht in die Schatten reflektieren.

Abnormal gefärbtes Tageslicht führt selbstverständlich zu farbstichigen Farbdias. Ob solche fehlfarbigen Bilder annehmbar sind oder nicht, hängt von mehreren Faktoren ab. Zum Beispiel macht es einen Unterschied, ob die »echte« Farbe des Objektes dem Betrachter bekannt oder unbekannt ist. Im ersten Falle, besonders wenn es sich um Hauttöne handelt, wird viel dringender eine »natürliche« Farbe verlangt als im zweiten Fall, bei dem es denkbar ist, daß das Objekt eine andere Farbe hatte, wie das bei vielen von Menschen hergestellten Dingen der Fall sein kann. Ferner wird man bei Objekten, für die kräftige und gesättigte Farben charakteristisch sind, eher einen Farbstich übersehen als bei Objekten mit zarten, pastellartigen Farben. Am kritischsten sind in dieser Hinsicht Bildnisse und Großaufnahmen von Menschen, die selbst ein leichter Farbstich »unnatürlich« erscheinen lassen kann, es sei denn, daß der Betrachter des Farbdias eine solche Farbabweichung erwartet. Doch gibt es auch hier Unterschiede: Eine Abweichung der Farbe nach Rot zu wird eher akzeptiert als nach Blau oder Grün zu – Farben, die einem Menschen ein krankes Aussehen verleihen.

Trotzdem ist es unsinnig, jede Farbaufnahme zurückzuweisen, deren Farbwiedergabe nicht akademischen Regeln entspricht. Im Gegenteil: Fotografen und Nichtfotografen sollten allmählich lernen, die Farben der Dinge im farbstichigen Licht zu »sehen« und sie als so natürlich zu empfinden, wie sie sind. In der Glut eines goldenen Sonnenuntergangs *muß* ein Gesicht vergoldeter als im blauen Mittagslicht erscheinen. Warum sollten wir es nicht in seiner goldenen Schönheit wiedergeben und uns daran erfreuen?

»Weißes« Tageslicht. Vom Tageslichtfarbfilm aus gesehen, ist »weißes« Tageslicht oder *»normales« Tageslicht eine Mischung aus direktem Sonnenlicht und vom klarblauen Himmel mit ein paar weißen Wolken reflektiertem Licht in den Stunden, wenn die Sonne höher als 20 Grad über dem Horizont steht.* Dieses Licht entspricht einer Farbtemperatur von 5600 bis 6000° K oder einem Dekamiredwert von 18–17. Ist diese Kombination von Sonnenlicht und Wolken vorhanden, erscheint die Farbwiedergabe in einem richtig belichteten und entwickelten Farbdia auf Tageslichtfarbfilm natürlich und bedarf keiner Korrektur durch Filter. Die einzige andere Lichtart, die für den Tageslichtfarbfilm als weiß gelten kann, ist Licht eines tiefhängenden Dunstschleiers, der gerade so dicht ist, daß er die Sonne verdeckt. Da aber schon geringe Veränderungen in der Natur dieses Lichtes die Farbwiedergabe nach Blau zu verschieben können, ist es meist ratsam, bei Aufnahmen in solchem Licht eine Ultraviolett- oder – noch besser – ein Skylight-Filter zu verwenden.

Blaues Tageslicht. An wolkenlosen Tagen sind die Schatten stets blau, weil sie ihr Licht vom blauen Himmel bekommen (es sei denn, das beschattete Objekt besitzt eine starke Eigenfarbe; in solchem Fall wird die Farbe des Schattens eine additive Mischung aus Objektfarbe und Himmelsblau sein). Davon kann man sich leicht überzeugen, wenn man ein weißes Blatt Papier in die Schatten hält, einen kleinen Spiegel darauf legt und ihn so kippt, daß der Himmel sich in ihm reflektiert. Vergleicht man die beiden Farben – das Himmelsblau und das Blau des Schattens –, wird man sehen, daß sie einander gleich sind. Fotografiert man Objekte im offenen Schatten, so daß sie nur Licht vom blauen Himmel bekommen, erscheinen natürlich ihre Farben blaustichig. In gleicher Weise bekommen Aufnahmen an wolkigen Tagen einen bläulichen Charakter, besonders, wenn die Sonne hinter einer schweren Wolke steht und große Partien des Himmels klar sind oder wenn der ganze Himmel von einem hohen, dünnen Dunstschleier überzogen ist. Wenn unter solchen Aufnahmebedingungen ein Blaustich vermieden werden soll, kann man ihn durch ein rötliches Farbkorrekturfilter ausschalten.

Rötliches Tageslicht. Kurz nach Sonnenaufgang und gegen Sonnenuntergang zu erscheint die Sonne nicht weiß, sondern gelb, orange oder rot. Die Ursache dafür ist Lichtstreuung in den tieferen, staubbeladenen Schichten der Atmosphäre. Diese werden hauptsächlich von langwelligen, gelben und rötlichen Strahlen durchdrungen, wodurch das Licht am frühen Morgen und späten Nachmittag gelblicher oder rötlicher erscheint als um die Mittagsstunden. Natürlich erscheinen dann die Farben der Dinge, die man in diesem Licht fotografiert, »wärmer« als im weißen Mittagslicht. Um derartige Farbstiche zu vermeiden, empfehlen die Hersteller von Farbfilmen, Farbaufnahmen nur in der Zeit von zwei Stunden nach Sonnenaufgang bis zwei Stunden vor Sonnenuntergang zu machen. Andererseits kann man aber auch diese Farbstiche durch bläuliche Farbkorrekturfilter entsprechender Dichte ausgleichen. Hat aber ein Fotograf erst einmal gelernt, Farben »fotografisch« zu sehen, entdeckt er bald die eigenartige Schönheit der verschiedenen Arten des Tageslichtes und findet, daß Farbaufnahmen, die am frühen Morgen oder am späten Nachmittag gemacht worden sind, ihre eigene Schönheit und Stimmung besitzen.

Kunstlicht

Gegenüber dem Tageslicht hat das Licht künstlicher Lichtquellen den Vorteil der Beständigkeit und Gleichmäßigkeit in Helligkeit und Zusammensetzung, vorausgesetzt natürlich, daß die Glühlampen mit der erforderlichen Spannung betrieben werden und daß diese konstant bleibt. Daher zeigen richtig belichtete Farbaufnahmen auf Kunstlichtfarbfilm, die bei dem entsprechenden Kunstlicht aufgenommen worden sind, in der Regel eine ausgezeichnete Farbwiedergabe.
Ein weiterer grundlegender Unterschied zwischen Tageslicht und Kunstlicht besteht darin, daß – falls notwendig – jede beliebige Zahl von Kunstlichtquellen verwendet werden kann. (Praktisch wird sie natürlich durch die zulässige Ampèrezahl der jeweiligen Leitung begrenzt.) Während der Freilichtfotograf im allgemeinen auf eine einzelne Lichtquelle angewiesen ist – die Sonne – und auf eine relativ beschränkte, zweifelhafte Art der Schattenaufhellung – den Himmel –, ist der Fotograf bei Innenaufnahmen in bezug auf Anordnung und Zusammensetzung seiner Beleuchtung unbeschränkt. Er kann nicht nur so viele einzelne Lampen einsetzen, wie er braucht, um sein Objekt zufriedenstellend zu beleuchten, ihm steht es auch völlig frei, genau die Lampentype zu wählen, von der er die günstigsten Ergebnisse erwar-

tet. Also: Scheinwerfer vom riesigen Gerät für sonnenartige Wirkungen bis herunter zum kleinen »Baby-Spot« für Lichtakzente; Glühlampen in Reflektoren für allgemeine Beleuchtung und Glühlampen hinter Streuscheiben zur Schattenaufhellung. Und gegebenenfalls kann er mit Elektronenblitzen oder Blitzlampen Bewegungen »gefroren« erfassen und Belichtungen auf Bruchteile von Sekunden herabsetzen. Die folgende Aufstellung gibt eine Übersicht über die am meisten benutzten Arten von Kunstlicht.

Licht von 3200° K wird von den Fotolampen für Berufszwecke ausgestrahlt, die in Form von normalen Glühlampen, rückseitig verspiegelten Glühlampen, Halogen-Glühlampen und Projektionslampen für Scheinwerfer in verschiedenen Größen und Wattstärken erhältlich sind. Farbfilm Type B ist für diese Lichtart abgestimmt, die einen Dekamiredwert von 31 hat.

Licht von 3400° K wird von den kurzlebigen Amateurfotolampen geliefert, die es ebenfalls als Glühlampen üblicher Bauart, als rückseitig verspiegelte Glühlampen und als Halogen-Glühlampen in verschiedenen Größen und Leistungen gibt. Farbfilm Type A ist für diese Lichtart abgestimmt, die einen Dekamiredwert von 29 hat.

Licht von 3800° K wird von klaren Blitzlampen ausgestrahlt, die es in verschiedenen Größen und mit verschiedener Lichtleistung gibt. Diese sind in erster Linie für Schwarzweißaufnahmen bestimmt, aber man bekommt damit auch auf Tageslichtfarbfilm zufriedenstellende Resultate, wenn man ein Kodak Wratten 80C- oder ein anderes Farbkonversionsfilter mit dem dm-Wert B 8 vorsetzt. Der Dekamiredwert dieser Lichtart ist 26.

Licht von 4800 bis 5400° K ergeben die blauüberzogenen Glühlampen für fotografische Zwecke, die es auch in verschiedenen Größen und mit verschiedenen Leistungen gibt. Diese Lichtart wird in erster Linie für Schattenaufhellung bei Innenaufnahmen mit Tageslicht auf Tageslichtfarbfilm benutzt. Doch wird sie nicht als einzige Lichtquelle für Aufnahmen auf Tageslichtfarbfilm empfohlen, weil die dabei entstehenden Farbdias einen etwas warmen, mehr geblichenen Farbton bekommen als im normalen Tageslicht. Der Dekamiredwert dieses Lichtes beträgt 21–19.

Licht von 6000 bis 6300° K wird von den blauüberzogenen Blitzlampen geliefert. Diese Lichtart ist besonders für Schattenaufhellung bei

Freilichtnahaufnahmen auf Tageslichtfarbfilm geeignet. Der Dekamiredwert dieser Lichtart beträgt 17–15.

Licht von 6200 bis 6800 °K ergibt der Elektronenblitz. Tageslichtfarbfilme sind für diese Lichtart abgestimmt, die einen Dekamiredwert von 16–15 besitzt.

Ratschläge zur Verwendung von Elektrizität

Die meisten fotografischen Lichtquellen haben einen verhältnismäßig hohen Stromverbrauch, aber gewöhnliche Haushaltsleitungen sind nur für die dort notwendigen Leistungen dimensioniert. Um zu berechnen, wie viele Fotolampen an den Stromkreis angeschlossen werden können, ohne daß man die Sicherung durchbrennt, multipliziert man die Voltzahl der Leitung mit der Ampèrezahl ihrer Sicherung. Das Resultat stellt die Wattzahl dar, mit der dieser Stromkreis belastet werden darf. Wenn z. B. die Stromspannung 220 Volt beträgt und mit einer Sicherung für 10 Ampère versehen ist – das ist die am meisten vorkommende Kombination –, multipliziert man 220 mit 10. Das Resultat von 2200 Watt ergibt die Belastungsgrenze dieses Stromkreises, ohne daß die Sicherung durchschlägt. Das bedeutet also, daß man z. B. 4 Fotolampen zu je 500 Watt anschließen kann oder 8 Lampen zu je 250 Watt oder 2 Lampen zu je 500 und 4 Lampen zu je 250 Watt usw. Dabei ist stets darauf zu achten, daß am selben Stromkreis nicht gleichzeitig andere Stromabnehmer angeschlossen sind, oder man berücksichtigt diese und schließt entsprechend weniger Fotolampen an. Wenn man mehr Fotolampen braucht, schließt man diese an einen anderen Stromkreis an, um ein Durchschlagen der Sicherung zu vermeiden. Man stellt den anderen Stromkreis dadurch fest, daß man gleichzeitig Lampen in verschiedenen Zimmern anschließt, dann eine Sicherung herausdreht und beobachtet, welche Lampen dabei verlöschen und welche weiterbrennen. Alle Lampen, die ausgehen, sind am selben Stromkreis angeschlossen, während die Lampen, die weiterbrennen, zu einem anderen mit einer anderen Sicherung gehören.
Die Sicherung ist gewissermaßen das Sicherheitsventil der elektrischen Leitung. Sie ist als künstlich-schwaches Glied der Leitung dazu bestimmt, durchzubrennen, wenn die Leitung überlastet wird, um sie damit vor Schaden zu bewahren. Eine durchgebrannte Sicherung darf nie durch eine stärkere ersetzt oder etwa mit einer Aluminiumfolie oder einem Draht überbrückt werden. Sonst kann bei der nächsten

Überlastung der Leitung diese selbst zu glühen beginnen, und der entstehende Kurzschluß kann zu einem Feuer führen, das das ganze Haus niederbrennt.
Wenn man elektrisches Zubehör oder Kabel kauft, achte man darauf, daß diese das Zeichen »VDE« führen. Das ist die Garantie dafür, daß sie bestimmten Sicherheitsbestimmungen entsprechen.
Überlasten Sie nicht Ihre elektrischen Kabel. Achten Sie darauf, daß Sie einen genügend großen Querschnitt für die entsprechende Stromstärke haben. Fragen Sie den Verkäufer nach dem richtigen Querschnitt. Befühlen Sie das Kabel, nachdem der Strom einige Zeit eingeschaltet war: Es darf etwas warm, aber keineswegs heiß werden. Verlegen Sie Ihre Kabel so, daß niemand darüber stolpern kann, also am besten an der Wand oder den Möbeln entlang oder unter einem Teppich.
Um zwei Kabel zu verbinden, nimmt man sie zuerst natürlich vom Stromanschluß, lötet beide Verbindungen und isoliert sie mit Isolierband, ehe man sie wieder anschließt. Noch besser ist, eine Steckerverbindung zu machen.
Um eine Leitung vom Anschluß zu trennen, zieht man nicht ruckartig am Kabel, sondern erfaßt dazu den Stecker und zieht ihn heraus.
Die üblichen gummiisolierten Kabel darf man nicht an Wände, Stellwände oder an die Decke nageln. Diese Art von elektrischer Leitung ist nicht für dauernde Installation gedacht. Für eine solche sind nur metallüberzogene Leitungen zugelassen, die vom Elektriker verlegt werden müssen.
Man soll keine Kabel mit gebrochenem oder abbröckelndem Gummi oder mit anderweit beschädigter Isolierung benutzen. Auch soll man Kabel, Fotoleuchten usw., die einen Kurzschluß verursacht haben, nicht eher wieder verwenden, bis man sie untersucht und den Schaden behoben hat.
Blitzlampen dürfen nicht ohne weiteres durch den Haushaltsstrom gezündet werden, etwa um damit den Eindruck einer brennenden Tischlampe hervorzurufen. Zwar gibt es größere Blitzlampen, deren Fassung in die üblicher Lampen paßt, doch brennen dabei die Sicherungen durch. Wenn mehrere Blitzlampen gleichzeitig gezündet werden sollen, kann man eine Reihe von Glühlampen in Serie schalten, um den Stromstoß abzuschwächen und so das Durchbrennen der Sicherung zu vermeiden.

Einfluß der Stromspannung. Nur wenn die Fotolampe mit der Spannung betrieben wird, für die sie geschaffen ist, entspricht ihre Farbtemperatur den Angaben. Schon eine Änderung von wenigen Prozent der Spannung genügt, um die tatsächliche Farbtemperatur der Lampe zu verschieben. Zum Beispiel verändert eine Spannungsänderung von etwa 5% im 220-Volt-Stromkreis die Farbtemperatur einer Fotolampe um etwa 50° K, die Lichtleistung um etwa 10% und die Lebensdauer der Lampe mit dem Faktor 2, d. h., bei entsprechend niedrigerer Spannung nimmt die Lebensdauer zu, bei entsprechend höherer Spannung ab.

Farbveränderungen bei Farbdias durch Änderungen der Stromspannung fallen bei pastellartigen Farben geringer Sättigung und in neutralen Tönen besonders auf. Herrschen solche Farben vor, kann eine Änderung der Farbtemperatur von schon 50° K merkbare Farbveränderungen in der Darstellung hervorrufen. Wenn dagegen stark gesättigte Farben überwiegen, ergibt selbst eine Farbtemperaturveränderung um 100° K normalerweise keine störende Beeinträchtigung der Farbwirkung.

Zu niedrige Spannung verändert die Farben nach Gelb und Rot, dagegen ergibt Überspannung einen bläulichen Farbstich und verkürzt gleichzeitig die Brenndauer der Lampe.

Schwankungen der Stromspannung werden meist durch besonders hohen oder niedrigen Stromverbrauch verursacht. Entstehen solche Schwankungen in dem Gebäude, in dem der Fotograf sein Studio hat, können sie dadurch vermieden werden, daß das Studio direkt mit der Hauptleitung der Straße verbunden wird. Diese Schwankungen werden vielfach durch Aufzüge, Kühlanlagen oder Ein- und Ausschalten elektrischer Motoren verursacht, gelegentlich auch durch unzureichende Dimensionierung der elektrischen Leitung.

Ist die Stromspannung *dauernd zu niedrig,* gleicht man die geringe Voltspannung am besten dadurch aus, daß man genau mißt, welche Farbtemperatur das Licht unter diesen Arbeitsbedingungen aufweist (wozu man alle Lampen zugleich einschaltet), und korrigiert den Gelbstich der Beleuchtung durch ein entsprechendes bläuliches Filter. *Ist aber die Spannung dauernden Schwankungen unterworfen,* gibt es nur einen Weg, um einwandfreie Farbdias zu erhalten: Man sichert sich gleichmäßige Stromspannung durch einen Spannungskonstanthalter, der zwischen Stromanschluß und Lampen eingeschaltet wird.

Wie man bei Kunstlicht belichtet

Bei Beleuchtung mit Lichtquellen, die Dauerlicht ergeben, werden die erforderlichen Belichtungsdaten mit Hilfe eines Belichtungsmessers bestimmt, wie schon beschrieben wurde. Besondere Aufmerksamkeit wende man dabei auf den Beleuchtungskontrast (mit Graukarte messen), den Motivkontrast (wozu man einzelne Messungen auf hellste und dunkelste Farben vornimmt) und, falls notwendig, auf den Hintergrund (wobei man sich vergewissert, daß er genügend Licht für einwandfreie Farbwiedergabe erhält).

Grauskala als Farbführer. Soll ein Farbdia als Ausgangspunkt für ein Farbpapierbild oder einen Farbdruck dienen, sollte man, wenn irgend möglich, in das Bild eine Grauskala – wie z. B. die Kodak-Neutral-Graukarte – als Farbführer für den Drucker mit einbeziehen. Benutzt man Farbumkehrfilm, erleichtert diese Maßnahme beträchtlich die Herstellung der Farbabzüge. Bei Farbnegativfilm ist sie für genaue Farbwiedergabe im Farbpapierbild eine Notwendigkeit. Eine solche Graukarte oder -skala bringt man irgendwo an der Seite des Bildes an, und zwar da, wo man sie später leicht abschneiden kann, ohne die Wirkung des Farbbildes zu beeinträchtigen. Ist es aber nicht möglich, eine solche Grauskala im Farbmotiv anzubringen, kann sie unter genau gleichen Bedingungen getrennt aufgenommen werden (natürlich auf Farbfilm derselben Emulsionsnummer) und muß selbstverständlich auch mit dem Film, auf den das Farbmotiv aufgenommen worden ist, zusammen entwickelt werden.
Um zuverläßlich als Farbführer dienen zu können, muß die Graukarte dieselbe Lichtmenge erhalten wie die wichtigsten Teile des Motivs. Das überprüft man mit dem Belichtungsmesser. Außerdem muß die Graukarte so angebracht werden, daß ihr Bild auf der Mattscheibe frei von Glanz ist und mit Licht derselben Art beleuchtet wird wie das Motiv, also nicht von Licht getroffen werden kann, das von irgendeiner farbigen Oberfläche nicht direkt auf den Boden, weil die unvermeidlichen Reflexe von Gras, Sand usw. ihren Wert als Hilfe zur richtigen Farbwiedergabe der Farbauszüge zunichte machen würden.
Belichtungsbestimmung bei Blitzlampen. Die Grundlage für die Berechnung der Belichtung mit Blitzlampenbeleuchtung ist die *Leitzahl*, die zu der betreffenden Kombination von Blitzlampe, Reflektor, Farbfilm und Belichtungszeit gehört. Diese Leitzahl findet man auf der Verpackung der Blitzlampen und in den Gebrauchsanweisungen der

Blitzlampenhersteller. Diese einfache und verhältnismäßig genaue Methode baut sich darauf auf, daß eine bestimmte Beziehung zwischen Filmempfindlichkeit, Lichtleistung der Blitzlampe, Reflektorwirkung, Abstand zwischen Objekt und Blitzlampe, Belichtungszeit und Blende besteht. In jedem Falle stehen fünf dieser sechs Faktoren entweder fest: die Filmempfindlichkeit, die Blitzlampenleistung und die Reflektorwirkung – oder sie können leicht bestimmt werden: der Abstand zwischen Objekt und Blitzlampe und die benutzte Verschlußzeit. Also bleibt nur ein unbekannter Faktor: die Blende. Sie ist leicht mit folgender Formel zu finden:

$$\text{Blende} = \frac{\text{Leitzahl}}{\text{Abstand Blitzlampe – Objekt (in Meter)}}$$

Nehmen wir zum Beispiel an, daß die Leitzahl für eine bestimmte Kombination von Farbfilm, Blitzlampe und einer bestimmten Reflektortype und Belichtungszeit 44 betrage und der Abstand zwischen Blitzlampe und Objekt 4 m sei. In diesem Falle dividiert man die Leitzahl durch den Abstand Objekt-Blitzlampe und bekommt als richtige Blende 11.

Andererseits kann es vorkommen, daß man die Aufnahme mit einer bestimmten Blende machen möchte, um eine bestimmte Schärfentiefe zu bekommen. In diesem Falle findet man die entsprechende Entfernung zwischen Objekt und Blitzlampe mit Hilfe folgender Formel:

$$\text{Abstand Objekt – Blitzlampe (in Meter)} = \frac{\text{Leitzahl}}{\text{Blendenzahl}}$$

Nehmen wir zum Beispiel an, die Leitzahl betrage 44, die gewünschte Blende 8. Wie weit muß dann die Blitzlampe vom Objekt entfernt sein? Die Antwort ist: 44 dividiert durch 8, also 5,5 m.

Belichtungsbestimmung mit Elektronenblitz. Bei Verwendung von Elektronenblitz wird die Belichtung nach demselben Leitzahlensystem berechnet wie für Blitzlampen, ausgenommen, daß nun die Belichtungszeit als Faktor vernachlässigt wird, weil beim Elektronenblitz die Belichtungszeit durch die Blitzdauer des Gerätes bestimmt wird, nicht durch die Verschlußzeit. Allerdings habe ich die Erfahrung gemacht, daß die Leitzahlen, die von den Herstellern angegeben werden, vielfach die Leistung des betreffenden Geräts überschätzen. Daher ist es unbedingt empfehlenswert, daß man mit einer Belichtungsreihe die *wahre* Leitzahl für dieses Gerät in Verbindung mit der betreffenden Filmtype feststellt. Hierzu stellt man das Objekt oder Modell in einem Abstand von 3 Metern von der mit Blitz versehenen Kamera (Blitzlampe oder Elektronenblitz) auf. Dann macht man eine Anzahl Aufnahmen mit verschiedenen Blenden unter sonst gleichen Bedingungen. Anschließend multipliziert man die Blendennummer, die das beste Resultat ergab, mit 3; das Ergebnis ist dann die »wahre« Blitzleitzahl.

Die Funktionen des Lichtes

Jede Kunstform hat ihr eigenes Mittel. Das des Fotografen ist das Licht. Er schafft buchstäblich mit Licht und ist ohne Licht hilflos. Allein das Licht befähigt ihn, überhaupt Fotos herzustellen, sich mitzuteilen, sich in Bildform auszudrücken. Um vollen Gebrauch sowohl von seinen eigenen Möglichkeiten wie denen des Lichtes machen zu können, muß er sich der vier Hauptfunktionen, mit denen das Licht seine Bilder formt, bewußt sein:

Licht macht das Objekt sichtbar
Licht symbolisiert Masse und Tiefe
Licht gibt dem Bild seine Stimmung
Licht beeinflußt die Hell-Dunkel-Wirkung im Bild.

Licht macht das Objekt sichtbar

Ohne Licht kann man nicht sehen. Daher ist Licht im tieferen Sinne ein Synonym für Sehen. »Sehen heißt glauben«, sagt ein altes Sprichwort. Sehen ist eine der wenigen unschätzbaren Brücken zwischen Wirklichkeit und Geist.
Hierzu möchte ich noch sagen: Es gibt verschiedene Stufen des Sehens: den flüchtigen Blick, das interessierte Betrachten, die wißbegierige Forschung, das Suchen nach Wissen und Einsicht. Sehen Sie ein Objekt, das Sie interessiert, begnügen Sie sich nicht mit dem ersten Blick. Wenn ein Motiv wert ist, fotografiert zu werden, ist es auch wert, *gut* fotografiert zu werden. Mit anderen Worten, der erste Eindruck ist selten der beste. Studieren Sie Ihr Motiv aus verschiedenen Gesichtspunkten im buchstäblichen wie auch im übertragenen Sinne. Sehen Sie

es *bewußt* mit Ihren Augen, aber auch mit dem inneren Auge des Geistes, suchen Sie seine Bedeutung und sein Wesen zu erfassen. Stellen Sie seine wichtigen Eigenschaften fest, konzentriert, geklärt und verdichtet, zeigen Sie *mehr* in Ihrem Bild, als was das flüchtige Auge in Wirklichkeit sah. Licht macht Ihnen das Objekt sichtbar und gibt Ihnen Ihre Chance; nun ist es an Ihnen, andere durch Ihre Fotos zum »Sehen« anzuregen.

Licht symbolisiert Masse und Tiefe

Jeder Zeichner weiß, daß Schattierung seiner Zeichnung »Tiefe« verleiht. Dasselbe gilt auch für die Fotografie: ein von schattenlosem Vorderlicht beleuchtetes Objekt erscheint »flach«. Wenn wir es aber so rücken, daß die Sonne es mehr oder weniger seitlich bescheint, oder wenn wir unsere Fotoleuchten entsprechend stellen – *wenn wir Schatten erzeugen* –, verschwindet dieses flache Aussehen und wird durch dreidimensionale Wirkung ersetzt. In schattenloser Beleuchtung würde selbst die Venus von Milo flach aussehen wie eine Papierfigur. Andererseits gewinnt in einem Licht, das Schatten wirft, selbst ein flaches Basrelief an Tiefe. Denn Gegenspiel von Licht und Schatten ist ein grafisches Symbol für Tiefe.
Um jedoch *überzeugende* Illusionen von Masse, Rundung und Tiefe zu schaffen, müssen Licht und Schatten *organisch* eingesetzt die Formen des Objektes betonen. Leider ist das nicht immer der Fall. Oft zerstören schlecht fallende Schatten wichtige Formen und damit die Eigenart des Objektes. Um ein Gefühl für die Wichtigkeit des Gegenspiels von Licht und Schatten zu bekommen, empfehle ich dem Leser, das folgende Experiment mit Bildnisbeleuchtungen durchzuführen. Schritt für Schritt lernt er dabei, wie man eine wirkungsvolle Beleuchtung aufbaut.

Vorbereitungen. Sie brauchen vier Fotolampen und ein Modell. Setzen Sie das Modell bequem im Abstand von 1½ bis 2 m vor einen neutralen Hintergrund. Verdunkeln Sie den Raum so weit, daß eben noch genug Licht vorhanden ist, um zu sehen, was man tut, aber nicht so viel, daß die Wirkung der Fotolampen gestört wird.

Das Hauptlicht. Diese Lampe spielt die Rolle der Sonne bei Freilichtaufnahmen, also die des vorherrschenden Lichtes. Sie hat die zweifache Aufgabe, das Modell so zu beleuchten, daß seine Formen so klar

und charakteristisch wie möglich modelliert werden, und durch entsprechende Verteilung von Licht und Schatten eine gute grafische Wirkung zu geben. Gegenüber dem Hauptlicht spielen die drei anderen Lampen nur eine untergeordnete Rolle – die Rolle einer Hilfsbeleuchtung, die den durch das Hauptlicht festgelegten Charakter der Darstellung noch weiter ausarbeitet. Man bringt sie erst dann ins Spiel, wenn die Wirkung des Hauptlichtes endgültig festgelegt worden ist.
Das beste Hauptlicht ist ein großer Scheinwerfer, der etwa wie die Sonne wirkt. Falls nicht vorhanden, kann eine 500-Watt-Fotolampe in einem Reflektor oder eine rückseitig verspiegelte 500-Watt-Fotolampe benutzt werden. Man stellt diese Lichtquelle so auf, daß sie das Modell aus einem Winkel von 45° zur Aufnahmerichtung und aus 10° zur Waagerechten von oben beleuchtet. Diese Stellung ergibt schon automatisch eine gute Beleuchtung. Man achte auf die Verteilung von Licht und Schatten – vor allem auf die Schatten in den Augenwinkeln nahe der Nase, in den Winkeln zwischen Nase und Mund und unter dem Kinn, und besonders beachte man den Schlagschatten der Nase. Das ist der von allen wichtigste Schatten in jedem Bildnis. Er darf nie die Lippen berühren oder gar überschneiden – das wirkt wie ein häßlicher Schnurrbart.
Wenn ein Fotograf eine gewisse Erfahrung gesammelt hat, kann er versuchen, das Hauptlicht aus anderen Richtungen zu verwenden, um ungewöhnlichere Wirkungen zu erzielen. Aber im Anfang ist es klüger, diese sichere Anordnung zu treffen. Die große Beweglichkeit des Kunstlichtes macht es ohnehin zu einfach, mit gekünstelten Lichtwirkungen zu enden – Originalität um der Originalität willen. Solange aber das Hauptlicht wirkungsvoll eingerichtet ist, wird die Grunddarstellung gut sein, und was noch zu tun ist, beschränkt sich eigentlich nur auf die Regelung der Kontraste.

Das Aufhellicht. Sein Zweck ist, die Schatten aufzuhellen, die vom Hauptlicht geworfen werden – nicht zu stark, nicht zu wenig, eben genügend, so daß sie nicht schwarz im Bild erscheinen, sondern Farbe und Zeichnung aufweisen, ohne aber dabei den Charakter der Beleuchtung, die durch das Hauptlicht festgelegt wurde, zu verändern. Als Aufhellicht benutzt man eine zerstreut leuchtende Fotolampe. Sie sollte so nahe wie möglich an der Achse »Kamera-Modell« und etwas höher als das Objektiv aufgestellt werden. Diese Position schaltet weitgehend die Gefahr aus, daß Schatten in den Schatten entstehen sowie sich überkreuzende Schatten, die vom Hauptlicht und vom Aufhellicht herrühren. Solche Schatten sind außerordentlich häßlich und sollten um jeden Preis vermieden werden. Der genaue Abstand zwischen Aufhellicht und Modell wird durch den gewünschten Motivkontrast bestimmt, wie später erläutert wird.

Das Akzentlicht. Sein Zweck ist, die Wiedergabe durch Spitzlichter und Glanzlichter zu beleben, in diesem Falle z. B. auf Wange und Haar des Modells. Dazu benutzt man einen kleinen Scheinwerfer, der auf einen bestimmten Leuchtwinkel eingestellt werden kann. Man benutzt ihn als Gegenlicht, um die Umrißlinie von Wange und Haar des Modells zu betonen, um Struktur herauszuarbeiten und um Glanzlichter und Reflexe zu erzeugen. Da er irgendwo hinter dem Modell und seitlich von ihm aufgestellt wird und dabei in Richtung auf die Kamera scheint, kann er keine zusätzlichen Schatten werfen. Dabei muß natürlich verhindert werden, daß sein Licht auf das Objektiv fällt, denn das kann Überstrahlungen und Lichthöfe auf dem Film ergeben. Mit einer Pappe zwischen Akzentlicht und Objektiv ist das leicht zu vermeiden.

Das Hintergrundlicht. Sein Zweck ist, dem Hintergrund so viel Licht zu geben, daß er in der gewünschten Farbe erscheint – auch wenn diese »Farbe« ein neutrales Grau oder ein Weiß sein sollte. Am besten richtet man eine größere Fotolampe direkt gegen den Hintergrund. Dabei prüft man mit Belichtungsmesser und Graukarte, ob die Beleuchtungsstärken von Gesicht und Hintergrund einander gleich sind. Unterbelichtete Hintergründe, die im Bild zu dunkel oder schwarz erscheinen, sind bekannte Anfängerfehler.

Die Grundsätze der guten Beleuchtung. Das oben beschriebene Schema einer Beleuchtung ergibt eine sogenannte »Standardbeleuchtung«. Ohne besonders originell zu sein, gibt sie doch stets brauchbare Resultate und kann überall angewendet werden, gleichgültig, ob das Motiv ein Mädchen, eine Maus oder eine Maschine ist. Man kann sie mit Glühlampenlicht, mit Blitzlampen oder mit Elektronenblitzen erzielen. Sie kann in unzählige Variationen abgewandelt werden, indem man Stellung, Intensität oder Streuung der einzelnen Lichtquellen verändert. Durch Veränderung der Hell-Dunkel-Verteilung kann man Bilder herstellen, die heiterer oder düsterer sind. Wenn man den Kontrast vergrößert, bis die Schatten völlig schwarz sind, erhält man die typische »Glamour«-Beleuchtung, die die verführerischsten Wirkungen garantiert. Wenn einmal der Fotograf Zweck und Wirkung der verschiedenen Lichtquellen und die technischen Möglichkeiten kennt, kann er erreichen, was ihm vorschwebt, und wird Erfolg haben, solange er die folgenden Grundregeln befolgt, die für jede Art von Beleuchtung gelten:

Bauen Sie die Beleuchtung Schritt für Schritt auf. Beginnen Sie stets mit dem Hauptlicht. Geben Sie nie eine weitere Lampe dazu, ehe nicht die vorhergehende zu voller Zufriedenheit eingesetzt ist.

Zuviel Licht und zu viele Lichtquellen verderben jede Beleuchtung.

Mehrfache Schatten, die einander überschneiden, und Schatten in Schatten, die durch zusätzliche Leuchten entstehen, sind ausgesprochen häßlich, daher zu vermeiden.

Haben Sie keine Angst vor tiefschwarzen Schatten, wenn solche Schatten ausdrucksvoll in ihrer Form sind und so fallen, daß sie die Formen des Objektes unterstreichen und die grafische Darstellung verdichten.

Der wichtigste Schatten im Bildnis ist der, den die Nase wirft. Er soll nie die Lippen berühren oder gar überschneiden. Tut er es doch, ergibt sich die Wirkung eines häßlichen Schnurrbartes, selbst wenn das Modell ein hübsches Mädchen ist.

Beachten Sie die »blinden Flecke« in einem Gesicht und sorgen Sie dafür, daß sie genügend Licht bekommen. Man findet sie in den Augenwinkeln nahe der Nase, in den Winkeln zwischen Nase und Mund und unter dem Kinn.

Benutzen Sie das Aufhellicht möglichst zerstreut, um Schatten (die vom Aufhellicht erzeugt werden) in den Schatten (die vom Hauptlicht erzeugt werden) zu vermeiden. Das beste Aufhellicht ist der Ringblitz, eine Elektronenblitzröhre, die das Objektiv einschließt, also völlig schattenlos beleuchtet.

Stellen Sie die Aufhellampe über Objektivhöhe auf, so daß ihre Schatten verhältnismäßig niedrig fallen. Bei zu niedriger Aufstellung können die Schatten, die das Aufhellicht wirft, störend auf dem Hintergrund erscheinen.

Ein zu schwaches Aufhellicht ist besser als ein zu starkes. Ein zu starkes Aufhellicht ergibt die gleiche Wirkung wie ein Blitz an der Kamera.

Konzentrieren Sie das Licht auf den Hintergrund, und halten Sie den Vordergrund dunkler. Ein dunkler Vordergrund wirkt wie ein Rahmen und lenkt das Auge und damit das Interesse in die Tiefe des Bildes.

Ein unterbelichteter Hintergrund ist einer der häufigsten Fehler vieler Farbfotografen. Benutzen Sie einen Belichtungsmesser in Verbindung mit einer Graukarte, um die Beleuchtungsstärke von Objekt und Hintergrund zu prüfen, und rücken Sie dann die Lampe so zurecht, daß die beiden Beleuchtungsstärken einander gleich sind.

Licht ist das stärkste Mittel zur Erzielung von »Stimmung« im Bild. Bauen Sie daher die Beleuchtung so auf, daß sie der Stimmung des Motivs entspricht.

Gegenlicht ist die dramatischste Beleuchtungsart, leider aber auch diejenige, die am schwierigsten zu handhaben ist.

Streifendes Licht oder Dreiviertel-Gegenlicht bringt Oberflächenstruktur besser heraus als jede andere Beleuchtungsart.

Ein Blitz an der Kamera ergibt, von der bildmäßigen Wirkung her gesehen, die denkbar schlechteste Beleuchtung (ausgenommen natürlich, wenn ein solcher Blitz lediglich der Schattenaufhellung dient).

Beleuchtung von Strukturen. Oberflächenstruktur ist das Zusammenwirken von kleinen Erhöhungen und Vertiefungen. Um Oberflächenstrukturen fotografisch wirksam darzustellen, müssen die Erhöhungen beleuchtet werden und gleichzeitig die Vertiefungen im Schatten liegen. Da die Erhöhungen – die Körnigkeit eines Steines, das Gefüge von Holz, die Fäden eines Gewebes – gewöhnlich sehr klein sind, werfen sie nur im streifenden Licht wirkungsvolle Schatten. Die Wiedergabe der Oberflächenstruktur wird also um so besser, je mehr die Lichtrichtung parallel zur Struktur verläuft. Dabei ist ein Dreiviertel-Gegenlicht meist am wirksamsten. Am besten ist direktes Sonnenlicht oder Scheinwerferlicht. Danach kommt direktes, also nicht zerstreutes Fotolampenlicht und Blitzlicht. Diffuses oder reflektiertes Licht ist hier sinnlos. Da die Einzelheiten der Oberflächenstruktur meist sehr klein sind, können sie natürlich nur dann einwandfrei wiedergegeben werden, wenn die Abbildung gestochen scharf ist.

Licht gibt dem Bild seine Stimmung

Die Stimmung einer Landschaft wechselt mit der Tageszeit und mit den atmosphärischen Bedingungen. Es ist ein Unterschied, ob sie langweilig und monoton im harten Mittagslicht vor der Kamera liegt, unter einem bedeckten Himmel brütet oder durch die Farbexplosion eines Sonnenuntergangs zum Leben erwacht. Eine gedämpfte, kontrastarme Beleuchtung ergibt ein ganz anderes Gefühl als heller Sonnenschein. Und das warme Licht des Morgenrots vermittelt eine andere Stimmung als das kalt-blaue Licht der Dämmerung. Diese Unterschiede in der Stimmung rühren von Verschiedenheiten in der Helligkeit und Farbe des Lichts her.

Die meisten Fotografen wissen das instinktiv und benutzen es bei Bildern, die sie in erster Linie einer Stimmung, also einer besonderen Lichtart wegen aufnehmen. Sie nennen es »Atmosphäre« und sind sich bewußt, daß sie wahrscheinlich die Aufnahme nicht machen würden, hätten sie das Motiv in einem anderen Licht, in einer anderen Stimmung angetroffen. Denn Stimmung und »Atmosphäre« (hier im psychologischen, nicht im meteorologischen Sinne!) werden hauptsächlich durch das Licht geschaffen.

Als Beispiel dafür betrachten wir die Atmosphäre eines Kirchenraumes. In einer weißgestrichenen Dorfkirche, in die durch klare Scheiben das helle Sonnenlicht strömt, empfinden wir eine andere Stimmung als in einer Kathedrale, wo das Licht durch die tiefen Farben der Kirchenfenster gedämpft und gefiltert wird.

Die besonderen Stimmungen, die durch besondere Lichtverhältnisse entstehen, können nur dann wirkungsvoll in das Bild übertragen werden, wenn die Eigenart der Beleuchtung, die diese Stimmung ergibt, erhalten bleibt. Fotografen, die an solchen besonderen Lichtarten Änderungen treffen, die Korrektionsfilter benutzen, um die Beleuchtung auf übliche Norm zu bringen, die rücksichtslos zusätzliche Lichtquellen verwenden, um Schatten aufzuhellen und den Kontrast herabzusetzen, so daß jede Einzelheit deutlich zu sehen ist, die sonst in Dunkelheit verlorenginge, zerstören die Stimmung. Jeder erfahrene Fotograf weiß, daß Aufhellicht oft für eine wirkungsvolle Wiedergabe unerläßlich ist; aber er weiß auch, daß dieses zusätzliche Licht nur in einer Weise verwendet werden darf, die nicht das Wesentliche des Bildes zerstört: seine Stimmung.

Heutzutage erkennen mehr und mehr Fotografen den großen Einfluß, den die Beleuchtung auf die Stimmung eines Bildes ausübt. Daher werden immer mehr Aufnahmen bei vorhandenem Licht gemacht. Für

mich ist ein körniges und teilweises unscharfes Foto, das bei vorhandenem Licht unter schwierigen Bedingungen *die Stimmung des Motivs bewahrt hat,* unendlich viel interessanter als das schärfste und detailreichste Bild, in dem aber die Stimmung fehlt oder durch zusätzliches Licht zerstört wurde. Wenn die Beleuchtung zu schwach ist, um detailreiche Fotos mit Belichtungszeiten zu machen, die genügend kurz sind, um unbeabsichtigte Bewegungsunschärfe im Bilde auszuschalten, sehen wir gewöhnlich das Motiv auch nicht klar und scharf, sondern erhalten denselben leicht verschwommenen Eindruck, der für Aufnahmen bei ungenügendem Licht charakteristisch ist.
In Stimmungsbildern wird das Licht zum Schöpfer von Gefühlswerten. Das eigentliche Objekt solcher Bilder ist nicht ein konkreter Gegenstand, sondern etwas Unfaßbares – ein Gefühl. Die greifbaren Dinge, die in der Wiedergabe erscheinen, sind nur die Mittel, mit denen wir diese bestimmte Stimmung erregen. Gelegentlich sind Farbe und Licht die eigentlichen Motive solcher Bilder, wie in Aufnahmen von Sonnenuntergängen und in vielen Nachtaufnahmen in Großstädten, im Neondschungel. Abstrakte Begriffe, wie Stimmung, kann man nicht direkt fotografieren, sie können nur suggeriert werden. Ein Fotograf muß die Vorstellungskraft des Betrachters durch geeignete Symbole so lenken, daß in ihm diese Stimmung erregt wird. Um Stimmung zu schaffen, braucht man meist gedämpfte Beleuchtung, die durch Farbe geeigneter Art ergänzt wird – warm oder kalt, beruhigend oder aufreizend, gegensätzlich oder harmonisch. Und große Teile des Bildes müssen mit Farbe, Licht und Schatten an Stelle von Einzelheiten des Motivs ausgefüllt sein.

Gegenlicht ist wegen seiner relativ abstrakten Darstellungsweise die am besten geeignete Lichtart für das Schaffen von Stimmung. Gegenlicht neigt dazu, den Eindruck des »Wirklichen« zu dämpfen, indem es Konkretes in Dunkelheit oder Licht taucht und abstrakte Begriffe unterstreicht: »Atmosphäre«, Stimmung. Wenn es auch die schwierigste Lichtart ist und oft dazu führt, daß im gleichen Bild Unter- und Überbelichtung hart nebeneinanderstehen, schenkt es doch dem Fotografen, der es kühn und geschickt zu verwenden versteht, Bilder, die suggestiver und eindrucksvoller sind als Aufnahmen bei jeder anderen Lichtart.
Der besondere Reiz von Gegenlichtaufnahmen liegt im Gegenspiel von Helligkeit und Dunkelheit und in der Tatsache, daß die Schlagschatten auf den Betrachter zulaufen, wodurch sich besonders starke Tiefeneindrücke ergeben. Diese Raumwirkung wird oft noch durch zarte Licht-

säume unterstützt, die Umrisse betonen, verschiedene Tiefenzonen voneinander trennen und damit den räumlichen Eindruck noch mehr verstärken.
Um den Charakter des Gegenlichtes zu erhalten, muß der Fotograf vor allem den Gegensatz zwischen Licht und Dunkelheit bewahren. Der größte Fehler, den er hier machen kann, wäre, zu stark aufzuhellen. Wer ernstlich glaubt, dunkle, detaillose Schatten seien unbedingt ein Zeichen für Unfähigkeit des Fotografen, sollte vermeiden, mit Gegenlicht zu arbeiten. Wenn auch detaillose Schatten in vielen Arten von Fotos offensichtlich unerwünscht sind, trifft das doch nicht immer zu. Wenn man es richtig handhabt, sind solche dunklen Partien in Gegenlichtaufnahmen keineswegs »notwendiges Übel«, sondern kompositorische Bildelemente, die diesem Bildtyp seine besondere Kraft und Eigenart verleihen. Daß diese Abbildungsart für bestimmte Zwecke und Objekte ungeeignet ist, setzt nicht den Wert des Gegenlichts als kraftvolles Mittel zur Stimmungsdarstellung herab. Wenn allerdings detaillierte Durchzeichnung der Schatten wichtig ist, verzichtet man besser auf Gegenlicht. So wird zum Beispiel bei Bildnisaufnahmen Gegenlicht normalerweise nur als Hilfsbeleuchtung benutzt, um Glanz und Spitzlichter aufzusetzen. Aber in der Landschaftsfotografie ist Gegenlicht unübertroffen, um interessante Wirkungen zu erzielen, besonders, wenn das Motiv eine Wasserfläche oder einen dramatischen Himmel enthält. Um befriedigende Resultate zu erzielen, müssen die folgenden Bedingungen erfüllt werden:

Das Motiv muß sich für eine Art der Darstellung eignen, die Umrisse und Silhouetten betont, Kontraste verstärkt und Einzelheiten unterdrückt oder auslöscht. Motive, die diese Forderungen erfüllen, sind unter anderen: Landschaften; Wasserflächen, die, wenn sie nicht im Gegenlicht funkeln und leuchten, oft charakterlos und langweilig erscheinen; Silhouetten von Städten; Aktstudien; alle Bilder mit großen Himmelsflächen, bei denen die Sonne hinter einer Wolke steht, und – natürlich – Sonnenuntergänge.

Lichtflecke und Lichthöfe sind entweder als Symbole für strahlendes Licht aufzufassen und in die Bildgestaltung einzufügen oder zu vermeiden. Das letztere ist oft schwieriger und nur dann möglich, wenn die Umstände es erlauben, daß der Fotograf sein Objektiv vor direktem Licht schützt, etwa indem er wartet, bis eine vorbeiziehende Wolke vorübergehend die Sonne verdeckt, oder indem er den Schatten eines Stammes oder Astes, eines Bogens oder Torweges, eines Reklameschildes, eines Daches usw. dazu benutzt, direktes Licht vom Objektiv abzuhalten. Unter gewissen Bedingungen kann auch die Lichtquelle vom Objekt selbst verdeckt werden. Eine Sonnenblende gewährt dem Objektiv nur dann den gewünschten Schutz, wenn sich die Lichtquelle außerhalb des Blickfeldes befindet, vorausgesetzt natürlich, daß die Sonnenblende genügend lang oder verstellbar ist.

Die Belichtung von Gegenlichtaufnahmen wird mit Rücksicht auf die hellen Farben des Objektes berechnet. Wenn das Motiv zum Beispiel der Himmel bei Sonnenuntergang ist, vernachlässigt man die Einzelheiten in der Landschaft, mißt also mit dem Belichtungsmesser in dem Augenblick auf die hellsten Teile des Himmels, in dem die Sonne von einer Wolke verdeckt wird, und belichtet dementsprechend. Gewisse Bildteile, besonders im Vordergrund, werden dann natürlich schwarz. Aber obgleich diese Dunkelheit nicht der Wirklichkeit entspricht, verstärkt sie die Wirkung der Farben durch den Gegensatz von Farbe und Schwarz. Würde man dagegen eine Durchschnittsbelichtung benutzen, blieben bei Motiven mit derartig starken Kontrasten Teile des Vordergrundes auf jeden Fall unterbelichtet und erscheinen daher schwarz; außerdem aber würden die delikaten Farben des Himmels durch Überbelichtung verweißlicht, die farbige Wirkung des Sonnenuntergangs wäre zerstört, und der einzige »Erfolg« des Fotografen bestände darin, daß er im selben Bild Unter- und Überbelichtung vereinigt hätte.

Licht beeinflußt die Hell-Dunkel-Wirkung

Stark beleuchtete Motivteile erscheinen unverhältnismäßig hell, im Schatten liegende oft schwarz. Dazwischen liegt die Skala der Mitteltöne und Farben. Diese vom Licht geschaffenen Hell-Dunkel-Effekte sind – grafisch abstrakt betrachtet – für die Wirkung des Bildes genauso wichtig wie die Fähigkeit des Lichtes, Tiefe und Stimmung zu suggerieren.

Wenn man die grafischen und gefühlsmäßigen Wirkungen von Schwarz und Weiß analysiert, findet man, daß Weiß dominierend und aggressiv, Schwarz passiv und zurückweichend ist. Die Tatsache, daß in einem Foto weiße (oder helle) Teile zuerst die Aufmerksamkeit auf sich ziehen (Ausnahme: originelle, schwarze Silhouetten), kann vorteilhaft dazu benutzt werden, um das Auge des Betrachters zu Punkten besonderen Interesses zu lenken. Eine wirkungsvolle Methode ist, das Objekt hell zu halten und mit dunkleren Flächen zu umgeben, sozusagen »einzurahmen«. Weiß (oder ein Bild in hellen Tönen) suggeriert Licht, Heiterkeit, Glück, Jugend. Schwarz (oder ein Bild in dunklen Tönen) suggeriert dagegen Kraft, Festigkeit und Macht, aber auch Ernst, Alter, Sorge und Tod. Um Weiß möglichst leuchtend zu machen, muß es gegen Schwarz gestellt werden. Und umgekehrt: um Schwarz so dunkel wie möglich erscheinen zu lassen, setzt man es in Kontrast zu Weiß.

Zu einer überzeugenden Demonstration der Möglichkeiten, wie man lediglich mit Licht die verschiedensten grafischen Wirkungen erzielen kann, wird folgendes Experiment: Eine weiße Gipsfigur wird vor einem weißen Hintergrund aufgestellt und dann mit einer einzelnen Fotolampe (am besten mit einem Scheinwerfer) auf fünf verschiedene Arten beleuchtet und fotografiert: 1. Figur und Hintergrund werden mit flachem Vorderlicht so beleuchtet, daß sie beide im Bild weiß erscheinen. Dazu muß die vom Belichtungsmesser angegebene Belichtung entweder um etwa das Fünffache verlängert werden, oder man belichtet gemäß Messung auf eine Graukarte. In einem richtig beleuchteten und belichteten Bild erscheinen sowohl die Statue als auch der Hintergrund weiß. 2. Man wiederholt die Aufnahme unter denselben Bedingungen, nur belichtet man diesmal in Übereinstimmung mit den Angaben des Belichtungsmessers. Das Bild zeigt nun eine graue Statue vor grauem Hintergrund. 3. Man macht eine dritte Aufnahme unter gleichen Bedingungen, schließt aber die Blende um drei bis vier Blendenstufen. Dieses Mal bekommt man eine Wiedergabe, die eine fast schwarze Figur vor einem fast schwarzen Hintergrund zeigt. 4. Man verwendet eine Kombination von Vorder- und Oberlicht und richtet durch die Schattenwirkung eines entsprechend gehaltenen Kartons die Beleuchtung so ein, daß die Statue im vollen Licht steht, der Hintergrund aber tief beschattet ist. Ein richtig belichtetes Bild wird dann eine weiße Statue vor einem fast schwarzen Hintergrund zeigen. 5. Man benutzt dieselbe Anordnung, richtet aber die Beleuchtung so ein, daß diesmal der Hintergrund voll beleuchtet wird und die Statue im Schatten liegt. Jetzt erhält man ein Bild mit einer fast schwarzen Statue vor einem weißen Hintergrund.

Wie dieses Experiment zeigt, ist es möglich, lediglich durch geschickte Verwendung von Licht so verschiedenartige grafische Effekte wie Weiß gegen Weiß, Grau gegen Grau, Schwarz gegen Schwarz, Weiß gegen Schwarz und Schwarz gegen Weiß zu erzielen – zweifellos eine überzeugende Demonstration für die Gestaltungskraft des Lichtes!

Die Funktion des Schattens

Wie die oben geschilderte Demonstration zeigt, verhalten sich Licht und Schatten wie positiv und negativ und sind zwei gleich wichtige Formen desselben Elementes, wenn auch mit entgegengesetzten Vorzeichen. Sie ergänzen und verstärken sich gegenseitig durch den Kontrast ihrer charakteristischen Eigenschaften. Während aber die meisten Fotografen der Beschaffenheit und Verteilung des Lichtes in ihren Bildern beträchtliche Aufmerksamkeit zuwenden, vernachlässigen sie gewöhnlich die Schatten. Sie wissen nicht oder beachten nicht, daß der Schatten in bezug auf den grafischen Bildeindruck drei Funktionen erfüllt:

Schatten als Symbol für Tiefe. Die Wichtigkeit des Schattens für korrekte Tiefenwiedergabe zeigt folgendes Experiment: Man macht drei Aufnahmen eines Basreliefs direkt von vorn. Die erste Aufnahme beleuchtet man mit schattenlosem Vorderlicht; die zweite mit flachem Streiflicht, das von der oberen linken Ecke des Bildes kommt; und die dritte macht man mit flachem Streiflicht, das von der unteren rechten Ecke des Bildes kommt. Dann vergleicht man die Wirkungen der drei Bilder. Man stellt fest, daß das erste flach erscheint, denn keine Schatten bedeutet auch keine Tiefe. Das zweite erscheint naturgetreu insofern, als es den Eindruck von Tiefe vermittelt. Auch das dritte scheint »Tiefe« zu haben, aber die Tiefe liegt umgekehrt. Formen, die im Original Erhöhungen sind, erscheinen hier als Vertiefung, und Formen, die tiefer lagen, wirken nun erhöht. Denselben Effekt kann man in senkrecht von oben aufgenommenen Luftbildern von Gebirgen feststellen. Solche Fotos haben natürlich weder »oben« noch »unten«. Hält man solche Bilder so, daß die Schatten mehr oder weniger nach unten und gegen die rechte untere Ecke fallen, scheint die Darstellung der Wirklichkeit zu entsprechen. Hält man dagegen das Bild so, daß die Schatten gegen die obere linke Ecke zeigen, erscheint die Landschaft in sich verkehrt. Die Berge sehen aus wie Krater, und die Täler werden zu Gebirgszügen.

Bei einer Landschaftsaufnahme mit Bergketten kann man manchmal die Schatten vorbeiziehender Wolken dazu benutzen, das Motiv mit gesteigerter Tiefenwirkung darzustellen. So kann der Fotograf den Abstand zwischen zwei Gebirgsketten dadurch suggerieren, daß er abwartet, bis durch entsprechende Stellung der Wolken die eine Gebirgskette im Licht, die andere im Schatten liegt, womit dem Bild größere Tiefenwirkung verliehen wird.

Schatten als Dunkelheit. Der Wert des Schattens liegt in seinem dunklen Ton. Als Bildelement betrachtet, läßt er im Gegensatz zu seiner eigenen Dunkelheit die Farben gesättigter und intensiver erscheinen, gibt ihnen also zusätzliche Brillanz. Sie können sich davon selbst überzeugen, indem Sie sich aus einem Stück *schwarzen* Papiers oder Kartons einen Rahmen schneiden und diesen über eines der Farbbilder dieses Buches legen: Die Farben erscheinen sofort leuchtender. Wenn Sie dagegen einen ähnlichen, aber *weißen* Rahmen über dasselbe Bild legen, werden Sie feststellen, daß nun die Farben gedämpfter erscheinen. Da nämlich Weiß heller als jede Farbe ist, erscheinen im Kontrast zu seiner eigenen Helligkeit alle Farben nicht nur dunkler, sondern auch weniger intensiv. Hier entsteht also genau die entgegengesetzte Wirkung wie mit dem schwarzen Rahmen. Ein guter Fotograf benutzt diese Eigenschaft von Schwarz – von Dunkelheit und Schatten –, um seinen Farbbildern besondere Leuchtkraft zu geben.
Dunkelheit – Schatten – ergibt in Verbindung mit hellen Bildteilen den grafischen Kontrast, der Kraft, Eindruck und Macht symbolisiert. Ferner ergibt Dunkelheit starke Akzente, auf die man mitunter sogar die ganze Bildgestaltung aufbauen kann, wie beispielsweise im Falle der Silhouette oder der Halbsilhouette, d. h. der kräftigen dunklen Formen, die aber noch etwas Durchzeichnung innerhalb der Dunkelheit aufweisen. Weiterhin kann Dunkelheit Begriffe wie Drama, Armut, Leiden oder Tod suggestiv symbolisieren. Und außerdem ist es das wirkungsvollste Mittel, um Ernst, Schwermut und geheimnisvolle Stimmung auszudrücken.

Schatten als Form. Groteske Schatten, die in verzerrter Form den Umriß des Gegenstandes wiederholen, der sie wirft, können Bilder von starker Aussagekraft schaffen und ähnlich einer Karikatur durch Übertreibung die Eigenschaften eines Objektes in besonders ausdrucksvoller Form betonen.
Wenn auch Schatten mit Formen, die stark genug sind, um als Hauptelement des Bildes zu dienen, ziemlich selten sind, sollte man doch alle wichtigeren Schatten innerhalb des Objektivbildfeldes beachten und überlegen, ob nicht eine phantasievolle Benutzung dem Bild gesteigerte Kraft und Eigenart verleihen kann. So können beispielsweise die langen, ausladenden Schatten am frühen Morgen und am späten Nachmittag ein seltsames, eigenes Leben annehmen. Da gibt es Bilder aus der Vogelschau auf Menschen, die die Straße entlangeilen, deren grotesk verzerrte, durch die tiefstehende Sonne phantastisch verlängerten Schatten mit surrealistischer Intensität das hektische Straßenle-

ben einer Großstadt darzustellen scheinen. Und ich werde nie eine Luftbildaufnahme einer zerbombten Stadt von Margaret Bourke-White vergessen. Sie wurde senkrecht nach unten am späten Nachmittag aus geringer Höhe aufgenommen, und die Schlagschatten der Häuser ohne Dach und Fenster formten ein makabres schwarz-weißes Muster von leeren Quadraten, die in der Gestalt einer »Schattenstadt« eine Stimmung von Schrecken und sinnloser Zerstörung zeichneten, die man nie vergessen kann.

Farbe

Farbe ist eine psycho-physikalische, durch Licht hervorgerufene Erscheinung. Ihre Wirkung in Form von Farbempfindung hängt von folgenden Faktoren ab:

Die spektrale Zusammensetzung des einfallenden Lichtes
Die molekulare Struktur der Licht reflektierenden oder durchlassenden Substanz
Unsere Organe für das Farbsehen: Auge und Gehirn

Was ist Farbe?

Farbe ist Licht. Ohne Licht, also in Dunkelheit, erscheinen auch die farbenprächtigsten Dinge schwarz. Sie verlieren ihre Farbe. Das ist buchstäblich wahr. Es bedeutet NICHT, daß ihre Farben noch existieren, aber weil das Licht fehlt, nicht zu sehen sind. Es bedeutet buchstäblich, daß *in der Dunkelheit Farben aufgehört haben zu existieren.*
Daß Farbe Licht ist, kann leicht bewiesen werden. Im Tageslicht erscheint ein weißes Gebäude weiß. Wird es nachts mit rotem Flutlicht beleuchtet, sieht es rot aus. Blau beleuchtet wirkt es blau. Mit anderen Worten: seine Farbe wechselt mit der Farbe des Lichtes, in dem wir es sehen.
Wie steht es aber mit Pigmenten – Ölfarben, Wasserfarben, Farbstoffen –, mit dem Stoff, der den Dingen ihre Farbe gibt? Sind sie nicht absolut, bestehen sie nicht als eigenständige Farben?
Nein, auch die Farben dieser Substanzen sind Produkte des Lichtes. Daher ändern sie sich auch, wenn sich die Farbe der Beleuchtung ändert. Jede Frau weiß, daß die Farben von Stoffen im Tageslicht

anders erscheinen als abends im Glühlampenlicht und wieder anders im Licht von Leuchtröhren. Warum? Weil die Farben dieser Lichtarten verschieden sind: Tageslicht ist »weiß«, Glühlampenlicht mehr gelblich, das Licht von Leuchtröhren enthält sehr wenig Rot. Den Beweis dieser Behauptung kann jeder leicht selbst vornehmen, indem er eine Farbreihe in verschieden gefärbtem Licht beobachtet. Dazu hält man vor eine Lichtquelle Cellophanfolien verschiedener Farben. Die Farben der Farbreihe ändern sich jedesmal, wenn die Farbe des Lichtes verändert wird. Warum? Weil Farbe Licht ist.

Das Spektrum. Jeder Hauptschüler weiß heute, daß das, was wir als »weißes« Licht empfinden, kein homogenes Medium ist, sondern eine Mischung von Licht verschiedener Wellenlängen, die man mit Hilfe eines Prismas oder Spektroskopes voneinander trennen und sichtbar machen kann. Dabei ergibt sich ein »Spektrum«, ein Band von leuchtenden Farben, in dem sich Licht verschiedener Wellenlängen in Form verschiedener Farben manifestiert.

Das bekannteste Beispiel eines Spektrums ist der Regenbogen. Seine Farben entstehen durch Sonnenlicht, das sich in zahllosen in der Luft schwebenden Wassertröpfchen bricht und dabei zerstreut wird. Die schönsten Regenbögen erscheinen am Spätnachmittag unmittelbar nach einem Gewitterregen, wenn die Sonne kraftvoll durchbricht und den Regenbogen vor dem dunklen Hintergrund der Wolken entstehen läßt. Ein Regenbogen entsteht stets der Sonne gegenüber. Je niedriger die Sonne steht, um so höher wölbt sich der Regenbogen.

Andere natürliche Spektren werden durch Sonnenlicht an den prismatischen Kanten geschliffener Gläser und Spiegel erzeugt oder durch Sonnenstrahlen, die auf die Auslagen eines Juweliers fallen, wo die strahlenbrechenden Eigenschaften der Diamanten einen Schauer sprühender Farben entstehen lassen.

Das klassische Newton-Spektrum unterscheidet sieben verschiedene Farben: Rot, Orange, Gelb, Grün, Blau, Indigo, Violett. In Wirklichkeit ist natürlich die Zahl der Farben unendlich viel größer, da jede Änderung in der Wellenlänge des Lichtes eine neue, andere Farbe ergibt. Doch kann man für die menschliche Farbwahrnehmung alle Farben als Variationen und Kombinationen von nur sechs Grundfarben klassifizieren: Rot, Gelb, Grün, Blau, Weiß, Schwarz. Man nennt sie »psychologische Grundfarben«. Tatsächlich genügen, notfalls mit ändernden Adjektiven, diese Farbnamen, um alle anderen Farben zu beschreiben. So kann man Orange als Rot-Gelb bezeichnen, Violett als Blau-Rot usw. Im wissenschaftlichen Sinne dagegen sind die einzigen

»reinen« Farben die Farben des Spektrums. Alle anderen Farben sind Mischungen mehrerer Farben in verschiedenen Proportionen. Aber jede von den Hunderten von Farben des Spektrums wird durch Licht einer einzigen bestimmten Wellenlänge erzeugt. Daher ihre unirdische Klarheit und Leuchtkraft. Die Betrachtung eines großen Spektrums ist eines der tiefsten und erregendsten aller visuellen Erlebnisse.

»Unsichtbares Licht«. Ein Physiker würde Licht als die Form von Strahlungsenergie definieren, die durch Reizen der Netzhaut des Auges im Beobachter eine visuelle Empfindung auslöst. Diese Definition schließt automatisch den Begriff des »unsichtbaren Lichtes« aus. Alles Licht ist sichtbar. Ist es nicht sichtbar, ist es eben kein Licht. Wir lesen und sprechen mitunter über ultraviolettes oder »schwarzes« Licht. Wissenschaftlich gesehen sind diese Ausdrücke nicht richtig. Da Ultraviolett dem menschlichen Auge unsichtbar ist (obgleich bestimmte Tiere und Insekten sowie die fotografische Emulsion dafür empfindlich sind), kann es nicht mit »Licht« bezeichnet werden. Der korrekte Ausdruck ist »ultraviolette Strahlung«. Dasselbe trifft natürlich auch auf Infrarot zu. Auch das ist keine Lichtart, sondern eine Form von Energie, die der Wärmestrahlung verwandt ist.

Wie Farbe entsteht

Farbe kann auf viele verschiedene Arten entstehen, von denen die meisten ein gemeinsames Prinzip haben: nur solche Farben, die bereits latent im Spektrum des Lichtes existieren, bei dem man sie beobachtet, können gesehen und fotografiert werden. Wenn das Spektrum eines bestimmten Lichtes nicht jene Wellenlängen enthält, die zum Beispiel die Empfindung »rot« hervorrufen, sieht ein Objekt, das im Sonnenlicht rot erscheint, unter dieser Beleuchtung nicht rot aus. Zum Beispiel hat das Licht, das eine Quecksilberdampflampe ausstrahlt, ein Spektrum, in dem die meisten Wellen für die Empfindung »rot« fehlen. Wer jemals ein Sonnenbad unter einer Quecksilberdampflampe genommen hat, weiß, daß ihr Licht Lippen und Fingernägel mit leichenhaftem Aussehen wiedergibt. Sie erscheinen violett-schwarz, weil dieser Lichtart Rot fast völlig fehlt.

Hier eine Liste der Prozesse, die Farben ergeben können, von denen allerdings nur der erste – Absorption – für den Fotografen bedeutsam ist:

Absorption – alle Körper- und Pigmentfarben
Selektive Reflexion – alle metallischen Farben
Lichtbrechung – der Regenbogen, das Spektrum
Interferenz – Ölpfützen auf dem Asphalt, Opale, Seifenblasen
Lichtbeugung – die Farben eines Beugungsgitters
Streuung – die blaue Farbe des wolkenlosen Himmels
Elektrische Reize – farbige Neonreklame
Ultraviolette Reize – fluoreszierende Mineralien

Absorption

Die meisten Farben, die wir sehen und fotografieren, sind Körper- oder Pigmentfarben. Unter anderen gehören zu dieser Gruppe alle nicht fluoreszierenden und nichtmetallischen Pigmente, Anstrich- und Stoffarben und die meisten Farben von Objekten der Natur, wie das Grün der Pflanzen, das Blau und Gelb der Blumen, das Rot des Tones usw. Diese Farben entstehen durch Absorption von Licht. Das geht so vor sich:
Weißes Licht, das aus allen Farben des Spektrums zusammengesetzt ist, beleuchtet einen Gegenstand. Von diesem Licht dringen bestimmte Wellenlängen – die bestimmte Farben vertreten – in die Oberfläche des Gegenstandes ein und werden dort vom Material *absorbiert.* Andere Wellenlängen, die andere Farben vertreten, werden *reflektiert* und erzeugen bei uns die Empfindung »Farbe«. Welche Wellenlängen des auffallenden Lichtes, d. h. welche Teile seines Spektrums absorbiert oder welche reflektiert werden, hängt von der physikalischen Feinstruktur des Materials ab.
Zum Beispiel entsteht die rote Farbe von einem Stück roten Gewebe wie folgt: Weißes oder »farbloses« Licht fällt auf das Material und dringt in das Gewirr von halbdurchlässigen Fasern ein, die mit einem Farbstoff getränkt sind. Die molekulare Struktur dieses Farbstoffes absorbiert die Wellenlängen des auffallenden weißen Lichtes, die Blau und Grün erzeugen, aber beeinflußt nicht die Rot erzeugenden Wellenlängen. Diese Rot erzeugenden Wellenlängen bleiben also frei, um entweder durch das Material hindurchzudringen oder reflektiert zu werden. Treffen sie nun zufällig auf das Auge eines Beobachters, rufen sie in seinem Gehirn die Empfindung »rot« hervor.
Alle anderen Körperfarben werden in ähnlicher Weise erzeugt. Fällt Licht auf eine Oberfläche und dringt bis zu einer gewissen Tiefe ein, entsteht in diesem Licht eine Veränderung, die von der teilweisen

Absorption durch die Atome des Materials hervorgerufen wird: Gewisse Teile des Spektrums werden durch Absorption an der Materialoberfläche herausgefiltert; der Rest wird reflektiert und gibt damit der Oberfläche ihre Farbe.
Wenn die Oberfläche sehr glatt und glänzend ist, wird Licht auf zwei verschiedene Arten reflektiert. Zunächst beobachten wir die oben beschriebene Art von Reflexion, welche die Farbe der Oberfläche erzeugt. Zweitens bemerken wir aber auch eine andere Art von Reflexion, die wir als »Glanz« wahrnehmen.

Diffuse Reflexion. Die farberzeugende Art von Reflexionen wird durch Licht hervorgerufen, das in die Oberfläche bis zu einer bestimmten Tiefe eindringt – jedenfalls tief genug, um einen Teil seines Spektrums durch Absorption im Material zu verlieren. Der Teil des Lichtes, der *nicht* absorbiert, sondern reflektiert wird, gibt der Oberfläche ihre Farbe und wird als »diffuse Reflexion« bezeichnet.

Spiegelnde Reflexion. Die Glanz erzeugende Art von Reflexion erscheint um so intensiver, je mehr der Blickwinkel dem Einfallswinkel des Lichtes nahekommt. Diese Art von Reflexion wird von Licht verursacht, das nicht in die Oberfläche eindringt, also vom Material ohne teilweise Absorption reflektiert wird. Aus diesem Grunde behält es auch seine ursprüngliche Zusammensetzung. Ist das auffallende Licht weiß, erscheint der Glanz ebenfalls weiß, selbst wenn er von einer farbigen Oberfläche reflektiert wird. Diese Art von Reflexion wird »spiegelnde Reflexion« genannt.
In der Fotografie und ganz besonders in der Farbfotografie ist spiegelnde Reflexion oder Glanz oft unerwünscht, weil damit die wirkliche Farbe der Oberfläche verdeckt wird. Zum Beispiel sind die Farben der Vierfarbendrucke in diesem Buch durch Absorption erzeugt und erreichen Ihr Auge durch diffuse Reflexion. Hält man nun einmal versuchsweise einen solchen Farbdruck gegen das Licht und kippt ihn mehr und mehr von sich weg, kann man beobachten, wie die Farben allmählich vom Glanz ausgelöscht werden. Ist schließlich der Betrachtungswinkel klein genug, sieht man nur noch den Glanz, und die darunterliegenden Farben sind völlig verschwunden. Solche »Glanzlichter« bestehen aus *polarisiertem* Licht, vorausgesetzt, daß sie nicht von metallischen Flächen kommen.

Polarisiertes Licht und Kontrolle des Glanzes

Ein Strahl von *nichtpolarisiertem* – also von »gewöhnlichem« – Licht vibriert in allen Richtungen senkrecht zu seiner Achse. Ein solcher Lichtstrahl ist mit einer gespannten Saite zu vergleichen, die seitlich in jeder Richtung frei schwingen kann.
Ein Strahl von *polarisiertem* Licht vibriert dagegen nur in einer Ebene. Ein solcher Strahl ist mit einer gespannten Saite zu vergleichen, die durch einen schmalen länglichen Schlitz in einer Pappe läuft, so daß ihre Schwingungsmöglichkeit auf eine einzige Ebene beschränkt ist, nämlich auf die Ebene des Schlitzes.
Polarisiertes Licht und Glanz können mit Hilfe eines Polarisationsfilters kontrolliert werden. Ein Polarisationsfilter besteht aus einem durchsichtigen Material, das die Fähigkeit aufweist, »normales« Licht zu polarisieren: Normales, nichtpolarisiertes Licht fällt auf die eine Seite des Polarisationsfilters, wird durchgelassen und verläßt die andere Seite in Form von polarisiertem Licht. Im Grunde genommen übt also ein Polarisationsfilter auf einen Lichtstrahl dieselbe Wirkung aus wie der Schlitz in der Pappe auf die gespannte Saite.
Nun stellen Sie sich einmal zwei Pappen mit solchen Schlitzen vor, die aufeinanderliegen. Durch die Schlitze geht eine gespannte Saite. Liegen die Schlitze parallel aufeinander, wird die Schwingung der Saite in dieser Ebene nicht beeinträchtigt. Wird aber einer der beiden Schlitze gegen den anderen verdreht, wird die Schwingungsmöglichkeit der Saite mehr und mehr gehemmt und kommt schließlich völlig zum Stillstand, wenn sich die beiden Schlitze im rechten Winkel kreuzen. Setzen wir an der Stelle der schwingenden Saite einen Strahl nichtpolarisierten – »normalen« – Lichtes ein und für die beiden Pappen mit Schlitzen zwei Polarisationsfilter, ergibt sich folgendes Bild:

Solange die beiden Polarisationsfilter so übereinanderliegen, daß ihre Polarisationsachsen parallel verlaufen, wirken sie wie ein einziges Polarisationsfilter, und nichtpolarisiertes Licht, das auf die Polarisationsfilter fällt, wird mit dem Passieren nur eben polarisiert. Drehen wir aber eines der Polarisationsfilter, werden die Schwingungen des vom ersten Polarisationsfilter polarisierten Lichtes mehr und mehr vom zweiten Polarisationsfilter gehemmt. Wird schließlich ein Winkel von 90° zwischen den Achsen der beiden Polarisationsfilter erreicht, werden die Schwingungen des Lichtes, das vom ersten Polarisationsfilter polarisiert wurde, vom zweiten Polarisationsfilter gelöscht, so daß kein Licht mehr durchgelassen wird.

Diese Wirkung läßt sich leicht beobachten. Dazu nimmt man zwei Polarisationsfilter, hält sie gegen das Licht und dreht eines langsam gegen das andere. Das Licht, das dabei durch die Polarisationsfilter kommt, verändert sich von größter Helligkeit zur Undurchlässigkeit, also zur Dunkelheit.
Durch Glanz reflektiertes Licht verhält sich, da es polarisiert ist, genau wie normales Licht, das durch ein Polfilter gegangen ist. Infolge seiner Schwingungsbeschränkung auf eine Ebene kann man seine Helligkeit mit einem einzelnen Polarisationsfilter regeln. Das bestätigt sich, wenn man durch ein Polarisationsfilter den Glanz betrachtet, der von einem unserer Farbbilder reflektiert wird. Dabei dreht man langsam das Polarisationsfilter und stellt fest, wie sich die Intensität des Glanzes entsprechend der Filterstellung von größter Helligkeit bis zu Null ändert. In der Nullstellung ist der Glanz praktisch ausgeschaltet – die Schwingungen der den Glanz erzeugenden Strahlen des polarisierten Lichtes werden vom Polarisationsfilter zum Stillstand gebracht –, und die darunterliegenden Farben des Druckes erscheinen wieder in ihrer ursprünglichen Klarheit. Verwendet man das Polarisationsfilter vor einem Objektiv anstelle vor dem Auge, könnte man jetzt eine klare und brillante Farbaufnahme dieser vorher spiegelnden Farbseite machen. Auf die gleiche Art kann man Glanz fotografisch auch mehr oder weniger von glänzenden Oberflächen wie Glas, Wasser, Lack, Farbe, poliertem Holz, Asphalt und anderen Materialien – *aber nicht von poliertem Metall* – entfernen. Licht, das von metallischen Oberflächen reflektiert wird, ist nämlich *nicht* polarisiert und kann daher auch nicht mit einem Polarisationsfilter beeinflußt werden.
Wieweit man mit Hilfe eines Polarisationsfilters Glanz entfernen kann, hängt von dem Winkel zwischen der reflektierenden Fläche und der Lichtquelle ab, die den Glanz erzeugt. Die stärkste Wirkung, also völliges Auslöschen des Glanzes, entsteht, wenn dieser Winkel bei etwa 34° liegt. Bei anderen Winkeln kann der Glanz zwar mehr oder weniger gedämpft, aber nie ganz ausgelöscht werden.
Übrigens ist Glanz und das, was wir »Reflexion« oder »Spiegelung« nennen, dasselbe. Wenn zum Beispiel ein Fotograf ein Schaufenster aufnehmen will, dessen Auslagen aber durch Spiegelungen vom Himmel, von Gebäuden, Bäumen oder Autos auf der Straße zum Teil verdeckt werden, kann die Benutzung eines Polarisationsfilters diese Reflexe mehr oder weniger abschwächen und damit dem Fotografen ein klares Bild vom Inhalt des Schaufensters geben. Wird die Aufnahme im Winkel von 34° zur reflektierenden Fläche – zum Schaufenster – gemacht, werden die Reflexe völlig entfernt. Bei anderen Win-

keln werden die Reflexe mehr oder weniger gedämpft, aber nicht gelöscht. Bei einem Winkel von 90° werden die Reflexe schließlich überhaupt nicht beeinflußt.
In der Farbfotografie sind Polarisationsfilter das einzige Mittel, um einen blaßblauen Himmel etwas dunkler zu bekommen, ohne die übrigen Farben des Bildes zu beeinträchtigen. Die stärkste Wirkung wird in den Teilen des Himmels erreicht, die sich in einem Winkel von etwa 90° zu einer gedachten Verbindungslinie zwischen Sonne und Kamera befinden.
Die Wirkung eines Polarisationsfilters auf Glanz und Reflexe läßt sich nur visuell feststellen. Entweder setzt man das Polarisationsfilter vor das Objektiv und beobachtet seine Wirkung auf der Mattscheibe, während man es langsam dreht. Oder man hält das Polarisationsfilter vor das Auge und beobachtet das Objekt durch das Polarisationsfilter, während man es langsam dreht. Hat man die Stellung für die gewünschte Wirkung gefunden, setzt man das Polarisationsfilter vorsichtig, ohne seine Drehrichtung zu ändern, auf das Objektiv. Man muß also darauf achten, daß der Punkt, der bei der gewählten Drehung oben war, auch dann noch oben ist, wenn das Polfilter vor dem Objektiv sitzt. Wird die Drehrichtung des Polfilters, während man es vom Auge auf das Objektiv überträgt, versehentlich verändert, entsteht im Bild eine andere Wirkung, als man beobachtet hat.
Polarisationsfilter, die man für Farbaufnahmen verwendet, müssen völlig farblos sein, damit sie nicht das Farbgleichgewicht des Farbdias beeinflussen. Manche Polfilter haben eine grünliche, violette oder gelbliche Färbung. Während eine solche Färbung in der Schwarzweißfotografie keine Rolle spielt, sind natürlich derartige Polarisationsfilter für Farbaufnahmen unbrauchbar.

Selektive Reflexion

Metallische Farben, wie Gold, Kupfer, Messing oder Bronze, unterscheiden sich merkbar von gewöhnlichen Körper- oder Pigmentfarben. Dieser Unterschied ergibt sich aus ihrer anderen Art der spiegelnden Reflexion.
Meist behält das Licht, das von glänzenden Oberflächen als Spiegelung zurückgeworfen wird, die spektrale Zusammensetzung des ursprünglichen, auffallenden Lichtes. Ist dieses auffallende Licht weiß, wird sein Licht bei spiegelnder Reflexion auch wieder als »weiß« zurückgestrahlt. Ist das auffallende Licht aber blau, zum Beispiel das

Licht, das vom blauen Himmel reflektiert wird, besteht das Licht der spiegelnden Reflexion aus derselben blauen Lichtart, und so weiter. Doch gibt es davon Ausnahmen. So besitzen beispielsweise alle Metalle die Eigenschaft der »selektiven Reflexion«. Licht, das sie durch Spiegelung zurückstrahlen, hat gewisse Veränderungen erfahren, und seine spektrale Zusammensetzung unterscheidet sich von der des auffallenden Lichtes. Dabei entsteht die für das betreffende Metall typische Oberflächen- oder »metallische« Farbe. Wenn zum Beispiel weißes Licht von einem Stück poliertem Kupfer durch Spiegelung reflektiert wird, bleibt es nicht länger weiß, sondern wird kupferrot; von Gold reflektiert sieht es gelb aus usw.
Ein weiteres Merkmal der selektiven Reflexion besteht darin, daß sich die Farbe des zerstreut reflektierten Lichtes von der Farbe des durchgelassenen Lichtes unterscheidet. Entsteht die Farbe durch Absorption, sind die Farben des Lichtes, das zerstreut reflektiert beziehungsweise durchgelassen wird, dieselben. Die Farbe des roten Stoffes, den wir bereits als Beispiel erwähnten, ist im reflektierten und durchscheinenden Licht gleich. Ob man *auf* das Stück roten Stoffes schaut oder ihn gegen das Licht hält, um *durch* ihn zu sehen, in beiden Fällen bekommt man denselben Farbeindruck, nämlich rot. Dagegen verhält sich ein Stück Blattgold, das dünn genug ist, um Licht durchzulassen, ganz anders. Schauen wir *auf* die Goldfolie, sehen wir die typische Goldfärbung, da Gold Gelb und Rot kräftig reflektiert. Schauen wir aber *durch*, erscheint sie grün. Das erklärt sich folgendermaßen:
Weißes Licht fällt auf das Blattgold. Die roten und gelben Anteile dieses Lichtes werden zurückgeworfen. Wenn wir durch das Blättchen blicken, werden sie von uns weg reflektiert und können daher nicht unser Auge erreichen. Der blaue Anteil des weißen Lichtes wird durch die Atome des Metalls absorbiert. Was übrigbleibt und von dem Goldblättchen durchgelassen wird, ist die Wellenlänge, die Grün ergibt. Folglich erscheint das Goldblättchen im durchscheinenden Licht grün.
Diese Art der metallischen Färbung, die durch selektive Reflexion entsteht, findet man auch bei gewissen Insekten und bei einigen Kristallen organischer Chemikalien.

Zusammensetzung der Farben

Mit wenigen Ausnahmen, bei denen es sich in erster Linie um die durch Farbzerstreuung oder Farbbeugung erzeugten Farben handelt, sind die Farben, die wir gewöhnlich sehen, NICHT rein, d. h., eine

Farbe entsteht nicht durch Licht einer einzelnen Wellenlänge oder durch einen engen Wellenbereich des Spektrums. Die meisten Farben sind nämlich Mischungen aus mehreren verschiedenen, oft sehr unterschiedlichen Farben, wie Blau und Rot, oder Rot und Grün. Wir werden das gleich nachweisen, wollen aber vorher, um endlose Verwirrung zu vermeiden, die Situation dadurch klären, daß wir einen deutlichen Unterschied zwischen zwei Dingen machen: Farbe, wie wir sie sehen, d. h. die persönliche und private Empfindung von Farbe, und andererseits die farbigen Oberflächen oder Objekte, die diese Empfindung auslösen. Farbe selbst beruht auf subjektiven Gefühlen und liegt jenseits aller analytischen Untersuchungen. Farbige Oberflächen aber sind physikalische Objekte, die mit entsprechenden wissenschaftlichen Mitteln analysiert werden können. Lassen Sie uns daher diese beiden verschiedenen Ausdrücke unterscheiden:

Farbe – die private, psychologische Reaktion auf Farbe im Gehirn;
Färbung – die farbigen Stoffe, die die Empfindung »Farbe« hervorrufen.

Um die Wechselwirkungen zwischen Licht und Färbung zu studieren, schauen Sie sich einmal farbige Objekte durch Filter verschiedener Farben an. Wenn Sie zum Beispiel einen blauen Gegenstand durch ein rotes Filter betrachten, erscheint der Gegenstand schwarz. Der Grund dafür liegt darin, daß die rote Farbe des Filters die blaue Komponente des »weißen« Lichtes absorbiert, blaues Licht wird also nicht durchgelassen. Das erklärt natürlich auch, warum in der Schwarzweißfotografie ein rotes Filter den blauen Himmel verdunkelt und damit die weißen Wolken besser herausbringt: weil es selektiv die blaue Komponente des Himmelslichtes *absorbiert*, das heißt *nicht* durchläßt. Demgemäß verringert ein solches Filter die Belichtung des blauen Himmels proportional stärker als die Belichtung der weißen Wolken, deren Licht auch Rot und Gelb enthält, was beides vom roten Filter durchgelassen wird. Dadurch vergrößert es den Tonwert-Unterschied zwischen Wolken und Himmel.
Die Wirkung jeder Färbung besteht darin, gewisse Wellenlängen des auffallenden Lichtes zu *absorbieren*, es fügt also *nicht* seine eigene Farbe dazu. Mit anderen Worten: Was wir als Farbe empfinden, ist das, was vom auffallenden Licht übrigbleibt, nachdem es durch die Färbung verändert worden ist. So erscheinen zum Beispiel im Tageslicht grüne Blätter grün, weil ihr Chlorophyll die blauen und roten

Komponenten des weißen Lichtes stark absorbiert, aber grünes Licht reflektiert. In ähnlicher Weise erscheint ein rotes Auto rot, weil seine Färbung die grünen Bestandteile des weißen Lichtes absorbiert, aber rotes Licht zurückwirft.

Die Lichtveränderung durch eine Färbung ist natürlich dieselbe, ob die Färbung Licht reflektiert (wie es eine Oberfläche tut) oder es durchläßt (wie es bei einem Filter der Fall ist). Schauen wir durch ein grünes Blatt gegen die Sonne, sehen wir dasselbe Grün, wie wenn wir bei Sonnenlicht *auf* das Blatt sehen. Und würden wir einen dünnen Überzug von roter Farbe auf eine Glasscheibe streichen, würden wir dieselbe Farbe sehen, ob wir nun darauf- oder hindurchblicken. Der Grund dafür besteht darin, daß die Farbe durch Wechselwirkungen von Licht und Molekülen der Färbung erzeugt wird, von den Atomen, die bestimmte Wellenlängen (Farben) des auffallenden Lichtes entweder absorbieren oder nicht absorbieren. Und eben jene Wellenlängen, die *nicht* absorbiert werden, sehen wir als Farben. Das erklärt, warum ein Objekt nur die Farben aufweisen kann, die bereits in latenter Form im Spektrum des Lichtes vorhanden sind, mit dem es beleuchtet wird. Daher erscheint ein Objekt, das im Tageslicht rot aussieht (Tageslicht ist reich an Rot erzeugenden Wellenlängen), schwarz, wenn es mit grünem Licht beleuchtet wird, das keine Rot erzeugenden Wellenlängen enthält. Oder wenn man es durch ein grünes Filter betrachtet, das Rot absorbiert. Fluoreszenzlicht wirkt so ungewöhnlich, weil es verhältnismäßig arm an Rot erzeugenden Wellenlängen ist. Daher sehen in diesem Licht die Dinge oft ausgesprochen unnatürlich aus im Vergleich mit ihrer gewohnten Erscheinung im Tageslicht, das reicher an Rot ist. Im Fluoreszenzlicht sieht ein leckerer Braten unappetitlich und geradezu verdorben aus, und ein gesundes Gesicht erscheint in leichenhafter Blässe. Noch »unnatürlicher« sind die Wirkungen von Natrium- und Quecksilberdampflampen, die hauptsächlich monochromatisches gelbbraunes und blaugrünes Licht ausstrahlen, daher eben alles entweder gelbbraun oder blaugrün zeigen. Kein Filter kann daran etwas ändern. Diese Arten von Wiedergaben erscheinen selbstverständlich in der Farbfotografie völlig »unnatürlich«.

Allen Farben, denen wir im täglichen Leben begegnen – angestrichene Oberflächen, gefärbte Textilien, der Farbdruck dieses Buches, Farbdias und Farbpapierbilder, Farbbilder des Fernsehens und so weiter –, liegen zwei verschiedene Verfahren zugrunde:

Additive Farbmischung
Subtraktive Farbmischung

Jedes dieser Verfahren ermöglicht es, eine sehr große Anzahl verschiedener Farben durch Mischung von nur drei *Grundfarben* zu erzeugen. Das erste Verfahren kommt für die Mischung von farbigem Licht in Betracht, das zweite für die Mischung von Färbungen – Pigmenten und Körperfarben.

Additive Farbmischung

Wir wissen, daß mit einem Prisma »weißes« (oder farbloses) Licht in seine farbigen Bestandteile zerlegt werden kann, wobei ein Spektrum entsteht. Nun wollen wir diesen Vorgang umkehren und sehen, wie Licht verschiedener Farben so gemischt werden kann, daß andere Farben und schließlich Weiß entstehen. Dazu brauchen wir drei Lichtquellen, am besten Projektoren. Auch Taschenlampen genügen schon, wenn ihre Batterien frisch genug sind, ein kräftiges und möglichst weißes Licht zu erzeugen. Außerdem brauchen wir drei Filter in den Farben Rot, Grün und Blau. Diese Farben werden »Grundfarben« genannt, genauer »additive Grundfarben«, weil sie sich im bestimmten Verhältnis gemischt zu Weiß ergänzen.
In einem dunklen Raum setzen wir das Rotfilter vor eine der drei Lichtquellen und projizieren dieses rote Licht auf ein weißes Papier. Natürlich sieht dieses Papier nun rot aus. Dann setzen wir das Blaufilter vor die zweite Lichtquelle und projizieren es auf dasselbe Papier. Wo sich Rot und Blau überlagern, erscheint eine neue Farbe: ein Blaurot oder Purpur, das »Magenta« genannt wird. Schließlich setzen wir das Grünfilter vor die dritte Lichtquelle und projizieren es auf das Papier. Wo Grün und Blau sich überlagern, bekommen wir eine grünblaue Farbe, die »Cyan« genannt wird. Wo Grün und Rot sich überlagern, entsteht Gelb. Und wo sich alle drei Grundfarben überlagern, bekommen wir Weiß. Wer keine Möglichkeit hat, dieses Experiment zu machen, kann sich an Hand der folgenden Zeichnung eine Vorstellung davon machen, wie das Resultat aussieht.
Die obige Zeichnung illustriert das Prinzip der additiven Farbmischung. Wenn man die relative Intensität der verschiedenfarbigen Lichtstrahlenbündel entsprechend verändert, kann man tatsächlich jede gewünschte Farbe erzeugen, außerdem auch jeden Grauton; und wenn man alle drei Intensitäten auf Null reduziert: Schwarz. Daß die Farben Blau und Rot zusammen Purpur (Magenta) ergeben, war zu erwarten, genauso, daß Grün und Blau Blaugrün (Cyan) ergeben. Daß aber die Mischung von Rot und Grün zu Gelb führt, überrascht. Tat-

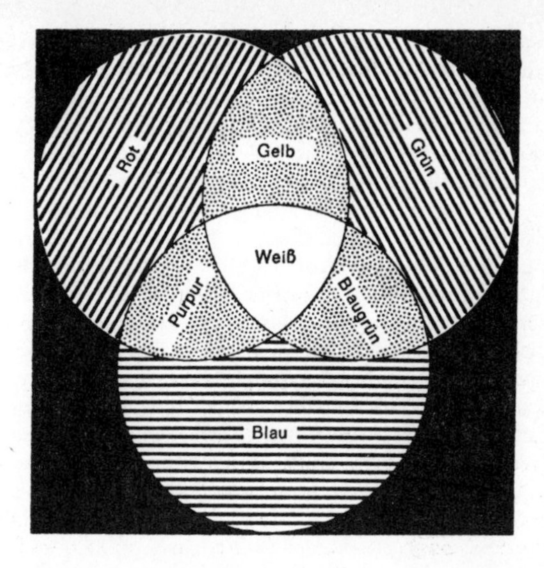

sächlich ist Gelb eine Mischung von allen Farben des Spektrums, *ausgenommen Blau.* Selbst wenn gar keine der Gelb erzeugenden Wellenlängen bei der Entstehung dieser gelben Farbe beteiligt wären, würde diese Mischung uns als Gelb erscheinen, da gleichmäßiger Reiz der Farbempfänger unserer Augen für Rot und für Grün in uns die Empfindung »Gelb« auslöst. Tatsächlich entstehen alle gelben Körper- oder Pigmentfarben durch Blauabsorption der Oberfläche. Rot und Grün werden reflektiert, und durch gleichmäßige Reizung unserer für Rot und Grün empfindlichen Farbempfänger wird die Farbempfindung Gelb erzeugt. Wenn eine Oberfläche nur die das Gelb erzeugenden Wellenlängen zwischen 575 und 590 nm reflektierte, die nur einen sehr geringen Prozentsatz des auffallenden Lichtes ausmachen, würde sie fast schwarz erscheinen.

Subtraktive Farbmischung

Wir sahen eben, wie Licht in den drei Grundfarben Rot, Grün und Blau durch Addition drei neue Farben – Purpur, Blaugrün und Gelb – und schließlich Weiß erzeugen kann. In ähnlicher Weise kann man durch Mischen dieser Grundfarben in entsprechenden Verhältnissen

jede andere Farbe erzeugen, einschließlich Farben, die nicht einmal im Spektrum vorhanden sind, wie zum Beispiel Purpur und Braun.
Allerdings hat dieses Verfahren der additiven Farbmischung einen schwerwiegenden Nachteil: Da es nur mit farbigem Licht angewendet werden kann – *nicht* mit Farbstoffen oder farbigen Pigmenten –, setzt es die Verwendung drei verschiedener Lichtquellen voraus. Wir hätten *keine* unserer Farben erzeugen können, wenn wir die drei Farbfilter zusammen vor eine einzige Lichtquelle gesetzt hätten. Warum? Weil jedes Filter praktisch alles Licht absorbiert hätte, das von den beiden anderen Filtern durchgelassen wurde. Filter in den additiven Grundfarben schließen sich gegenseitig aus. Miteinander benutzt absorbieren sie alles sichtbare Licht. Natürlich wäre das Endergebnis Schwarz.
Doch kann das Problem, Farben durch Mischen von Körperfarben zu erzeugen, dadurch gelöst werden, daß man, statt mit den additiven Grundfarben Rot, Grün und Blau zu arbeiten, Filter in den neuen, eben geschaffenen Farben Purpur, Blaugrün und Gelb verwendet. Das sind die Grundfarben der subtraktiven Farbmischung, und Filter in diesen Farben lassen nicht ein Drittel, sondern zwei Drittel des Spektrums durch:

Purpur	– läßt durch: Rot und Blau	– absorbiert Grün
Blaugrün	– läßt durch: Blau und Grün	– absorbiert Rot
Gelb	– läßt durch: Rot und Grün	– absorbiert Blau

Daraus folgt, daß man Filter in den Farben Purpur, Blaugrün und Gelb in Verbindung mit einer *einzigen Lichtquelle* für die Erzeugung anderer Farben benutzen kann, da jedes Filterpaar eine der additiven Grundfarben gemeinsam hat: Purpur und Gelb lassen Rot durch, Gelb und Blaugrün lassen Grün durch, und Purpur und Blaugrün lassen Blau durch. Wo sich zwei dieser Filter überschneiden, erzeugen sie also eine der additiven Grundfarben, indem sie vom weißen Licht die beiden anderen Grundfarben abziehen. Farbe wird also durch Subtraktion von Farbe erzeugt, daher die Bezeichnung »subtraktive Farbmischung«. Wo alle drei dieser subtraktiven Grundfarben zusammenkommen, wird natürlich kein Licht durchgelassen, und das Ergebnis ist dann Schwarz. Die folgende Zeichnung zeigt in grafischer Form den Prozeß der subtraktiven Farbmischung.
Durch Veränderung der Intensitäten der drei Filter in den Farben Purpur, Blaugrün und Gelb kann nun jede gewünschte Farbe erzeugt werden. Will man sich davon überzeugen, braucht man nur die drei

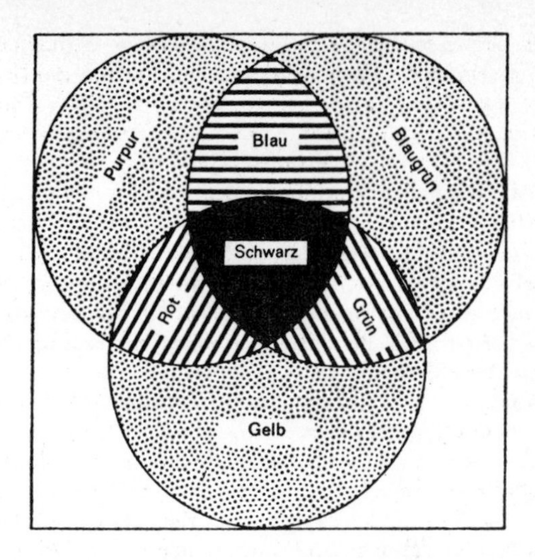

Sätze der Kodak-Color-Compensating-Filter oder der Agfacolor-Kopierfilter in den Farben Purpur (Magent), Blaugrün (Cyan) und Gelb zu benutzen. Jeder Satz enthält Filter in verschiedenen Dichten. Oder man benutzt dazu gewöhnliche Pigmente – Wasserfarben oder Ölfarben – in den subtraktiven Grundfarben Purpur, Blaugrün und Gelb.

Färbung	absorbiert	erzeugt
Purpur plus Gelb	Grün und Blau	Rot
Gelb plus Blaugrün	Blau und Rot	Grün
Blaugrün plus Purpur	Rot und Grün	Blau
Purpur plus Gelb plus Blaugrün	Grün und Blau und Rot	Schwarz

Alle modernen farbfotografischen Verfahren und fotomechanischen Reproduktionsverfahren bauen sich auf den Grundlagen der subtraktiven Farbmischung auf. Und auch alle Farben unserer Farbdias sind Mischungen der drei Grundfarben Purpur, Blaugrün und Gelb. Das kann man leicht nachweisen, indem man ein sonst unbrauchbares Farbdia mit einer drehenden Bewegung auseinanderreißt (*nicht* indem man es zerschneidet!), so daß eine ausgefranste Kante entsteht. An vielen Stellen werden die verschiedenen Schichten des Farbdias dabei so getrennt, daß man ihre Farben sehen kann; es gibt da nur drei: Purpur, Blaugrün und Gelb.

Komplementärfarben

Bei unserem ersten Experiment mit Strahlenbündeln von farbigem Licht ergab jedes Paar von (additiven) Grundfarben durch Überlagerung (»Addition«) eine neue Farbe. Rot plus Blau erzeugt Purpur. Grün plus Blau erzeugt Blaugrün. Rot plus Grün erzeugt Gelb. Wird jede dieser »Mischfarben« (Purpur, Blaugrün, Gelb) einer der Grundfarben (Rot, Blau, Grün) zugefügt, die *nicht* in der Mischfarbe vorhanden ist, ergibt sich weißes Licht.
Solange diese drei additiven Grundfarben Rot, Blau und Grün zu ziemlich gleichen Teilen vorhanden sind, ist das Endresultat, wie wir gesehen haben, weißes Licht. Folglich entsteht dasselbe Resultat, wenn wir drei Grundfarben oder eine Grundfarbe und die Mischfarbe, die sich aus der Summe der beiden anderen Grundfarben ergibt, zueinander addieren. Jeweils zwei solcher Farben, die durch Addition weißes Licht ergeben, formen ein »komplementäres Farbpaar«. Solche komplementären Farbpaare sind:

Rot und Blaugrün (Blaugrün als Mischung von Blau und Grün)
Blau und Gelb (Gelb als Mischung von Rot und Grün)
Grün und Purpur (Purpur als Mischung von Rot und Blau)

Die Komplementärfarbe zu einer Farbe ist also die Farbe, die in Verbindung mit der gegebenen Farbe Weiß ergibt. Dieser Grundsatz der Komplementärfarben wird unter anderem bei den Farbfiltern ausgenützt. Denn ein Filter läßt Licht seiner eigenen Farbe durch und absorbiert Licht in der entsprechenden Komplementärfarbe. Zum Beispiel absorbiert ein Gelbfilter Blau und läßt Gelb durch; da aber, wie wir wissen, Gelb eine Mischung von Rot und Grün darstellt, läßt also ein Gelbfilter außer Gelb auch Rot und Grün durch. Und wenn wir mit Farbnegativen arbeiten, erzeugen wir im Farbnegativ ein Bild, das sich aus den Farben aufbaut, die zu den Farben des betreffenden Motivs komplementär sind. Dementsprechend müssen wir bei der Herstellung des Farbpapierbildes die Farben wieder umkehren, um im positiven Farbpapierbild die Farben zu erzeugen, die wieder zu denen des Negativs komplementär sind, also wenigstens theoretisch mit denen des

Motivs übereinstimmen. Dabei ist zu beachten, daß die allgemeine Orangefärbung vieler Negativfilme nichts mit den Farben des Motivs zu tun hat, sondern von unbenutzten Farbkupplern stammt, die nach der Entwicklung im Film verbleiben und automatisch Farbkorrekturmasken ergeben.

Eine klärende Feststellung. Leider hat die Bezeichnung »Grundfarben« bei den verschiedenen Beteiligten verschiedene Bedeutung. Zur Klärung der Lage dienen folgende Erläuterungen:

Die psychologischen Grundfarben sind: Rot, Gelb, Grün, Blau, Weiß, Schwarz.

Die additiven Grundfarben sind: Rot, Blau, Grün. Das sind auch die Grundfarben des Physikers. Sie beziehen sich nur auf farbiges Licht. Überlagern sie sich als farbiges Licht, addieren sie sich zu Weiß.

Die subtraktiven Grundfarben sind: Magenta (Purpur), Cyan (Blaugrün), Gelb. Das sind zugleich die Komplementärfarben zu den additiven Grundfarben und beziehen sich auf Pigmente oder Körperfarben. Man kann sie auch als die »Grundfarben der modernen Farbfotografie und des modernen Farbdruckes« bezeichnen, da sich alle *modernen* farbfotografischen Prozesse und die Techniken der fotomechanischen Farbdrucke auf diesen subtraktiven Grundfarben aufbauen.

Die Grundfarben des Künstlers sind: Rot, Gelb, Blau, Weiß, Schwarz. Diese Grundfarben beziehen sich auf Pigmente und Körperfarben, sind in Wirklichkeit aber keine echten Grundfarben, weil sie, im Gegensatz zu den subtraktiven Grundfarben, nicht so zu mischen sind, daß eine große Zahl andrer Farben entsteht, es sei denn, daß das Rot so gehalten ist, daß es etwa dem Purpur entspricht und das Blau schon mehr ein Blaugrün darstellt. Mit anderen Worten: Die sogenannten Grundfarben des Künstlers gleichen tatsächlich den psychologischen Grundfarben, mit Ausnahme des Grün, das Künstler nicht als »reine« Farbe ansehen, das sie aus Blau und Gelb mischen können. Die »Grundfarben« des Künstlers werden auch nur Grundfarben genannt, weil sie anscheinend »reine« Farben darstellen, die nicht in anderen Farben enthalten sind.

Fassen wir unsere Ergebnisse in grafischer Form zusammen, kommen wir zu folgendem Resultat:

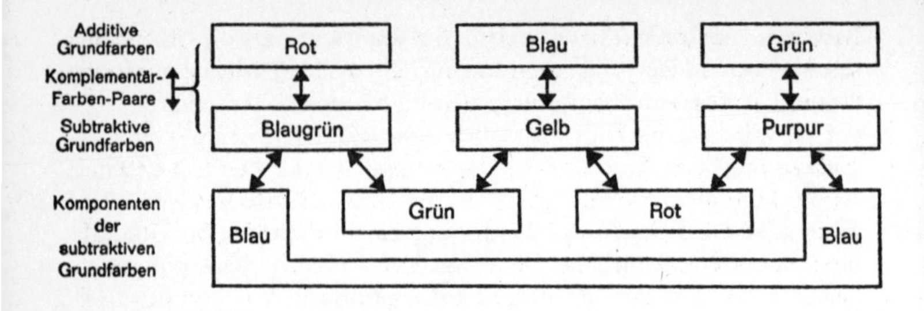

Die Terminologie der Farbe

Wollen wir wissenschaftlich korrekt bleiben, dürfen wir Farbe nicht einem Objekt selbst zuordnen, sondern nur dem Licht, das dieses Objekt reflektiert. Denken Sie daran, daß im roten Licht ein weißer Gegenstand rot erscheint und daß die Farben bei künstlichem und bei Tageslicht verschieden wirken.
Allerdings ist es üblich und praktisch, von der »Oberflächenfarbe« der Gegenstände zu sprechen. In diesem Falle versteht es sich natürlich von selbst, daß man die Objektfarben so beschreibt, wie sie im »weißen« Licht erscheinen, und legt als Norm dafür das Tageslicht zugrunde, d. h. eine Kombination von Sonnenlicht und von Licht, das vom klaren blauen Himmel mit einigen weißen Wolken reflektiert wird. Anders läßt sich eben Farbe in allgemeinverständlichen Bezeichnungen nicht beschreiben, da jede Veränderung der Zusammensetzung des Lichtes, bei dem man diese Farbe sieht, eine genaue Beschreibung dieser Farbe sinnlos machen würde.

Um eine bestimmte Farbe zu beschreiben, sind drei verschiedene Eigenschaften zu berücksichtigen: Farbton, Sättigung und Helligkeit.

Farbton ist das wissenschaftliche Gegenstück zu dem mehr populären Wort »Farbe«. Rot, Gelb, Grün und Blau sind die wichtigsten Farbtöne, Orange, Blaugrün und Violett die sekundären Farbtöne. Der Farbton stellt die auffälligste Eigenschaft der Farbe dar, er ist die Eigenschaft, die es möglich macht, eine Farbe in Begriffen der Wellenlängen des Lichtes zu beschreiben. Unter günstigen Umständen kann das Auge zwischen etwa 200 verschiedenen Farbtönen unterscheiden.

Sättigung ist das Maß für die Reinheit der Farbe. Sie gibt sozusagen an, welche Menge an Farbton eine Farbe enthält. Je gesättigter eine

Farbe ist, um so kräftiger, um so leuchtender, um so lebhafter erscheint sie. Andererseits neigt sie um so mehr zu einem neutralen Grau, je geringer ihr Sättigungsgrad ist.

Helligkeit ist der Maßstab für die Helligkeit oder Dunkelheit einer Farbe. Man kann die Helligkeit mit der Grauskala der Schwarzweißfotografie vergleichen. Helle Farben stehen auf dieser Helligkeitsskala oben, dunkle entsprechend weiter unten.
Leider unterscheidet sich in der Umgangssprache der Sinn des Ausdrucks »hell« oft beträchtlich von seiner farbtechnischen Bedeutung. Ein »Feuerrot«, das oft als hell angesprochen wird, steht in Wirklichkeit auf der Helligkeitsskala des Farbtechnikers nicht sehr hoch. Andererseits ist ein graues Rosa wissenschaftlich angesprochen ein helles Rot von geringer Sättigung, während diese Farbe wahrscheinlich allgemein als stumpf bezeichnet wird.

Außer diesen drei Ausdrücken werden noch zwei weitere Ausdrücke häufig für Angaben über Farben benutzt:

Chroma. Diese Bezeichnung entspricht im wesentlichen dem oben definierten Begriff »Sättigung«.

Wert. Dieser Ausdruck entspricht im wesentlichen dem oben definierten Begriff »Helligkeit«.

Das Wesen der Farbwahrnehmung

Bisher haben wir die Farbe nur vom Standpunkt des Physikers aus untersucht. Wir haben gelernt, daß Farbe Licht ist und Licht eine Energieform darstellt. Wir haben die verschiedenen Formen durchgesprochen, die diese Energie annehmen kann, wie sie entsteht und wie sie abgeändert wird und wie sie in Beziehung auf Wellenlänge und Nanometer, Farbton, Helligkeit und Sättigung beschrieben werden kann. So haben wir uns Wissen erworben, das sich als unschätzbar erweisen wird, wenn die Zeit für die technische Durchführung einer Farbaufnahme kommt. Aber noch immer haben wir keine befriedigende Erklärung dafür, warum Auge und Farbfilm oft sehr verschieden auf Farben reagieren.
Die Antwort auf diese Frage ist für das Schaffen wirkungsvoller Farbaufnahmen genauso wichtig wie beispielsweise die Farbe des auffallen-

den Lichtes für die Farbwiedergabe in einem Farbdia. Schließlich ist ja Farbe genausogut ein psychologischer Faktor wie eine physikalische Eigenschaft. Und eine Farbfotografie ist eben wie jedes andere schöpferische Werk eine Mischung aus Technik und Kunst. Der Eindruck eines Farbdias hängt genauso stark von der psychologischen Wirkung seiner Farben ab wie von der Geschicklichkeit, mit der diese Farben wiedergegeben werden. Wir haben die Farbe quantitativ untersucht und dabei grundlegendes Verständnis für die physikalischen Eigenschaften der Farbe erworben. Um aber fähig zu sein, diese Kenntnisse praktisch und schöpferisch zu verwerten, müssen wir auch die physiologischen und psychologischen Seiten der Farbe studieren. Dazu müssen wir ganz am Anfang beginnen – bei dem Auge.

Das Auge

Wenn ich Ihnen erzählte, Ihr Auge sei so empfindlich, daß es Millionstel eines Zentimeters unterscheiden kann, würden Sie mir glauben? Und doch: es ist wahr. Das Farbunterscheidungsvermögen der meisten Menschen ist nämlich so phänomenal, daß sie zwischen Farben unterscheiden können, deren Wellenlängen sich um weniger als ein millionstel Zentimeter voneinander unterscheiden. Daher kann das menschliche Auge nahezu 200 verschiedene Farben wahrnehmen, von denen viele in mehr als hundert verschiedenen Sättigungsgraden erscheinen, und jeder Sättigungsgrad kann sich wiederum in über 100 Abstufungen vom hellsten Licht bis zur tiefsten Dunkelheit offenbaren.
Alles in allem übersteigt die Zahl der verschiedenen Farben, Tönungen und Abstufungen, die wir wahrnehmen können, wahrscheinlich eine Million.

Die Entwicklung des Auges. Es begann möglicherweise mit einem lichtempfindlichen »Augenfleck« ähnlich dem, den man noch heute bei gewissen einzelligen Formen des Lebens halbwegs zwischen Tier und Pflanze finden kann, die zur Beschaffung ihrer Nahrung vom Sonnenlicht abhängen.
Der nächste Schritt mag vielleicht ein lichtempfindlicher Fleck auf der Haut einer Wurmart gewesen sein, die am Ufer eines Urmeeres ihre Gänge grub und für die das Sonnenlicht Trockenheit und diese wiederum Tod bedeutete. Eine Gruppe solcher lichtempfindlicher Zellen sagte ihnen, wann sie wieder in die schützende feuchte Erde zurück-

kehren mußten. Die solche lichtempfindlichen Organe besaßen, überlebten; die keine hatten, starben aus.
Verbesserungen stellten sich langsam ein. Eine Pigmentschicht bildete sich unter dem lichtempfindlichen Fleck, um den Lichtreiz besser auszunutzen.
In der nächsten Entwicklungsstufe begann dieser verbesserte lichtempfindliche Fleck zum besseren Schutz unter die Haut zurückzuweichen und eine Vertiefung von lichtempfindlichen Zellen zu bilden. Mit diesem primitiven »Auge« konnte ein Lebewesen – eine »Seeschnecke« – bereits auf ziemlich zuverlässige Weise die Lichtrichtung feststellen.
Allmählich vertiefte sich im Laufe von Äonen diese lichtempfindliche Einbuchtung, und ihre Form wurde runder. Ihre Ränder begannen sich nach der Mitte hin zu schließen, bis nur noch eine kleine Öffnung blieb. Damit war ein solches »Nadelöhrauge« nicht nur verhältnismäßig gut geschützt, sondern konnte – wenn auch ziemlich unscharf – Umrisse und Formen unterscheiden. Der »Erfinder« dieses Auges war ein Nautilus, ein Weichtier, das in den warmen Gewässern der Devonperiode lebte, und zwar vor etwa 500 Millionen Jahren.
Im Anfang beschränkte sich das Leben auf das Wasser. Da spielte es keine Rolle, daß dieses kostbare Nadelöhrauge offen war, denn es gab dort keinen Staub, der es verstopfen oder beschädigen konnte. Als aber die Urmeere zurückgingen, begann das Leben das Land zu kolonisieren, und das Auge brauchte mehr Schutz. Eine Landschnecke machte die nächste Erfindung, indem sie ihr »Nadelöhrauge« mit einer durchsichtigen Haut überzog.
Allmählich verdickte sich während der nächsten Millionen Jahre diese durchsichtige Haut, sie begann sich zu wölben und entwickelte sich schließlich zu einer Linse, die ein Bild auf die lichtempfindlichen Zellen tief im Inneren des Auges werfen konnte. Gewisse Weichtiere – Vorfahren unserer Tintenfische – verbesserten dann diesen schon ziemlich leistungsfähigen Augentyp und verfeinerten ihn, indem sie die Linse mehr nach innen verlegten und sie mit einer schützenden, durchsichtigen Haut überzogen.
Das war der Prototyp unseres »modernen« Auges. Wie Daguerres Kamera trotz aller Primitivität doch bereits im Prinzip alle Grundelemente der modernen Kamera enthält, so besaßen diese primitiven Augen prähistorischer Tintenfische bereits, wenn auch nur im Ansatz, die Elemente des menschlichen Auges.

Wie wir sehen. Um es in Ausdrücken aus der Fotooptik zu sagen: Das menschliche Auge besitzt ein vierlinsiges Vario-Objektiv, dessen

Brennweite zwischen 19 und 21 mm schwankt und das einen Einstellbereich von etwa 20 cm bis unendlich hat. Die Einstellung erfolgt mit Hilfe kleiner Muskeln, die an eines der Elemente angreifen und die Form der Linse ändern anstatt den Abstand zwischen Objektiv und »Film«, hier also der Netzhaut, der Retina. Die Lichtstärke dieser Linse liegt etwa bei 1:2,5. Eine eingebaute »automatische« Blende, die Iris, ermöglicht es, die Linse der Helligkeit des einfallenden Lichtes entsprechend abzublenden, wobei die kleinste erreichbare Öffnung etwa 1:11 ist. Soweit es das gesamte Sehvermögen anbetrifft, beträgt der Sehwinkel des Auges nahezu 180°. Allerdings ist die optische Leistung seiner Linse ziemlich gering, da sie unter Schärfenabfall nach den Ecken des Bildfeldes hin leidet.

Daher sehen wir nur diejenigen Dinge scharf, die in oder nahe der Mitte unseres Sehfeldes liegen. Aber ebenso wie bei einem fotografischen Objektiv verbessert sich die Leistung der Augenlinse durch Abblenden, und dementsprechend sehen wir in hellem Licht mit kleinerer Iris-Öffnung beträchtlich besser als in schwachem Licht, bei dem die Iris weit geöffnet ist.

Das von der Linse entworfene Bild fällt auf die Netzhaut, die damit etwa dem Film in der Kamera entspricht. Die Netzhaut besteht aus Millionen dicht nebeneinander liegender Nervenenden, die wie mikroskopisch kleine fotoelektrische Zellen die Lichtimpulse in elektrische Impulse umformen. Zwei Arten dieser lichtempfindlichen Zellen existieren, die nach ihren Formen Zäpfchen und Stäbchen genannt werden. Die Zäpfchen, von denen es rund 7 Millionen in jedem Auge gibt, werden zur Mitte der Netzhaut immer zahlreicher und bilden schließlich den »gelben Fleck« von ½ mm Durchmesser, der nur noch aus Zäpfchen besteht. Die Zäpfchen haben zwar ein hohes Auflösungsvermögen, sind aber verhältnismäßig wenig empfindlich, funktionieren also nur bei ziemlich hellem Licht, geben uns andererseits aber die Möglichkeit, feine Einzelheiten und vor allem Farben wahrzunehmen.

Die Stäbchen, von denen jedes Auge rund 170 Millionen besitzt, werden nach den Rändern der Netzhaut zu immer zahlreicher und fehlen völlig im gelben Fleck. Sie sind zwar bedeutend lichtempfindlicher als die Zäpfchen, aber unempfindlich für Farben, die sie nur als hellere und dunklere Flecken wahrnehmen.

Die Stäbchen ermöglichen es uns, auch dann noch zu sehen, wenn das Licht für die Zäpfchen zu schwach ist, und sie sind besonders empfindlich für Bewegungen. Wir müssen also unterscheiden zwischen dem Tagessehen (fototopisches Sehen) und dem Nachtsehen (skotopisches Sehen).

Tagessehen. Zäpfchen und Stäbchen funktionieren gemeinsam. Wollen wir kleine Einzelheiten scharf sehen, etwa beim Lesen, müssen wir direkt auf das Ding blicken, das wir scharf sehen wollen (zentrales Sehen). Dabei projiziert die Augenlinse das Bild auf den gelben Fleck, der vollständig aus Zäpfchen besteht, also aus jenen lichtempfindlichen Zellen, die die Aufgabe haben, feinste Einzelheiten aufzulösen und Farben zu unterscheiden. Wenn wir aber über die Straße gehen und auf den Verkehr achten müssen, verlassen wir uns meist mehr auf die Stäbchen, die zwar keine scharfen Bilder ergeben, aber sehr empfindlich für Bewegungen sind, so daß wir die herannahenden Wagen aus den Augenwinkeln (peripherisches Sehen) beobachten können.

Nachtsehen. Nur die Stäbchen funktionieren. Die Zäpfchen können wegen Lichtmangel nicht arbeiten. Daher sehen wir nichts wirklich scharf – alles sieht mehr oder weniger verschwommen aus. Diese allgemeine Unschärfe entsteht dadurch, daß das Sehen nun völlig auf die Stäbchen angewiesen ist, die keine feinen Einzelheiten unterscheiden können. Wenn wir direkt auf ein kleines schwachbeleuchtetes Objekt blicken, stellen wir fest, daß dieses zu verschwinden scheint, weil dabei nämlich sein Bild auf den gelben Fleck fällt und dieser nicht empfindlich genug ist, um auf sehr schwaches Licht anzusprechen. Das ist auch die Erklärung dafür, warum ein schwacher Stern verschwindet, wenn wir ihn direkt ansehen, während wir ihn verhältnismäßig deutlich sehen können, wenn wir ihn mehr nach den Augenwinkeln zu auf der Netzhaut verschieben.

Soweit hatten wir es mit Tatsachen zu tun. Doch diese umfassen nur die sogenannte erste Phase des Sehens. Viel kompliziertere Erscheinungen sind am Sehen beteiligt. Die folgende »Erklärung« scheint durch experimentelle Untersuchungen bewiesen zu sein, wird aber vom Mikroskop nicht bestätigt. Nach Meinung der Wissenschaftler ereignet sich folgendes:
Das Farbsehen beginnt mit den Zäpfchen.* Um den eigentlichen Prozeß des Farbsehens zu erklären, wird angenommen, daß drei getrennte, verschieden lichtempfindliche Systeme existieren, von denen die Netzhaut nur einen Teil bildet, während der Rest irgendwo in den

* Das weiß man durch die mikroskopischen Untersuchungen von Tieraugen in Verbindung mit Versuchen an lebenden Tieren. Dabei zeigte sich, daß Tiere, die nur stäbchenförmige Zellen haben, nur Helligkeiten verschiedener Grade unterscheiden können, aber auf Farben nicht reagieren, während jene, die Zäpfchen und Stäbchen haben, auch auf Farbunterschiede reagieren.

phantastisch verwickelten Nervenleitungen liegt, die das Auge mit dem Gehirn verbinden. Jedes dieser drei Systeme ist vermutlich für eine der drei Grundfarben Rot, Grün und Blau empfindlich. Die Farbempfindung entsteht wahrscheinlich, ähnlich wie bei der additiven Farbmischung, durch gleichzeitige, aber verschieden starke Reize auf die Empfänger der drei farbempfindlichen Systeme. Diese Hypothese scheint dadurch unterstützt zu werden, daß wir »Gelb sehen« können, obwohl normalerweise so gut wie keine Gelb erzeugenden Wellenlängen vorhanden sind, um die Farbempfänger des Auges zu reizen.

Bis hierher kann das Sehen durch diese ziemlich wahrscheinlich erscheinende Hypothese erklärt werden. Allerdings schließt diese Hypothese nur die zweite Phase des Sehens ein. Um aber alle bekannten Wirkungen vollständig zu erklären, müssen noch andere Erscheinungen, die zu einer dritten Phase gehören, in Betracht gezogen werden. Über das Wesen dieser Erscheinungen wissen wir jedoch überhaupt nichts. In vereinfachter Form sollen hier nur zwei Fragen angeführt werden, für die wir keine Antwort haben:

Wie bei jedem einfachen optischen Abbildungssystem steht das Bild, das die Linse auf die Netzhaut projiziert, auf dem Kopf. Das ist eine Tatsache. Warum sehen wir aber alles aufrecht und nicht kopfstehend? Oder sehen wir es doch so, nur ohne es zu wissen, d. h., richten wir unbewußt dieses Kopfstehen wieder auf, wie es nach klinischen Untersuchungen über gewisse Störungen des Nervensystems der Augen den Anschein hat?

Strahlungsenergie besitzt natürlich keine Farbe. Wie aber vollzieht sich dieser unergründliche und unvorstellbare Prozeß, bei dem irgendwo in unserem Gehirn elektromagnetische Impulse in Farbempfindungen umgewandelt werden, so daß wir Farben wahrnehmen? Wie mögen diese phantastisch präzisen Empfänger arbeiten, die zwischen Wellenlängen Unterschiede von millionstel Zentimetern feststellen können?

Zusammenfassend stellen wir fest, daß Sehen ein unglaublich komplizierter Prozeß ist, von dem wir nur die elementarsten Tatsachen wissen. Diese Tatsachen deuten darauf hin, daß ein System existiert, das auf drei verschiedenen Ebenen arbeitet: Auge, Gehirn und Geist. Von diesen kann nur das Auge einigermaßen befriedigend erklärt werden, und zwar in optischen Begriffen (die Linse), in mechanischen (Einstellmechanismus und Tätigkeit der Irisblende) und chemischen (der »Sehpurpur« – eine Flüssigkeit, die die Netzhaut bedeckt und durch einen Kreislauf von chemischer Zersetzung [Ausbleichen] und Regeneration zur Umwandlung der Lichtimpulse in Nervenreize beiträgt).

Was aber in Gehirn und Geist geschieht, geht heute noch größtenteils über unser Verständnis hinaus. Alles, was wir darüber sagen können, läuft auf verschwommene Verallgemeinerungen hinaus, die kaum etwas beschreiben und überhaupt nichts erklären. Wir können nur sagen, daß das Gehirn durch die Sehnerven Impulse aufnimmt, die durch die Tätigkeit des Sehpurpurs ausgelöst werden, und sie irgendwo und irgendwie umwandelt in – was? Empfindungen? – welche der Geist (was ist das?) in Farbvorstellungen interpretiert (wie?).

Subjektives Sehen

Die Gewohnheit, Auge und Kamera miteinander zu vergleichen, erschwert ein tieferes Verständnis der grundlegenden Unterschiede zwischen menschlichem Sehen und Kamera-»Sehen« im weitesten Sinne des Wortes. Der Grund dafür besteht darin: Diese Vorstellung zieht nicht in Betracht, daß die Kombination Kamera-Film ein vollständiges System darstellt, während die Kombination Auge-Netzhaut nur ein Teil eines größeren Systems ist und in dieser Hinsicht die untergeordnete Rolle eines Informationsempfängers spielt, der Lichtimpulse aufnimmt und an das Gehirn weiterleitet, wo sie verarbeitet werden und unter Berücksichtigung derartig verschiedener Faktoren wie Gedächtnis, Erfahrung, Stimmung, Empfindlichkeit, augenblickliches Interesse und Aufmerksamkeit, Müdigkeit usw. ausgewertet werden. Die Wichtigkeit dieser psychologischen Faktoren sollte allein genügen, deutlich zu machen, daß trotz unleugbarer mechanischer Ähnlichkeit zwischen Auge und Kamera sich das Phänomen der menschlichen Farbempfindung von dem Prozeß der fotografischen Farbwiedergabe stark unterscheiden muß und daß Ähnlichkeiten sich nur auf eine sehr oberflächliche Ebene beschränken. Selbst wenn es möglich wäre, einen »idealen« Farbfilm herzustellen, der Farben exakt wiedergibt, wäre es doch unmöglich, Farbdias oder Farbpapierbilder zu machen, die in allen Fällen »natürlich« erscheinen, unter welchen Umständen sie auch immer aufgenommen sein mögen. Denn der grundlegende Unterschied, der stets vorhanden sein wird, besteht darin, daß der Farbfilm die Farben objektiv wiedergibt, während der Mensch sie subjektiv empfindet.

Helligkeitsanpassung (Adaption)

Jeder weiß, daß sich die Iris im hellen Licht zusammenzieht und wie die Blende eines Objektives die Lichtmenge regelt, die auf die Netzhaut fällt. Weniger bekannt ist aber, daß die Netzhaut selbst die Fähigkeit hat, ihre Empfindlichkeit zu ändern. Bei schwachem Licht nimmt die Empfindlichkeit der Netzhaut zu, in hellem Licht verringert sie sich. Daher können wir innerhalb gewisser Grenzen gleich gut sehen, ob das Licht heller oder schwächer ist. Wie bei einer Kamera mit nur einer Verschlußzeit wäre unser Sehen ohne diese nützliche Eigenschaft, die wir »Helligkeitsanpassung« oder »Adaption« nennen, recht begrenzt.

Allgemeine Helligkeitsanpassung. Wir kennen alle den unangenehmen Schock beim Heraustreten aus der Dunkelkammer in helles Licht und sind uns der notwendigen Adaption des Auges auf die neue Helligkeitsstufe wohl bewußt. Und das Gegenteil: Der Wechsel zwischen hellem Licht und schwacher Beleuchtung, in der wir zuerst fast nichts sehen. Paßt sich dann das Auge der Dunkelheit an, erscheinen die Dinge klarer, und nach einiger Zeit scheint der nur schwach erleuchtete Raum fast so hell wie der viel hellere, aus dem wir kamen. Jeder Fotograf, der in einer improvisierten »Dunkelkammer« Kassetten ein- oder auszulegen hatte, hat erlebt, daß ein solcher Raum, der zuerst völlig schwarz erschien, in Wirklichkeit »voller Lichtlöcher« war; schon wenige Minuten später schien er hell genug zu sein, und man konnte das Etikett der Filmschachtel lesen.
In solchen Fällen vollzieht sich die Adaption unter Umständen, die es leicht machen, diese Wirkung bewußt zu verfolgen. Meist aber ändert sich die Helligkeit der Beleuchtung allmählich, und das Auge paßt sich ihr an, ohne daß man dieser Veränderung gewahr wird. Aber selbst Helligkeitsveränderungen, die groß genug sind, um uns bewußt zu werden, erscheinen, da sich das Auge so leicht den verschiedenen Helligkeiten anpaßt, weniger stark, als sie tatsächlich sind. Daher können Beleuchtungsgrade, die in Wirklichkeit sehr unterschiedlich sind, nahezu oder völlig gleich erscheinen; und wollte ein unerfahrener Fotograf eine Belichtung schätzen, könnten sich erhebliche Fehler einstellen. Die Helligkeitsanpassung des Auges läßt es daher ratsam erscheinen, stets die Belichtung auf Grund der Angaben eines Belichtungsmessers zu bestimmen. Besonders trifft das für die Farbfotografie zu, bei der einwandfreie Farbwiedergabe nur dann erwartet werden darf, wenn die Belichtung innerhalb einer halben Blendenstufe richtig ist.

Zwei andere Faktoren, die weiter zur Mißdeutung der allgemeinen Helligkeit beitragen, sind Kontrast und Farbsättigung. In der Regel wirkt flache, kontrastlose Beleuchtung weniger hell als kontrastreiche Beleuchtung, obwohl in bezug auf allgemeine Helligkeit gerade das Gegenteil der Fall sein kann. Und ein Motiv, das hauptsächlich stark gesättigte Farben enthält, erscheint heller als ein Motiv, in dem die Farben mehr mit Grau gemischt sind, selbst wenn im letzteren Falle die Beleuchtung tatsächlich heller ist. Zum Beispiel erscheint ein Innenraum bei Nacht, in dem lebhafte Farben durch elektrisches Licht kontrastreich beleuchtet sind, allgemein heller als ein Freilichtmotiv an einem trüben Tag, dessen Kontrast gering und dessen Farben gedämpft sind. Aber eine Messung mit dem Belichtungsmesser ergibt unzweifelhaft, daß das Freilichtmotiv um ein Mehrfaches heller ist als der Innenraum.

Partielle Helligkeitsanpassung. Die gleiche Erscheinung der Helligkeitsanpassung findet man auch im kleinen. Wenn wir beispielsweise im Wald spazierengehen, passen sich unsere Augen dauernd der Helligkeit jedes Fleckes an, auf den wir blicken. Schauen wir uns einen Sonnenflecken auf dem Boden an, zieht sich die Iris sofort zusammen, und die Empfindlichkeit der Netzhaut verringert sich. Und wenn wir im nächsten Augenblick die dunkle Rinde eines tief beschatteten Baumstammes betrachten, öffnet sich die Iris, und die Empfindlichkeit der Retina steigert sich bis zum höchsten Grad. Infolgedessen erscheint uns der Gesamtkontrast geringer, als er in Wirklichkeit ist. Stellen wir aber seinen Umfang mit dem Belichtungsmesser fest, indem wir auf die hellsten und dunkelsten Motivteile messen, finden wir wahrscheinlich, daß der Kontrast den Belichtungsumfang unseres Filmes weit übersteigt.
Ähnliche Verhältnisse können bei Bildnisaufnahmen vorkommen. Unsere Vorstellung, wie ein Gesicht in Wirklichkeit aussieht, in Verbindung mit der partiellen Helligkeitsanpassung des Auges, führt häufig dazu, daß Fotografen übersehen, wie Schatten um Auge und Mund, unter Nase und Kinn oder unter dem Hutrand in Wirklichkeit so dunkel sind, daß der Motivkontrast den Belichtungsumfang des Filmes übersteigt. Diese Schatten erscheinen dann im Foto zu dunkel, und das Bildnis wirkt unnatürlich. Fotografen, die mit der Erscheinung der Helligkeitsanpassung vertraut sind, berücksichtigen diese Wirkung, *ehe* sie ihre Belichtung machen, und verringern dementsprechend den Kontrast durch Aufhellbeleuchtung.

Ein weiterer Fehler, der häufig gemacht wird, nämlich ungenügende Beleuchtung des Hintergrundes, hat die gleiche Ursache. Auch hier paßt das Auge seine Empfindlichkeit den Helligkeiten von Objekt und Hintergrund getrennt an mit dem Ergebnis, daß die tatsächlich vorhandenen großen Unterschiede der Beleuchtungsintensitäten so klein erscheinen, daß man überhaupt keine Korrekturen in Betracht zieht. Der einzige Weg, um solche Selbsttäuschung auszuschalten, ist, den Kontrastumfang mit einem Belichtungsmesser festzustellen.

Gleichzeitiger Helligkeitskontrast (Simultankontrast). Die meisten Fotografen wissen aus Erfahrung, daß ein helles Objekt vor einem dunklen Hintergrund noch heller erscheint; daß dunkle Objekte im Bild noch dunkler erscheinen, wenn sie im Kontrast zu Weiß stehen, und daß ein weißer Rand um ein Farbbild die angrenzenden hellen Farben des Bildes gedämpft und fast »schmutzig« erscheinen läßt. Diese Erscheinungen werden durch sogenannten »Simultankontrast« verursacht und erklären sich wie folgt:

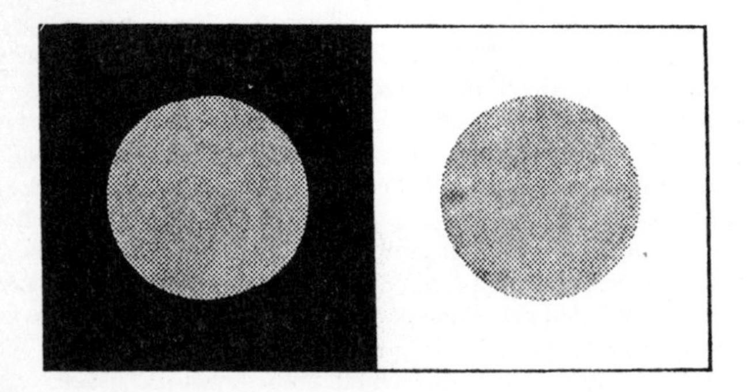

Wenn wir auf einen hellen Gegenstand oder auf eine helle Fläche schauen, vermindert sich die Empfindlichkeit des Teiles der Netzhaut, auf den von der Augenlinse das Bild des hellen Objektes projiziert wird. Aber diese Empfindlichkeitsverminderung bleibt nicht genau auf die exakte Bildfläche beschränkt, sondern erstreckt sich etwas über die Ränder in den Teil der Netzhaut, auf dem die angrenzende dunkle Fläche abgebildet wird. Durch diese Empfindlichkeitsabnahme erscheint eine dunkle Fläche neben einer hellen dann noch dunkler und eine helle Fläche neben einer dunklen noch heller, als sie tatsächlich sind. Das beweist die obige Zeichnung (S. 320): Obwohl die beiden

Kreise den gleichen Tonwert aufweisen, erscheinen sie heller oder dunkler, je nach Helligkeit ihrer Umgebung.

Ähnliche scheinbare Veränderungen der Tonwerte kann man natürlich auch in bezug auf die Farbwiedergabe beobachten. Zum Beispiel scheint ein mittleres Blaugrün einen spezifischen und unveränderlichen Farbwert zu haben. Mit dem folgenden Versuch kann man aber leicht nachweisen, daß das keineswegs der Fall ist, soweit es die psychologische Wirkung dieser oder irgendeiner anderen Farbe betrifft. Beschaffen Sie sich ein Sortiment von Papieren in den Farben Gelb, Blaugrün, Dunkelgrün, Grün, Blau und Schwarz. Schneiden Sie ein Quadrat aus dem blaugrünen Papier aus und legen Sie es nacheinander in die Mitte jedes dieser Farbpapiere. Beobachten Sie dabei, wie sich seine Farbe zu verändern scheint, besonders in bezug auf Farbton und Helligkeit. Gegen Gelb erscheint das Blaugrün beträchtlich dunkler, als wenn man es auf Dunkelgrün legt. Gegen Grün erscheint es blauer, gegen Blau grüner. Gegen Weiß erscheint es viel dunkler als gegen Schwarz, vor dem es einen lebhafteren und helleren Eindruck macht.

Helligkeitsbeständigkeit. Ohne es zu merken, täuschen wir uns selbst dauernd über die tatsächliche Helligkeit der Dinge. Zum Beispiel erscheint uns ein weißer Gegenstand fast immer weiß, selbst wenn er sich im Schatten befindet und seine tatsächliche Helligkeit nur einem mittleren Grau entspricht. Ähnlich erscheinen uns viele bekannte Dinge und vor allem Gesichter in mehr oder weniger gleichmäßiger Helligkeit, unabhängig von der tatsächlichen Beleuchtungsstärke.
Helligkeitsbeständigkeit, d. h. die Neigung, bekannte Objekte und Farben so hell zu sehen, wie man sie in der Erinnerung hat (d. h. im rückstrahlenden Gedächtnis), statt in der wirklichen Helligkeit (d. i. in der wirklichen Reflexion im Augenblick der Betrachtung), ist eine der Hauptursachen für Farbfotos mit zu hohen Kontrasten infolge ungleichmäßiger Beleuchtung. Besonders bei Innenaufnahmen schwächt die Vertrautheit mit ihren Farben und der vorhandenen Helligkeit die Urteilskraft des Fotografen, und da er sich dessen nicht bewußt ist, verläßt er sich bei der Anordnung seiner Beleuchtung mehr auf sein Gedächtnis als auf kritische Beobachtung. Auch hier ist eine Überprüfung der tatsächlichen Helligkeit der verschiedenen Bildteile des Motivs mit besonderer Beachtung der dunkelfarbigen Objekte, der Flächen, die vom Licht oder vom Fenster abgewandt liegen, und des Hintergrundes von entscheidender Wichtigkeit für das Gelingen der Aufnahme.

Farbenadaption

Wie zu erwarten ist, reagiert das Auge subjektiv nicht nur auf Helligkeiten, sondern auch auf Farbsättigung und Farbton. Die Folge ist, daß wir dauernd Farben so sehen, wie wir uns vorstellen, daß sie sein müßten, und nicht, wie sie wirklich sind und wie sie vom Farbfilm wiedergegeben werden.

Allgemeine Farbenadaption. Solange die herrschende Lichtquelle nicht ausgesprochen kräftig gefärbtes Licht ausstrahlt, stellt das Auge seine Farbenempfindlichkeit so ein, daß es das Motiv so sieht, als ob es mit weißem Licht beleuchtet wäre. Infolgedessen erscheinen uns die Objektfarben so, wie wir sie in der Erinnerung haben, d. h. wie sie im normalen Tageslicht aussehen. Auf diese Weise wirken die Dinge auf uns natürlich vertrauter und sind wesentlich leichter zu erkennen, als wenn ihr Aussehen dauernd mit der Farbe der Beleuchtung wechselte.
Während die Helligkeitsadaption als die häufigste indirekte Ursache für übermäßig kontrastreiche und unterbelichtete Aufnahmen zu betrachten ist, liegt es gewöhnlich an der »Farbadaption«, wenn die Farben auf dem Farbdia durch Farbstich beeinträchtigt werden. Die Fallstricke der Helligkeitsadaption können leicht mit Hilfe eines Belichtungsmessers vermieden und, falls notwendig, mit Hilfe von Aufhellicht korrigiert werden; aber die Gefahr, die die Farbenadaption mitbringt, ist viel schwieriger auszuschalten. Kommt die Farbverschiebung durch eine gefärbte Lichtquelle zustande, führt die Messung mit einem Farbtemperaturmesser gewöhnlich zu ihrer Entdeckung. In diesem Falle ist die Korrektur durch ein entsprechendes Filter verhältnismäßig einfach. Wird aber der Farbstich durch Licht verursacht, das *nicht* von einem Temperaturstrahler geliefert wird (etwa von einer Fluoreszenz-Lichtquelle) oder durch gefiltertes Licht (leicht getöntes Fensterglas, grünes Laub usw.) oder Licht, das von farbigen Flächen reflektiert wurde (Ziegelmauer, farbige Zimmerwände usw.), nützt der Farbtemperaturmesser nichts. In solchen Fällen kann nur eine Kenntnis der Probleme in Verbindung mit einer exakten Prüfung der Reinheit der Gegenstandsfarben das Auftreten eines Farbstiches im Dia verhüten.
Als klassisches Beispiel für unbefriedigende Farbwiedergabe, die auf die Farbadaption des Auges zurückzuführen ist, sei der Fall des Farbbildnisses genannt, das im Schatten eines großen Baumes aufgenommen wurde. Der Fotograf benutzte geschickt das leicht diffuse, herrlich modellierende Licht und erwartete natürlich ein besonders schö-

nes Farbdia. Aber an Stelle eines natürlich erscheinenden Porträts bekam er das Bild eines Gesichtes, in dem sich gesunde Bräune in einen Grünton verwandelt hatte, so daß sein hübsches Modell eher wie eine seekranke Person aussah als das lebhafte, strahlende Mädchen, das er kennt. Was geschah hier?
Folgendes geschah: Infolge des starken grünen Lichtes, das vom Laub der Bäume reflektiert und gefiltert wurde, ferner durch das blaue Licht, das der Himmel zurückstrahlte, sah im Augenblick der Aufnahme das Gesicht *wirklich* so aus, wie es später im Farbbild erschien. Aber natürlich weigert sich der Fotograf, wenn er ein solches Farbdia sieht, diese Farben als »echt« anzuerkennen, zumal sich in sein Gedächtnis ein völlig anderer Eindruck eingeprägt hat. Bei den meisten Leuten ist die Farbwahrnehmung nämlich nicht so weit entwickelt, daß sie *bewußt* kleinere Abweichungen von den im Gedächtnis haftenden »normalen« Farben bekannter Dinge erkennen. Daher beurteilen sie die Farbe mehr vom Gedächtnis als vom Auge aus. Und wenn die wirklichen Farben mit der Norm nicht übereinstimmen – was automatisch der Fall ist, wenn die Beleuchtung nicht »rein weiß« ist (also grün durch Reflexion von grünem Blattwert, blau durch Reflexion vom Himmel) –, fehlt ihnen die Urteilskraft, um die dabei entstehende Farbverschiebung bewußt zu sehen. Farbfilme dagegen geben die Farben, wenigstens theoretisch, mehr oder weniger so wieder, wie sie tatsächlich sind. Und wenn immer ein richtig belichtetes und verarbeitetes Farbfoto unnatürlich erscheint, weil es irgendwelchen Farbstich aufweist, ist das gewöhnlich *nicht* der Fehler des Farbfilmes, sondern der des eigenen, eigensinnigen Farbgedächtnisses, das uns hartnäckig davon abhält, die Farben so zu sehen, wie sie wirklich sind. Um zu unserem Beispiel zurückzukommen: In der Farbfotografie wird oft eine Farbwiedergabe gerade deshalb als »unnatürlich« abgelehnt, *weil ihre Farben genau der Wirklichkeit entsprechen.*
Daß selbst ein ziemlich erfahrener Fotograf nicht immun gegen falsche Beurteilung des herrschenden Lichtes ist, sei mit der folgenden Erfahrung des Autors illustriert, die er bei der Arbeit an einem Auftrag im Gebäude der Vereinten Nationen in New York machen mußte. Der Tag war regnerisch, und das Licht kam von einem verhangenen, grauen Himmel. Da zwei Seiten des Gebäudes ganz aus grünlichem Glas bestehen, ist natürlich das Licht im Gebäude blaßgrün. Doch stellt sich das Auge so völlig auf dieses grünliche Licht ein, daß einem bereits nach wenigen Minuten die Farben des Innenraumes, die weißen Wände und die Gesichter der Menschen wieder völlig normal erscheinen.

Als ich einen großen Raum mit weißen Wänden betrat, bemerkte ich, daß durch eines dieser Fenster der Himmel nicht grau erschien (wie durch die anderen Fenster, obgleich ich wußte, daß er in Wirklichkeit blaßgrün aussehen sollte), sondern ausgesprochen rosa. Ich konnte mir nicht vorstellen, warum eines der Fenster rosa verglast sein sollte, ging also der Sache nach. Überrascht stellte ich dabei fest, daß in diesem Fenster überhaupt keine Scheibe war. Aus irgendeinem Grunde fehlte die Scheibe, und durch den leeren Rahmen sah der Himmel rosa aus. Das war aber nicht etwa ein blasses und vergrautes Rosa, sondern ein so kräftiges Rosa, daß es schon eher nach Purpur zu tendierte. Warum? Wegen der Farbenadaption. Meine Augen hatten sich so vollkommen an das im Innenraum herrschende grünliche Licht gewöhnt, daß mir dieses als Weiß erschien. Und als ich nun plötzlich einem neutralen Grau gegenüberstand (was die wirkliche Farbe des Himmels war), reagierten sie darauf, indem sie das Grau in der Komplementärfarbe zu Grün, also als Purpur sahen. Dieselbe Erfahrung machte ich dann natürlich nochmals, als ich das Gebäude verließ. Meine Augen waren noch an das grünliche Licht der Innenräume gewöhnt, und als ich die Türe öffnete und auf die Straße hinaustrat, schienen der Himmel und die ganze Stadt in ein herrliches Rosa getaucht.

Mit dem folgenden Experiment kann sich der Leser selbst davon überzeugen, bis zu welchem Grade sich das Auge farbigem Licht anpassen und es noch als Weiß betrachten kann: Man nimmt einige farbige Aufnahmefilter in zarten Tönungen und schaut jeweils eine halbe Minute lang durch eines aus dem Fenster. Natürlich erscheint durch ein hellblaues Filter auf den ersten Blick alles leicht blau. Aber innerhalb kurzer Zeit hat sich das Auge dem blauen Licht angepaßt, und die Farben der Dinge erscheinen wieder so, als wäre das Licht weiß. Dann nimmt man das Filter vom Auge, und alles sieht nun ausgesprochen rosa aus – erscheint also in der Komplementärfarbe zu Hellblau –, und es dauert eine kleine Weile, bis sich das Auge wieder auf normales Licht umgestellt hat und die Farben so sieht wie bei weißem Licht.

Blickt man andrerseits durch ein blaßrosa Filter, scheinen zuerst alle Dinge in rötliches Licht getaucht zu sein. Aber schnell paßt sich das Auge dem neuen Licht an, und die Farben erscheinen wiederum normal. Nimmt man dann das Filter vom Auge, stellt man verwundert fest, daß nun alles bläulich aussieht. Aber es dauert dann nur einige Augenblicke, bis das Auge die Farbe wieder wie im weißen Licht sieht.

Annähernde Farbenbeständigkeit. Farbgedächtnis oder, wie es wissenschaftlich genannt wird, »annähernde Farbenbeständigkeit« veranlaßt uns, die Farben so zu sehen, wie wir erwarten, daß sie aussehen sollten, also nicht, wie sie in Wirklichkeit sind. Da wir zum Beispiel *wissen,* daß frisch gefallener Schnee weiß ist, sehen wir ihn immer weiß, sogar im offenen Schatten, wo er durch das blaue Licht vom Himmel tatsächlich kräftig blau gefärbt wird, oder gegen Abend, wenn er durch Reflexion des rötlichen Himmels bei Sonnenuntergang rosa aussieht. Ebenso haben wir sehr feste Vorstellungen von der Farbe der menschlichen Haut und erwarten, daß sie auf Farbfotos in einer ganz bestimmten Weise wiedergegeben wird. Ist das nicht der Fall, weisen wir das Bild als »unnatürlich« zurück, gleichgültig, wie genau es eine Hautfarbe in der Farbe, wie sie tatsächlich im Augenblick der Aufnahme erschien, wiedergibt, zum Beispiel das obenerwähnte Porträt, das im Schatten eines Baumes aufgenommen worden war.

Während das ungeschulte Auge die Farbveränderungen, die ständig um uns herum vorgehen, einfach nicht bemerkt, wissen die Maler schon lange darüber Bescheid. Im Jahre 1886 beschrieb der französische Romanschriftsteller Emile Zola in seinem Buch »L'Œuvre« (Das Meisterwerk) diesen Konflikt zwischen Wirklichkeit und Erscheinung. In einer Szene schildert er die Reaktion einer jungen Frau auf die »impressionistischen« Malereien ihres Gatten:

> Und sein Farbreichtum hätte sie ganz gefangengenommen, wenn er nur seine Arbeiten weiter durchgeführt hätte oder wenn sie nur nicht ab und zu von einem violett getönten Streifen Erde oder von einem blauen Baum abgeschreckt worden wäre. Als sie sich eines Tages ein Wort der Kritik erlaubte, und zwar über eine Pappel, die ganz in Blau getaucht war, machte er sich die Mühe, ihr diesen blauen Ton in der Natur selbst zu zeigen. Ja, tatsächlich, der Baum war blau! Aber innerlich gab sie es nicht zu. Sie verdammte die Wirklichkeit. Es war doch nicht möglich, daß die Natur Bäume blau machte ...

In ähnlicher Weise kann uns die Farbfotografie die Augen für die echte Natur der Farben öffnen. Oft sind wir bestürzt, wenn wir ein Farbdia betrachten, und denken, daß eine bestimmte Farbe unmöglich richtig wiedergegeben sein kann. Prüfen wir aber die Umstände, die im Augenblick der Aufnahme vorherrschten, finden wir nur zu oft, daß wir unrecht hatten. Daraus können wir lernen, genauer zu beobachten und uns der wechselnden Aspekte unserer ewig wechselnden Welt stärker bewußt zu werden.

Die psychologische Wirkung der Farben

Um die gewünschte Wirkung zu erzielen, muß ein Farbfoto wirksam sein. Das mag wie ein Scherz klingen, aber nur so lange, bis wir versuchen, folgende Frage zu beantworten: Was ist diese schwer zu fassende Eigenschaft, die ein Farbfoto wirksam macht? Ist es die Exaktheit der Farbwiedergabe – seine Glaubwürdigkeit? Nicht unbedingt, wie sich bei dem Bildnis zeigte, das im grünen Schatten eines Baumes aufgenommen worden war und das gerade deshalb zurückgewiesen wurde, weil es »wahr« war. Ist es Schönheit? Vielleicht – aber können Sie eine einfache und trotzdem zutreffende Definition des Begriffs »Schönheit« geben? Ist es die Überraschung? Manchmal schon, manchmal auch nicht, denn eine Überraschung kann angenehm oder auch unangenehm sein. Ein Schock? Dieselbe Antwort ... Selbst wenn wir bestimmte Farbfotos analysieren und versuchen herauszufinden, welche unerklärliche Eigenschaft sie »wirkungsvoll« macht, werden wir Mühe haben, zu klaren Schlüssen zu kommen, weil verschiedene Menschen auch verschieden auf Farbfotos reagieren oder sogar überhaupt nicht auf das reagieren, was wir stark gefühlt haben. Das bringt uns zum Ausgangspunkt zurück ... Wirksamkeit ... was natürlich überhaupt keine Hilfe ist ...
Vielleicht würden wir mehr Erfolg haben, wenn wir das Problem von der anderen Seite her anfassen und mit den Eigenschaften beginnen würden, die mit Sicherheit zu wirkungsvollen Farbfotos führen. Auf diesem Weg kommen wir etwa zu folgenden Schlußfolgerungen:
Wir müssen von der Tatsache ausgehen, daß Farbe die wichtigste Eigenschaft jedes Farbfotos ist. Sie ist stärker als Umriß und Form, stärker als Inhalt und Zeichnung. So werden beispielsweise bei Betrachtung eines grünen Aktes die meisten Leute zuerst das Grün kritisieren, ehe sie sich über den Akt auslassen. Und das Farbfoto von einem blutigen Ereignis macht einen stärkeren Eindruck als ein Schwarzweißfoto, da es das Blut rot wiedergibt, während es in Schwarzweiß nur als Grauton erscheint. Folglich muß ein Farbfotograf seine größte Aufmerksamkeit der Farbe zuwenden und soweit wie möglich Farben nach ihren psychologischen Wirkungen auswählen. Das kann auf dreierlei Arten geschehen:

Er kann sein Motiv wegen der Farbe wählen. Zum Beispiel ein blondes Mädchen statt eines brünetten; einen rötlichen Sonnenuntergangshimmel an Stelle eines blauen Himmels, um eine Landschaft wirkungsvoller zu charakterisieren; ein weißes Auto an Stelle eines roten. (Wenn Ihnen die Wahl eines weißen oder »farblosen« Objektes für Farbaufnahmen komisch vorkommt, lesen Sie weiter; Sie haben noch viel zu lernen.)

Er kann bestimmte Farben als ergänzende Bildelemente wählen. Zum Beispiel ein blaugrünes Halstuch; rote Schuhe; eine Vase mit gelben Blumen; einen hellgrauen Hintergrund; ein purpurfarbenes Kissen; einen tiefblauen Himmel.

Er kann diejenigen Farben für sein Bild wählen, die ihm die gewünschte Stimmung geben. Zum Beispiel: Im »warmen« goldenen Licht der untergehenden Sonne fotografieren, statt im »kalten« blauweißen Licht des Mittags zu arbeiten. Er kann die Farbe des auffallenden Lichtes dadurch ändern, daß er die Aufnahme durch ein geeignetes Farbausgleichsfilter oder Farbkorrekturfilter macht. Er kann farbige Folien vor seinen Lampen anbringen.

Um aber Farben in Übereinstimmung mit der Stimmung und der Aussage des Bildes wählen zu können, muß der Fotograf über die psychologischen Wirkungen der Farben Bescheid wissen. Das ist allerdings ein so weites, verwickeltes und widerspruchsvolles Feld, daß ich es hier nur kurz erwähnen kann.
Wir haben gelernt, daß die drei Dimensionen der Farbe Farbton (Farbe), Sättigung und Helligkeit sind. Zwischen diesen Eigenschaften bestehen gewisse Beziehungen, durch die Farben in Gruppen aufgeteilt werden können. Jede dieser Gruppen erweckt bestimmte psychologische Reaktionen, die man vorteilhaft dazu verwenden kann, bestimmte Wirkungen zu erzielen. Um die hierdurch geschaffenen Möglichkeiten zu untersuchen, wollen wir mit dem Farbrad von Munsell beginnen.
Das Farbrad von Munsell ist in fünf Hauptfarben unterteilt: Rot, Gelb, Grün, Blau, Purpur, und in fünf Zwischenfarben: Gelbrot, Grüngelb, Blaugrün, Purpurblau, Purpurrot. Wenn in der obigen Zeichnung auch nur diese Farben angegeben sind, ist das doch so zu verstehen, daß in dem original Munsell-Rad jede dieser Farben wiederum in 10 Farbtöne aufgeteilt ist, so daß der ganze Kreis 100 verschiedene Farben umfaßt. Dabei kann man folgende Beziehungen zwischen den einzelnen Farben und Farbengruppen beobachten:

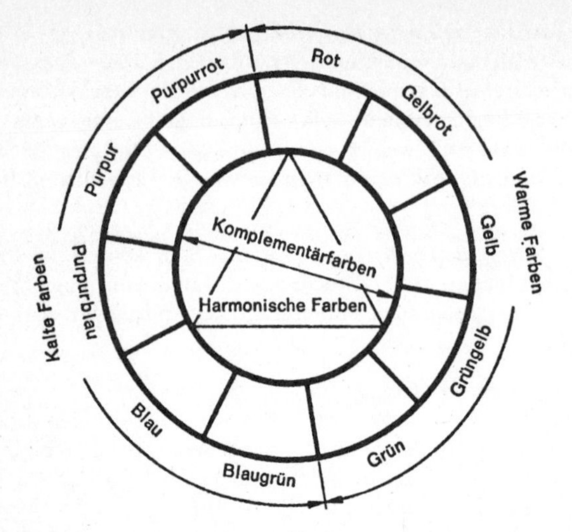

Komplementärfarben. Jeweils zwei Farben, die sich im Farbrad direkt gegenüberstehen, ergeben ein Komplementärfarbenpaar; zum Beispiel Rot und Blaugrün. Vom Ästhetischen her gesehen, verstärken sich Komplementärfarben gegenseitig. Ähnlich wie Schwarz in Kontrast zu Weiß, läßt jede die andere leuchtender erscheinen. Eine rote Rose ergibt gegen einen blaugrünen Hintergrund eine packende Farbkomposition. Wenn ein Fotograf die Absicht hat, stärkste Wirkung auf direktestem Wege zu erzielen, braucht er nur eine Farbzusammenstellung zu wählen, die auf stark gesättigten, komplementären Farben beruht. Die Erklärung dafür liegt in einer Erscheinung, die man das »Nachbild« nennt, etwas, was die meisten von uns irgendwann kennengelernt haben, nachdem sie in eine starke Lichtquelle geschaut hatten, dann ihre Augen schlossen, um die Lichtquelle (beispielsweise: die Sonne) im Raume vor einem dunklen Hintergrund schweben zu sehen. Aber bereits nach kurzer Zeit kehrte sich dieses Nachbild in ein Negativ um, und wir sahen eine blauschwarze Sonne gegen einen hellen Hintergrund. Die erste Art des Nachbildes ist das »positive«, die zweite das »negative«.

Eine ähnliche Erscheinung stellt sich ein, wenn wir auf einen Fleck von kräftiger Farbe blicken. Wenn wir zum Beispiel das Bild einer roten Rose unverwandt ansehen, passen sich unsere Augen der Farbe »Rot« an. Wenn wir uns nun schnell umdrehen und auf ein Blatt weißes

Papier schauen, sehen wir für einen kurzen Augenblick das »negative Nachbild«, d. h. das Bild einer blaugrünen Rose, denn Blaugrün ist die Komplementärfarbe zu Rot. Damit haben wir die Erklärung dafür, warum jede Farbe bei Gegenüberstellung zu ihrer Komplementärfarbe leuchtender erscheint als in Verbindung mit irgendeiner anderen Farbe. Wenn wir eine beliebige Farbe anschauen, werden unsere Augen darauf vorbereitet, das negative Nachbild in ihrer Komplementärfarbe zu sehen. Sehen wir zum Beispiel Rot, werden wir auf Blaugrün vorbereitet, und wenn wir es tatsächlich in einem Farbfoto sehen, erscheint es uns intensiver, als wenn unsere Augen nicht für diese besondere Farbe, die wir zuerst als ihre Komplementärfarbe gesehen haben, »empfindlich« gemacht worden wären.

Farbverwandtschaften. Farben, die auf dem Farbrad Nachbarn sind, oder Gruppen von Nachbarn sind miteinander verwandt. So sind zum Beispiel Rot, Orange und Gelb miteinander verwandt, weil sie eine gemeinsame Eigenschaft haben: Sie sind »warme« Farben. In ähnlicher Weise sind Blaugrün, Blau und Violett verwandt, und zwar dadurch, daß alle drei Blau enthalten. Und so weiter. Farbkompositionen in verwandten Farben ergeben automatisch eine Einheit und ein Gefühl der Zusammengehörigkeit, das in Zusammenstellungen nicht verwandter Farben fehlt. Ferner üben sie eine stille und beruhigende Wirkung auf Auge und Geist aus.

Harmonische Farben. Jeweils drei Farben, die im Kreis zu einem gleichseitigen Dreieck verbunden werden können, werden harmonisch genannt, was bedeutet, daß sie gut zusammenpassen – so wie einzelne Töne, die einen Akkord ergeben.
Warme Farben sind jene, die Gelb enthalten: Rot, Orange, Gelb, Grüngelb, Grün – also die eine Hälfte des Farbkreises. Das »warme« Gefühl, das diese Farben hervorrufen, ist wahrscheinlich ihrer Verbindung zur Sonne, zu glühendem Metall oder Feuer zuzuschreiben; alle diese strahlen Hitze aus und sind besonders reich an Wellenlängen, die die Empfindung »Gelb« hervorrufen. Man kann dieses Gefühl von »Wärme« in einem Farbfoto gewöhnlich dadurch erreichen, daß man gegebenenfalls die Aufnahme durch ein entsprechendes »aufwärmendes« Filter macht, ein Skylight-Filter oder, für stärkere Wirkungen, ein gelbliches oder rötliches Filter in der entsprechenden Dichte.

Kalte Farben sind solche, die Blau enthalten: Blaugrün, Blau, Violett, Purpur, Purpurrot – eben die andere Hälfte des Farbkreises. Dieses

»kalte« Gefühl, das sie hervorrufen, ist wahrscheinlich darauf zurückzuführen, daß Blau komplementär zu Gelb und Orange ist, also zu den »wärmsten« Farben, und ferner auch auf Gedankenverbindungen mit »blauem Eis« und dem tiefblauen, kalten, nördlichen Himmel. Dieses Gefühl für »Kälte« kann man jederzeit in einem Farbfoto dadurch erzeugen, daß man die Aufnahme durch ein geeignetes »abkühlendes« Filter macht, also ein bläueliches Filter entsprechender Dichte.

Hochgesättigte Farben – Farben, die nicht mit Schwarz, Grau oder Weiß gemischt sind – ergeben kräftige und aggressive Eindrücke, versinnbildlichen Kraft und Macht, rufen Freude und positive Stimmungen hervor. Diese Farben sind am leichtesten im Farbfilm naturgetreu wiederzugeben, weil dabei in der Regel sogar relativ große Abweichungen unbemerkt bleiben. Wenn man um etwa eine halbe Blendenstufe unterbelichtet, wird die Leuchtkraft solcher hochgesättigten Farben im Farbdia noch verstärkt.

Blasse Farben und Pastelltöne – Farben, die stark mit Weiß oder Grau gemischt sind – eignen sich besonders für zarte, kultivierte Wirkungen und um delikate Stimmungen zu suggerieren. Es ist verhältnismäßig schwierig, diese Farben exakt im Farbfilm zu reproduzieren, weil sich dabei schon die geringste Abweichung bemerkbar macht. Eine Überbelichtung von einer und gelegentlich sogar eineinhalber Blendenstufe verringert die Farbsättigung und ermöglicht es, mehr oder weniger gesättigte Farben in Pastelltöne umzuwandeln.

Monochrome Farbbilder bestehen hauptsächlich aus einer einzigen Farbe in verschiedenen Abstufungen von Sättigung und Helligkeit. Zum Beispiel ergeben farbige Fernaufnahmen oft monochrome Farbbilder in Blau. Während aber solche monochromen Farbbilder enttäuschen, weil ihnen Kontrast fehlt, können geschickt angeordnete und abgestufte monochrome Farbbilder – zum Beispiel in der Modefotografie – außerordentlich wirkungsvoll sein, vor allem, wenn man ihren Kontrastumfang durch Einschluß von Schwarz und Weiß vergrößert.

Schwarz und Weiß spielen in der Farbfotografie eine äußerst wichtige Rolle. Sie ermöglichen es dem Farbfotografen, seinen Bildern starken Kontrast zu geben, ohne daß er diesen dadurch bezahlen muß, daß die hellen Farben überbelichtet und die dunklen Farben unterbelichtet erscheinen. Denn nun können die beiden Extreme des Kontrastes durch Schwarz und Weiß dargestellt werden, und der Fotograf kann seine Farbwahl auf Farben mittlerer Helligkeit beschränken. Und da es einfach unmöglich ist, Weiß zu reichlich oder Schwarz zu kurz zu belichten, kann die Belichtung genau auf beste Wiedergabe der Farben berechnet werden. Allerdings ist »Weiß« die »Farbe«, die in der Farbfotografie am schwierigsten wiederzugeben ist, da bereits die leiseste Andeutung einer Färbung den Eindruck von »Weiß« zunichte macht.

Farbe weckt Gedankenverbindungen. Bestimmte Farben suggerieren bestimmte Ideen und Begriffe, die verwendet werden können, um dem Farbbild zusätzliche Eindruckskraft und Gewicht zu geben. So ist zum Beispiel Rot die aggressivste und auffallendste Farbe des Spektrums: »heiß«, lebhaft erregend und daher weitgehend für Werbung, Buchumschläge und Plakate verwendet. Rot suggeriert Feuer und Blut und ist ein Symbol für Gefahr (Warnsignale sind gewöhnlich Rot), Revolution, Gewaltsamkeit und Kraft.

Blau liegt am anderen Ende des Spektrums, also am weitesten von Rot entfernt, und ist die am meisten passive und zurückhaltende aller Farben, ruhevoll, entfernt und »kalt«. Wir sprechen von einer »blauen« Stimmung, und die Franzosen haben ihre »l'heure bleue« – die »blaue Stunde« der Dämmerung.

Gelb hat zwei Bedeutungen: Es ist mit angenehmen Gefühlen verknüpft – mit der Sonne, der Wärme, dem Glücklichsein und dem Frühling (gelbe Küken und Narzissen) –, suggeriert andererseits aber auch Feigheit und Krankheit (man sagt, jemand habe »eine gelbe Strähne«; man hat »Gelbsucht«; die gelbe Quarantäneflagge; die gelbe Gesichtsfarbe eines Kranken).

Orange, die Farbe zwischen Gelb und Rot, ist »heiß«, allerdings für das Gefühl etwas weniger als Rot, aber wärmer als Gelb, das nur eine »warme« Farbe ist. Orange erinnert an Kürbis, Hexen, Feiern am Erntedanktag und an Kerzenfeste.

Braun suggeriert Erde, den Acker, Herbst und fallende Blätter, Ruhe, Ernst und Mittelalter und erinnert irgendwie auch an Träumereien.

Grün, die Farbe von Blättern und Gras, ist die »natürlichste« – die am wenigsten »künstliche« – aller Farben. Grün wirkt weder erregend noch beruhigend, weder heiß noch kalt, es ist neutral, ohne langweilig zu sein.

Violett ist entweder lebhaft oder etwas passiv; das hängt von seinem Gehalt an Rot oder Blau ab. Mit stärkerem Rotgehalt erinnert es an die katholische Kirche und an das Königtum, mit mehr Blaugehalt läßt es uns an alte Damen denken.

Weiß ist die Farbe der Unschuld, und Schwarz ist die Farbe des Todes.

Drei Wege zu wirkungsvollen Farbaufnahmen

Erfahrene Fotografen wissen, daß es keine unfehlbaren »Regeln« für die Herstellung guter Farbfotos gibt, da die Farbgestaltung etwas sehr Subjektives ist. Infolgedessen ist es durchaus möglich, daß Farbbilder, die dem einen gefallen, den anderen kalt lassen. »Richtige«, d. h. natürliche Farbwiedergabe bedeutet nicht unbedingt »gute« Farbfotografie; andrerseits aber wird manches Farbbild abgelehnt, gerade weil seine Farben »wahr« sind. Obwohl also keine einzige »unfehlbar richtige« Einstellung zur Farbfotografie existiert, hat die Erfahrung gezeigt, daß die Farbwiedergabe aus drei verschiedenen Gründen als gut akzeptiert werden kann:

Farbwiedergabe erscheint natürlich, braucht deswegen aber nicht unbedingt richtig zu sein;

Farbwiedergabe ist richtig, braucht deswegen aber nicht unbedingt »natürlich« zu erscheinen;

Farbwiedergabe ist wirkungsvoll, aber offensichtlich »unnatürlich«.

Farbwiedergabe erscheint natürlich, braucht deswegen aber nicht unbedingt richtig zu sein. Die Farben der Dinge in einem Farbdia erscheinen natürlich, wenn sie den Farben entsprechen, wie wir sie »im Gedächtnis haben«; das bedeutet gewöhnlich, wie sie im normalen Tageslicht erscheinen. Neben einer exakten Belichtung ist die wichtigste Voraussetzung für diese natürlich erscheinende Wiedergabe, daß die spektrale Zusammensetzung der Beleuchtung der des Lichtes gleicht, für das der Farbfilm sensibilisiert ist. Ergeben sich hier Unterschiede, sind diese durch entsprechende Farbausgleichsfilter zu korrigieren. Ist die Farbe des auffallenden Lichtes gegenüber dem Farbfilm falsch und wird kein Korrektionsfilter benutzt (oder kann nicht benutzt werden), ist es unmöglich, zu einer natürlich erscheinenden Farbwiedergabe bei Farbumkehrfilm zu gelangen. Wird Farbnegativfilm benutzt, können allerdings selbst ziemlich starke Abweichungen von der vorgeschriebenen Beleuchtung bei der Positivherstellung noch erfolgreich korrigiert werden.
Die Wirkung von Lichtquellen, die in irgendwelchen Teilen des Spektrums Lücken aufweisen, kann nicht durch Filter so weit verbessert werden, daß sich »natürlich erscheinende« Farbbilder ergeben. Die bekanntesten derartigen Lichtquellen sind Quecksilberdampflicht, Ta-

geslicht nach Sonnenuntergang, gewisse Arten von Fluoreszenzlampen, Mischungen von Tageslicht und Fluoreszenzlicht und Tageslicht unter Wasser ohne eine andere zusätzliche Beleuchtung.

Um ein natürlich erscheinendes Farbdia zu bekommen, kann es notwendig sein, die Farben des Motivs zu »verfälschen«. Wie schon erwähnt wurde, wird ein Gesicht, das beispielsweise im Schatten eines großen Baums fotografiert wurde, einen grünlichen Farbstich aufweisen. Obwohl diese Farbe durchaus der Wirklichkeit entspricht, weil das Gesicht im Augenblick der Aufnahme eben so aussah, muß mit Hilfe eines leicht rötlichen Korrektionsfilters umgestimmt, also »verfälscht« werden, soll das Gesicht uns so erscheinen, wie wir es in der Erinnerung haben, d. h., wie es im »weißen« Licht aussehen würde. In dieser Verbindung ist es interessant, daß die meisten Menschen in der Färbung des Gesichts Hauttöne, die etwas gelblicher als die tatsächlichen rosafarbenen oder rötlichen Töne des Originals sind, vorziehen und als »natürlich« ansehen – ein weiterer Beweis für die »subjektive Art« unseres Sehens.
Ob ein Farbbild natürlich *erscheint* oder nicht, hängt selbstverständlich zum großen Teil von dem persönlichen Urteil des Betrachters ab, und Bilder, die dem einen gefallen, werden oft von einem anderen abgelehnt. Dem ungeschulten Auge erscheint bereits ein Schatten, der eben leicht blau ist, als »unnatürlich«, und Farbdarstellungen, die erfahrene Fotografen, aufmerksam beobachtende Menschen und Menschen mit künstlerischer Schulung als natürlich akzeptieren, können anderen übertrieben und »falsch« erscheinen.
Eine natürlich erscheinende Farbwiedergabe ist besonders für wissenschaftliche und Gebrauchsfotografie sowie für Reproduktionen, Bildnisaufnahmen und Farbaufnahmen mit Menschen zu erstreben.

Farbwiedergabe ist richtig, braucht deswegen aber nicht unbedingt »natürlich« zu erscheinen. Die Farben der Gegenstände im Farbdia entsprechen den Farben der Dinge, wie sie im Augenblick der Belichtung waren. Beispiel: Das »grüne« Gesicht, das im Schatten des großen Baumes fotografiert wurde. Diese Art der Farbwiedergabe bewahrt die Eigenart des Motives, indem sie genau die Bedingungen wiedergibt, unter denen die Aufnahme gemacht wurde. Sie stellt auch einen willkommenen Ausweg aus der Langeweile der genormten »natürlich erscheinenden« Farbe dar und gibt uns eine Vorstellung von den fabelhaften Möglichkeiten von Farbe und Licht.
Richtige Farbwiedergabe wird meist (wenn auch nicht unfehlbar) er-

reicht, wenn Farbfotos bei Tageslicht und nachts im Freien auf Farbfilm für Tageslicht gemacht werden, und zwar ohne Filter irgendwelcher Art, und Innenaufnahmen mit Glühlampenbeleuchtung auf Farbfilm für Kunstlicht, auch hier ohne Filter. Allerdings wird wegen der charakteristischen spektralen Reaktion des Farbfilms die Farbwiedergabe nicht immer genau den Farben des Motivs in der Weise entsprechen, wie wir sie im Augenblick der Belichtung gesehen haben. Wenn gelegentlich ein Fotograf glaubt, daß eine etwas »natürlicher erscheinende« Farbwiedergabe im besseren Interesse des Bildes liegt, kann er ein Filter benutzen, das das Licht *teilweise* korrigiert, so daß das Motiv etwas weniger ungewöhnlich erscheint, aber trotzdem noch der typische Charakter der jeweiligen Beleuchtung angedeutet bleibt, wie zum Beispiel die Wärme des Lichts unserer Glühlampen.
Richtige Farbwiedergabe ist besonders bei Dokumentaraufnahmen und Reportagen erstrebenswert, weil sie die für eine objektive Aussage des aufgenommenen Motivs unentbehrliche Wirklichkeits-Atmosphäre schafft.

Farbwiedergabe ist wirkungsvoll, aber offensichtlich »unnatürlich«. In diesem Fall ist die Farbe der Gegenstände im Farbdia anregend und symbolisch-charakteristisch, obwohl sie weder natürlich erscheint noch richtig ist. Als Beispiel dafür möchte ich ein Farbbild anführen, das ich einmal sah, die Aufnahme eines Schneemotivs, in der der Himmel von einem tiefen und samtigen Purpur war, eine phantastisch märchenhafte Landschaft, deren Darstellung enorm wirkungsvoll war.
Während es ein leichtes ist, Regeln für eine natürlich erscheinende Farbwiedergabe aufzustellen, und während es möglich ist, Ratschläge für *richtige* Farbwiedergabe zu geben, ist es hoffnungslos, zu versuchen, einem Fotografen klarzumachen, wie man *wirkungsvolle* Farbaufnahmen macht, die über Naturalismus und Richtigkeit hinausgehen, aber weder überspitzt noch nach Trick aussehen wie jene armseligen Beispiele von »Wirkung um der Wirkung willen«. Aber vielleicht können die folgenden Vorschläge wenigstens Ausgangspunkte vermitteln.
Fotografieren Sie kühn in die Lichtquelle und hoffen Sie, daß die dabei entstehenden Überstrahlungen und Lichthöfe eine Darstellung ergeben, die wirkungsvoll die Intensität und Brillanz direkten Lichtes symbolisiert.
Benutzen Sie Farbkorrektionsfilter, um die Farbe der Beleuchtung in Übereinstimmung mit der Stimmung des Motivs oder Ereignisses zu

verändern. Gewöhnlich sind solche allgemeinen Farbumstimmungen am wirkungsvollsten, wenn sie zart und fein sind. Die Stimmung ergebende Farbe sollte eher zu fühlen als zu sehen sein.
Benutzen Sie farbige Folien vor den Fotoleuchten. Während Filter vor dem Objektiv das ganze Motiv entsprechend verfärben, kann der Fotograf mit Farbfolien vor einzelnen Leuchten, wenn notwendig, die Beleuchtung bestimmter Bildteile verschiedenartig abstimmen. Der Vorteil dieser Methode, die Wirkung farbigen Lichtes auf bestimmte Teile des Motives zu beschränken, liegt darin, daß natürlich erscheinende und phantastische Farben nebeneinanderstehen. So kann zum Beispiel der Vordergrund einer Szene in einem schwermütigen Blau stehen, der Mittelgrund in natürlichen Farben erscheinen und der Hintergrund rötlich-heiter sein. In dieser Hinsicht ist die Möglichkeit, farbiges Licht anzuwenden, um so größer, je mehr ein Motiv oder eine Szene an Weiß enthält.
Kombinieren Sie verschiedene Lichtarten. Verwenden Sie zum Beispiel in Verbindung mit Farbfilm für Tageslicht im selben Bild Tageslicht (Licht vom Fenster, blaue Blitzlampen oder blauüberzogene Fotolampen) und Glühlampenlicht, aber *mischen Sie nicht* diese verschiedenen Lichtarten, sondern benutzen Sie jede, um nur einen bestimmten Bildteil auszuleuchten, und zwar mit möglichst geringen Überschneidungen. Beachten Sie dabei, daß die eine Lichtart blau und »kalt« erscheint, die andere gelblich und »warm«. Und nutzen Sie den Unterschied zwischen warmen und kalten Farben schöpferisch aus, um zum Beispiel die »Kälte« des Freilichtes (durch das Fenster gesehen) zu symbolisieren und es in Kontrast zu der warmen und behaglichen Atmosphäre des Innenraumes zu stellen.
Benutzen Sie vorhandene Farben (also nicht nur farbiges Licht), um Stimmungen und Gefühle auszudrücken. In Bewegungsaufnahmen ergeben buntfarbige Autos, Busse, Häuser und ganze Straßenzüge in kräftigen Farben besondere Wirkungen. Im kleineren Maßstab, im Studio oder daheim in einem Stilleben, kann jeder ähnliche Wirkungen erzielen. Oder kleiden Sie Ihr Modell in leuchtende Farben oder in zarte Farben, je nachdem, was Sie sagen wollen. Kombinieren Sie Farben für harmonische oder schreiende Wirkungen, lassen Sie Ihrer Phantasie freien Lauf! Das Feld der schöpferischen Fotografie ist unbegrenzt und bietet jedem, der über die Regeln hinausgeht, fabelhafte Möglichkeiten.

Umsetzung von Farbtönen in Grautöne in der Schwarzweißfotografie

Wenn ein Schwarzweißfilm die Farbe auch automatisch in Grautöne übersetzt, ist diese »Übersetzung« doch nicht immer die gleiche, sondern kann gesteuert werden. Eine solche Steuerung kann aus folgenden Gründen erwünscht sein:

Um die Genauigkeit der Umsetzung in Grautöne zu steigern. Wie schon erwähnt, sind alle Schwarzweißfilme besonders empfindlich für Blau und alle orthochromatischen Filme unempfindlich für Rot. Alle panchromatischen Filme sind für Grün etwas weniger empfindlich als für andere Farben, und einige sind hochrotempfindlich. Tatsächlich gibt es bis heute noch keinen Schwarzweißfilm, der alle Farben automatisch in die Grautöne übersetzt, deren Helligkeitswert dem tatsächlichen der Farben genau entspricht. Wenn Farben in Grautönen genau korrespondierender Helligkeitswerte darzustellen sind, muß man dies dadurch steuern, daß man panchromatische Filme mit dem jeweils richtigen Farbfilter verwendet.

Um die Eigenschaften gewisser Filmsorten auszunützen. Daß orthochromatische Filme unempfindlich für Rot sind, bedeutet nicht, daß jedes Rot als Schwarz wiedergegeben wird. Die meisten roten Farbtöne enthalten auch etwas Gelb oder Blau. Deshalb werden sie auch nicht schwarz wiedergegeben, sondern lediglich dunkler, als sie dem Auge erscheinen. Bei Porträts zum Beispiel geben orthochromatische Filme durch ihre Unempfindlichkeit für Rot in der Regel die Hauttöne besser wieder als panchromatische Filme, die durch ihre hohe Rotempfindlichkeit rötliche Farbtöne zu hell bringen und damit leicht »ausgeblichen« erscheinen lassen.
Motive, in denen grüne Farbtöne vorherrschen, wie Landschaften und Bäume, werden mit orthochromatischen Filmen differenzierter wiedergegeben als mit panchromatischen, weil diese Grün vergleichsweise zu dunkel bringen, wenn man nicht entsprechende Filter verwendet.

Um die Abstufung der Grautöne zu verbessern. Verschiedene Farbtöne (z. B. Rot und Grün), die sich in ihrem Helligkeitswert ähneln oder gleichen (wie z. B. helles Rot und helles Grün), dem Auge aber sehr verschiedenartig erscheinen, würden ohne Steuerung der Übersetzung in Grauwerte als ähnliche oder gleiche Grautöne wiedergegeben werden. So kann es passieren, daß verschiedenfarbige Objekte, die sich in der Wirklichkeit gut voneinander absetzen, im Bild verschmelzen und ihre Umrisse verschwinden. Um dies zu verhüten, muß man die Übersetzung der Farben in Grauwerte durch Kontrastfilter steuern. Anleitungen für die Verwendung solcher Filter haben wir bereits gegeben. Diese Informationen sind allerdings wertlos, wenn man kein Gefühl für Farbe und Farbwirkungen hat und nicht weiß, wann man eine Farbe heller oder dunkler bringen soll. Wenn zwei verschiedene Farben den gleichen Helligkeitswert haben oder einen sehr ähnlichen, erzielt man die besten Wirkungen gewöhnlich dann, wenn man die aggressivere, aktivere und wärmere Farbe in einen helleren Grauton übersetzt und die passivere, zurückhaltendere und kühlere Farbe in einen dunkleren.

Aktive, aggressive und warme Farben	Neutrale Farben	Passive, zurückhaltende und kalte Farben
Rot	Gelbgrün	Blaugrün
Orange	Grün	Blau
Gelb	Purpur	Violett

Die folgende Tabelle, die nur für panchromatische Filme gilt, gibt eine Übersicht über die wichtigeren in der Schwarzweißfotografie gebräuchlichen Filter, ihre Anwendungsweise und ihre Verlängerungsfaktoren (die allerdings nur Annäherungswerte und eventuell nach den Angaben der Filterhersteller zu ändern sind).

Filter	Hauptzweck	Verlängerungsfaktor
Hellgelb	Die Wirkung ist so schwach, daß ich dieses Filter für alle normalen Aufgaben für überflüssig betrachte.	1 1/2 × (Blende um 2/3 Werte öffnen)
Mittleres Gelb	Gutes Allzweckfilter, das blauen Himmel etwas dunkler, grünes Blattwerk etwas heller bringt und die Schleierwirkung von Dunst leicht mindert.	2 × (Blende um 1 Wert öffnen)
Dunkelgelb	Ähnliche Wirkung wie beim mittleren Gelbfilter, jedoch ausgesprochener. Dieses Filter macht Hauttöne ein wenig zu hell.	3 × (Blende um 1 1/3 Wert öffnen)

Hellgrün	Macht grünes Blattwerk etwas heller, blauen Himmel etwas dunkler. Wenn Filtern notwendig ist, ist dieses Filter das beste für Nahaufnahmen von Personen, weil es Hauttöne nicht zu hell macht.	4 × (Blende um 2 Werte öffnen)
Rot	Macht blauen Himmel sehr dunkel, mindert Schleiereffekt bläulichen Dunstes. Sehr gut für Fernsichten und Luftaufnahmen. Nicht geeignet für Nahaufnahmen von Personen, weil es Hauttöne zu hell wiedergibt und kreidig wirken läßt.	8 × (Blende um 3 Werte öffnen)

Die folgende Tabelle gibt die Filterfaktoren für Kodak Wratten Filter bei Verwendung panchromatischer Filme. Filter anderer Hersteller können abweichende Faktoren haben; hierüber geben die Informationsblätter Auskunft, die jedem Filter beiliegen.

Filterfarbe	hell-gelb	mittleres gelb	hell-grün	mittleres grün	orange	rot	dunkel-rot	blau
Bezeichnung	K 1	K 2	X 1	X 2	G	A	F	C 5
Tageslicht Filterfaktor	1,5	2	4	5	3	8	16	5
	1,5	1,5	3	4	2	4	8	10

Die folgende Tabelle gibt die Beziehungen zwischen Verlängerungsfaktor und Blendenwert an. Die Zahl unter jedem Faktor gibt die Zahl der Blendenwerte, um die die Blende geöffnet werden muß, wenn ein Filter dieses Faktors verwendet wird und man Unterbelichtung vermeiden will.

Filterfaktor	1,2	1,5	1,7	2	2,5	3	4	5	6	8	12	16
Die Blende muß um diese Anzahl Blendenwerte geöffnet werden	1/3	2/3	2/3	1	1 1/3	1 2/3	2	2 1/3	2 2/3	3	3 1/3	4

Kontrast

Zufriedenstellende Aufnahmen sind nur dann möglich, wenn der Kontrastumfang des Motivs den Kontrastumfang des Films nicht überschreitet. Daher ist für das Herstellen guter Bilder die Überwachung des Kontrastes genauso wichtig wie die Überwachung von Licht und Farbe.
Unter Kontrast verstehen wir den Helligkeitsunterschied zwischen hellster und dunkelster Stelle des Motivs. Ist er zu hoch, können die hellsten und dunkelsten Stellen nicht gleichzeitig (im selben Negativ) richtig belichtet werden, entweder erscheinen die hellsten Stellen überbelichtet oder die dunkelsten unterbelichtet. Um das zu vermeiden, muß der Fotograf folgendes wissen:

Motivkontrast (oder Objektkontrast) ist das Produkt aus zwei Faktoren: Beleuchtungskontrast und Reflexionskontrast. Nehmen wir zum Beispiel an, wir hätten ein Gemälde zu fotografieren, das völlig gleichmäßig beleuchtet sei, vielleicht im Freien und in der Sonne. Um den Beleuchtungskontrast zu messen, benutzen wir eine Graukarte, halten sie an verschiedenen Stellen flach an das Gemälde und messen darauf, wobei die Messungen in diesem besonderen Fall natürlich alle das gleiche Resultat ergeben. Der Beleuchtungskontrast, d. h. das Verhältnis zwischen den Bildteilen, die stärkstes und schwächstes Licht erhalten, ist 1 : 1, da wir ja von einer gleichmäßigen Beleuchtung ausgingen, was bedeutet, daß alle Teile des Objektes dieselbe Lichtmenge erhalten.

Dann machen wir eine zweite Messung, diesmal aber ohne die Graukarte. Wir messen also direkt die Helligkeiten der hellsten und dunkelsten *Farben* des Gemäldes, lassen also Schwarz und Weiß unberücksichtigt. Dabei sind die sich ergebenden Werte natürlich verschieden, sie geben den Reflexionskontrast des Bildes an. Daß es sich dabei um den *echten* Reflexionskontrast handelt, ergibt sich aus unserer Anfangsannahme, daß alle Teile des Gemäldes *gleiche* Lichtmengen erhalten. Nehmen wir an, die höchste Messung läge 2½ Blendenstufen über der niedrigsten. Dann ergibt sich ein Reflexionskontrast von 2,5 : 1. Da nun der Motivkontrast das Produkt aus Beleuchtungskontrast und Reflexionskontrast ist und der Beleuchtungskontrast nach unserer Annahme 1 : 1 beträgt, ergibt sich hier ein Motivkontrast von 2,5 : 1, der praktisch noch durchaus innerhalb der annehmbaren Gren-

zen (wenn auch nicht der idealen Grenzen) für einwandfreie Farbwiedergabe liegt.
Wenn das Aufnahmeobjekt nicht flach, sondern dreidimensional ist, werden die Dinge etwas komplizierter, weil nun die räumlichen Bedingungen ein neues Element – Schatten – mit sich bringen, das natürlich den Beleuchtungskontrast beeinflußt. Lassen Sie uns als Beispiel eine Situation besprechen, wie sie für Bildnisaufnahmen im Innenraum typisch ist, die mit zwei Lampen *gleicher Stärke* (das ist für diese Demonstration und die folgenden Überlegungen unbedingte Voraussetzung), also einem Hauptlicht und einem Aufhellicht, gemacht werden. Die beiden Lampen werden in *gleichen Abständen* vom Modell aufgestellt, das Hauptlicht in einem Winkel von etwa 45° zur Kamera-Modell-Achse, das Aufhellicht so nahe wie möglich an der Kamera.

Beleuchtungskontrast ist der Unterschied zwischen der hellsten und dunkelsten Beleuchtung im Motiv – die Spanne von den Spitzlichtern bis zu den Schatten. Unter den oben angenommenen Verhältnissen erhalten die Motivteile, die durch zwei Lampen beleuchtet werden, zweimal soviel Licht wie die Schatten, die vom Hauptlicht geworfen werden, da diese ja nur von *einer* Lampe beleuchtet sind, dem Aufhellicht. Unter diesen Bedingungen beträgt der Beleuchtungskontrast 2:1. Wenn das Hauptlicht jedoch im Verhältnis zum Aufhellicht nur *halben Abstand* vom Objekt aufweist, wirft es auf das Motiv die *vierfache Lichtmenge* gegenüber dem Aufhellicht, da die Helligkeit der Beleuchtung umgekehrt proportional ist dem Quadrat des Abstandes zwischen Objekt und Lichtquelle. In einem solchen Falle erhalten die Motivteile, die durch *zwei* Lampen beleuchtet werden, *fünf* Lichtmengen, während die *Schatten* nur *eine* erhalten. Folglich ist in diesem Falle der Beleuchtungskontrast 5:1.

Reflexionskontrast ist der Helligkeitsunterschied zwischen den hellsten und dunkelsten Farben des *gleichmäßig* beleuchteten Objektes. Um den Reflexionskontrast festzustellen, beleuchtet man das Objekt *gleichmäßig* mit schattenlos wirkendem Vorderlicht. Man prüft die Gleichmäßigkeit der Beleuchtung mit Belichtungsmessung auf eine Graukarte, die man an verschiedene Stellen innerhalb des Bildausschnittes hält, und stellt fest, ob alle Messungen den gleichen Wert angeben. Ist das nicht der Fall, richtet man die Beleuchtung dementsprechend ein. Dann mißt man *ohne Berücksichtigung von Schwarz und Weiß* die Reflexion der hellsten und dunkelsten Farben des Motivs mit einem Belichtungsmesser. Nehmen wir an, Sie finden dabei ein

Verhältnis von 4:1, d. h., daß die hellsten Farben viermal soviel Licht reflektieren wie die dunkelsten. Dieses Zahlenverhältnis 4:1 gibt den Reflexionskontrast des Motives an.

Motivkontrast ist das Produkt aus Beleuchtungskontrast und Reflexionskontrast. In unserem Beispiel, in dem der Beleuchtungskontrast 2:1 und der Reflexionskontrast 4:1 ist, sind die hellsten Farben des Motivs, die mit zwei Lampen beleuchtet werden, viermal heller als die gleichartig beleuchteten dunkelsten Farben und 2 × 4 oder achtmal heller als die dunkelsten Farbteile des Motivs, die ihre Beleuchtung nur vom Aufhellicht erhalten. Daraus ergibt sich also ein Motivkontrast von 8:1.

In der Farbfotografie sollte für eine natürlich erscheinende Farbwiedergabe der Beleuchtungskontrast des Motivs mit durchschnittlichem Reflexionskontrast normalerweise nicht 3:1 überschreiten. Liegt aber der Reflexionskontrast des Motivs unter dem Durchschnitt, d. h. wenn *alle* Farben des Motivs entweder hell oder mittel oder dunkel sind, also helle und dunkle Farben *nicht* zusammen vorkommen, kann der Beleuchtungskontrast bis auf 6:1 gesteigert werden, ohne daß der Motivkontrast den Kontrastumfang des Farbfilms übersteigt. In dieser Hinsicht können Farbdias, die in erster Linie zum Betrachten oder Projizieren gemacht werden, einen etwas höheren Motivkontrast aufweisen als Farbdias, nach denen Farbpapierbilder angefertigt werden sollen oder die als Vorlage für Farbdrucke dienen. Wird mit Schwarzweißfilm gearbeitet, kann der entsprechende Beleuchtungskontrast etwa doppelt so hoch sein, ohne eine gute Kontrastwiedergabe zu gefährden.

Die Blendenzahl-Methode

Es gibt einen einfachen Weg, um den Belichtungskontrast bei Bildnisaufnahmen und anderen Aufnahmen auf kurze Abstände in Verbindung mit einem Beleuchtungsschema, in dem zwei gleichartige Fotolampen als Hauptlicht und Aufhellicht verwendet werden, festzustellen, und zwar drückt man die Lampenabstände in Blendenzahlen aus. Diese Möglichkeit arbeitet deshalb einwandfrei, weil das bekannte Gesetz vom Quadrat der Lichtabnahme sowohl für Blendenzahlen wie für Lampenabstände gilt. Wenn man z. B. die Blendenzahl *verdoppelt,* sagen wir von 2 auf 4, muß natürlich der Fotograf bei Blende 4 *vier-*

mal so lange belichten wie bei Blende 2, damit die Farbwiedergabe bei beiden Aufnahmen gleich ist. Genauso: Wird der Lampenabstand *verdoppelt,* sagen wir von 2 m auf 4 m, muß die Belichtung bei 4 m *viermal* länger sein als bei 2 m, damit die Farbwiedergabe beider Farbdias gleich ist. Denn bei doppeltem Lampenabstand beträgt die wirksame Beleuchtungsstärke einer punktförmigen Lichtquelle bekanntlich nur noch ein Viertel. Dementsprechend ist es möglich, den vorhandenen Beleuchtungskontrast dadurch festzustellen, daß man sich die Lampenabstände von Hauptlicht und Aufhellicht in Form von Blendenzahlen vorstellt und die Unterschiede vergleicht. Demgemäß kommen wir zu folgender Tabelle:

Gleiche Blendenzahlen ergeben einen Beleuchtungskontrast von 2 : 1.
Unterschied von einer Blendenzahl ergibt Beleuchtungskontrast 3 : 1.
Unterschied von 1½ Blendenzahlen ergibt Beleuchtungskontrast 4 : 1.
Unterschied von 2 Blendenzahlen ergibt Beleuchtungskontrast 5 : 1.
Unterschied von 2½ Blendenzahlen ergibt Beleuchtungskontrast 7 : 1.
Unterschied von 3 Blendenzahlen ergibt Beleuchtungskontrast 9 : 1.

Gehen wir für ein Beispiel zu unserer ersten Aufstellung zurück, bei der Hauptlicht und Aufhellicht gleiche Abstände hatten. Nehmen wir an, sie betragen 4 m. Als Blendenzahlen ausgedrückt würde das also einem Verhältnis von Blende 4 zu Blende 4 für beide Lichtquellen entsprechen, also *gleiche Blendenzahlen* (siehe obige Tabelle), die wiederum einem Beleuchtungskontrast von 2 : 1 entsprechen (das ist selbstverständlich das gleiche Verhältnis, zu dem wir ursprünglich gekommen waren).
Zum besseren Verständnis lassen Sie uns untersuchen, wie gut unser zweites Beispiel, bei dem wir das Hauptlicht auf *halben Abstand,* also von 4 m auf 2 m heranrückten, in unsere Formel paßt. Halbierung des Lampenabstandes von 4 m auf 2 m entspricht, in Blendenzahlen ausgedrückt, dem Verhältnis von Blende 4 zu Blende 2, also zwei vollen Blendenstufen (2–2,8–4). Nach unserer Tabelle wie auch nach unseren vorherigen Überlegungen entspricht dieses Beleuchtungsverhältnis von Hauptlicht zu Aufhellicht einem Beleuchtungskontrast von 5 : 1. Dasselbe Resultat hätten wir auch bekommen, wenn das Hauptlicht einen Abstand von 2,8 m und das Aufhellicht einen Abstand von

5,6 m aufweisen würden oder 4 und 8 m oder eben × und 2 × m, weil in allen Fällen der Unterschied in den Blendenzahlen zwei Blendenstufen beträgt.

Umgekehrt kann natürlich jeder gewünschte Beleuchtungskontrast aufgrund folgender Tabelle erzielt werden:

Gewünschter Beleuchtungskontrast	2:1	3:1	4:1	5:1	6:1
Aufhellicht-Abstands-Faktor	1	1,4	1,7	2	2,2

Um den gewünschten Beleuchtungskontrast herzustellen, stellen Sie zunächst das Hauptlicht im vorteilhaftesten Abstand auf. Multiplizieren Sie diesen Abstand in Meter mit dem Aufhellicht-Abstands-Faktor nach obiger Tabelle, der dem gewünschten Beleuchtungskontrast entspricht, und stellen Sie dann das Aufhellicht in diesem Abstand vom Motiv möglichst nahe an der Achse Kamera-Objekt auf. Unbedingte Voraussetzung ist natürlich, daß *beide Tabellen nur gelten, wenn gleiche Lampen in gleichen Reflektoren für Hauptlicht und Aufhellicht* verwendet werden, mag es sich nun um Glühlampen, Blitzlampen oder Elektronenblitze handeln. Übrigens schließt diese »Blendenzahl-Methode« nicht die Verwendung von einem Akzentlicht oder einer Hintergrundbeleuchtung aus, wie an anderer Stelle beschrieben ist, da keines von beiden den Beleuchtungskontrast im Motiv beeinflußt.

Wie man Kontraste im Freilicht regelt

Im hellen Sonnenlicht überschreitet der Motivkontrast vielfach den Kontrastumfang des Films. Um die Möglichkeit von kohlschwarzen Schatten und ausgewaschenen Lichtern zu vermeiden, stehen einem Fotografen drei Methoden zur Verringerung zu hohen Kontrastes zur Verfügung:

Vorderlicht. Wie schon erwähnt, wirft Vorderlicht verhältnismäßig weniger Schatten als Licht aus irgendeiner anderen Richtung (»reines« Vorderlicht – z. B. Licht, das ein Ringblitz ausstrahlt, ist völlig schattenlos und daher besonders gut als Aufhellicht geeignet); folglich erscheinen Objekte im Vorderlicht normalerweise weniger kontrastreich als Objekte im Seiten- oder Gegenlicht. Das ist auch der Grund dafür, daß die Farbfilmhersteller allgemein empfehlen, Farbaufnahmen mit

»Sonne im Rücken« zu machen. Wenn es sich hier auch meist um keine völlig schattenlose Beleuchtung handelt – der Helligkeitsgegensatz zwischen beleuchteten und beschatteten Flächen mag dabei genauso groß sein wie bei Seitenlicht –, sind doch die sich ergebenden Schattenflächen verhältnismäßig klein, so daß sie gegenüber den voll beleuchteten Flächen unbedeutend erscheinen. Diese sind dann ohne Schwierigkeiten in natürlich erscheinenden Farben wiederzugeben. Wenn also der Wahl des Vorderlichtes keine anderen Gesichtspunkte entgegenstehen, wie beispielsweise Perspektive, Tiefendarstellung durch Licht und Schatten, die Notwendigkeit guter Strukturwiedergabe oder einfach, daß es unmöglich ist, im Vorderlicht zu fotografieren, ist die Verwendung von Vorderlicht der einfachste Weg zu einwandfreier Farbwiedergabe.

Reflexionsflächen. Bei Freilichtmotiven, die nicht weiter als etwa 6 m von der Kamera entfernt sind, kann man ausreichende Kontrastregelung mit Hilfe geeigneter Reflexionsflächen erzielen. Diese geben dem Fotografen die Möglichkeit, dunkle Schatten mit reflektiertem Sonnenlicht aufzuhellen. Gegenüber dem Blitz als Aufhellicht haben solche Reflexionsflächen den großen Vorteil, daß man das Resultat der Aufhellung sieht, *ehe* man die Aufnahme macht, und daß man nötigenfalls entsprechende Abstimmungen in Abstand und Richtung vornehmen kann, die den Kontrast verringern, ohne ihn ganz auszuschalten. Denn übertriebene Schattenaufhellung ist der häufigste Fehler, der in solchen Fällen bei Blitzbenutzung gemacht wird.
Die wirkungsvollsten Reflektoren bestehen aus einer Sperrholzplatte, die mit leicht zerknitterter Aluminiumfolie beklebt ist. Diese Flächen sollten nicht kleiner als 30 × 40 cm sein. Natürlich können Reflexionsflächen auch aus jedem anderen weißen Material bestehen (farbige Flächen würden farbiges Licht auf das Motiv reflektieren und damit bei Farbaufnahmen einen Farbstich verursachen) – weißer Karton, ein Bettlaken, ein weißes Handtuch oder ein Taschentuch, eine weiße Wand und am Strande heller Sand. Obwohl Sand meist leicht gefärbt ist, wirkt das warme, gelbliche Licht, das er reflektiert, nur verstärkend auf den warmen Schmelz einer sonnengebräunten Haut und ergibt ausgezeichnete Schattenaufhellung.

Tageslicht + Blitz. Da der Zweck jeder Aufhellbeleuchtung darin besteht, den Kontrast des Motives dem Kontrastumfang des Films anzugleichen, muß die Beleuchtungswirkung des Blitzes auf die Helligkeit des Hauptlichtes – im Freilicht auf die Sonne – abgestimmt werden. Das Problem besteht darin, die Schatten genügend aufzuhellen, so daß ihre Einzelheiten und Farben herauskommen, ohne dabei aber den Eindruck von Sonnenschein durch zu starke Beleuchtung der Schatten zu zerstören. Eine zu starke Aufhellbeleuchtung löscht die Schatten aus, gibt dem Motiv ein so flaches Aussehen, als wäre es nur mit Vorderlicht beleuchtet und, da die Reichweite des Blitzlichtes beschränkt ist, wenn die Belichtungszeit auf den Blitz abgestimmt ist, ergibt es sich oft, daß das Objekt unnatürlich hell und der Hintergrund unnatürlich dunkel erscheint.

Eine voraussichtlich richtige Beleuchtung kann auf verschiedene Weise erzielt werden, zumal jeder Fotograf und jeder Fotoschriftsteller seine eigenen Ideen darüber zu haben scheint, wie man hier vorgehen soll. Viele scheinen allerdings zu vergessen, daß sich das Licht des Blitzes zu dem Tageslicht, das das Objekt beleuchtet, addiert, oder verteidigen Verfahren, die zu überbelichteten Schatten führen.

Meiner Meinung nach ist folgendes der beste Weg, um richtig belichtete, mit Blitz aufgehellte Aufnahmen bei Tageslicht zu bekommen: Nehmen wir an, Sie benutzen einen Farbumkehrfilm mit einer Empfindlichkeit von 18 DIN (z. B. Agfacolor-Umkehrfilm CT 18) und einen Elektronenblitz mit der Leitzahl 25 für diesen Film. Beginnen Sie mit einer Belichtungsmessung aus der Nähe auf das Objekt. Wird die Aufnahme bei Sonne gemacht, bekommen Sie wahrscheinlich eine Belichtung von 1/125 Sekunde bei Blende 8 bis 11. Sind Sie allerdings mit einer Schlitzverschlußkamera ausgerüstet, müssen Sie wahrscheinlich eine längere Verschlußzeit benutzen, vielleicht 1/50 Sekunde, und dann eben bei Blende 11 bis 16. Folglich rücken Sie die Verschlußzeit auf 1/50 Sekunde ein, dazu aber nicht Blende 11 bis 16, sondern Blende 16, um die zusätzliche Beleuchtung durch den Blitz zu berücksichtigen. Als nächstes berechnen Sie die Blende für den Blitz an Hand der Leitzahl Ihres Elektronenblitzes in Verbindung mit Ihrem Umkehrfilm (T 18. Angenommen, die Leitzahl sei 25 und der Abstand zwischen Objekt und Blitz 1,5 m; Leitzahl dividiert durch Blitzabstand ergibt dann als Blendenzahl 25 : 1,5 = 16.

Nun wollen Sie allerdings ja kein völlig vom Blitz aufgehelltes Farbdia produzieren, sondern nur die Schatten innerhalb gewisser Grenzen aufhellen, gerade so, daß man etwas Einzelheiten und Farben in ihnen erkennen kann, denn im übrigen ist ihr Motiv schon ausreichend vom Sonnenlicht beleuchtet. Infolgedessen müssen Sie nun die für den Blitz errechnete Öffnung um eine Blendenzahl verringern, in unserem Beispiel also von halbwegs zwischen 11 und 16 auf halbwegs zwischen 16 und 22 abblenden.

Und nun kommen wir zu unserem Problem: Die richtige Belichtung für ein sonnenbeleuchtetes Motiv und seinen Hintergrund war $^{1}/_{50}$ Sekunde bei Blende 13 (halbwegs zwischen 11 und 16, wie Sie sich erinnern), aber Ihr Aufhellblitz verlangt eine Belichtung von $^{1}/_{50}$ Sekunde bei Blende 19 (halbwegs zwischen Blende 16 und 22). Wie können Sie nun diese Lücke von einer Blendenstufe überbrücken? Das machen Sie, indem Sie die Blitzhelligkeit um den Gegenwert einer Blendenstufe verringern, und zwar mit Hilfe eines Zerstreuungsschirms vor dem Blitz.

Um den richtigen Zerstreuungsschirm zu finden, gehen Sie folgendermaßen vor: Beschaffen Sie sich verschiedenartiges transparentes farbloses Material wie Pauspapier, Mattfolie, transparenten, matten Kunststoff usw. Stellen Sie dann deren Transparenz mit einem Belichtungsmesser fest, indem Sie zunächst eine helle, gleichmäßig beleuchtete Fläche anmessen und ihren Lichtwert feststellen. *Ohne die Lage und Richtung des Belichtungsmessers zu ändern,* halten Sie dann eines nach dem anderen Ihre verschiedenen durchscheinenden Materialproben vor die Belichtungsmesserzelle und notieren den sich ergebenden Lichtwert. Der Zweck ist dabei, ein Material zu finden, das die Helligkeit um *genau eine halbe Blendenstufe* vermindert (und vielleicht noch ein zweites, das das Licht um eine ganze Blendenstufe verringert). Haben Sie dieses Material gefunden, schneiden Sie sich daraus eine Anzahl Scheiben von der Größe des Reflektors und bereiten sie so vor, daß sie mit Klebeband oder Clips vor dem Blitz angebracht werden können.

Nun zurück zu unserem Beispiel. Wie Sie sich erinnern werden, bestand zwischen Tageslicht und Blitzaufhellung ein Unterschied von einer Blendenstufe. Sie können nun diese Lücke dadurch überbrücken, daß Sie vor dem Blitz einen Zerstreuungsschirm anbringen, der einer Blendenstufe entspricht, oder zwei Schirme von je einer halben Blendenstufe. Damit wird die Beleuchtungsintensität des Blitzes von ihrem ursprünglichen Wert zwischen Blende 16 und 22 auf die gewünschte Wirkung zwischen Blende 11 und 16 verringert. Um Ihre Berechnungen zu prüfen, machen Sie anschließend einige Tests unter verschiedenen Beleuchtungsumständen und bei verschiedenen Aufnahmeabständen, wobei Sie diese Schirme benutzen, wenn es die Belichtungsberechnung erfordert. Gegebenenfalls ist es sehr einfach, etwa notwendige Änderungen in Ihrer Arbeitsweise vorzunehmen, die, einmal zu Ihrer Zufriedenheit festgestellt, von dann an einwandfrei funktionieren wird.

Sollte Ihnen das alles zu kompliziert erscheinen, seien Sie beruhigt: Es ist wirklich ganz einfach. Lesen Sie dieses Kapitel ein zweites Mal, bereiten Sie Ihre Diffusionsscheiben für den Blitz vor, machen Sie Ihre Tests, nehmen Sie ein paar Bilder auf – und schon das nächste Mal wird Ihnen alles zur automatischen Routine.

Kontraststeuerung in der Schwarzweißfotografie

Im Gegensatz zur Farbfotografie, wo die im folgenden besprochenen Methoden nicht angewandt werden können, kann in der Schwarzweißfotografie der Kontrast fernerhin durch die nachstehenden Mittel und Techniken gesteuert werden, die wir im einzelnen bereits früher besprochen haben. Die größten Einflüsse auf den Kontrast kann man natürlich dann erzielen, wenn man mehrere dieser Methoden kombiniert.

Wahl des Films. Um den Motivkontrast zu mindern, verwendet man einen Film mit weicher Gradation. Will man die Kontraste steigern, so benutzt man Film harter Gradation. Eine fast rein schwarzweiße Wiedergabe kann man erzielen mit den ganz steilen Lithfilmen (Reprofilme für Strichdarstellungen).

Wahl des Entwicklers. Rapid und hart arbeitende Entwickler ergeben Negative härterer Gradation, Feinkornentwickler ergeben Negative weicherer Gradation als Standardentwickler.

Abstimmung von Belichtung und Entwicklung. Überbelichtung bei Unterentwicklung ergibt weichere Negative. Umgekehrt kann man den Kontrast des Negativs steigern, wenn man kürzer belichtet und länger entwickelt. Um 500% verlängerte und um 50% verkürzte Belichtungszeiten sowie um 100% verlängerte und um 30% verkürzte Entwicklungszeiten sind normalerweise die Grenzen, innerhalb derer man extreme, aber noch zufriedenstellende Ergebnisse erwarten kann.

Wahl des Filters. Den Kontrast des Schwarzweißnegativs kann man dadurch verstärken, daß man entsprechende Kontrastfilter bei der Aufnahme verwendet. Nur gelegentlich wird es erforderlich sein, den Kontrast zu vermindern. Wenn man zum Beispiel ein Dokument oder ein Foto zu reproduzieren hat, das gelbe oder rotbraune Flecken aufweist, werden diese Flecken im Foto nicht erscheinen, wenn man ein Rotfilter und panchromatischen Film verwendet – es sei denn, die Flecken sind außergewöhnlich dunkel.

Kopieren. Die größte Steigerung des Kontrastes erzielt man, indem man vom Negativ auf hartem Film (z. B. Lithfilm) im Kontakt oder als Vergrößerung ein Dia herstellt und dieses wiederum auf Lithfilm kontaktiert und so ein zweites Negativ herstellt. Dieses wird so hart, daß von ihm gemachte Abzüge fast nur aus Schwarz und Weiß bestehen und an Holzschnitte erinnern.

Maskieren. Die stärkste Minderung von Kontrasten erzielt man durch Maskieren des Negativs. Um eine Maske herzustellen – das ist ein ganz weiches und zartes Diapositiv –, kopiert man das Negativ auf Film weicher Gradation. Um Negativ und Diapositiv leichter zum »Passen« zu bringen, macht man das Diapositivbild ein wenig unschärfer, indem man zwischen Negativ und Film ein Blatt ausfixierten (aber vorher nicht belichteten) Planfilm legt. Durch Abstimmung von Belichtung und Entwicklung kann man die Diapositive in jeder Dichte und in jedem gewünschten Härtegrad herstellen. Je stärker man den Kontrast des Originalnegativs reduzieren muß, desto kontrastreicher muß die Maske (das Diapositiv) werden. Nach dem Trocknen des Diapositivs legt man es mit dem Originalnegativ nicht Schicht auf Schicht, sondern mit den Rückseiten aufeinander und vergrößert beide wie ein normales Negativ. Diese Methode der Kontrastreduzierung kann sowohl bei Schwarzweiß- wie bei Farbnegativen angewandt werden.

Der Kontrast eines Abzugs kann durch folgende Mittel und Techniken beeinflußt werden (die im einzelnen schon besprochen wurden):

Wahl der Papiergradation. Um den Kontrast zu steigern, vergrößert man auf hartes Papier. Um den Kontrast des Negativs zu erhalten, verwendet man normales Papier. Um den Kontrast zu mindern, wählt man weiches Papier. Für Fotografen, die mit Negativfarbfilm arbeiten, bietet die Agfa-Gevaert AG Agfacolorpapier in zwei Härtegraden an (normal und hart).

Nachbelichten und Zurückhalten. Der Kontrast kann auch dadurch in einzelnen Bildpartien geändert werden, daß man einzelne Teile nachbelichtet und (oder) andere zurückhält. Diese Methode wendet man normalerweise an, wenn man den Kontrast mildern will, doch kann sie auch zur Steigerung des Kontrastes benutzt werden. Sie ist sowohl in der Schwarzweiß- wie in der Farbfotografie anwendbar.

Abweichungen vom »Normalen« beim Belichten und Entwickeln können ebenso dazu benutzt werden, den Gesamtkontrast wie auch den Kontrast einzelner Bildpartien zu ändern.

Grafisches Schwarzweiß

Wenn wir den Bildinhalt und seine Bedeutung einmal außer Betracht lassen, dann kann man ein Schwarzweißfoto als ein Muster in Schwarz, Grau und Weiß betrachten. Dieses Muster kann man ästhetisch nach Ausgewogenheit und Komposition bewerten, und wenn das Muster gut ist, kann ein Bild erfolgreich und befriedigend sein lediglich als eine abstrakte Darstellung in Schwarz und Weiß.
Beispiele für Aufnahmen, deren einzige Funktion es ist, ästhetische Forderungen zu befriedigen, sind abstrakte Fotos und Fotogramme, deren Effekte einzig und allein auf ihren grafischen Reizen beruhen. Aber im gesamten Bereich der Fotografie stellt man immer wieder fest, daß – unabhängig von anderen Werten – ein Foto um so überzeugender wirkt, je mehr seine grafische Durchformung befriedigt.

Schwarz, Grautöne und Weiß sind Symbole, die in der Schwarzweißfotografie für etwas anderes stehen – gewöhnlich für Farben. Aber es spielt noch viel mehr mit. Denn diese abstrakten grafischen Tonwerte haben gewisse psychologische Wirkungen, die man ausnutzen kann, um einem Bild eine stärkere Aussage zu geben. Weiß z. B. wird als aggressiv und nach vorn drängend empfunden; Schwarz als passiv und zurückweichend. Hier kann man Parallelen zur Farbe ziehen – Rot ist aggressiv und vordrängend, Blau passiv und zurückweichend. Daher kann man diese Farbcharakteristika nur dann adäquat in Schwarzweiß übersetzen, wenn man Rot in einem hellen Grauton oder sogar Weiß, Blau aber in einem dunklen Grauton oder sogar Schwarz symbolisiert. Das kann man selbstverständlich sehr leicht erreichen, wenn man panchromatischen Film und ein Gelb- oder Rotfilter verwendet. Wenn man orthochromatischen Film oder panchromatischen Film mit Blaufilter benutzt, würde Rot schwarz wiedergegeben werden und Blau als Weiß, und eine solche Umkehrung der Tonwerte würde dem mit Rot und Blau verbundenen Eindruck nicht gerecht werden.

Ein Fotograf kann Atmosphäre, Stimmung und Charakter seines Bildes dadurch variieren, daß er schwarze, graue und weiße Töne in verschiedenen Proportionen verwendet. Je größer die Zahl der Grauabstufungen, um so naturalistischer wird das Foto, je geringer ihre Zahl, um so abstrakter der Eindruck.

Grafisch betrachtet hat Schwarz mehr Gewicht als Weiß. Daher kann eine kleine schwarze Bildpartie einer größeren weißen das Gleichgewicht halten. Werden die Verhältnisse umgekehrt, so kann immer noch Gleichgewicht bestehen, der Eindruck wird aber eher dem eines Negativs entsprechen.
Reines Schwarz und Weiß kann benutzt werden, um die Wirkung eines Objektes durch Vereinfachung zu steigern: Unerwünschte Details kann man beseitigen, indem man sie in kräftigem Schwarz oder Weiß verschwinden läßt. Hier liegt einer der Gründe dafür, daß, rein vom Eindruck her betrachtet, eine Silhouette das Wesen eines Objektes ausdrücken kann.

Im Vergleich zu Schwarz und Weiß erscheinen Grautöne meistens langweilig und monoton. Wenn sie aber geschickt eingesetzt werden, können Grautöne die Wirkung eines Bildes durchaus steigern. Wenn Monotonie typisch für ein Motiv ist (wie z. B. für die Stimmung eines regnerischen Tages), kann man es am besten durch eine grafisch monotone Darstellung charakterisieren.

Raum und Tiefe

Irgendeine Art der Raumillusion im Foto zu erzielen ist einfach; *die richtige Art* der Raumillusion zu schaffen, verlangt Arbeit und Überlegung. Jeder, der jemals eine heroische Landschaft fotografierte und am Ende ein Bild bekam, in dem die Großartigkeit der Landschaft verlorengegangen war; jeder, der versuchte, den Eindruck des Hauptverkehrs, der sich durch die Geschäftsstraßen drängt, darzustellen, und schließlich ein Bild bekam, in dem sechs Personen die Aussicht versperren; jeder, der einmal versuchte, den Raumeindruck eines der großen Werke der Architektur wiederzugeben, und nur ein Bild von Häusern mit schiefen Mauern bekam – sie alle wissen, was ich meine: Wenn es auch unmöglich ist, bei der Aufnahme eines dreidimensionalen Objektes keine Art von Raumeindruck im Bild zu erhalten, so ist doch dieser vom Zufall abhängige Raumeindruck meist ungenügend, um das Motiv *überzeugend* zu schildern. Das gelingt nur, wenn der

Fotograf sorgfältig und überlegen jene Symbole für die Raumschilderung wählt, die sich am besten für die Umsetzung seiner Absichten – seiner Gefühle – in grafische Ausdrucksformen eignen. Denn Tiefe kann nicht direkt in der zweidimensionalen Fläche einer Fotografie wiedergegeben werden: Man kann sie eben nur symbolisch andeuten.
Das Symbol für die Tiefe ist der Kontrast zwischen Nähe und Ferne. Mit fotografischen Mitteln kann dieser Kontrast auf verschiedene Weise ausgedrückt werden, und zwar durch

Kontrast zwischen Licht und Schatten
Kontrast zwischen Groß und Klein
Kontrast zwischen Scharf und Unscharf
Kontrast zwischen Hell und Dunkel

Kontrast zwischen Licht und Schatten

Nehmen Sie eine flache Oberfläche und halten Sie diese in die Sonne – Sie werden feststellen, daß es unmöglich ist, die »Flachheit« und die Gleichmäßigkeit der Beleuchtung zu zerstören oder einen Schatten auf die Oberfläche zu werfen, ohne ein zweites Objekt zwischen Oberfläche und Sonne zu bringen, d. h., ohne ein zweidimensionales Motiv in ein dreidimensionales zu verwandeln. Von diesem Versuch können wir folgendes lernen: Eine gleichmäßige Beleuchtung suggeriert Fläche und Zweidimensionalität; eine ungleichmäßige Beleuchtung – eine Kombination von Licht und Schatten – ist ein grafischer Beweis für das Dreidimensionale: Tiefe, Körperlichkeit, Raum.
Ich habe schon früher die Funktion des Lichtes als Symbol für Raum und Tiefe besprochen, möchte aber hier noch folgendes hinzufügen: Symbolisch gesehen ist Licht positiv, angreifend, vorwärtsstrebend und suggeriert Erhöhung oder Wölbung. Im Gegensatz dazu ist Schatten negativ, passiv, zurückziehend und suggeriert Vertiefung.

Die Norm für Licht ist die Sonne – eine einzelne Lichtquelle, die von oben her für jedes Ding einen einzigen Schlagschatten auf den Boden wirft. Folglich erscheint jede Beleuchtungsart, die aus mehreren Lichtquellen besteht und mehrere Schatten pro Gegenstand in verschiedene Richtungen wirft, genauso wie eine Lichtquelle, die nach oben gerichtet ein Objekt von unten her beleuchtet, *ipso facto* künstlich und meist auch »unnatürlich«. Derartige Beleuchtungsarten müssen daher mit

besonders kritischer Überlegung und mit viel Geschick verwendet werden.
In der Regel ergibt im Bild ein Überwiegen der Schatten über die Helligkeiten einen stärkeren Raumeindruck, als wenn die Verhältnisse umgekehrt liegen. Daher ergeben Gegenlichtaufnahmen normalerweise eine besonders zwingende Tiefendarstellung. Die Erklärung für diese Erscheinung geht wahrscheinlich darauf zurück, daß Gleichmäßigkeit der Beleuchtung Fläche suggeriert – Zweidimensionalität, Abwesenheit von Tiefe; daß Schatten die dritte Dimension und Tiefe andeutet und daß infolgedessen viel Schatten gleichbedeutend ist mit viel Tiefe, also gesteigerter Dreidimensionalität.

Kontrast zwischen groß und klein

Eine nahe Person erscheint größer als eine weiter entfernte, und die sehr weit entfernte Person erscheint winzig. Diese Erscheinung, die wir *Verkleinerung* nennen, ist die Grundlage der *Perspektive,* d. h. der Darstellung dreidimensionaler Motive mit zweidimensionalen Mitteln oder genauer: mit Hilfe von Zentralprojektion.
Das Wesen der Perspektive ist *Verzerrung.* Was wir auch ansehen und wie wir es auch ansehen: mit wenigen Ausnahmen sehen wir die Dinge verzerrt – eine nahe Person erscheint größer als dieselbe Person auf größere Entfernung. Hier handelt es sich um Verzerrung, denn die Größe einer bestimmten Person ist stets gleich, wo sie auch steht. Schaut man an Eisenbahnschienen entlang, scheinen die Schwellen ihre Abstände zu verringern, und die Schienen scheinen zusammenzulaufen. Das ist gleichfalls Verzerrung, denn in Wirklichkeit haben alle Schwellen natürlich gleiche Abstände, und die Schienen sind parallel verlegt. Ein Rad erscheint im Winkel gesehen oder, wie man auch sagt, perspektivisch betrachtet als Ellipse und ein Fenster als Trapez. Auch das ist Verzerrung, weil in Wirklichkeit Räder rund und Fenster rechtwinklig sind. Und so weiter.
Nun mögen einige Leser einwenden und behaupten, daß, soweit es sie betrifft, ihnen die meisten Fotografien unverzerrt erscheinen, weil sie die Dinge so zeigen, wie sie sie sehen, und daß eine »Verzeichnung« nur für Aufnahmen zutrifft, die mit extremen Weitwinkelobjekten aufgenommen wurden. Schade – aber sie haben unrecht. Ohne Ausnahme sind alle Wiedergaben dreidimensionaler Objekte mit zweidimensionalen Mitteln »verzeichnet« oder »verzerrt«, und der Unterschied zwischen einem »normal erscheinenden« Bild und einem, in

dem die Dinge »verzerrt« erscheinen, ist nur ein Unterschied der Grade. Gewisse Arten von Perspektive liefern eben stärker »verzeichnete« Darstellungen als andere.
Die Erklärung dafür, warum die meisten Fotografien »unverzerrt« erscheinen, ergibt sich daraus, daß sie mit Objektiven normaler Brennweite aufgenommen wurden, die, was die »Perspektive« anbetrifft, Bilder ergeben, die mehr oder weniger denen gleichen, wie sie unser Auge sieht. Aber das bedeutet keineswegs, daß sie frei von Verzeichnung waren, sondern nur, daß diese Art von Verzeichnung uns zu vertraut ist, als daß sie uns auffällt. Eine verzeichnungsfreie Wiedergabe ist nur möglich, wenn das betreffende Objekt zweidimensional, also flach ist und wenn es parallel zur Filmebene liegt.
Fotografiert man beispielsweise ein Gemälde oder eine Ziegelmauer »in Frontalansicht«, werden sie nicht nur verzeichnungsfrei *erscheinen,* sondern auch verzeichnungsfrei *sein:* Rechte Winkel werden als rechte Winkel wiedergegeben, und parallele Linien erscheinen im Bild parallel. Ist aber die Parallelität zwischen Objekt und Filmebene gestört, d. h., kippt oder schwenkt der Fotograf seine Kamera und nimmt das Bild »in Schrägsicht« auf, wird die Tiefe mit einbezogen und zeigt sich in der Fotografie in Form von Verzeichnung:
Rechte Winkel sind dann nicht mehr 90°, und in Wirklichkeit parallele Linien verjüngen sich; das aber ist »Verzeichnung«.
Zwei Dinge sollten uns nun klar sein: 1. Nur ein zweidimensionales flaches Objekt kann verzeichnungsfrei in einem Foto dargestellt werden, und zwar auch nur, wenn seine Fläche parallel zur Filmebene verläuft. 2. Nur *eine* Seite eines dreidimensionalen Objektes kann in einer Fotografie verzeichnungsfrei wiedergegeben werden, und zwar nur, wenn sie flach ist und parallel zur Filmebene steht. Die anderen Seiten werden »perspektivisch« abgebildet, d. h. mit sich verjüngenden Linien und Flächen; sie *müssen* verzeichnet erscheinen. Aber die Formen, die diese Verzeichnung annimmt – der Grad der Verkleinerung, das Ausmaß der Verkürzungen und der Winkel, in dem die parallelen Linien konvergieren –, sind Erscheinungen, die weitgehend vom Fotografen kontrolliert werden können.

Geradlinige Perspektive

Sprechen wir von »Perspektive«, denken wir gewöhnlich an geradlinige und nicht an zylindrische oder kugelförmige Perspektive, zwei andere Formen, über die wir noch sprechen werden. Die geradlinige

Perspektive (rektilineare Perspektive) tritt in zwei Formen auf: akademische und echte. Hier die Regeln der *akademischen geradlinigen Perspektive:*

1. Alle geraden Linien werden gerade wiedergegeben.
2. Alle zweidimensionalen Dinge, die parallel zur Filmebene liegen, werden verzeichnungsfrei dargestellt. Zum Beispiel werden Parallele parallel wiedergegeben, Kreise erscheinen rund, und Winkel werden in ihrer wahren Form abgebildet.
3. Alle in Wirklichkeit parallelen Linien, die nicht parallel zur Filmebene verlaufen, *mit Ausnahme der Senkrechten,* konvergieren zu Fluchtpunkten. Sind in die Tiefe verlaufende Parallelen horizontal, liegen ihre Fluchtpunkte auf dem echten Horizont, gleichgültig, ob dieser in der Fotografie erscheint oder nicht.
4. Alle Senkrechten müssen senkrecht und parallel im Bild wiedergegeben werden.

Echte geradlinige Perspektive stimmt in den Punkten eins, zwei und drei mit der akademischen rektilinearen Perspektive überein. Sie unterscheidet sich jedoch in Punkt vier: Senkrechte werden nur dann parallel wiedergegeben, wenn sie unter Punkt zwei fallen. Ist der Film *nicht* parallel zu den Senkrechten, d. h., wird die Kamera nach oben oder unten geneigt, müssen die Senkrechten im Bild konvergieren. Mag dieses scheinbare Zusammenlaufen auch »unnatürlich« wirken und für die Darstellung unannehmbar sein, ist es doch in Wirklichkeit nichts anderes als die vollkommen natürliche Auswirkung der Perspektive in der senkrechten Ebene. Falls gewünscht, kann man diese Erscheinung durch die folgenden Arbeitsweisen ausschalten:

Regelung der Senkrechten bei der Aufnahme

Um die Parallelität der Senkrechten im Bild zu gewährleisten, muß der Film in der Kamera parallel zu den senkrechten Linien des Motives, also senkrecht stehen. Diese Bedingung wird erfüllt, wenn der Fotograf seine Kamera horizontal hält. Leider aber entsteht bei Architekturen, die aus Straßenhöhe aufgenommen werden, bei Einhaltung dieses Prinzips meist ein Bild, bei dem der Oberteil des Bauwerkes abgeschnitten ist und der Vordergrund – die Straße – unverhältnismäßig viel Platz einnimmt. Wenn man aber andrerseits die Kamera nach oben richtet, hat man zwar das Dach des Gebäudes mit im Bild und der Vordergrund erscheint weniger aufdringlich, aber die Senkrechten laufen nach oben hin zusammen. Der einfachste Weg, um zu einwandfreien Resultaten zu kommen, besteht darin, eine Mattscheibenkamera zu benutzen, die *mit verstellbarer Objektivstandarte ausgerüstet ist und ein Objektiv von genügend großem Bildwinkel besitzt* oder aber, wenn man mit einer Kleinbild-Spiegelreflex arbeitet, ein verschiebbares Weitwinkelobjektiv; die zweite Methode ist allerdings relativ beschränkt. Man arbeitet dann wie folgt:

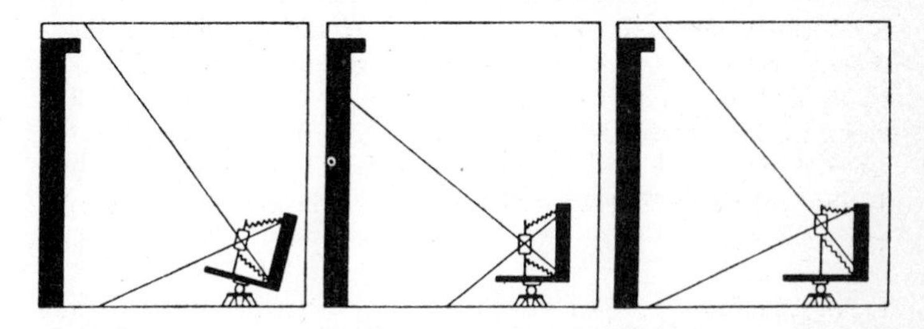

Mit einer so ausgerüsteten Kleinbild-Spiegelreflex kann man die Aufnahme noch aus der Hand machen, wenn es die Lichtverhältnisse gestatten. Wird aber eine Mattscheibenkamera benutzt, muß man vom Stativ aus arbeiten, weil nach allen Einstellungen und Verstellungen der Sucher – falls überhaupt vorhanden – nicht mehr mit dem Bild, das der Film erfaßt, übereinstimmt. Man geht folgendermaßen vor:

Man richtet die Kamera nach oben, bis das ganze Motiv erfaßt ist, und sieht sich das Mattscheibenbild an: Die Senkrechten laufen nach oben zusammen. Um das zu vermeiden, neigt man die Kamera nach unten, bis die Objektivachse waagerecht ist. In dieser Stellung erscheinen zwar die Senkrechten parallel, aber der obere Teil des Gebäudes wird abgeschnitten, und der Vordergrund nimmt zuviel Raum ein. Um diese Nachteile auszuschalten, verschiebt man nun, ohne die Kamerastellung selbst in irgendeiner Weise zu verändern, die verstellbare Objektivstandarte solange nach oben (oder bei der Kleinbild-Spiegelreflex das verschiebbare Objektiv), bis das gesamte Gebäude auf der Mattscheibe erscheint. Solange die Kamera in waagerechter Lage verbleibt, bleiben die Senkrechten parallel. Man blendet dann so weit wie notwendig ab und macht seine Aufnahme.

Wie ein »verzerrtes« Negativ, in dem vertikale Linien nach oben oder unten hin zusammenzulaufen scheinen, beim Vergrößern wieder »entzerrt« werden kann, wurde bereits beschrieben.

Regelung der Perspektive in zwei Dimensionen

Was bisher besprochen wurde, gab Richtlinien für die Regelung der Perspektive in einer Dimension, nämlich in der Höhe. Soll aber die Perspektive in zwei Dimensionen – in Höhe und Breite – kontrolliert werden, braucht der Fotograf dazu eine Studiokamera, die mit allen Verstellbarkeiten versehen ist und außerdem ein Objektiv mit einem Bildwinkel, der größer als der normale ist, besitzt. Im folgenden eine kurze Beschreibung der Funktionen der verschiedenen Verstellbarkeiten:

Die Mattscheibenverstellung dient hauptsächlich zur Regelung der »Perspektive« des Fotos, unter anderem, um senkrechte Linien im Bild parallel wiederzugeben. Außerdem kann sie dazu benutzt werden, die Zone der Schärfentiefe bei gewissen schrägen Sichten auszudehnen.

Die Verstellung der Objektivstandarte dient hauptsächlich zur Regelung der Gesamtschärfe, kann aber unter gewissen Bedingungen ebenfalls benutzt werden, um die Zone der Schärfentiefe im Bild zu erweitern.

Die senkrechten und seitlichen Verschiebungen von Objektiv und Mattscheibe regeln die Lage des Bildes auf dem Film.

Ehe ein Fotograf versucht, die verschiedenen Erscheinungsformen der Perspektive zu kontrollieren, muß er sich zweier Dinge bewußt sein: *Nur flache Oberflächen, die parallel zur Filmebene liegen, können verzeichnungsfrei wiedergegeben werden.* Daher muß die Seite des Objektes, die verzeichnungsfrei dargestellt werden soll, parallel zum Film liegen. Das kann auf drei Arten erreicht werden:
1. Die Kamera wird so aufgestellt, daß sie das Objekt direkt von vorne sieht, d. h., die optische Achse muß senkrecht zu der Seite des Objektes stehen, die verzeichnungsfrei wiedergegeben werden soll.
2. Das Aufnahmeobjekt muß so aufgestellt werden, daß die Seite, die verzeichnungsfrei wiedergegeben werden soll, parallel zum Film ist.
3. Ist weder 1. noch 2. möglich, muß die Parallelität zwischen der Seite des Objektes, die verzeichnungsfrei wiedergegeben werden soll, und dem Film dadurch hergestellt werden, daß man die verstellbare Mattscheibenstandarte der Kamera ohne Rücksicht auf die Richtung des Objektives entsprechend adjustiert.
Kann keine dieser Bedingungen erfüllt werden, ist eine verzeichnungsfreie Wiedergabe auf dem Film nicht möglich.

Das Objektiv muß imstande sein, einen genügend großen, d. h. größer als normalen Bildwinkel scharf auszuzeichnen. Wenn die Objektivstandarte der Kamera so verstellt wird, daß die optische Achse nicht mehr durch die Mitte des Filmes geht, kann es geschehen, daß ein Teil des Filmes außerhalb des scharf abgebildeten Bildes liegt. Dann wird natürlich dieser Teil des Negativs entweder unscharf oder bleibt sogar unbelichtet. Erfahrene Fotografen vermeiden das dadurch, daß sie an Stelle eines Normalobjektives, das nur die betreffende Filmgröße auszeichnet, ein Weitwinkelobjektiv verwenden, das bei gleicher Brennweite das nächstgrößere Filmformat auszeichnet. Damit sichern sie sich einen genügend großen Bildkreis für weitgehende Ausnützung der Verstellbarkeiten.

Um sich ein für allemal mit den Grundsätzen und Techniken der perspektivischen Kontrolle vertraut zu machen, empfehle ich, daß der daran interessierte Leser, der eine Studiokamera mit entsprechenden Verstellbarkeiten besitzt, sich selbst eine fotografische Aufgabe stellt, zum Beispiel eine große Schachtel (oder ein ähnliches Objekt) so zu fotografieren, daß drei ihrer Seiten im Bild sichtbar werden, von denen eine, die Vorderseite, zeichnungsfrei wiedergegeben werden soll, d. h. ihre senkrechten Linien parallel, ihre waagerechten Linien parallel und ihre Winkel mit 90°. Man geht dazu folgendermaßen vor:

1. Bringen Sie Ihre verstellbare Studiokamera auf einem Stativ an und stellen Sie sie so auf, daß sie zwei Seiten des Objektes – der Schachtel – erfaßt, dabei auch hoch genug, um schräge Sicht auf ihre Oberseite zu bekommen. Denken Sie aber daran, daß es Grenzen der perspektivischen Kontrolle gibt: Steht die Seite, die verzeichnungsfrei wiedergegeben werden soll, in einem zu schrägen Winkel zur Kamera, wird es infolge mechanischer und optischer Beschränkungen schließlich unmöglich, mit Hilfe der Verstellbarkeiten eine völlige Korrektur der Verzeichnungen zu erzielen. Bei geöffneter Blende und mit allen Verstellbarkeiten in Null-Lage zentriert man zunächst das Bild der Schachtel auf der Mattscheibe.
2. Kippen Sie nun das Rückteil der Kamera rückwärts, bis die Filmebene parallel zu den Senkrechten der Schachtel steht. In dieser Lage werden die Senkrechten jedes Objektes parallel anstatt konvergierend wiedergegeben. Das Bild wird natürlich zum Teil etwas unscharf sein, aber beachten Sie zunächst einmal diese Unschärfe nicht weiter.
3. Sollte eine der erforderlichen Kameraverstellungen eine unbeabsichtigte Verschiebung des Bildes des Objektes auf der Mattscheibe zur Folge haben, *ändern Sie nicht die Kameraaufstellung.* Statt dessen setzen Sie das Bild durch entsprechende Justierung der senkrechten

und seitlichen Verschiebungseinrichtungen des Objektives wieder in die Mitte.
4. Drehen Sie nun das verstellbare Rückteil der Kamera seitlich, bis es parallel zum Vorderteil der Schachtel ist. In dieser Lage werden die waagerechten Linien des Vorderteiles jedes Objektes parallel statt zusammenlaufend wiedergegeben. Bei diesem Verstellen muß man allerdings sehr sorgfältig darauf achten, daß die Parallelität zwischen dem Kamerarückteil und den senkrechten Linien des Objektes nicht gestört wird. Das Bild wird nun sehr unscharf erscheinen.
5. Stellen Sie nun nochmals so gut wie möglich ein und schwenken Sie gleichzeitig die Objektivstandarte mit dem Objektiv, bis sich die beste mögliche Allgemeinschärfe ergibt. Dabei muß man sehr sorgfältig vorgehen, da nur sehr geringfügige Abweichungen von der normalen Lage der Objektivstandarte erforderlich sind. Allerdings ergeben alle diese Verstellungen noch nicht völlige Schärfentiefe über das ganze Objekt. Sie verbessern nur bei offener Blende die allgemeine Schärfe bis zu dem Punkt, von dem aus dann durch entsprechendes Abblenden einwandfreie Schärfe für die Wiedergabe der ganzen Schachtel erzielt werden kann.

Wie man die Schärfentiefe mit Verstellung ausdehnt

Bei *Schrägaufnahmen verhältnismäßig flacher Objekte* bieten Kameraverstellungen dem Fotografen die Möglichkeit, die scharf dargestellte Zone stark auszudehnen, ohne dabei meist unerwünschte, sehr kleine Blendenöffnungen verwenden zu müssen. Um zu lernen, wie man diesen Vorteil ausnutzen kann, empfehle ich folgenden Versuch: Bringen Sie Ihre mit Verstellbarkeiten ausgerüstete Studiokamera auf einem Stativ an und neigen Sie die Kamera nach vorne in einem Winkel von etwa 30 bis 40° zur Waagerechten. Legen Sie einige Zeitungsseiten auf den Fußboden vor der Kamera. Stellen Sie scharf auf eine bestimmte Druckzeile etwa in der Mitte dieses Testobjektes ein. Die Zeile, auf die Sie eingestellt haben, erscheint natürlich scharf, während die näheren wie auch die weiter entfernten Zeilen unscharf erscheinen, und zwar um so unschärfer, je weiter sie von der scharf wiedergegebenen Zeile entfernt sind.
Als nächstes schwenken Sie langsam, aber ohne dabei die Aufnahmeposition der Kamera irgendwie zu ändern, das Kamerarückteil nach hinten und beobachten die sich dabei ergebende Veränderung auf der Mattscheibe. Wenn der Drehpunkt der Verstellung in der optischen

Achse liegt, werden Sie feststellen, daß bei einer bestimmten Schwenkung des Kamera-Rückteils die ganze Fläche des mit Zeitungen bedeckten Fußbodens scharf erscheint, ohne daß Sie die Scharfeinstellung ändern oder das Objektiv abblenden mußten. Ist allerdings der Drehpunkt der Verstellung nicht in der optischen Achse, muß man das Objektiv von neuem einstellen, während man die Mattscheibe zur Herstellung allgemeiner Bildschärfe schwenkt. Die Mattscheibe ist dann richtig justiert, wenn sich gedachte Geraden durch Bildebene, Blende und Objektebene in einem Punkte schneiden, wie die folgende Zeichnung zeigt.

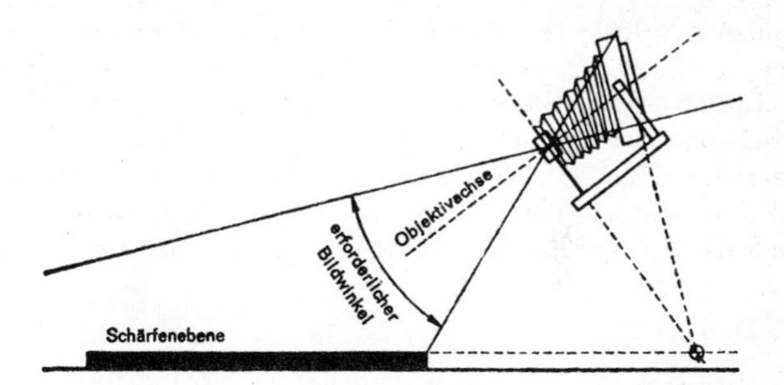

Derselbe Schärfengewinn kann selbstverständlich auch erzielt werden, indem man, anstatt die Rückwand der Kamera nach hinten zu neigen, die Objektivstandarte nach vorne neigt, und zwar so weit, bis sich gedachte verlängerte Geraden durch die Filmebene, die Blende und das Aufnahmeobjekt in einem Punkte schneiden. Diese Methode ist dann zu verwenden, wenn die Filmebene der Kamera senkrecht stehen muß, um senkrechte Linien im Bild auch senkrecht statt zusammenlaufend wiederzugeben, wie zum Beispiel bei der Aufnahme eines Gebäudes am Ende eines großen Platzes, dessen ornamentale Pflasterung das eigentliche Motiv des Fotografen ist. Allerdings hat die oben beschriebene Methode, nämlich die Objektivebene an Stelle der Filmebene zu schwenken, den Nachteil, daß die optische Achse nicht mehr auf die Bildmitte stößt, wie die folgende Zeichnung zeigt.
Ist nämlich der Bildwinkel des Objektives ungenügend, ergibt sich im Negativ Unschärfe oder Vignettierung (Vignettierung äußert sich als unterbelichtete oder völlig schwarze Ecken im Film). Doch kann man diese Gefahr dadurch vermeiden, daß man das Rückteil der Kamera nach oben verschiebt und das Objektiv senkt, bis die optische Achse

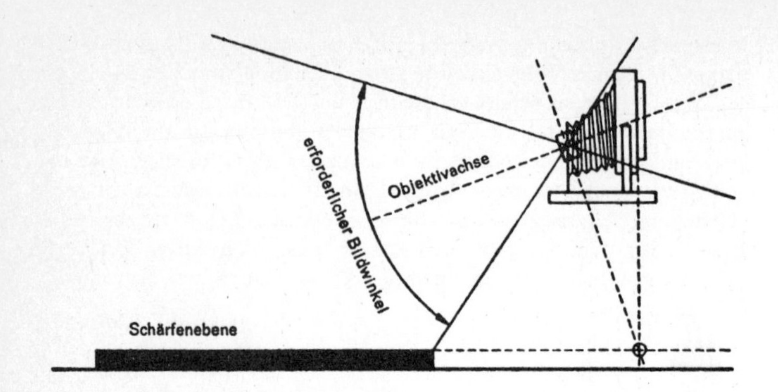

des Objektives wieder auf die Mitte des Bildes zeigt, wie die folgende Zeichnung veranschaulicht.

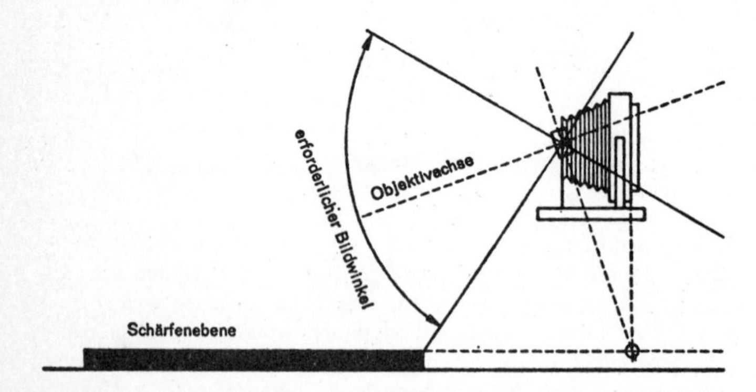

Die Methode, die Schärfentiefe mit Hilfe der Kameraverstellung auszudehnen, ist um so wirksamer, je flacher das Objekt ist, das in Schrägsicht fotografiert werden soll. Natürlich spielt es in dieser Hinsicht keine Rolle, ob das Objekt waagerecht angeordnet ist (wie ein Teppich auf dem Fußboden) oder senkrecht (wie ein Relief an einer Wand), ausgenommen natürlich, daß im letzteren Fall der Rückteil der Kamera (oder das Objektiv) um die senkrechte Achse geschwenkt werden muß anstatt um die waagerechte. Ist die Kamera sachgemäß justiert, reicht die Schärfe im Bild vom nahesten Punkt bis unendlich. Ist das Objekt aber nicht völlig flach oder ragen Teile von ihm aus der Ebene heraus, auf die die Kamera eingestellt wurde, ist entsprechende Abblendung notwendig, um auch diese vorstoßenden Teile mit in die scharf abgebildete Tiefenzone einzubeziehen. Aber selbst in den Fällen, in denen sich diese zusätzliche Abblendung notwendig erweist, ist der Gewinn an Schärfe durch diese Verstellungen außerordentlich wertvoll. Denn nicht nur kann die ganze Tiefe des Objektes mit verhältnismäßig geringer Abblendung scharf erfaßt werden, sondern auch Motive mit einer Ausdehnung, die einfach zu groß ist, um sie durch Abblenden scharf zu erfassen, können nun in ihrer ganzen Tiefe scharf wiedergegeben werden.

Regelung der Perspektive in drei Dimensionen

Was wir »Perspektive« nennen, ist die Zusammenwirkung von vier grafischen Erscheinungsformen:

Abbildungsmaßstab
Blickwinkel
Verkürzung
Verkleinerung

Weitestgehende Kontrolle dieser Wirkungen und damit der Perspektive selbst kann durch sachgemäße Wahl von drei Faktoren ausgeübt werden:

Aufnahmeabstand
Objektivbrennweite
Blickrichtung

Abbildungsmaßstab. Die Abbildungsgröße auf dem Film, zum Beispiel einer menschlichen Figur, wird von zwei Faktoren bestimmt: Aufnahmeabstand und Objektivbrennweite. Je kürzer der Aufnahmeabstand ist und/oder je länger die Objektivbrennweite, um so größer ist der Abbildungsmaßstab und umgekehrt. Erscheint das Objekt im Kamerasucher oder auf der Mattscheibe zu klein, kann man den Maßstab der Abbildung vergrößern, indem man den Aufnahmeabstand verkleinert, ein Objektiv längerer Brennweite einsetzt oder diese beiden Möglichkeiten miteinander vereinigt.
Wenn allerdings die Objektivbrennweite *verhältnismäßig* kurz ist (Weitwinkelobjektiv), kann eine Verkürzung des Aufnahmeabstandes leicht zu übertriebener »Verkürzung«, d. h. »Verzeichnung« oder »Verzerrung« führen. In diesem Fall ist es besser, ein Objektiv länge-

rer Brennweite einzusetzen. Denn ein Objektiv längerer Brennweite bildet seines engeren Bildwinkels wegen bei gleichem Abstand und gleichem Aufnahmeformat einen entsprechend kleineren Motivausschnitt größer ab als ein Objektiv kürzerer Brennweite.

Blickwinkel. Der Blickwinkel, den ein Foto erfaßt, wird von der Brennweite und dem Bildwinkel des Objektives in Verbindung mit dem Filmformat bestimmt. Je kürzer die Brennweite, je größer der Bildwinkel des Objektives und je größer das Filmformat ist, um so größer ist der wiedergegebene Blickwinkel. Gleichartigkeit aller anderen Faktoren vorausgesetzt, sind Blickwinkel und Abbildungsgröße umgekehrt proportional zueinander. Fotografiert man nämlich mit einem Objektiv, das einen doppelt so großen Blickwinkel als ein anderes Objektiv erfaßt, entsteht ein Bild in nur halb so großem Maßstab. Zwar ist mehr zu sehen (da ja der Bildwinkel größer ist), aber was zu sehen ist, wird entsprechend kleiner abgebildet. Weitwinkelobjektive erfassen große Bildwinkel (60 bis 100° und mehr), Normalobjektive mittlere (45 bis 60°) und langbrennweitige sowie Teleobjektive kleine (30° und kleiner). Manche Fotografen begehen den Fehler, die Wirkungen von Aufnahmeabstand und dem vom Objektiv erfaßten Blickwinkel miteinander zu verwechseln. Natürlich bekommt man mehr auf das Bild, wenn man aus größerem Aufnahmeabstand arbeitet. Solange man aber das Objektiv nicht gegen ein Objektiv anderer Brennweite auswechselt, bleibt der Blickwinkel ohne Rücksicht auf den Aufnahmeabstand derselbe.

Verkürzung. Es macht einen großen Unterschied, ob wir beispielsweise ein Auto von der Seite oder dreiviertel von vorne fotografieren. Im ersten Falle erhalten wir ein verhältnismäßig verzeichnungsfreies Bild des Wagens, während wir ihn im zweiten Falle »perspektivisch« sehen, d. h., der Wagen erscheint mehr oder weniger verkürzt, da seine Vorderseite größer wiedergegeben wird als sein Rückteil. Ferner zeigt die erste Ansicht nur *eine* Seite des Wagens, die zweite Ansicht aber *zwei.* Und würde eine dritte Aufnahme aus demselben Winkel, aber von einem erhöhten Standpunkt aus gemacht, stellte diese *drei* verschiedene Seiten des Wagens dar – Front, Seite und Obenansicht –, das Maximum, das von einem dreidimensionalen Objekt mit einer einzelnen Ansicht erfaßt werden kann. Diese Möglichkeiten der Perspektive werden durch entsprechende Wahl des Kamerastandpunkts im Verhältnis zum Objekt erschlossen.
Bevor aber ein Fotograf entsprechende Entscheidungen trifft, sollte er

folgendes überdenken: Das Fotografieren eines dreidimensionalen Objektes aus einer Blickrichtung von 90° auf eine seiner sechs Hauptseiten (Vorderseite, Rückseite, rechte Seite, linke Seite, Obenansicht, Unteransicht) hat zwei wichtige Folgen:
1. das Objekt erscheint im wesentlichen oder völlig verkürzungsfrei und 2., es sieht verhältnismäßig oder völlig »flach« aus. Genau von vorne gesehen erscheint zum Beispiel ein Würfel 1. frei von Verkürzungen und 2. »flach«, d. h., er ist von einem Quadrat – einer zweidimensionalen Form – nicht zu unterscheiden, weil nur eine seiner sechs Seiten sichtbar ist. Aber in einer Schrägaufnahme – also in verkürzter Form dargestellt – bekommt er im Bilde »Tiefe«, weil zwei oder sogar drei seiner sechs Seiten sichtbar werden, so daß seine Dreidimensionalität unverkennbar ist. Seine in Wirklichkeit parallelen Kanten werden in solchem Falle natürlich zusammenlaufen und seine in Wirklichkeit rechten Winkel als mehr oder weniger spitze Winkel erscheinen. Aber gerade diese »Verzeichnung« ist es, die in der Fotografie die Illusion des Dreidimensionalen ergibt. Verkürzung ist also ein Symbol für »Tiefe«.
In gleicher Weise erscheint die Aufnahme von vorne auf ein kreisförmiges Objekt rund – unverzeichnet – und »flach«, jedenfalls ohne Tiefe. Aber »perspektivisch« gesehen oder schräg fotografiert wird ein Kreis als Ellipse wiedergegeben, d. h. als »verzeichnet«, und gerade diese »Verzeichnung« ist es, was die Illusion der »Tiefe« ergibt. Wie so oft in der Fotografie, so hat auch hier der Fotograf die Wahl: Er kann sich einerseits für eine »verzeichnungsfreie« Wiedergabe entscheiden oder andrerseits die Illusion von »Tiefe« schaffen. Leider schließen sich diese beiden Abbildungsmöglichkeiten gegenseitig aus, obwohl beide mit demselben Mittel erzeugt werden: Blickrichtung, also dadurch, wie man die Kamera auf das Objekt richtet.

Verkleinerung. Wir haben gesehen, daß der Abbildungsmaßstab durch zwei Faktoren bestimmt wird: Aufnahmeabstand und Objektivbrennweite. Und dann sagte ich: »Erscheint das Motiv im Kamerasucher oder auf der Mattscheibe zu klein, kann man den Maßstab der Abbildung vergrößern, indem man den Aufnahmeabstand verkleinert oder ein Objektiv längerer Brennweite einsetzt ...« Das sieht nun so aus, als wären diese beiden Maßnahmen gewissermaßen auswechselbar. Sie sind es auch unter bestimmten Umständen, unter anderen Umständen sind sie es aber nicht. Zum Beispiel: Bei der Reproduktion eines Gemäldes macht es keinen Unterschied, ob wir es mit einem 50-mm-Objektiv aus 2 m Entfernung aufnehmen oder mit einem 200-mm-

Objektiv aus 8 m Entfernung: die beiden Fotos stimmen absolut überein. Und der Grund für ihre Übereinstimmung ist, kurz gesagt, daß keine »Perspektive« im Bild vorhanden ist, es gibt einfach keine Verkleinerungen im Objekt, da dieses keine »Tiefe« hat.
Hat das Motiv jedoch »Tiefenausdehnung«, liegen die Dinge etwas anders. Ein Beispiel: Aus gleicher Kameraposition macht man drei Aufnahmen, beispielsweise von einem Denkmal gegen einen Hintergrund von Gebäuden. Ein Foto wird mit einem Objektiv der Standardbrennweite aufgenommen, eines mit einem Weitwinkelobjektiv und eines mit einem Teleobjektiv. Man vergrößert diese Fotos auf gleiches Format und vergleicht die Ergebnisse. Jedes dieser Fotos sieht natürlich anders aus als die andern. Die Weitwinkelaufnahme wird das Denkmal ziemlich klein mit viel Vordergrund zeigen. Die Teleobjektivaufnahme wird das Denkmal ziemlich groß und den Raum »gerafft« zeigen. Um zu beweisen, daß es sich hier lediglich um eine optische Täuschung handelt, fertigt man noch zwei weitere Vergrößerungen an. Zunächst projiziert man das mit dem Teleobjektiv aufgenommene Negativ auf die Fläche des Vergrößerungsrahmens und zeichnet mit einem Bleistift auf einem Stück Papier von der Größe des ersten Abzuges die Hauptumrißlinien des Denkmals nach. Dann ersetzt man das Teleobjektivnegativ durch das mit dem Standardobjektiv aufgenommene Negativ und vergrößert einen entsprechenden Ausschnitt des Negativs so stark, daß die Größe des Denkmals genau der entspricht, die wir durch die Umrißlinie von dem Teleobjektivnegativ festgelegt haben. Dann wiederholt man dies mit dem Weitwinkelnegativ. In beiden Vergrößerungen muß also das Denkmal genauso groß sein wie bei der Aufnahme mit dem Teleobjektiv. Nun vergleicht man diese beiden neuen Abzüge mit dem ersten Abzug vom Teleobjektivnegativ: Von kleinen Unterschieden in Schärfe und Körnigkeit abgesehen, die auf den größeren Vergrößerungsmaßstab zurückzuführen sind, werden die drei Bilder in der Perspektive identisch sein und würden übereinandergelegt genau aufeinander passen. Die scheinbaren Unterschiede zwischen den ersten Abzügen waren nämlich keine Unterschiede in der Perspektive, sondern nur im Bildwinkel und in der Darstellungsgröße: Die Weitwinkelaufnahme erfaßte einen größeren Bildwinkel und zeigte die Gegenstände in einem entsprechend kleineren Maßstab als die mit dem Standardobjektiv gemachte Aufnahme, die ihrerseits einen größeren Bildwinkel zeigt und die Gegenstände in einem kleineren Maßstab als die Teleobjektivaufnahme. In der Perspektive jedoch waren alle drei Fotos völlig gleich.
Und damit kommen wir zum zweiten und »schlüssigen« Teil unseres

Experimentes: Wir machen drei neue Aufnahmen vom gleichen Denkmal, wieder mit einem Standardobjektiv, einem Weitwinkelobjektiv und einem Teleobjektiv. Wir fangen mit der Teleobjektivaufnahme an, weil sie die Maßstäbe der folgenden zwei Aufnahmen bestimmt. Wir versuchen, die Aufnahme aus einer Entfernung zu machen, in der das Denkmal genau die Höhe des Negativs ausfüllt. Wenn dies unmöglich sein sollte, merken wir uns die Höhe des Denkmals im Sucher. Die anderen beiden Aufnahmen müssen nämlich aus Entfernungen gemacht werden, in denen die Höhe des Denkmals im Sucher genau die gleiche ist wie bei der Aufnahme mit dem Teleobjektiv. Das bedeutet natürlich, daß die Aufnahme mit dem Standardobjektiv aus einer kürzeren Entfernung gemacht werden muß als die mit dem Teleobjektiv und die Weitwinkelaufnahme aus einer noch kürzeren Entfernung. Jetzt vergrößern wir diese drei Negative auf gleiche Größe und vergleichen die Abzüge. Obwohl das Denkmal selbst auf allen drei Bildern die gleiche Größe hat, wird jedes Bild doch einen völlig anderen räumlichen Eindruck geben. In der Teleobjektivaufnahme wird der Abstand zwischen Denkmal und Hintergrund verhältnismäßig klein scheinen; in der Standardobjektivaufnahme wird er etwas größer und in der Weitwinkelaufnahme sehr viel größer wirken. Und diesmal sind diese Unterschiede in der Perspektive auch tatsächlich vorhanden. Es sind keine unterschiedlichen Abbildungsmaßstäbe, die man durch entsprechendes Vergrößern wieder ausgleichen könnte. Es ist vielmehr ein Unterschied in den relativen Proportionen der verschiedenen Bildelemente, an denen durch einfaches Vergrößern nichts geändert werden kann.

Dieser Versuch beweist, daß es *nicht* die Brennweite des Objektivs, sondern *die Entfernung zwischen Bildgegenstand und Kamera* ist, die die Bildperspektive bestimmt, d. h. seine Raum- und Tiefenwirkung, die wiederum von dem Verhältnis der Bildkomponenten zueinander in ihrer Verkürzung und ihren Größenverhältnissen abhängt. Dementsprechend ist z. B. die Verzeichnung einer Porträtaufnahme mit Weitwinkelobjektiv nicht der Fehler des Objektivs, sondern des Fotografen, der es falsch verwendete: die Entfernung zwischen Bildgegenstand und Kamera war zu klein. Objektive mit relativ langen Brennweiten sind für Porträtaufnahmen nicht etwa deswegen zu empfehlen, weil sie weniger verzeichnen als Objektive mit kürzeren Brennweiten, sondern weil sie Bilder in größerem Maßstab geben und dementsprechend einen größeren Abstand zwischen Bildgegenstand und Kamera erfordern, was wiederum eine bessere Perspektive ergibt. Wenn ein Fotograf zwei Porträtaufnahmen aus der *gleichen Entfernung* vom Modell macht, die eine mit einem Weitwinkel- und die andere mit einem Teleobjektiv, *dann haben beide Bilder genau die gleiche Perspektive.* Der einzige Unterschied zwischen ihnen bestünde in der Abbildungsgröße. Und wenn er die Weitwinkelaufnahme auf den Abbildungsmaßstab der Teleobjektivaufnahme vergrößert, dann sind die beiden Porträts identisch in jeder Hinsicht.

Die typische Weitwinkel-Perspektive wird durch einen oftmals »übertrieben« erscheinenden Grad von Verkleinerung charakterisiert, d. h., Objekte von in Wirklichkeit gleicher Größe, die aber unterschiedliche Abstände von der Kamera haben, werden mit auffallend verschiedenen Größen wiedergegeben, wobei nahe Objekte unverhältnismäßig groß und entfernte Objekte unverhältnismäßig klein erscheinen. Diese Verschiedenheit ist um so stärker ausgeprägt, je größer der Bildwinkel des Objektives ist, je kürzer der Aufnahmeabstand und je größer die Tiefe des Motivs. Bekannte Beispiele für diese Art der »Verzeichnung« sind Hände und Füße, die zur Kamera hingestreckt werden und daher im Bild unmöglich groß erscheinen, während Kopf und Körper unverhältnismäßig klein dargestellt werden. Dem ungeschulten Auge erscheint diese Art von Perspektive unnatürlich und unannehmbar, weil sie bekannte Dinge in unbekannter Weise zeigt. In Wirklichkeit aber ist sie nur ein Ausdruck der »Nähe«, die im Bild mit grafisch-symbolischen Mitteln ausgedrückt wird: übertriebene »Verkürzung«. Fotografen, die solche Perspektiven nicht mögen, können sie dadurch vermeiden, daß sie ihr Motiv aus größerer Entfernung mit einem Objektiv längerer Brennweite aufnehmen.

Die typische Tele-Perspektive wird durch einen verhältnismäßig geringen Grad von Verkleinerung charakterisiert, d. h., Objekte von in Wirklichkeit gleicher Größe, die aber verschiedene Abstände von der Kamera haben, werden im Foto mit relativ unbedeutenden Größenunterschieden wiedergegeben. Der Grad der Verkleinerung ist um so geringer, je länger die Objektivbrennweite und je größer der Abstand zwischen Objekt und Kamera. Bekannte Beispiele dieser Art von Perspektive sind unter anderem Aufnahmen, die während eines Automobilrennens aufgenommen wurden, bei denen die Rennwagen aussehen, als berührten sie sich vorn und hinten oder hingen aneinander; Fernsehaufnahmen in großen Hallen, bei denen die Leute in der zweiten oder dritten Reihe größer zu sein scheinen als die im Vordergrund; und Straßenszenen, bei denen der Raum »verdichtet« oder »zusammengepreßt« erscheint und die Gebäude so, als hätten sie nur ganz geringe »Tiefe«. Ich persönlich finde diese Art der Perspektive besonders schön, weil sie das natürliche Größenverhältnis zwischen den abgebildeten Objekten bewahrt, soweit das in einem Foto möglich ist. So erscheinen beispielsweise im Bild eines Hafenmotivs, das mit einem Normalobjektiv aus ziemlich kurzem Abstand vom Wasser her aufgenommen wurde, die Schiffe im Vordergrund zu groß gegenüber den in Wirklichkeit viel größeren Gebäuden im Hintergrund, während in einer Aufnahme mit langbrennweitigem Objektiv aus größerem Abstand die Schiffe wesentlich kleiner abgebildet werden und die dahinterliegenden Häuser groß und beherrschend im Bilde stehen. Die natürlichen Größenverhältnisse der Dinge werden also im Bilde bewahrt, und die Wirkung des Fotos entspricht eher dem Sinne des Motivs.

Durch geeignete Kombination von Aufnahmeabstand und Objektivbrennweite kann ein Fotograf innerhalb der Raum- und Brennweitenmöglichkeiten jede gewünschte Art von Perspektive schaffen. Möchte er soweit wie möglich die natürlichen Größenverhältnisse der Objekte zueinander in der »Tiefe« beibehalten, »Verzeichnung« vermeiden, den Hintergrund betonen und verhindern, daß Dinge im Vordergrund zu aufdringlich erscheinen, muß er seine Aufnahme aus verhältnismäßig großem Aufnahmeabstand mit einem Objektiv von relativ langer Brennweite machen. Wünscht er aber, den Vordergrund zu betonen, ein Gefühl von Nähe zu schaffen, den Hintergrund zu unterdrücken oder auch einen besonders starken Tiefeneindruck zu erzielen, muß er das Bild aus der Nähe mit einem Objektiv verhältnismäßig kurzer Brennweite aufnehmen. Mit einem Normalobjektiv bekommt er Bilder, die mehr oder weniger dem Augenerlebnis entsprechen. Mit einem Weitwinkelobjektiv oder einem langbrennweitigen Objektiv kann er bei entsprechenden Aufnahmeabständen seinen Bildern durch »Übertreibung« der Perspektive nach der einen oder anderen Seite hin einen besonderen Charakter verleihen. Mit anderen Worten: Er hat uneingeschränkte Kontrolle über den Raumeindruck in seinem Bild.

Nicht-geradlinige Perspektiven

Daß wir Menschen unsere Umwelt in geradliniger Perspektive sehen, darf uns nicht dazu verleiten, anzunehmen, das sei der einzige »richtige« Weg zu sehen, und andere Arten der Perspektive seien deshalb »unrichtig«, weil sie die Dinge »verzerrt« wiedergeben. Wir wissen

zum Beispiel, daß bestimmte Vögel, Fische und Insekten Augen haben, die einen Blickwinkel von 300° und mehr erfassen und ein Seherlebnis ergeben müssen, das völlig verschieden ist von allem, was wir uns vorstellen können. Man könnte sogar behaupten, die geradlinige Perspektive sei »falsch«, weil genau gesehen die Waagerechten nicht gerade, sondern gebogen sind und die Senkrechten nicht parallel, sondern divergierend. Bezweifeln Sie diese Behauptung, so stellen Sie sich bitte ein enorm langes Gebäude vor, das etwa von Paris bis Peking reicht. Seine Mauern sind natürlich überall senkrecht, sowohl in Paris wie in Peking. Definitionsgemäß sind Linien senkrecht, wenn sie im rechten Winkel zur Horizontalen verlaufen und wenn ihre Verlängerungen durch den Mittelpunkt der Erdkugel gehen würden.
Sehen Sie nun, warum eine Senkrechte in Paris nicht parallel zu einer Senkrechten in Peking sein kann? Oder warum sogar im selben Gebäude eine Mauer nicht *exakt* parallel zu einer anderen Mauer verlaufen kann, wenn beide mit absoluter Genauigkeit auf den Mittelpunkt der Erde zielen, also auf einen geometrischen Punkt, durch den man keine parallelen Linien ziehen kann?
Nun stellen Sie sich einmal den Fußboden in diesem riesigen Gebäude vor. Wo Sie ihn auch immer überprüfen, liegt er genau waagerecht. Aber können Sie sich eine waagerechte Linie von Paris bis Peking vorstellen, die »gerade« ist? Natürlich nicht, weil sie sich der Erdkrümmung anpassen müssen. Wenn aber eine 8000 Kilometer lange waagerechte Linie eine Kurve bildet, folgt doch unweigerlich daraus, daß auch jeder Teil dieser Linie gekrümmt ist.
Wenn auch diese Überlegungen normalerweise nichts mit der Fotografie zu tun haben, gehe ich hier darauf ein, weil ich glaube, daß eine Beschäftigung mit solchen Fragen dem Fotografen dazu verhelfen kann, das Wesen von zwei neuen merkwürdigen Arten der Perspektive besser zu verstehen: der zylindrischen und der sphärischen Perspektive, die erst seit ein paar Jahren durch zwei revolutionäre fotografische Geräte allgemein zugänglich gemacht worden sind: durch die Panoramakamera und durch das Fischaugenobjektiv.

Eine Panoramakamera ergibt Bilder, deren Perspektive *zylindrisch* ist, d. h., nur diejenigen geraden Linien, die parallel zur Drehachse des Objektives verlaufen, werden im Bild auch gerade wiedergegeben. Alle anderen Geraden werden mehr oder weniger gekrümmt abgebildet.

Ein Fischaugenobjektiv ergibt Bilder, deren Perspektive *sphärisch* ist, d. h., *alle* geraden Linien werden mehr oder weniger gebogen wiedergegeben, ausgenommen diejenigen, die auf das Objektiv zulaufen. Im Foto erscheinen diese Linien gerade und verlaufen vom Bildmittelpunkt wie die Speichen eines Rades nach außen.

Auf den ersten Blick erscheinen Linien, von denen man »weiß«, daß sie gerade sind, in Form von Kurven unnatürlich, also als »Bildfehler«, die es schwierig oder sogar unmöglich machen, sich in einem solchen Bild zurechtzufinden. Denkt man jedoch darüber nach, wird man bald einsehen, daß diese Kurven sowohl durchaus natürlich als auch unvermeidbar sind, wenn ein anormal großer Bildwinkel in einem Bild erfaßt werden soll. Um diese Erscheinung zu verstehen, gehen wir den folgenden Überlegungen nach:
Stellen Sie sich vor, Sie sollten die Frontansicht eines enorm langen Gebäudes aufnehmen, das sich von Horizont zu Horizont erstreckt, also einen Blickwinkel von nahezu 180° umfaßt. Da Sie kein Fischaugenobjektiv haben, entscheiden Sie sich dafür, das Bild in zwei Teilen aufzunehmen, wobei jeder Teil einen Bildwinkel von 90° erfassen soll. Für die erste Aufnahme schwenken Sie Ihre Kamera um 45° nach links. Da nun natürlich die Gebäudefront nicht mehr parallel zur Bildebene ist, wird sie »perspektivisch« dargestellt, d. h. insofern »verzeichnet«, als im Bild ihr Dach und ihre Grundlinie nicht mehr parallel erscheinen, wie sie in Wirklichkeit sind, sondern nach der linken Seite des Fotos zusammenlaufend. Anschließend schwenken Sie Ihre Kamera nach rechts und nehmen die andere Hälfte des Bildes auf. Diesmal laufen die Linien des Gebäudes natürlich nach rechts zusammen. Ein solches Zusammenlaufen in Wirklichkeit paralleler Linien scheint zunächst völlig normal, bis Sie die zwei Bilder zusammenmontieren. Dann stellen Sie fest, daß die Linien von Dach und Basis des Gebäudes, die in Wirklichkeit parallel sind, auf dem zusammengesetzten Bild in der Mitte einen stumpfen Winkel bilden, der in Wirklichkeit natürlich nicht vorhanden war.

Um diesen Winkel in der Bildmitte zu vermeiden, könnten Sie sich entschließen, ein neues Bild herzustellen, das aus *drei* einzelnen Teilen zusammengesetzt wird. Dabei könnten Sie den Bruch in der Mitte vermeiden, indem Sie die Mittelansicht aus einem Winkel von 90°, also direkt von vorne aufnehmen, was außerdem den Vorteil hätte, daß die Waagerechten des Gebäudes auf diesem Teil des Bildes parallel abgebildet werden, da ja dabei Film und Gebäude parallel sind. Aber die beiden anderen Teile Ihres zusammengesetzten Bildes – die Sichten nach links und rechts – sind wiederum Schrägsichten, die »perspektivisch verzeichnet« sind, in welchen also die waagerechten

Linien des Gebäudes wieder nach Fluchtpunkten hin zusammenlaufen. Folglich haben Sie nach dem Zusammensetzen Ihres »Triptychons« *zwei* Brüche in den sonst geraden Dach- und Grundlinien des Gebäudes statt eines einzigen.

Theoretisch kann man natürlich diese Brüche dadurch vermeiden, daß man eine sehr große Anzahl von Aufnahmen macht, deren jede aus einem etwas anderen Winkel gesehen ist. Teilt man so die ganze Übersicht in unendlich viele Einzelbilder auf, wird jeder Bruch in den Dach- und Basislinien des Gebäudes unendlich klein: die »geraden« Linien von Dach und Basis werden dann als Kurven wiedergegeben. Und das ist genau die Art, wie eine Panoramakamera ein solches Gebäude darstellen würde.

Daß diese Kurven unvermeidbar sind und nicht nur eine Art »optischer Täuschung«, wird klar, wenn wir uns folgendes überlegen. Direkt vor uns hat das Gebäude eine bestimmte Höhe, blicken wir aber schräg nach rechts oder links, scheint sich die Höhe mehr und mehr zu verringern, bis schließlich da, wo das enorm lange Gebäude jenseits des Horizontes verschwindet, die Höhe gleich Null ist. Wenn Sie nun Messungen der anscheinenden Höhe des Gebäudes in verschiedenen Winkeln vom Kamerastandpunkt aus durchführen und diese in ein Koordinatensystem eintragen, bekommen Sie eine Kurve, was nicht weiter überraschen sollte, denn die einzige Linie, die vom linken Horizont über die Höhe des Gebäudes in der Mitte und von da wieder zum rechten Horizont *ohne Bruch oder Winkel* führt, ist eine gleichmäßig gekrümmte Linie. Und genau in dieser Art wird eine Fotografie, die mit einer Panoramakamera aufgenommen ist, das enorm lange Gebäude in einer Frontalansicht zeigen: Sein Dach und seine Grundlinie würden in Form von Kurven abgebildet werden – die Perspektive würde »zylindrisch« sein.

Nun mögen Sie mit Recht fragen, warum im Mittelteil Ihres dreiteiligen Bildes die Dach- und Basislinien gerade und parallel erschienen anstatt gekrümmt, da ja, wie wir eben gesehen haben, die Gesetze der »natürlichen Perspektive« verlangen, daß sie gebogen sind? Der Grund dafür liegt in der Art, wie wir sehen (oder glauben zu sehen), und daß die meisten fotografischen Objektive so berechnet sind, daß sie diese Sichten ergeben. Hätten Sie allerdings die Aufnahme mit einer unkorrigierten Doppelkonvexlinse gemacht (zum Beispiel mit einer ganz gewöhnlichen Lupe), wären alle geraden Linien als Kurven abgebildet worden, und die entstandene Perspektive wäre strenggenommen wirklichkeitsgetreuer als eine geradlinige oder »rektilineare« Wiedergabe.

Nun fragt man sich natürlich, ob dieses sonderbare Verbiegen in Wirklichkeit gerader Linien nur auf die Waagerechten zutrifft oder aber auf alle geraden Linien ohne Rücksicht auf ihre Richtung, Senkrechte eingeschlossen. Das letztere ist selbstverständlich der Fall. Denn die Gesetze der »natürlichen« Perspektive unterscheiden nicht zwischen waagerechten und senkrechten Linien und solchen, die irgendeine andere Richtung einschlagen, wie es die künstliche »akademische« Art der Perspektive tut. Folglich müssen in jeder »natürlichen Perspektive« auch senkrechte Linien als Kurven erscheinen. Und das ist genau die Art, wie ein Foto, das mit einem Fischaugenobjektiv aufgenommen worden ist, das Motiv darstellt – in »sphärischer« Perspektive.

Die einfachste Weise, sich davon ein Bild zu machen, wie irgend etwas in sphärischer Perspektive oder mit einem Fischaugenobjektiv aufgenommen aussehen würde, besteht darin, das Spiegelbild in einer verspiegelten Kugelfläche – einer Christbaumkugel oder einer jener großen verspiegelten Glaskugeln, die man im Garten aufstellt – zu betrachten. Dabei kann man den allmählichen Übergang von den mehr oder weniger verzeichnungsfreien Mittelteil des Bildes in eines mit starken Krümmungen an der Peripherie des Kugelbildes deutlich studieren. Die Aufnahme eines solchen Spiegelbildes kann mitunter sogar die Aufnahme mit einem Fischaugenobjektiv ersetzen, vorausgesetzt, die Umstände erlauben, daß Fotograf und Kamera hinter einem geeigneten Objekt Deckung nehmen, denn sonst würden beide genau in der Mitte des Bildes erscheinen.

Daß wir gewöhnlich diese Krümmung in Wirklichkeit gerader Linien nicht wahrnehmen, ist auf die Tatsache zurückzuführen, daß der Winkel, in dem wir scharf sehen, sehr begrenzt ist und innerhalb dieses kleinen Winkels die Länge der Kurven zu kurz ist, als daß sie sich als Kurven bemerkbar machen. Doch gibt es eine Möglichkeit, sie nachzuweisen. Man stellt sich auf eine enge Straße, die von hohen Gebäuden mit parallelen Wänden gebildet wird, und hält einen Zentimeterstab mit ausgestrecktem Arm waagerecht vor die Augen, um den scheinbaren Abstand zwischen den beiden Hauswänden zuerst zu ebener Erde, dann in Dachhöhe zu messen. Deutlich stellt sich dabei heraus, daß der auf diese Weise gemessene Abstand in Dachhöhe kleiner ist als am Erdboden, was beweist, daß die Mauern *nicht parallel erscheinen* können. Da wir sie nicht als Parallelen sehen, müssen sie zusammenlaufend erscheinen, und nun ergibt sich die Frage, ob sie gerade oder gebogen zusammenlaufen. Wenn die Mauern anscheinend als gerade, aber schräge Linien in die Höhe wachsen, müssen die

Winkel, die sie mit der Straße bilden, natürlich kleiner als 90° sein. Das ist aber offensichtlich nicht der Fall: Die Winkel sind 90°. Daher bleibt nur die Möglichkeit, wir sehen die Mauern so in die Höhe wachsen, daß sie zunächst mit der Straße einen rechten Winkel bilden, dann aber sich nach innen zu biegen scheinen. Und das ist genau die Art, wie sie eine Panoramakamera wiedergeben würde, wenn ihr Objektiv in senkrechter Richtung schwingt.

Zylindrische und sphärische Perspektiven sind verhältnismäßig neue Arten der fotografischen Darstellung, was erklärt, warum viele Fotografen sie noch als »Tricks« ansehen statt als gestalterische Möglichkeiten der Raumdarstellung. Der Grund dafür ist, daß es ihnen an Verständnis dafür fehlt – sie haben noch nicht gelernt, diese Bilder richtig auszuwerten. Sie sehen Fischaugenaufnahmen an, als ob sie gewöhnliche Fotos wären und nicht Ansichten, die den phantastischen Winkel von 180° erfassen. Sie denken nicht daran, daß solche Bilder auf einen einzigen Blick zeigen, wozu in Wirklichkeit eine ganze Kopfdrehung notwendig ist. Um zu lernen, solche Ansichten zu »lesen«, empfehle ich sie Teil für Teil zu betrachten und dabei für jeden Teil in die entsprechende Lage zu drehen. Auf diese Weise ist jeder Teil der Darstellung leicht zu deuten und mit dem Rest in Verbindung zu setzen. Und schon nach kurzer Zeit bekommt das Ganze Sinn, weil es als Einheit gesehen wird. Ehe ein Fotograf nicht so weit gekommen ist, kann er nicht erfolgreich die enormen Möglichkeiten der zylindrischen und sphärischen Perspektiven ausnützen und Beziehungen zwischen einem Objekt und seiner Umgebung mit größerer Klarheit und Betonung zeigen, als ihm vorher möglich war, und dadurch bestimmte Aspekte seiner Welt mit gesteigerter Aussagekraft darstellen.

Raumdarstellung und Maßstab

Oft ist es nicht genug, in einem Foto ein Raumgefühl zu erzeugen, um die Wiedergabe wirkungsvoll zu machen. Falls das Ausmaß des erfaßten Raumes nicht erkennbar ist – wie groß? wie klein? –, ist der Bildeindruck unvollständig. Wer jemals vergeblich versucht hat, die Wirkung großartiger Landschaften bildhaft zu schildern – den Grand Canyon, die Niagara-Fälle, die Redwood-Wälder –, weiß, was ich meine: Seine Fotos versagten, weil ihnen die wichtigste Eigenschaft ihres Motivs fehlte: die Größe.
Größe – und Großartigkeit – sind schwer darstellbare Eigenschaften

eines Motivs, die gewöhnlich nicht direkt in der Fotografie wiederzugeben sind. Wie oft haben wir die Möglichkeit, eine wandfüllende Vergrößerung zu machen? Und auf die Größe eines Schnappschusses und selbst einer 30×40-cm-Vergrößerung gebracht, erscheint ein Motiv, das uns in Wirklichkeit durch seine Größe begeistert hatte, nicht größer als das Format des Bildes. Das ist der Hauptgrund, warum dieselbe Art von Landschaft, die daheim projiziert tödlich langweilig wirkt, plötzlich zum Leben erwacht, wenn wir sie groß auf der Leinwand eines Breitwand-Kinotheaters sehen.
Offensichtlich ist Größe eine Eigenschaft, die man selten direkt in einem Foto wiedergeben kann – tatsächlich eigentlich nur dann, wenn der Maßstab der Darstellung 1:1 beträgt (Wiedergabe in natürlicher Größe). In allen anderen Fällen kann Größe als wichtige Eigenschaft des Motivs nur dadurch symbolisch angedeutet werden, daß man einen Maßstab dafür an Hand von Vergleichen schafft.
Im Begriff Maßstab steckt der »Vergleich«. Dadurch, daß wir ein Objekt von unbekannten Dimensionen (eine Landschaft, einen Baumstamm, einen Felsen) mit einem Objekt von bekannten Dimensionen (einer menschlichen Figur, dem Metermaß eines Botanikers, dem Hammer des Geologen) zusammen fotografieren, schaffen wir ein maßstäbliches Verhältnis zwischen dem Unbekannten und dem Bekannten und sehen daran, wie groß oder klein das unbekannte Motiv in Wirklichkeit ist. Nun wäre es natürlich in der gestaltenden Fotografie ein offensichtlicher Fehlgriff, etwa die Höhe eines Redwood-Baumes dadurch anzugeben, daß man ein Metermaß an den Stamm lehnt, oder die Größe einer Felsenformation, indem man im Bild einen Hammer zeigt. Solche kompromißlosen, exakten Methoden benutzt allein der Wissenschaftler. Methoden der schöpferischen Fotografie, um die Größenverhältnisse eines Motivs anzugeben, sind wesentlich komplizierter. Der Maßstab muß so angegeben werden, daß er ein Teil des Bildes ist, also unaufdringlich, sinnvoll und effektiv. So kann zum Beispiel in dem Fall des Redwood-Baumes der Maßstab durch die Gegenüberstellung eines riesigen Redwood-Baumstammes und einer gewöhnlichen, jungen Rottanne dargestellt werden. Die Rottanne, jedermann bekannt, läßt im Gegensatz zu ihrer Schlankheit den Redwood-Baum gewaltig aussehen. Und an die Stelle eines Hammers gibt der Fotograf für eine interessante Felsenpartie den Maßstab mit einigen Wildpflanzen an, die aus dem Felsenspalt wachsen. In beiden Fällen ist die Maßeinheit, also der Erzeuger des Maßstabes – die Rottanne oder die Wildpflanzen – ein echter Teil des Motivs, der gleichzeitig dessen Größe enthüllt.

Eine große Auswahl von Dingen mit bekannten Dimensionen steht dem Fotografen zur maßstäblichen Bestimmung zur Verfügung. An der Spitze dieser Liste steht natürlich die menschliche Figur. Bei Nahaufnahmen ist dafür oft eine Hand ausgezeichnet zu verwenden, für Makroaufnahmen ein paar Fingerspitzen. Andere maßstaberzeugende Einheiten, die alle kennen, sind Autos, Telefonstangen, Kühe, Pferde, Bauernhäuser und landwirtschaftliche Geräte, Fenster, Schiffe ... Zum Beispiel erscheinen von weitem gesehen die Hochhäuser einer Großstadt wie Spielzeug, wenn an einem trüben Tag ihre Fenster im Dunst verschwinden, wirken dagegen gewaltig, wenn bei klarem Wetter Hunderte von Fenstern ihnen ihren Maßstab geben. Und die entfernte Silhouette eines Ozeandampfers am Horizont läßt im Gegensatz zu ihrer eigenen Winzigkeit das Meer um so unendlicher erscheinen. Das ganze Geheimnis des Maßstabes liegt darin, daß man irgend etwas dadurch groß erscheinen läßt, indem man es mit etwas Kleinem vergleicht. Und wenn das »Kleine« in Wirklichkeit nicht klein genug ist, dann stellt man es eben im Bild klein dar. So ist zum Beispiel die Figur eines Menschen im Vergleich zu einer Landschaft sehr klein; bringt man sie aber näher an die Kamera, so daß sie größer abgebildet wird, läßt sie die Landschaft im Foto keineswegs groß erscheinen. Nur wenn die Figur im Bild genügend klein erscheint, d. h. wenn sie weit genug von der Kamera steht, um klein abgebildet zu werden, so daß sie als einsamer Fleck in der Unendlichkeit des Raumes erscheint, kann sie ihren Zweck als Maßeinheit erfüllen und als grafisches Mittel wirken, das die Landschaft groß erscheinen läßt.
Allerdings liegt nicht immer die Absicht eines solchen maßstäblichen Vergleichs darin, das dargestellte Motiv groß erscheinen zu lassen. Gelegentlich wird der Fotograf auch bemüht sein, durch einen Größenvergleich entweder die tatsächliche Größe eines unbekannten Objekts anzugeben oder es sogar kleiner erscheinen zu lassen, als es tatsächlich ist. So kann es beispielsweise in einem Werbefoto wünschenswert sein, daß ein neues Produkt so klein wie möglich erscheint. Ist das der Fall, muß die Vergleichseinheit selbstverständlich verhältnismäßig groß sein. So kann es etwa in einer Nahaufnahme besser sein, die große Hand eines Mannes als Größenangabe zu verwenden statt der kleinen Hand eines Mädchens. Im Gegensatz zu der Größe der Männerhand wird dann das Objekt kleiner erscheinen, als es tatsächlich ist.
Indem er die tatsächliche oder scheinbare Größe seines Mittels zum Größenvergleich entsprechend regelt, kann ein Fotograf den Raumeindruck seines Bildes kontrollieren. Wenn aber auch der häufigste

Grund für die Wirkungslosigkeit einer Landschaftsaufnahme darin besteht, daß dieser Größenvergleich fehlt, können andererseits maßstablose Nahaufnahmen zu den faszinierendsten Bildern gehören. Besonders kleine Naturobjekte – Insekten, Blumen, Kristalle, Muscheln – sind für eine solche maßstablose Wiedergabe gut geeignet. Zeigt man sie dann in starker Vergrößerung im Bild, können sie gerade ihrer Maßstablosigkeit wegen andere, mehr vertraute Motive an Ausdruckskraft weit übertreffen.

Kontrast zwischen scharf und unscharf

Das menschliche Sehen funktioniert so, daß wir gleichzeitig nur auf einen einzigen Punkt scharf einstellen können. Wir sehen zwar auch andere Dinge, doch erscheinen diese mehr oder weniger verschwommen. Werfen Sie mit *beiden* Augen offen einen Blick auf die gegenüberliegende Wand des Zimmers: Sie sehen sie deutlich und scharf. Dann halten Sie, ohne die Augeneinstellung zu ändern, Ihren Zeigefinger senkrecht ungefähr 20 cm vor Ihr Gesicht: Der Finger wird undeutlich und »transparent« erscheinen, wobei die Wand durchzuscheinen scheint. Als nächstes stellen Sie Ihre Augen auf den Finger ein. Nun erscheint die Wand verschwommen. Schließlich versuchen Sie gleichzeitig, Finger und Hintergrund scharf zu sehen. Es gelingt nicht, weil die Schärfentiefe des menschlichen Auges auf Nahabstand zu gering ist. Wenn wir also irgend etwas scharf und andere Dinge in derselben Blickrichtung unscharf sehen, folgern wir daraus unbewußt, daß diese Dinge verschieden weit von uns entfernt sind. Infolgedessen erweckt der Gegensatz zwischen scharf und unscharf das Gefühl von Tiefe.
Als Fotografen können wir mit Hilfe einer Technik, die man *selektive Schärfe* nennt, einen ähnlichen Tiefeneindruck hervorrufen, indem wir nämlich ein lichtstarkes Objektiv benutzen, sorgfältig auf die gewünschte Entfernung einstellen und dann mit großer Blendenöffnung belichten. So können wir die scharfe Wiedergabe auf eine bestimmte Tiefenzone beschränken, wobei eben alles, was vor oder hinter dieser Zone ist, mehr oder weniger verschwommen erscheint. Und eben durch diese Gegenüberstellung von etwas scharf und etwas unscharf Abgebildetem erzeugen wir den Eindruck von Tiefe: Der Gegensatz zwischen scharf und unscharf ist ein Symbol für den Raum.
Der Gegensatz zwischen scharf und unscharf wird um so größer und damit der Tiefeneindruck um so zwingender, je größer die Blendenöff-

nung, je länger die Brennweite des Objektives und je kürzer der Aufnahmeabstand ist. Daher kann ein Fotograf in seinen Bildern durch überlegte Abstimmung der Wirkungen dieser Faktoren die Ausdehnung der Schärfentiefe genau regeln und damit den Raum in Übereinstimmung mit seinen Bildabsichten und der Art seines Motives tiefer oder flacher erscheinen lassen.
Die Technik der selektiven Schärfe ist besonders wirksam, wenn man im Foto das *ganze* Objekt scharf wiedergibt, aber den Hintergrund und den Vordergrund unscharf hält, d. h., wenn das Objekt selbst verhältnismäßig geringe Tiefe hat und keine Übergangszonen von Schärfe zu Unschärfe zwischen ihm und den Dingen, die im Bild unscharf erscheinen, existieren. Zum Beispiel wird das Foto eines Gesichts oder einer Skulptur vor einem Hintergrund, der davon durch einen verhältnismäßig großen und leeren Raum getrennt ist, so daß das Gesicht oder die Skulptur in ihrer ganzen Tiefe scharf wiedergegeben werden und der Hintergrund völlig unscharf erscheint, einen zwingenderen Raumeindruck ergeben als die Schrägsicht auf ein langes Gebäude, in dem der nahe Teil scharf und der entfernte unscharf erscheint, während dazwischen eine Zone vorhanden ist, in der die Schärfe allmählich in Unschärfe übergeht.

Ein Fotograf kann die selektive Schärfe für folgende Zwecke benützen:

Um Tiefe anzudeuten. Die Gegenüberstellung von scharf und unscharf ist ein grafischer Beweis für Tiefe. Es ist nämlich unmöglich, ein zweidimensionales Objekt teilweise scharf und teilweise unscharf wiederzugeben, es sei denn, man fotografiert es in Schrägsicht; aber damit bekommt es bereits eine Tiefenausdehnung, ist also strenggenommen nicht mehr zweidimensional.

Um Aufmerksamkeit zu steuern. Wenn im Foto ein bestimmter Bildteil scharf gezeigt wird, während alles andere unscharf erscheint, wird der scharfe Teil auf Kosten des unscharfen, der damit unwichtig erscheint, betont. Zum Beispiel kann der Fotograf durch verschiedene Behandlung von Objekt und Hintergrund das erstere hervorheben und das zweite unterdrücken. Das ist besonders dann ratsam, wenn der Hintergrund zu aufdringlich ist und seine Wirkung durch Unschärfe gemildert werden soll.

Um grafische Trennung zu erzielen. Objekte, die verschieden weit von der Kamera entfernt sind, können im Bild ineinander überlaufen, falls sie nicht durch Schärfe und Unschärfe voneinander getrennt sind. Obgleich mit dieser Möglichkeit eher in der Schwarzweißfotografie als in der Farbfotografie zu rechnen ist, gibt es auch hier öfters Fälle, in denen die Farben verschiedener Dinge einander so ähnlich sind, daß die selektive Schärfe der einfachste Ausweg ist, um eine klare grafische Trennung zu schaffen.

Kontrast zwischen Hell und Dunkel

Die Atmosphäre der Erde ist nie völlig rein. Je nach Lage, Höhe und Wetterbedingungen enthält sie wechselnde Mengen von Staub, Rauch, Gasen, Wassertropfen und Dampf. Diese Verunreinigungen beeinträchtigen ihre Lichtdurchlässigkeit. Die Wirkung ist kumulativ: je dicker die Luftschicht ist, die das Licht durchdringen muß, ehe es zu unseren Augen kommt, um so stärker wird es zerstreut. Infolgedessen ändert sich das Aussehen der Dinge mit ihrer Entfernung vom Beobachter, eine Erscheinung, die *Luftperspektive* genannt wird.
Da nun die Luftperspektive direkt mit dem Abstand zusammenhängt, wird sie zu einem Maß für die Entfernung. Je heller beispielsweise eine Gebirgskette erscheint, um so weiter scheint sie entfernt zu sein, je dunkler, um so näher. Folglich wird der Gegensatz zwischen Hell und Dunkel zu einem fotografischen Ausdrucksmittel für Tiefe und Raum.
Soweit es den Fotografen anbetrifft, manifestiert sich Luftperspektive auf drei verschiedene Arten. Mit zunehmender Entfernung des Motivs von der Kamera

werden die Dinge heller,
vermindert sich der Kontrast,
wird Farbe nach Blau hin verschoben.

Während ein Schwarzweißfotograf die Wirkung der Luftperspektive im Bild durch Wahl entsprechender Filter kontrollieren kann, unterliegt der Farbfotograf in dieser Hinsicht wesentlich engeren Beschränkungen. Besonders macht sich hier bemerkbar, daß jede Beeinflussung des Kontrastes und der Farbe entfernter Objekte fehlt. Aus diesem Grunde führt die Telefotografie in Farbe oftmals zu enttäuschenden Erfahrungen – ihre Resultate bestehen nur zu oft in flauen, monochromblauen Bildern. Hier folgen die Schritte, die ein Farbfotograf unternehmen kann, um die Wirkung der Luftperspektive zu kontrollieren.

Auswahl und Ablehnung. Bei der Aufnahme einer fernen, verschleierten Landschaft ist es enorm ratsam, einige gut wirkende, kräftigdunkle Dinge in den Vordergrund des Bildes einzubeziehen – Bäume, Äste, Felsen, Menschen, Telefonstangen, Stromleitungen, interessante Silhouetten ... Diese wirken der Flauheit des Motivs entgegen und geben dem Bild den notwendigen Kontrast, ohne den solche Aufnahmen meist langweilig wirken. Belichten Sie auf die Ferne und lassen Sie den Vordergrund ruhig sehr dunkel werden.
Wenn möglich, warten Sie, bis die atmosphärischen Bedingungen dem Charakter des Motives und der Absicht ihrer Aufnahme entsprechen. Mitunter – bei ausgesprochenen Fernaufnahmen immer – bedeutet das, auf einen ausgesprochen klaren Tag zu warten. Solche Tage treten oft nach einem Sturm auf, wenn kräftiger Regen die Atmosphäre von Unreinheiten befreit hat und mit steigendem atmosphärischem Druck klare, kalte Luft einströmt. Das sind die Tage, an denen man sein langbrennweitiges Objektiv nimmt und hinausgeht, um jene fernen Motive zu fotografieren, auf deren Klarheit man den ganzen Sommer vergeblich gewartet hatte. Für andere Motive wartet man besser auf Nebel oder tiefliegenden Dunst, wie man ihn oft bei Sonnenaufgang findet. Nachtaufnahmen in der Stadt gelingen am besten bei leichtem Nebel, wenn Luftperspektive sich bei Aufnahmen auf mittlere und kurze Abstände von besonderem Wert erweist. Unter solchen Bedingungen scheint die Luft selbst leuchtend zu werden, farbige Reflexe im nassen Asphalt beleben die Straße, Gebäude, die verschieden weit entfernt sind, erscheinen gut voneinander getrennt, Straßenlampen und Lichtreklamen werden von farbigen Lichtöfen im Nebel umgeben. Dagegen erscheinen Großstadtaufnahmen, die in einer trockenen, klaren Nacht gemacht worden sind, meist tintenschwarz mit langweiligen Lichtern ; die Trennung der Dinge nach der Tiefe zu fehlt, die Gebäude verschmelzen miteinander, und die Gesamtwirkung ist stimmungslos und langweilig.

Filter. Auf Wunsch kann der blaue Ton, der für die Ferne so typisch ist, mit Hilfe von Lichtausgleichsfiltern oder rötlichen Farbkorrekturfiltern in entsprechender Dichte »korrigiert« werden, aber keine Filterwirkung kann die tatsächlichen Farben des Motivs wiederherstellen. Ich persönlich ziehe an Stelle völliger Ausschaltung des schönen blauen Gesamttones von fernen Landschaften entweder vor, sie in dieser Farbe zu belassen und sogar durch warme rote und gelbe Töne im Vordergrund ihre »Kälte« zu betonen oder sie nur ganz wenig mit einem Filter »aufzuwärmen«, das zu schwach ist, das Blau völlig auszuschalten. In vielen Fällen ergibt hier ein Ultraviolett-Sperrfilter oder ein Polarisationsfilter die beste Wirkung.

Verteilung von Hell und Dunkel. Zwar erzeugt der *Gegensatz* von Hell und Dunkel – oder Licht und Schatten – stets ein Gefühl von Tiefe, aber diese Wirkung wechselt mit der *Verteilung* von Hell und Dunkel im Bild. Sind Hell und Dunkel ziemlich gleichmäßig über das ganze Bild verteilt – was meist bei Seitenlicht der Fall ist –, erscheinen zwar die einzelnen Objekte körperlich, aber das Bild gibt oft als Ganzes keinen zwingenden räumlichen Eindruck. Sind dagegen Hell und Dunkel so verteilt, daß *alle* entfernten Dinge hell erscheinen und *alle* nahen dunkel, mit anderen Worten, wenn wir in unserem Bild die Wirkung der Luftperspektive nachahmen (auch wenn es sich hierbei um eine Aufnahme im Innenraum handelt), entstehen viel überzeugendere Tiefenwirkungen. Genau das Entgegengesetzte geschieht allerdings, wenn Hell und Dunkel umgekehrt verteilt sind. Ein hell wiedergegebener Vordergrund und ein dunkler Hintergrund entstehen bei Aufnahmen, die mit Blitz an der Kamera gemacht sind. Solche Bilder scheinen nicht nur ohne Tiefe, sondern machen meist einen künstlichen und unnatürlichen Eindruck, weil die »natürliche« Ordnung der Lichtverteilung umgekehrt wurde: Statt hell zu sein, ist die Ferne dunkel, während der Vordergrund, anstatt dunkel zu sein, hell erscheint. Die Gültigkeit dieser Beobachtung wird durch Gegenlichtaufnahmen bestätigt, bei denen die Reihenfolge von Hell und Dunkel umgekehrt ist: Die Seiten der Dinge, die der Kamera zugewandt sind, sind nahe, bilden also den Vordergrund und erscheinen dunkel, und jene, die nach der anderen Seite gewendet sind, also nach der Ferne zu, bilden den Hintergrund und sind hell. Die Hell-Dunkel-Verteilung in Gegenlichtmotiven ist also dieselbe, wie sie uns von der Luftperspektive her vertraut ist, und tatsächlich erzeugt Gegenlicht wirkungsvoller als Licht aus irgendeiner anderen Richtung die Illusion der Tiefe. Daraus folgen zwei Hauptregeln für die Schaffung besonders kräftiger Raumeindrücke mit grafischen Mitteln: Objekte im Vordergrund sollen dunkler als die weiter entfernten sein; das Bild soll so aufgebaut sein, daß das Motiv mehr oder weniger von der Rückseite her beleuchtet wird.

Bewegung

Lebendigkeit und Bewegung sind wichtige Eigenschaften vieler fotografischer Motive, aber sie können offenbar nicht direkt im Foto wiedergegeben werden. Aus dieser Erkenntnis heraus gibt es mancher Fotograf auf und bildet Dinge in Bewegung so gut er kann ab, ohne daran zu denken, daß zwar die Bewegung nicht direkt wiederzugeben ist, daß aber die Illusion von Bewegung sehr wohl mit grafischen Mitteln hervorgerufen werden kann. Andere wiederum versuchen, unterschiedslos jedes bewegte Objekt »gefroren« darzustellen und es so scharf wie möglich wiederzugeben, womit sie oft den Hauptzweck der Aufnahme verneinen. Solche gedankenlosen und unkritischen Aufnahmen *müssen* zu wirkungslosen Bildern führen.
Da Bewegung nicht unmittelbar in der Fotografie wiederzugeben ist, muß sie durch Symbole übersetzt werden. Das kann auf verschiedene Arten geschehen. Welches Symbol aber ein Fotograf wählt, hängt von folgendem ab:

dem Zweck des Bildes,
der Art des Objektes,
der Art der Bewegung.

Der Zweck des Bildes

Vor einiger Zeit brachte eine Autozeitschrift das Foto eines Rennwagens, der einen Angriff auf den Schnelligkeitsweltrekord unternahm. Im Augenblick der Aufnahme betrug die Geschwindigkeit des Wagens mehr als 800 km pro Stunde. Und mit Stolz wurde in der Unterschrift darauf hingewiesen, daß es dem Fotograf trotz dieser ungeheuren Geschwindigkeit gelungen war, den Wagen völlig scharf abzubilden. Daß er tatsächlich Wagen wie Hintergrund vollkommen scharf wiedergegeben hatte, führte zu dem bedauerlichen Ergebnis, daß das Bild den Eindruck machte, als stände der Wagen still. Unglaublich erscheint dabei, daß ein Fotograf, der die Gelegenheit hat, ein einzigartiges Ereignis mitzuerleben und ein Drama auf Leben und Tod zu fotografieren, so gleichgültig und in seine fotografische Technik so verbohrt sein kann, daß sein ganzes Interesse nur darauf hinausläuft, ein scharfes Bild zu bekommen. Daß er vor oder nach dem Rennen mit Leichtigkeit gestochen scharfe Bilder des Weltrekordwagens bekommen könnte, fiel ihm offenbar nicht ein, noch dachte er daran, daß der

Zweck dieser Aufnahme sein mußte, dem Leser der Zeitschrift einen Eindruck der fast unbegreiflichen Geschwindigkeit dieses Wagens zu vermitteln. Ihm erschien Verwischung, das Symbol schneller Bewegung, als ein Kennzeichen des Amateurs, des »armen Stümpers« mit seiner Boxkamera, während er, der große Professionelle, mit einer Kamera arbeitet, die ihm die Möglichkeit gibt, auch die schnellste Bewegung noch scharf zu erfassen. Aber in diesem besonderen Fall wäre wahrscheinlich der »Stümper« mit seiner Box zu eindrucksvolleren Bildern gekommen, was allerdings dem Fachmann mit einer Zweitausend-Mark-Ausrüstung über seine Begriffe ging.
Mir scheint, ein solches Beispiel zeigt, daß es der Zweck des Bildes sein muß, der darüber entscheidet, wie Bewegung dargestellt werden soll. In diesem speziellen Fall war der Zweck des Bildes, »Geschwindigkeit« darzustellen, also eine Eigenschaft des Objektes, die nur symbolisch ausgedrückt werden kann. In anderen Fällen kann der Zweck der Aufnahme darin bestehen, eine präzise Darstellung der Erscheinung des Objektes aus der Bewegung heraus zu geben. Ist das der Fall, muß natürlich bei der Aufnahme jegliche Bewegungsunschärfe ausgeschaltet werden, um eine klare und scharfe Darstellung zu bekommen. Der Fotograf, der an die Aufnahme eines bewegten Objektes geht, muß sich also über sein Ziel klar sein: Was will er mit seinem Bild sagen? Er hat zwischen drei Möglichkeiten die Wahl:

Das bewegte Objekt so klar wie möglich zu zeigen. Ein typischer Fall ist die Bewegungsstudie eines Athleten, die zum Ziel hat, dessen Leistung und Form zu zeigen. Das erfordert natürlich, daß jede Einzelheit genau sichtbar ist. In solchem Fall ist es selbstverständlich notwendig, Bewegungsunschärfe zu vermeiden und das Objekt so scharf wie möglich wiederzugeben.

Das bewegte Objekt in Bewegung zu zeigen. Das erfordert einen grafischen Beweis für die Bewegung. Ein solcher Beweis kann auf zwei verschiedene Arten erbracht werden, entweder durch Symbole oder durch die Tätigkeit oder Stellung des Objektes selbst, wie später erläutert wird. Eine wesentliche Voraussetzung ist dabei, daß das Objekt im Bild erkennbar bleibt, d. h. es darf durch das jeweilige Darstellungsmittel nicht so stark verändert werden, daß man es nicht mehr erkennen kann.

Den Eindruck von Bewegung zu schaffen. In diesem Fall ist das eigentliche Motiv des Bildes etwas Ungreifbares, nämlich Bewegung: Das tatsächliche Objekt ist lediglich das Medium, durch das eine direkt undarstellbare Erscheinung wie Bewegung oder Geschwindigkeit bildlich ausgedrückt werden kann. In solchem Falle kann also nur eine symbolische Auffassung das Wesen des Objektes und die Absichten des Fotografen ausdrücken.

Die Art des Objektes

Was den Einfluß der Bewegung auf die Erscheinung des bewegten Objektes betrifft, muß der Fotograf zwischen zwei Arten von Objekten unterscheiden:

Objekte, die in der Bewegung anders erscheinen als in Ruhe. Beispiele dafür sind Menschen, Tiere, Brandungswellen, vom Wind bewegte Bäume usw. Da hier Bewegung durch Veränderung in der physikalischen Erscheinung des Objektes veranschaulicht wird, ist es meist nicht notwendig, sie in grafisch-symbolischer Form auszudrücken, es sei denn, der Fotograf will die Tatsache, daß sich das Objekt bewegt, *betonen.* Das leicht verwischte Bild eines rennenden Pferdes gibt einen *zwingenderen* Eindruck der Bewegung als eine völlig scharfe Wiedergabe, wenn auch in diesem Fall schon eine scharfe Aufnahme des Pferdes anzeigen würde, daß es in Bewegung ist.

Objekte, die in Bewegung und in Ruhe gleich erscheinen. Beispiele sind: Autos, Flugzeuge, Schiffe, viele Arten von Maschinen usw. Da sich die Bewegung solcher Objekte nicht durch Veränderung in ihrer physikalischen Erscheinung zeigt, kann sie im Bild nur durch eine symbolische Darstellung angedeutet werden. Vielfach kann allerdings der »Beweis der Bewegung« indirekt erbracht werden: Wenn sich auch die scharfe Darstellung eines fahrenden Autos, soweit es das Objekt selbst betrifft, überhaupt nicht von der eines stillstehenden Wagens unterscheidet, kann der Beweis für die Bewegung z. B. durch eine Staubwolke gegeben werden, die das Auto auf einer staubigen Straße aufwirbelt. Genauso geben die Bug- und Heckwellen eines schnellen Motorbootes wie auch seine Lage im Wasser einen überzeugenden Beweis für seine Bewegung, wenn auch das Boot, ob bewegt oder unbewegt, gleichartig im Bilde erscheint. Und ein fliegendes Flugzeug bewegt sich offensichtlich, wenn auch seine Darstellung mit voller Schärfe niemals das Gefühl von »Geschwindigkeit« erwecken kann.

Die Art der Bewegung

»Beweis für Bewegung« ist nicht das gleiche wie »Eindruck von Geschwindigkeit«. Das scharfe Bild eines fliegenden Flugzeugs erbringt durch die Tatsache, daß das Flugzeug in der Luft ist, den *Beweis* für seine Bewegung, kann aber kein *Gefühl* für Bewegung erwecken. Wenn das aber wichtig ist, muß die Bewegung des Flugzeugs symbolisch ausgedrückt werden – durch Verwischung entweder des Bildes des Flugzeuges oder der Landschaft darunter. Ohne solche Bewegungsunschärfe *scheint* das Flugzeug stillzustehen, obwohl wir *wissen*, daß es sich bewegt. Genauso ist ein Pferd, das beim Sprung über eine Hürde fotografiert wird, offensichtlich in Bewegung. Ist das Bild aber scharf, *scheint* das Tier mitten in der Luft gestoppt worden zu sein. Um das *Gefühl* von Bewegung hervorzurufen, muß die Darstellung einen gewissen Grad von Bewegungsunschärfe, von Verwischung enthalten. Also liegt der Unterschied zwischen scharfem und verwischtem Bild darin, daß das erste einen Beweis für die Bewegung enthalten oder nicht enthalten kann, während das zweite einen Eindruck von Geschwindigkeit vermittelt.

Um Geschwindigkeit zu charakterisieren, muß der Fotograf *den Grad* der Bewegung berücksichtigen. Wie schnell? Wie langsam? In dieser Hinsicht ist es empfehlenswert, zwischen drei verschiedenen Graden von Bewegung zu unterscheiden:

Langsame Bewegung. Die Bewegung ist so langsam, daß das bewegte Objekt klar und mit allen Einzelheiten wahrgenommen werden kann. Beispiele dafür sind gehende Menschen, fahrende Segelboote und Motorboote, Bäume, die sich im Winde bewegen, ziehende Wolken am Himmel. In solchen Fällen ist gewöhnlich eine scharfe Wiedergabe angebracht, denn eine symbolische Andeutung von Bewegung kann schon den Eindruck einer Geschwindigkeit hervorrufen, die mit der tatsächlichen *langsamen* Bewegung nicht zu vereinbaren ist. Der Beweis für die Bewegung wird entweder durch die physikalische Erscheinung des Objektes (die Bugwelle des Motorbootes) gegeben, oder die Bewegung ist wie beispielsweise im Fall der ziehenden Wolken so unbedeutend, daß man sie vernachlässigen kann.

Schnelle Bewegung. Die Bewegung ist so schnell, daß das Objekt nicht in jeder Einzelheit klar erkennbar ist. Beispiele dafür sind sich bewegende Sportler, rennende oder fliegende Tiere, schnelle Autos, aus der

Nähe gesehen, schnell bewegte Maschinenteile usw. In solchen Fällen verlangt die wirkungsvolle Charakterisierung des Motivs gewöhnlich, daß das Foto das Gefühl der Bewegung ausdrückt: Bewegung muß symbolisch dargestellt werden.

Ultraschnelle Bewegung. Die Bewegung ist so schnell, daß das Objekt fast oder ganz unsichtbar ist. Beispiele dafür sind rotierende Propellerblätter, die Flügelschläge eines fliegenden Kolibris, Geschosse im Flug usw. Einen Eindruck von ultraschneller Geschwindigkeit zu erwecken ist unmöglich. Um solche Objekte zu fotografieren, braucht man besondere Ausrüstungen, und die dabei entstehenden Bilder können nie »natürlich« wirken.

Die Symbole der Bewegung

Der Eindruck von Geschwindigkeit ist stets relativ. Sieht man von der Erde aus ein Flugzeug, das in einer Höhe von 5000 Metern mit einer Geschwindigkeit von 900 km/h fliegt, scheint es sich langsamer fortzubewegen als ein Auto, das an einem mit einem Zehntel dieser Geschwindigkeit vorbeifährt. Dieser Unterschied im Eindruck erklärt sich aus dem Unterschied in der *relativen* Geschwindigkeit, der sogenannten *Winkelgeschwindigkeit,* die in der Fotografie bei allem, was sich bewegt, eine bedeutende Rolle spielt. Je kürzer der Abstand zwischen Kamera und bewegtem Objekt, um so schneller scheint es sich zu bewegen und umgekehrt. Die Winkelgeschwindigkeit erklärt auch, warum sich zum Beispiel ein auf einen zukommendes Auto langsamer fortzubewegen scheint als derselbe Wagen, der mit derselben Geschwindigkeit im rechten Winkel zur Blickrichtung vorbeifährt.

Diese Erscheinung ist übrigens auch der Grund dafür, daß die meisten Tabellen für Belichtungszeiten zu scharfer Darstellung der Bewegungen bestimmter Arten von Objekten die entsprechenden Angaben für jede Objektart in drei Spalten angeben, nämlich für 1. Bewegung auf die Kamera zu oder von ihr weg, 2. für Bewegung im Winkel von 45° zur optischen Achse und 3. für Bewegungen, die mehr oder weniger im rechten Winkel zur optischen Achse ablaufen. Bewegungen in der erstgenannten Richtung erlauben die längsten, Bewegungen in der an dritter Stelle genannten Richtung verlangen die kürzesten Belichtungszeiten, um Objekte, die sich mit gleicher Geschwindigkeit bewegen, scharf zu erfassen. Daher ist entsprechende Berücksichtigung der Win-

kelgeschwindigkeit – Geschwindigkeit relativ zum Abstand von der Kamera in Verbindung mit dem Winkel, in dem sich das Objekt im Verhältnis zur Aufnahmerichtung bewegt – die erste Voraussetzung für wirkungsvolle Symbolisierung von Bewegung.
Die zweite Voraussetzung ist die Antwort auf die Frage, ob die Bewegung des Objektes »gestoppt« oder symbolisch dargestellt werden soll. Der erste Fall verlangt scharfe Wiedergabe, für den zweiten ist es notwendig, sich darüber klarzuwerden, wie hoch die Geschwindigkeit im Bild erscheinen soll. Denn die grafischen Symbole für Bewegung können verschieden angewendet werden, um verschiedene Eindrücke von Bewegung zu ergeben – von langsam bis schnell –, und setzen voraus, daß der Fotograf genügend Erfahrung hat, um genau den Eindruck zu schaffen, den er erzielen möchte. Er hat zwischen folgenden die Wahl:

Kurze Belichtungszeit. Das Bild wird mit einer Belichtungszeit gemacht, die kurz genug ist, um die Bewegung des Objektes im Foto »zu stoppen«. Die dazu notwendige Belichtungszeit wird durch drei Faktoren bestimmt: Geschwindigkeit des Objektes, Abstand zwischen Objekt und Kamera im Augenblick der Aufnahme und Richtung der Bewegung relativ zur Aufnahmerichtung. Je höher die Geschwindigkeit des Objektes, je kürzer der Aufnahmeabstand und je mehr die Bewegungsrichtung im rechten Winkel zur Aufnahmerichtung verläuft, um so kürzer muß die Belichtungszeit sein, um Bewegung im Bild »zu stoppen«. Die Tabelle auf der folgenden Seite enthält annähernde Belichtungszeiten in Bruchteilen von Sekunden, um dem Leser einen Begriff davon zu vermitteln, worum es sich hier handelt.

Elektronenblitz. Mit Hilfe einer sehr kurzen Beleuchtung, wie sie beispielsweise ein Elektronenblitz durch seine extrem kurze Blitzdauer ergibt, kann ein bewegtes Objekt gleichfalls »erstarrt« abgebildet werden. In solchem Fall ist es der Blitz, der die Bewegung »stoppt«, und nicht der Verschluß, der hier gewöhnlich auf eine verhältnismäßig lange Belichtungszeit eingestellt ist, insbesondere, wenn es sich um eine Schlitzverschlußkamera handelt. Im Gegensatz zu Zentralverschlüssen können nämlich Schlitzverschlüsse für Elektronenblitz nur mit Belichtungszeiten, die je nach Kameramodell zwischen $^1/_{30}$ und $^1/_{125}$ Sekunde liegen, synchronisiert werden. Daraus ergibt sich ein weiteres Problem: Wenn die Allgemeinbeleuchtung verhältnismäßig hell ist, kann es vorkommen, daß die kürzeste zulässige Verschlußgeschwindigkeit nicht kurz genug ist, um das Bild, das während der

Blitzbelichtung von der Allgemeinbeleuchtung erzeugt wird, ebenfalls scharf zu bekommen. In diesem Fall entsteht an zweiter Stelle ein verwischtes »Geisterbild«, das das vom kurzzeitigen Blitz erzeugte scharfe Bild des Objektes überlagert. Um das zu vermeiden, kann man entweder die Aufnahme mit einer Kamera mit Zentralverschluß und einer genügend kurzen Belichtungszeit machen, oder man verwendet Elektronenblitz nur zur scharfen Abbildung schneller Bewegungen in relativ schwacher Allgemeinbeleuchtung wie z. B. im Innern einer Sporthalle oder draußen nach Sonnenuntergang.

		Bewegungsrichtung		
Geschwindigkeit des Objektes	Abstand Objekt – Kamera in Metern	zur Kamera oder von der Kamera weg	im Winkel von 45° zur optischen Achse	im rechten Winkel zur optischen Achse
Fußgänger	8	1/125	1/250	1/500
Kinder, Segelboote,				
Haustiere	15	1/60	1/125	1/250
(4–10 km/h)	30	1/30	1/60	1/125
Läufer	8	1/250	1/500	1/1000
Motorboote,				
Stadtverkehr usw.	15	1/125	1/250	1/500
(10–30 km/h)	30	1/60	1/125	1/250
Rennwagen	8	1/500	1/1000	Mitziehen*
Flugzeuge	15	1/250	1/500	1/1000
(über 100 km/h)	30	1/125	1/250	1/500
	60	1/60	1/125	1/250

* »Mitziehen« nennt man eine Aufnahmetechnik, die später besprochen wird. Im allgemeinen ergibt Mitziehen bei den oben angegebenen Belichtungszeiten noch schärfere Bilder des bewegten Objektes (wobei der feste Hintergrund mehr oder weniger verwischt erscheint) als die Aufnahme mit unbewegter Kamera. Besitzt eine Kamera die hier angegebenen Belichtungszeiten nicht, benutzt man diejenigen, die der angegebenen Belichtungszeit am nächsten liegen; etwaige Unterschiede in der Schärfe sind unbedeutend.

Gerichtete Verwischung. Folgt man einem bewegten Objekt mit den Augen, kann man, falls die Bewegung nicht übertrieben schnell ist, das bewegte Objekt scharf sehen, während der feste Hintergrund ver-

wischt erscheint. Richtet man andrerseits seine Augen fest auf den Hintergrund, vor dem sich das Objekt bewegt, sieht man den Hintergrund scharf und das Objekt verwischt. Es ist also unmöglich, das Bewegte und das Ruhende gleichzeitig scharf zu sehen. Erscheint das eine scharf, muß das andere verwischt erscheinen und umgekehrt. Verwischung ist also grafischer Beweis und gestalterisches Symbol für Bewegung, und der Gegensatz zwischen Schärfe und Verwischung ruft im Foto den Eindruck von Bewegung hervor.
Fotografisch gesehen ist es ratsam, zwischen zwei Arten von Unschärfe zu unterscheiden: Unschärfe, die nichts mit Bewegung zu tun hat, sondern von bewußter oder versehentlicher unscharfer Einstellung herrührt; und Unschärfe, die nichts mit der Scharfeinstellung zu tun hat, sondern das Resultat von Bewegung, entweder der Kamera oder des Objektes, ist. Im folgenden wird Unschärfe durch Einstellung als *Unschärfe,* die von der Bewegung verursachte »Unschärfe« als *Verwischung* bezeichnet.
Wirkungsvolle Symbolisierung der Bewegung durch Verwischung hängt von richtiger Wahl der Belichtungszeit ab: Der Fotograf muß eine Belichtungszeit wählen, die lang genug ist, um Verwischung zu ergeben, aber nicht so lang sein darf, daß übertriebene Verwischung das Objekt bis zur Unkenntlichkeit entstellt. Mit anderen Worten: Die Verschlußgeschwindigkeit muß der *anscheinenden* Geschwindigkeit des Objektes entsprechen – seiner Winkelgeschwindigkeit –, die, wie wir bereits hörten, das Resultat von tatsächlicher Geschwindigkeit, Aufnahmeabstand und Bewegungsrichtung relativ zur optischen Achse darstellt.
Ein richtig gewählter Grad von Verwischung ist nicht nur Beweis für Bewegung, sondern erlaubt auch, Rückschlüsse auf die Geschwindigkeit zu ziehen, mit der sich das Objekt bewegt. Je stärker die Verwischung im Bilde ausgeprägt ist, um so schneller scheint sich das Objekt in Wirklichkeit bewegt zu haben. Infolgedessen kann ein Fotograf die Wirkung des gewünschten Geschwindigkeitseffektes im Bilde kontrollieren: Durch entsprechende Wahl der geeigneten Belichtungszeit kann er Bewegung so darstellen, daß sie langsam oder schnell erscheint.
Der Unterschied zwischen Schärfe und Verwischung im Bild ist dann besonders wirkungsvoll, wenn die scharfen Bildteile *gestochen* scharf sind. Müssen also Belichtungszeiten für das Erzeugen von Verwischung benutzt werden, die zu lang sind, um die Kamera mit Sicherheit »unverwackelt« zu halten, sollte man sie entweder gut unterstützen oder mit Stativ benutzen. So vermeidet man verwirrende Unschärfe, wie sie durch versehentliche Kamerabewegung entsteht.

Mitziehen. Da es keine Rolle für den »Geschwindigkeitseffekt« spielt, ob das bewegte Objekt oder der feste Hintergrund scharf wiedergegeben wird – solange nur das eine scharf und das andere verwischt erscheint –, kann der Eindruck von Bewegung auch dadurch erzielt werden, daß man die normalen Bedingungen umdreht und das Bewegte scharf und das Ruhige verwischt wiedergibt. Der offenbare Vorteil dieser Methode liegt darin, daß das eigentliche Objekt unserer Aufnahme, obgleich es sich bewegt, in voller Schärfe wiedergegeben werden kann, während der weniger wichtige Hintergrund durch seine Unschärfe unbedeutender erscheint. Trotz dieser Umkehrung ist in der Wiedergabe der Eindruck von Bewegung vorhanden. Die dazu notwendige Technik, die man Mitziehen nennt, verlangt, daß der Fotograf seine Kamera wie der Jäger seine Flinte bei der Jagd auf fliegende Vögel verwendet: Er nimmt das Bild des nahenden Objektes in den Sucher, hält es dort, während er dem Objekt mit der Kamera folgt, und im Augenblick, in dem das Objekt an ihm vorbeizieht, löst er aus, ohne dabei das Mitziehen abzubrechen. Die wirkungsvollsten Effekte werden dabei oft mit verhältnismäßig langen Belichtungszeiten von $^1/_8$ bis $^1/_{15}$ Sekunde erreicht. Da Mitziehen das Bild des bewegten Objektes während der Belichtungszeit mehr oder weniger feststehend auf dem Film hält, während der Hintergrund vorbeizieht, erscheint im Foto das bewegte Objekt *scharf* vor einem Hintergrund, der in Richtung der Bewegung *verwischt* ist. Diese Technik ist vor allem in solchen Fällen zu empfehlen, in denen sich ein Objekt mit gleichmäßiger Geschwindigkeit in gerader Linie durch das Gesichtsfeld des Betrachters bewegt. Eine verwandte Technik, die zwar in ihren Anwendungsmöglichkeiten begrenzt, aber von besonders starker Eindruckskraft ist, besteht darin, Aufnahmen vom fahrenden Auto mit verhältnismäßig langen Verschlußzeiten zu machen. Ich habe dabei mit einem Weitwinkelobjektiv von 90 oder 100° Bildwinkel in Verbindung mit einer Belichtungszeit von $^1/_5$ Sekunde besonders gute Ergebnisse erzielt. Ich fotografierte sowohl in der Stadt wie auch auf der Landstraße und Autobahn den auf mich zukommenden Verkehr durch die Windschutzscheibe meines Wagens, der mit ziemlich hoher Geschwindigkeit fuhr, und zwar richtete ich die Kamera geradeaus und nahm dabei den Vorderteil meines Wagens mit ins Bild (während ein Freund das Auto steuerte). Durch die Unterschiede in den Winkelgeschwindigkeiten, die von Null bis zu sehr hohen Werten wechselten, wurden Objekte im Zentrum des Bildes scharf wiedergegeben, während Objekte, die näher dem Rande zu lagen, verwischt erschienen, und zwar um so mehr, je weiter sie von der Bildmitte entfernt waren. Die Wirkung war die einer Explosion –

Streifen verwischter Strahlen gingen von der Mitte des Bildes nach allen Richtungen hin aus, während der direkte Gegenverkehr und das Vorderteil meines Wagens scharf erschienen.

Bewegungsdiagramme. Machen wir die Aufnahme eines hellen sich bewegenden Punktes mit einer sehr kurzen Belichtungszeit, erscheint er auf dem Film als Punkt. Verlängern wir die Belichtungszeit, wird er als Linie wiedergegeben. Die Länge einer solchen Linie hängt von der Dauer der Belichtung und von der Geschwindigkeit ab, mit der sich das Bild des hellen Punktes über den Film bewegt. Das ist das Prinzip aller Bewegungsdiagramme: Setzen Sie Ihre Kamera auf ein Stativ, öffnen Sie den Verschluß, lassen Sie ihn eine gewisse Zeit offen, die davon abhängt, wie lang die entstehende Linie werden soll, dann schließen Sie den Verschluß und entwickeln den Film.
Unbedingte Voraussetzung für erfolgreiches Arbeiten mit Bewegungslinien ist, daß das bewegte Objekt möglichst hell ist – entweder im Ganzen oder in einem Teil – und daß der Hintergrund dunkel erscheint. Sind die Verhältnisse umgekehrt, wird der helle Hintergrund das dunklere Bild des Objektes durch Überstrahlung auslöschen. Bekannt sind hier vor allem Zeitaufnahmen von Autoverkehr bei Nacht, auf denen die Scheinwerfer und Schlußlichter der fahrenden Autos ein Diagramm des Verkehrs zeichnen. Andere Anwendungsgebiete dieser Technik sind Aufnahmen von Feuerwerk, Bilder von Blitzen und Zeitbelichtungen des nächtlichen Sternhimmels bei klarem Himmel, die die Bahnen der kreisenden Sterne zeigen.
Diese Art von Fotografie erfüllt ihren Zweck durch gedankliche Assoziationen. Das sich bewegende Objekt selbst ist normalerweise im Bild nicht erkennbar, nur seine Bewegung ist in Form einer Linie dargestellt. Da wir aber wissen, daß diese Linie zum Beispiel durch die Lichter eines Autos entstanden ist, entsteht die gefühlsmäßige Vorstellung des fließenden Verkehrs, obwohl kein Auto auf dem Bild zu sehen ist.
Kombinationen von Zeit- und Blitzbeleuchtung. Falls die Tatsache, daß ein Bewegungsdiagramm das bewegte Objekt selbst nicht zeigt, diese Technik für gewisse Aufgaben ungeeignet macht, kann die in der Folge beschriebene Methode mitunter benutzt werden, die es ermöglicht, das scharfe Bild eines bewegten Objektes mit seiner Bewegungslinie zu kombinieren. Dazu wird bei Dunkelheit oder sehr gedämpfter Beleuchtung die Bewegungslinie eines bewegten Objektes gegen einen dunklen Hintergrund aufgenommen. In einem charakteristischen Augenblick, zum Beispiel, wenn das Objekt gerade die Bildmitte kreuzt,

wird ein Elektronenblitz, der auf das Objekt gerichtet ist, ausgelöst: Er »stoppt« die Bewegung und erzeugt ein scharfes Bild des Objektes, das seine Bewegungslinien überlagert. Natürlich muß dabei der Verschluß vor, während und nach dem Blitz geöffnet bleiben; er wird erst geschlossen, wenn das Objekt außerhalb des Bildfeldes ist.
Allerdings müssen für erfolgreiche Anwendung dieser Technik mehrere Bedingungen erfüllt werden. Zum Beispiel muß das Objekt hell und sein Bild gegenüber der Filmgröße ziemlich klein sein, sonst hinterläßt es an Stelle einer klar abgegrenzten Linie nur einen verschmierten Streifen. Da die Zahl der Objekte, die diese Bedingungen erfüllen, klein ist, können manche sonst ungeeigneten Objekte dafür geeignet gemacht werden, indem man sie mit Glühbirnen von Taschenlampen und deren Batterien versieht. Soviel ich weiß, ist der Erfinder dieser Technik Gjon Mili, der kleine batteriegespeiste Glühlampen an Händen und Füßen einer Schlittschuhläuferin befestigte, um ihre eleganten Bewegungen auf dem Eis aufzuzeichnen. Auf der Höhe eines Sprunges löste er dann einen Elektronenblitz aus, um über diese Bewegungslinien ein scharfes Bild der Schlittschuhläuferin zu legen, das die Sprungbewegung »gestoppt« wiedergab. Eine zweite Voraussetzung ist selbstverständlich, daß der Hintergrund genügend dunkel ist, damit die Lichtspuren klar herauskommen. Und drittens darf das Licht des Blitzes nur das Objekt, nicht aber den Hintergrund beleuchten, da andernfalls die Bewegungslinien durch die Helligkeit ausgelöscht und das scharfe Bild des vom Blitz erzeugten Objektes mit dem Hintergrund verschmelzen würde.

Reihenbilder. Statt zu versuchen, das Typische eines bewegten Objektes in einem einzigen Foto zu erfassen, kann man oft vorteilhaft die Bewegung in eine Anzahl Phasen unterteilen, die jede in einem eigenen Bild gezeigt wird. Diese Technik ist dann besonders empfehlenswert, wenn es schwierig ist, eine einzelne Phase aus dem Fluß der Bewegung als die charakteristischste zu isolieren. Da hat zum Beispiel ein Rennwagen bei einem Autorennen einen Unfall, fliegt durch die Luft, überschlägt sich, schlägt auf den Boden und prallt mehrere Male auf, ehe er zum Stillstand kommt. In einem solchen Falle gibt eine Bildserie, die in rascher Folge geschossen wird, einen wirkungsvolleren Eindruck von diesem Ereignis als ein einzelnes Foto, das den Unglückswagen »gefroren« in der Luft zeigt. Am besten verwendet man für diese Art von Fotografie eine Kamera mit motorischem Aufzug. Mehrere Kleinbildkameras und eine 6×6-cm-Spiegelreflexkamera können mit einem Federwerk oder mit einem batteriegespeisten Elektromotor ausgerüstet werden, der automatisch den Film transportiert, den Verschluß spannt und bis zu fünf Belichtungen in der Sekunde zu machen erlaubt. Bildreihen sind besonders dazu geeignet, Objekte, die sich langsam bewegen oder verändern, wirkungsvoll darzustellen. Beispiele sind: kreuzende Segelboote; das Anlegen eines Ozeandampfers; Gesten und Ausdrücke eines Redners; Kinder beim Spielen oder die allmähliche Verwandlung eines Tonklumpens in ein Gefäß unter den Händen des Töpfers. Und die einzige Möglichkeit, extrem langsame Bewegungen sichtbar zu machen, ist eben die Bildreihe. Beispiele dafür sind das »Wachsen« eines Gebäudes unter Konstruktion für die Dokumentation des Baues, das Entfalten einer Blume, das Ausschlüpfen eines Schmetterlings aus der Puppe oder die durch die Jahreszeit bedingten Veränderungen einer Landschaft. Beste Resultate erhält man, wenn der Kamerastandpunkt bei allen Aufnahmen der Bildserie derselbe bleibt, so daß man Objektveränderungen im Verhältnis zum unveränderten Hintergrund um so besser studieren kann.

Mehrfachbelichtung. Gelegentlich ist es möglich, die zeitlichen und räumlichen Veränderungen eines Objektes in einem einzelnen Bild darzustellen, indem man denselben Film mehrmals hintereinander belichtet. Allerdings ist auch hier Vorbedingung für einwandfreie Aufnahmen, daß man sich die Umgebung so anordnen oder aussuchen kann, daß das Objekt hell beleuchtet vor dunklem Hintergrund steht. Die Kamera muß dabei stets auf einem Stativ angebracht werden, und ihre Lage bleibt während der ganzen Belichtungsreihe unverändert. Wenn es sich um die Darstellung langsamer Bewegungen handelt, können die einzelnen Belichtungen mit dem Verschluß vorgenommen werden (zum Beispiel die Bewegungen einer wachsenden Pflanze oder die Veränderungen in der Erscheinung der Sonne oder des Mondes während einer Finsternis). Für die wirksame Darstellung schneller Bewegungsabläufe wird allerdings eine elektronisch gesteuerte Lichtquelle benötigt, ein in bestimmten Zeitabständen aufleuchtender Blitz – ein stroboskopischer Blitz –, der automatisch die einzelnen Belichtungen in gleichen Abständen vornimmt. Da aber während der ganzen Belichtungsreihe der Verschluß offenbleiben muß, macht man solche Aufnahmen bei Nacht oder in einem verdunkelten Raum, um Verwischungen und Überlagerungen, die von dem bewegten Aufnahmeobjekt verursacht werden, zu vermeiden. Fernerhin muß man darauf achten, daß das Licht, das das Objekt beleuchtet, nicht auch den Hintergrund erhellt, sonst würden Objekt und Hintergrund miteinander verschmelzen. Meister dieser Technik sind ihre Erfinder, Dr. Harold Edgerton und Gjon Mili, deren stroboskopische Studien den meisten meiner Leser bekannt sein dürften.

Lichtmontage. Ähnliche Wirkungen wie durch Mehrfachbelichtungen lassen sich mit Übereinanderkopieren erzielen: d. h., man macht Einzelaufnahmen von mehreren Phasen einer Bewegung und kopiert sie in einer einzigen Vergrößerung so übereinander, daß daraus ein Einzelbild entsteht. Nachteilig ist dabei, daß man nur verhältnismäßig langsame Bewegungen auf diese Weise darstellen kann und daß die Zahl der Phasen, die zusammen in einem Bild gezeigt werden können, ziemlich beschränkt ist; vier oder fünf ist normalerweise das Maximum. Vorteilhaft ist andererseits die beträchtlich größere Freiheit in der Gestaltung solcher Serien. Wenn nämlich eine der Bewegungsphasen unzufriedenstellend ausfällt, ist damit noch nicht unbedingt die ganze Folge ruiniert. Außerdem kann die Lichtmontage nach Sicht so zusammengestellt werden, daß die beste Wirkung entsteht, und Bilder, die bei verschiedenen Gelegenheiten aufgenommen worden sind, können genausogut wie Bilder verschiedener Objekte oder mit verschiedenen Hintergründen kombiniert werden. Das Resultat kann entweder ein Papierbild oder ein Farbdia sein, das man projizieren kann. Sind die Originale auf Farbumkehrfilm gemacht, werden davon Internegative auf ein besonderes Farbmaterial hergestellt. Hat man Farbnegativfilm benutzt, können die Farbnegative selbstverständlich wie Schwarzweißnegative beim Projizieren im Vergrößerungsgerät verwendet werden. Daß beträchtliche Veränderungen und Korrekturen im Hinblick auf Farbe, Helligkeit oder Dunkelheit und Abstufungen während des Vergrößerns gemacht werden können, bedarf keiner Erwähnung. Allerdings sind die dazu notwendigen Techniken verhältnismäßig komplex und liegen außerhalb des Rahmens dieses Buches.

Komposition. Wenn der Charakter einer Bewegung nicht zufällig und chaotisch ist wie der von kabbeligen Wellen, hat sie eine Richtung. Durch grafische Betonung dieser Richtung, durch dynamische Anordnung der Bildkomponenten kann der Fotograf die Illusion der Bewegung durch die Bildkomposition erzielen. Gegenüber einer statischen Komposition, die durch ein Gefüge von waagerechten und senkrechten Linien charakterisiert wird, in dem das Objekt mehr oder weniger zentriert angeordnet ist, besteht eine dynamische Komposition hauptsächlich aus schrägen Linien und exzentrischer Anordnung der Bildelemente. Oft genügt daher schon eine schräge Anordnung des Bildes eines bewegten Objektes, um ein Gefühl von Bewegung zu erwecken, während dasselbe Objekt, waagerecht angeordnet, so erscheint, als wäre es in Ruhe. Ebenso entsteht die Illusion der Bewegung, wenn man das Objekt in die Bilddiagonale stellt oder näher an den Bildrand verschiebt. Nehmen Sie zum Beispiel das Bild eines nahenden Sportwagens, der während eines Rennens aufgenommen worden ist. Setzt man ihn in die Bildmitte, ist der Wagen »weder hier noch da«, die Komposition ist spannungslos und erzeugt kein Gefühl der Bewegung. Aber in eine der oberen Bildecken gesetzt, mit viel Platz vor sich, wirkt der Wagen, als ob er auf einen zukäme, also als ob er in Bewegung wäre. Und wird er in eine der unteren Ecken mit viel Platz hinter sich gesetzt, so daß er den Raum schon durchfahren zu haben scheint, suggeriert das Foto das Ankommen am Ziel, was natürlich auch Bewegung einschließt. Selbst wenn die Bewegung bereits durch Verwischung symbolisiert ist, wird eine solche Anordnung den Bewegungseindruck der Aufnahme noch weiter verstärken.

Die Wahl des Augenblicks

Der entscheidende Schritt in der Herstellung einer Fotografie ist das Auslösen des Verschlusses. NICHT weil dies der Vorgang ist, der »das Bild macht« – er ist es nämlich nicht, weil das Bild bereits in seiner Konzeption im Geist des Fotografen vorhanden war, *ehe* er die Belichtung machte –, SONDERN weil es damit unwiderruflich wird. Bis er diesen Schicksalsknopf drückt, ist der Fotograf frei, zu wählen und zu ändern, zu bevorzugen und zu verwerfen, zu probieren und zu verbessern – er kann tun, was er will, was immer er als notwendig ansieht, um seinem Bild Zweck, Ausdruck und Überzeugungskraft zu geben. Aber hat er erst einmal diesen bedeutungsvollen Schritt getan und den Verschluß ausgelöst, ist die Entscheidung gefallen, und alles, was er nachher noch tun kann, hat nur einen verhältnismäßig geringen Einfluß auf die Wirkung seines Bildes. Aus diesem Grund ist die Wahl des Augenblicks für das Auslösen der folgenreichste Schritt beim Herstellen eines Fotos.
Gleichgültig, wie gut die Ausrüstung eines Fotografen zusammengestellt oder wie fehlerlos seine Technik ist, falls er den richtigen Augenblick verfehlt, setzt er sich der Gefahr aus, daß er Bilder herstellt, die zwar technisch unangreifbar, bildmäßig aber wirkungslos sind. Es ist eine alte Erfahrung: Wieviel Kritik ein Foto auch wegen unzulänglicher Technik verdienen mag, wenn nur das Motiv interessant, die

Darstellung eindrucksvoll und der Augenblick richtig gewählt ist, wird das Bild seinen Zweck nicht verfehlen. Denn die meisten Leute verstehen sehr wenig von fotografischer Technik und kümmern sich noch weniger darum, aber sie verlangen, daß ein Foto ihnen etwas sagt. Angesichts eines besonders dramatischen oder erregenden Bildes hört man oft Ausrufe wie: »Welches Glück hatte der Fotograf«, und: »Das muß doch wohl ein Zufallstreffer sein!« Gelegentlich mag es eine Tatsache sein, daß der Fotograf ein solches Bild nur seinem Glück verdankt, aber meist ist es eben doch die wohlverdiente Belohnung für harte Arbeit. Aber gleichgültig, ob ein gutes Foto zufällig oder planmäßig entstand, ein großer Teil seines Erfolges beruht eben auf der Wahl des richtigen Augenblicks. Den richtigen Augenblick zu wählen bedeutet, das zu erfassen, was Cartier-Bresson, der Meister des richtig gewählten Augenblicks, den »entscheidenden Moment« nennt – den Höhepunkt der Aktion, das Spitzlicht auf einem Ereignis, die charakteristischste Geste, den bezeichnendsten Ausdruck, die ideale Komposition – den Augenblick also, in dem alle Bildkomponenten sich vereinigen, um den vollkommenen grafischen Ausdruck zu formen.
Was dabei den Fotografen anbetrifft, so erfordert das die Fähigkeit, zu beobachten, sich zu konzentrieren und vorauszusehen. Beobachtungsgabe ist notwendig, um nicht irgendwelche anscheinend unbedeutenden Dinge zu übersehen, die das Bild machen oder ruinieren können. Konzentration ist notwendig, um bereit zu sein, wenn der richtige Augenblick kommt. Voraussehen ist notwendig, weil das Ereignis sich oft so schnell abspielt, daß in dem Augenblick, in dem der Fotograf feststellt, daß »es da ist«, es bereits zu spät für die Aufnahme ist. Bei Sportaufnahmen zum Beispiel muß der Fotograf schon einen Sekundenbruchteil *bevor* der Höhepunkt erreicht ist, auf den Auslöser drükken, um damit die unvermeidbare Verzögerung zwischen Ereignis und Belichtung auszuschalten, die sich durch seine eigene Reaktionszeit und die mechanische Trägheit in seiner Ausrüstung ergibt.
Die beste Sicherung gegen ein Verpassen des »entscheidenden Moments« besteht darin, eine verhältnismäßig große Anzahl von Aufnahmen zu machen. Das mißverstehen allerdings manche Amateure, wenn sie so viele Aufnahmen machten wie die Berufsleute, würden auch sie gelegentlich »Treffer« haben. Das ist natürlich ganz falsch. Die schnell aufeinanderfolgenden Belichtungen werden nicht unterschiedslos gemacht. Für jede dieser Aufnahmen wurde sorgfältig der günstigste Augenblick gewählt, und sie wurde als das vielleicht endgültige Bild gemacht. Dann kam aber ein anderer, noch typischerer Augenblick, der die vorher gemachte Aufnahme entwertete, und noch ein anderer

und wiederum ein anderer ... Die meisten Berufsfotografen wissen das und handeln demgemäß. Gerade weil sie *Berufsfotografen* sind, können sie es sich nicht leisten, durch falsche Sparsamkeit diesen einen entscheidenden Moment zu verpassen.

Die Wahl des richtigen Moments hängt von den folgenden Faktoren ab:

Der psychologische Augenblick
Bewegung im Verhältnis zur Komposition
Licht, Wetter und Jahreszeit

Der psychologische Augenblick

Jedes Drama, jede Aktion, jedes Ereignis hat seinen Höhepunkt – den Augenblick, in dem die Spannung ihren höchsten Grad erreicht, das Unvermeidliche sich ereignet, das Temperament explodiert oder der Zusammenbruch einsetzt – den Augenblick von Sieg oder Niederlage; Ruby erschießt Oswald; Chruschtschow schlägt in der UN-Versammlung mit seinem Schuh auf das Pult ... Solche dramatischen Momente wahrzunehmen und zu erfassen ist gewöhnlich nicht schwierig, da sie unverkennbar sind. Aber viele bedeutsame Augenblicke liegen *nicht* so offen zutage – das einsame Chinesenbaby, das ergeben auf einer im Krieg zerstörten Bahnstation sitzt, der Franzose, der bei der Niederlage Frankreichs weint ... Momente wie diese zu erfassen verlangt gleichfalls Wahl des richtigen Augenblicks, gelenkt durch eine besondere Art von Sensibilität.
Zu den Dingen, bei denen die Wahl des richtigen Augenblicks mit am schwierigsten ist, gehört das Lächeln. Und unter »Lächeln« verstehe ich nicht die Aufnahme mit »Zähneausstellung« des Atelierfotografen auf das Kommando »Say cheese«, dieses Lächeln ohne Freude und Vergnügen, das so falsch ist wie die übertriebenen Ansprüche und bezahlten Zeugnisse, die es propagiert. Nein – ein natürliches Lächeln ist eine emotionale Reaktion auf eine humorvolle Situation, die aus den Augen leuchtet und das ganze Gesicht verklärt, ein köstlicher Augenblick, der meist genauso schnell vorüber ist, wie er begonnen hat, und den man nur dann im Bild einfangen kann, wenn man den richtigen Moment zu wählen versteht.

Bewegung im Verhältnis zur Komposition

Wir leben in einer Welt der Bewegung: Menschen und Tiere, Autos und Flugzeuge, windbewegte Bäume und ziehende Wolken. Und selbst wenn Dinge stillstehen, bewegt sich doch der Fotograf, und mit jedem Schritt, den er tut, sieht er seine Objekte aus einem anderen Blickwinkel, in verschiedenen Größen und in neuen Beziehungen zu ihrer Umgebung. Kein Wunder also, daß der Unterschied zwischen einem erfolgreichen und einem verfehlten Foto oft nur im Unterschied in der Wahl des Augenblicks für die Aufnahme liegt.

Zum Beispiel besprach ich vorher die Bedeutung der richtigen Einordnung des bewegten Objektes in den Bildrahmen. Wir sahen, daß es für den Eindruck der Bewegung einen großen Unterschied macht, ob das Bild eines schnellen Rennwagens an die obere Ecke des Bildes, in seine Mitte oder nahe an eine untere Ecke gesetzt wird. Das Bild eines bewegten Objektes wirkungsvoll in das Foto einzuordnen ist also gleichfalls eine wichtige Funktion der richtigen Zeitwahl für die Belichtung.

Eine weitere Beziehung zwischen Zeitwahl und Bewegung rührt davon her, daß viele Objekte, sobald sie sich bewegen, anders erscheinen. Machen Sie als Beispiel dafür eine Bildserie von einer gehenden Person. Zweifellos wird ein solcher Mensch in einigen Bildern so aussehen, als ob er über seine eigenen Füße stolperte, während er auf anderen so wirkt, als ginge er frei und unbeschwert seinen Weg. Mit anderen Worten: Es hängt von Ihrer Wahl des Augenblicks ab, ob Ihre Bilder unbeholfen wirken oder das Wesen fließender Bewegung veranschaulichen. Oder studieren Sie einmal die Bewegungen einer Fahne im leichten Wind: In einem Augenblick hängt sie schlaff herunter und bewegt sich kaum, im nächsten schlägt sie schwerfällig oder flattert lebhaft – dauernd ändert sich ihre Form. Ob ein Foto den Eindruck eines schlaff hängenden Tuches oder des stolzen Symbols einer Nation vermittelt, hängt auch hier wieder allein von der Wahl des Augenblicks ab.

Nehmen wir ein anderes Beispiel: Ein Fotograf möchte eine auf ihn zukommende Gruppe von Menschen aufnehmen. Wenn die Leute näher kommen, wächst selbstverständlich ihre Abbildungsgröße. In welchem Augenblick sollte der Verschluß gelöst werden? Je größer die Menschen abgebildet werden, um so mehr Einzelheiten sind zu erkennen und um so bedeutender erscheinen sie im Verhältnis zu ihrer Umgebung – der Straße, den Gebäuden, anderen Menschen, Autos, dem Himmel ... Aber das geht nur bis zu einem bestimmten Punkt:

Sind die Leute sehr nahe, wird von ihnen nur noch ein Teil erfaßt: ein Ausschnitt mit Kopf und Schultern, eine Nahaufnahme des Gesichts, Augen und Nase. Mit anderen Worten: Der Charakter des Bildes ändert sich mit der Abbildungsgröße, und zwar von der Übersichtsaufnahme bis zur Nahaufnahme. Welche Darstellung ein Fotograf aus diesen Möglichkeiten erfaßt, hängt hier allein von der Wahl des Augenblicks ab.

Vor einiger Zeit beschlich ich in New Yorks Greenwich Village ein faszinierendes junges Paar, um zu versuchen, von ihnen eine gute Aufnahme zu bekommen. Sie gingen die Straße auf und ab, vorbei an Häusern, Zäunen und Bäumen, bald standen sie klar gegen eine Mauer, dann wiederum verschmolzen sie mit dem Wirrwarr von Türen und Fenstern oder verschwanden vorübergehend in der Menge. Dauernd änderte sich Farbe und Struktur des Hintergrundes. Meistens war er ungeeignet, zu unruhig oder in falscher Farbe. Autos schoben sich zwischen Motiv und Kamera, und zwar gerade, wenn die Dinge begannen, gut auszusehen. Sonnenschein wechselte mit Schatten ab, Vorderlicht mit Seitenlicht und Gegenlicht je nach Richtung ihres Wagens. Obwohl mein Motiv – das junge Paar – stets das gleiche blieb, waren die Bilder, die ich bekam, verschieden wie Tag und Nacht, und zwar hauptsächlich infolge von Unterschieden in der Wahl des Augenblicks für die Aufnahmen.
Wenn dieses Beispiel auch nur eine sehr einfache Situation betrifft, enthält es doch die wichtigsten Aspekte, die sich aus der Wahl des Augenblicks ergeben: Abbildungsgröße, Beziehung zwischen Objekt und Hintergrund, erfaßte Bewegungsphase, Art der Beleuchtung, Gegenüberstellung von Farbe und Form, Überschneidung von Dingen im Blickfeld und Lage des Objektes im Bildrahmen. Dementsprechend muß ein Fotograf, ehe er seinem Bild durch das Auslösen endgültig und unwiderruflich seine Form gibt, die folgenden Fragen beantworten: Was sind die jeweiligen Beziehungen zwischen dem Hauptobjekt und den übrigen Bildelementen? Wie beeinflussen sich die verschiedenen Bildkomponenten gegenseitig, und was ist das Ergebnis, soweit es die Klarheit der Wiedergabe betrifft? Verdeckt eine Komponente eine andere, beeinträchtigt sie sie oder verschmilzt mit ihr auf eine unerwünschte Weise? Halten sich die Hauptmassen im Bild das Gleichgewicht? Harmonieren die Farben miteinander? Wie liegen die Verhältnisse von Licht und Schatten? Wie verhält es sich mit Abstand und Abbildungsgröße sowie mit der Lage des Objektes im Bildrahmen? Den Augenblick zu erkennen, in dem alle diese Aspekte des Motivs im

Einklang sind, in dem sich die grafischen Komponenten des Bildes zu guter Darstellung vereinigen, und diesen Augenblick zu erfassen, das bedeutet Wahl des richtigen Augenblicks.

Licht, Wetter und Jahreszeit

Veränderungen von gleicher Wichtigkeit, wie sie durch Bewegung verursacht werden, entstehen im Aussehen des Objektes – und seines Abbildes – durch Unterschiede in der Beleuchtung, den atmosphärischen Bedingungen und der Jahreszeit. Genau den Augenblick für die Aufnahme zu erfassen, in dem sich diese äußeren Faktoren im Einklang mit dem Charakter des Motivs und dem Zweck der Aufnahme befinden, ist gleichfalls eine Frage der Wahl des richtigen Augenblicks. Die Folgen einiger dieser Faktoren liegen klar zutage, die von anderen sind dagegen mehr subtil. So fallen beispielsweise die Auswirkungen der Jahreszeiten, wie etwa Unterschiede im Aussehen einer Landschaft oder von Bäumen im Sommer und Winter, deutlich ins Auge. Weniger klar werden aber dem ungeschulten Auge Unterschiede im Charakter des Lichtes. So mag zum Beispiel eine Ziegelmauer den ganzen Tag langweilig und gleichförmig aussehen, abgesehen von den fünfzehn Minuten, in denen das Sonnenlicht sie gerade im richtigen Winkel streift. Der Schatten eines Berges, eines Hauses oder eines Baumes kann am Morgen in eine bildmäßig unglückliche Richtung fallen, aber am Nachmittag einen gestalterisch wertvollen Beitrag leisten. Für Freilichtbildnisse ist Licht von einem leicht verhangenen Himmel direktem Sonnenlicht vorzuziehen, und der erfahrene Fotograf wird sich bei der Zeitwahl seiner Freilichtaufnahmen danach richten. Ein Elendsviertel kann, im Sonnenschein fotografiert, ein ausgesprochen malerisches Bild ergeben, während es an einem grauen oder regnerischen Tag im Bild tatsächlich so vernachlässigt wirkt, wie es ist.
In der Regel fotografiert der Durchschnittsfotograf ein Motiv, das ihm gefällt, so wie er es findet, und zieht selten die Möglichkeit in Betracht, daß es zu einer anderen Tageszeit, in anderem Licht oder unter anderen Wetterbedingungen wirkungsvoller aussehen könnte. Oft ist natürlich der Grund für eine solche schnelle Entscheidung, daß ihm die Zeit fehlt, also ein »Entweder-Oder«. Dies ist übrigens eine ständige Klage vieler Bildjournalisten, nämlich daß sie vom Termin und durch die begrenzten Spesen oft gezwungen sind, ihre Arbeit in Eile zu erledigen, ohne das Beste herausholen zu können, weil die Bedingungen im Augenblick nicht die besten sind. Selbstverständlich ist es unmöglich,

den günstigsten Augenblick für die Aufnahme zu wählen, wenn einem dafür nicht genügend Zeit zur Verfügung steht. Besonders der Freilichtfotograf, der seine Möglichkeiten völlig ausschöpfen will, muß bereit sein, je nach den Umständen oft lange zu warten. Wenn er Sonnenschein braucht, um beste Ergebnisse zu erzielen, aber der Himmel grau ist; wenn eine zarte und dunstige Stimmung erforderlich ist, aber klares Wetter herrscht; wenn schwere Gewitterwolken notwendig sind, um ein Motiv zu dramatisieren, aber der Himmel heiter ist – dann hat ein Fotograf nur die Wahl zwischen zwei Möglichkeiten: Entweder schließt er einen Kompromiß, findet vielleicht eine andere Lösung und holt mit den vorhandenen Mitteln das Beste heraus. Oder aber er ist ein Perfektionist, der sich der Bedeutung der Wahl des günstigsten Augenblicks bewußt ist; dann wartet er auf geeignetere Bedingungen, kehrt zu einem günstigeren Zeitpunkt zurück oder verzichtet auf die Aufnahme und spart seinen Film für ein würdigeres Motiv.

Selbst solche unwahrscheinlich erscheinenden Faktoren wie Lufttemperatur und relative Feuchtigkeit können gelegentlich die Wirkung eines Bildes verändern, also den Augenblick der Aufnahme beeinflussen. Wenn man zum Beispiel an einem warmen Tag eine Dampflokomotive in einem Rangierbahnhof fotografiert oder Geyser im Yellowstone-Nationalpark, erhält man Bilder, die leblos und stimmungslos erscheinen. Sind aber die Temperaturen niedriger und liegt Frost in der Luft, erscheint dasselbe Motiv eindrucksvoll und »lebensecht«, weil sich dann dichte Dampfwolken zusammenballen, die in der warmen Luft nicht kondensieren konnten. Die Bedeutung solcher Einflüsse zu erkennen, die Geduld zu haben, zu warten, bis die günstigsten Bedingungen vorhanden sind, lieber auf die Aufnahme zu verzichten, als einen Kompromiß zu schließen und mit einem zweitklassigen Bild zufrieden zu sein – auch das bedeutet Wahl des richtigen Augenblicks.

Komposition und Stil

Was die Mehrzahl der Fotografen anbetrifft, ist »Komposition« einer der geheimnisvollsten, faszinierendsten und gleichzeitig am schwersten verständlichen Aspekte der ganzen Fotografie. Der Grund dafür ist einleuchtend: »Gute Komposition« wird allgemein und mit Recht als Voraussetzung für »gute Fotografie« angesehen. Wenn aber auch eine Menge über dieses Thema geschrieben wurde, ist doch das meiste davon ein Wiederkäuen von überholten akademischen Regeln und der Rest, mit wenigen Ausnahmen, zu esoterisch oder zu persönlich, um dem, der sich um die Fotografie bemüht und nach Führung Ausschau hält, eine wirkliche Hilfe zu sein. Jedenfalls scheint mir die Bedeutung dieses Themas es zu rechtfertigen, wenn ich im folgenden einen Versuch der Erklärung mache, obwohl ich mir wohl bewußt bin, daß das, was ich dazu beitragen kann, gleichfalls sehr persönlicher Natur ist. Komponieren bedeutet Formgeben durch Zusammenfügen. Was sind die Dinge, denen Form gegeben werden muß? Die Absichten und Konzeptionen des Fotografen. Was muß zusammengefügt werden? Alle die Elemente, aus denen das Bild besteht: Schärfe und Unschärfe, Verwischung, Farbwahl und Anordnung, Perspektive, Lage des Objektes, die Proportionen im Bild – kurz alle die grafischen Komponenten des Fotos, deren gemeinsame Wirkung für den Eindruck verantwortlich ist, den das Bild auf den Betrachter ausüben wird. Das macht auch klar, daß Komposition NICHT irgend etwas ist, das man im letzten Moment besorgen oder wie »Ausschnittwahl« als Hintergedanke nachträglich erledigen kann, sondern etwas, das bereits von dem Augenblick an beachtet werden muß, in dem man die Idee für das Bild bekommt.

Was ist nun dieses schwer zu fassende »irgend etwas«, das beachtet werden muß? Leider hängt die Antwort zum großen Teil von dem ab, den man fragt. Das ist auch der Grund, weswegen »Komposition« ein so schwieriges und kompliziertes Thema ist. Strenggenommen gibt es hier nämlich keine »Regeln« oder vielmehr: die meisten existierenden Regeln werden nicht allgemein anerkannt. Und selbst die wenigen »anerkannten« Regeln sind zahlreichen Ausnahmen unterworfen. Außerdem ändern sie sich mit dem Wechsl der Anschauungen im Laufe der Zeit. Sie entstehen, entwickeln sich, verändern sich und werden schließlich durch andere ersetzt. Die heutigen jungen Fotografen haben völlig andere Ansichten über Komposition als die vorherige Generation in ihren Fotoklubs, deren Ideen wiederum verschieden von denen sind, die vor 50 Jahren galten. Und selbst in einer Gruppe von Fotografen mit verhältnismäßig ähnlichen Ansichten gehen oft die Meinungen über bestimmte Punkte weit auseinander, und jeder verteidigt hartnäckig seine eigene Anschauung. Daher wird es kaum überraschen, daß meine folgenden Ausführungen nichts weiter als persönliche Ansichten über Bedeutung und Wesen der Komposition sind, so wie ich sie sehe, und ich bin mir von Anfang an darüber im klaren, daß nicht jeder mit mir übereinstimmen wird. Daß verschiedene Leute häufig verschieden auf dasselbe Motiv oder dasselbe Foto reagieren, ist mir dabei ein Trost. Schließlich liegt ja die einzige dauernde Befriedigung darin, Bilder zu machen, die einen selbst befriedigen. Wie sehr auch die Kritiker Ihre Werke loben mögen, wenn *Sie* wissen, daß Ihre Fotos nicht das Ergebnis von eigener Überzeugung und Gestaltungskraft sind, sondern das Resultat von Zufall oder Nachahmung – mit anderen Worten: wenn Sie nichts anderes als Glück hatten oder andere Fotografen imitierten –, können Sie sich nie wirklich über Ihre Erfolge freuen, weil Sie sich im Innersten Ihres Herzens immer schuldig und beschämt fühlen werden. Nur ein Fotograf von Ehrlichkeit und Überzeugung kann Bilder herstellen, die ihm Freude machen, und sein Werk mit Stolz zeigen.

Klärung und Ordnung. Ich beginne zu »komponieren« von dem Augenblick an, in dem mir eine Idee für ein Bild einfällt. Edward Weston hat einmal gesagt, »gute Komposition ist die stärkste Art, Dinge zu sehen«, wozu ich übrigens »Amen« hinzufüge. Daher gilt mein Hauptinteresse der Organisation meines zukünftigen Bildes. Wie kann ich da Ordnung schaffen, wo jedes Ding auf alle anderen Dinge einwirkt, wo Dinge sich überschneiden und miteinander verschmelzen, wo ein Aufruhr von Formen und Farben um die Aufmerksamkeit des Betrachters kämpft? Wie kann ich den Weizen von der Spreu trennen, mein Objekt isolieren, das Bild verdichten und das, was ich fühle und sehe, in der grafisch wirksamsten Art zur Darstellung bringen?

Wie so oft in der Fotografie, so ist es auch hier unmöglich, Anweisungen zu geben, wie man Punkt für Punkt vorgehen sollte. Zu viele Aspekte müssen gleichzeitig beachtet werden, und eine Verbesserung in einer Hinsicht schafft nur zu leicht neue Probleme in einer anderen. Um ein Beispiel zu nennen: Ich habe eine größere Skulptur im Freien aufzunehmen. Mir gefällt der Hintergrund nicht. Daher gehe ich um mein Motiv herum, um es gegen einen anderen Hintergrund zu bekommen. Aber von diesem neuen Standpunkt aus sieht die Skulptur nicht nur völlig anders aus, sondern der Winkel des Lichteinfalls ist gleichfalls anders, vielleicht besser, vielleicht aber auch schlechter. Nehmen wir an, der neue Hintergrund und der Blickwinkel sind zufriedenstellend, aber die Beleuchtung ist schlecht. In diesem Falle kann ich entweder warten, bis das Licht günstiger ist (wozu ich vielleicht gar nicht die Zeit habe), oder ich gehe zu meinem ersten Standpunkt zurück, von dem aus mit Ausnahme des Hintergrundes alles in Ordnung war. Ich kann diesen vielleicht dadurch im Bild verbessern, daß ich ihn unscharf halte, also indem ich die Aufnahme mit einer größeren Blende mache, als zunächst beabsichtigt war. Das würde wahrscheinlich die Aufnahme wirkungsvoller machen. Ein anderer Ausweg wäre, die Aufnahme von einem niedrigeren Standpunkt aus zu machen oder aus größerer Nähe mit einem Weitwinkelobjektiv. Die erste Möglichkeit kann viel vom unerwünschten Hintergrund ausschalten, weil dabei die Skulptur gegen den Himmel gestellt wird. Bei der zweiten Möglichkeit würde der Hintergrund der Skulptur gegenüber in einem bedeutend kleineren Maßstab wiedergegeben werden. Andererseits aber führen beide Möglichkeiten zwangsläufig zu wesentlichen Änderungen in der Erscheinung der »Perspektive«, die entweder annehmbar oder unannehmbar sein können. Und so weiter und so weiter.

Gleichgültig, wie zahlreich und kompliziert die erforderlichen Überlegungen: mein erstes Ziel ist stets Klärung. Das bedeutet gewöhnlich Vereinfachung, Ausschalten von unwesentlichen Bildelementen durch genügend nahes Herangehen an das Objekt, Benutzen eines Objektives mit verhältnismäßig langer Brennweite, Unterordnung des Hintergrundes durch geeignete Auswahl und Behandlung und ganz allgemein Darstellung des Objektes mit einfachsten fotografischen Mitteln. Mit dieser Auffassung befinde ich mich allerdings oft im Gegensatz zu Fotografen, die mehr emotionale oder »expressionistische« Darstellungsweisen vorziehen, die durch bewußte Verwendung von Unschärfe, Verwischung, Körnigkeit und Überstrahlung ihren Charakter erhalten. Ich habe nichts gegen diese Art der Wiedergabe an sich, solange sie zur Charakterisierung des Wesens des Motivs oder Ereignisses beiträgt, die Absichten des Fotografen ausdrückt und mit dem Zweck des Bildes vereinbar ist. Wenn auch solche Mittel nicht meiner eigenen Natur entsprechen, bewundere ich doch ihre Resultate. Aber es scheint mir, als ob diese »avantgardistische« Auffassung nur allzu oft als Ausrede für fototechnische Unzulänglichkeiten und unklares Denken dient, und ich argwöhne, daß viele Bilder dieser Art als »Kunst« mit der selbstverständlichen Folgerung hoch gepriesen werden, daß, wenn ein Mensch sie nicht versteht, seine Reaktion ein wenig schmeichelhaftes Licht auf seine Sensibilität und Erziehung wirft, statt ein Zeichen für mangelnde Befähigung des Fotografen zu sein. Aber wie ich schon vorher sagte: Jeder muß seiner eigenen Überzeugung folgen und seiner eigenen Natur treu bleiben. Für mich sind eben Einfachheit und Klarheit erste Voraussetzungen für gute Komposition – vielleicht in zu hohem Grade.

Formatproportionen. Meine nächste Überlegung betrifft gewöhnlich die Entscheidung, ob das Bild als Hochformat, Querformat oder Quadrat gemacht werden soll. Das hängt selbstverständlich völlig von der Art des Menschen ab, einschließlich seiner tatsächlichen oder inneren Bewegung. Denn das Aufstreben eines Baumes oder Gebäudes kann hier durchaus als Bewegung in latenter Form aufgefaßt werden, die man mit grafischen Mitteln betonen kann: ein hohes, schlankes Hochformat oder eine Komposition in diagonaler Richtung. Die Proportionen des Formates spielen nämlich für die Wirkung des Bildes eine wichtigere Rolle, als allgemein angenommen wird, und das gilt natürlich auch in der Farbfotografie. Um die Monotonie des Normalformates zu vermeiden, kann man Farbdias abkleben. Daran sollten besonders Fotografen denken, die mit quadratischem Format arbeiten. Aber auch wenn Sie mit dem Kleinbildformat 24×36 mm fotografieren, gewinnen Ihre Farbdias an Wirkung, wenn Sie die Proportionen ihrer Seiten gelegentlich phantasievoll ändern. Für beste Ergebnisse sollten allerdings die Seitenverhältnisse der Aufnahme schon im Augenblick der Konzeption des Bildes festgelegt werden.
Während ein Amateur nur für seine eigene Befriedigung arbeitet, muß der Fachfotograf und besonders der Bildjournalist stets an den Zweck seiner Bilder denken. Art-Direktoren und Layouter mögen nicht immer mit seiner Sehweise übereinstimmen. Um seine Aufnahmen so nutzbringend wie möglich zu gestalten (denn welchen Nutzen bringt ein Foto ohne Publikum?), muß er daher seine Bilder mit einem gewissen Spielraum für Beschnitt oder Ausschnitt komponieren. Arbeitet er mit einem rechteckigen Filmformat, ist es ratsam, nach Möglichkeit zwei Aufnahmen statt einer einzigen zu machen und das Motiv einmal für Hochformat und das andere Mal für Querformat zu komponieren. Wenn das Filmformat quadratisch ist, sollte man genügend Platz um das Objekt herum lassen, so daß durch entsprechendes Beschneiden die Möglichkeit besteht, es entweder als Hoch- oder als Querformat zu zeigen. Ohne diese Vorsichtsmaßregeln können sonst selbst ausgezeichnete Aufnahmen zurückgewiesen werden, »weil sie nicht passen«.

Statisch oder dynamisch? Ähnlich wie dem Fotografen die Wahl zwischen Hochformat und Querformat zur Verfügung steht, so hat er auch die Wahl zwischen einer statischen und einer dynamischen Komposition. Und wie es zwischen dem extremen Hochformat und dem extremen Querformat unzählige Zwischenformate gibt, so existieren auch zwischen der ausgesprochenen statischen und dynamischen

Komposition zahllose Zwischenlösungen. Welche von ihnen ein Fotograf wählen sollte, hängt wie so viele Entscheidungen in der Fotografie von dem Wesen des Motivs ab, von der Art, wie es den Fotografen anregt, und dem Eindruck, den er hervorrufen möchte.

Eine statische Komposition ist grafisch im Gleichgewicht. Gleichgewicht ist gleichbedeutend mit Stabilität, und die stabilste Linie ist die Waagerechte, die stabilste Form ein horizontales Rechteck oder das Quadrat. Auch senkrechte Linien und Rechtecke suggerieren Stabilität, denn sie sind »im Gleichgewicht«, wenn sie auch nicht ganz so stabil erscheinen wie waagerechte Linien. Man hat schließlich immer das Gefühl, daß eine große senkrechte Gerade oder ein hohes schmales Rechteck umfallen können, so daß damit Bewegung, wenn nicht direkt ausgedrückt, so doch mindestens angedeutet wird.
Eine statische Komposition suggeriert Ruhe, Stille, Sicherheit, Festigkeit, ruhende Kraft. Sie gehört zu Bildern von einem ruhigen Tag, von der Unermeßlichkeit der See, von der heiteren Schönheit eines lieblichen Gesichts oder von dem Vorhandensein gebändigter Kraft. Jede Frontalaufnahme, jede »verzeichnungsfreie« Darstellung und Aufnahmen mit Objektiven sehr langer Brennweite sind meist automatisch mehr »statisch« als Schrägsichten, bewußt »verzeichnete« Darstellungen und die meisten Aufnahmen, die mit Weitwinkelobjektiven gemacht wurden. Auch Fotos, in denen ein bestimmtes Objekt mehr oder weniger in der Mitte liegt, sind statischer als Bilder, in denen das eigentliche Objekt mehr oder weniger außerhalb des Zentrums angeordnet ist, das heißt mehr gegen einen Rand oder eine Ecke verschoben. Will ein Fotograf den Eindruck von Frieden, Ruhe, Beständigkeit, Festigkeit, Sicherheit, Standhaftigkeit oder Stärke hervorrufen, muß seine Komposition im wesentlichen statisch sein.

Eine dynamische Komposition ist grafisch labil. Ihre Linien und Formen scheinen zu gleiten, zu stürzen, sich zu bewegen. Die dynamischste aller Linien ist die Diagonale, die Linie der Aktion und der Tat, längste gerade Linie in jedem Foto. Formen erscheinen dynamisch, wenn sie verkantet sind, auf einer schiefen Ebene stehen oder wenn sie gezackt und unregelmäßig sind. Objekte machen einen dynamischen Eindruck, wenn sie »perspektivisch« anstatt in Frontalansicht gesehen sind oder wenn sie »verzeichnet« wiedergegeben werden, d. h. mit Proportionen, die sich stark von denen unterscheiden, die wir als »normal« ansehen. So erscheint zum Beispiel ein Skifahrer, auf einer waagerechten Schneefläche fotografiert, ausgesprochen *statisch* – er scheint im Bilde stillzustehen. Auf einer geneigten Ebene aufgenommen – oder aber im Bilde »gekippt« –, scheint er dagegen einen Abhang herabzugleiten, und die hieraus folgende Assoziation mit »Bewegung« macht das Bild *dynamisch*. Alle Schrägsichten wirken dynamisch, weil sie geneigte Formen, diagonale Linien und »Verzeichnungen« in dem Sinne aufweisen, der bereits an anderer Stelle besprochen wurde.

Objektanordnung. Aus praktischen Gründen empfiehlt es sich, zwischen zwei grundsätzlich verschiedenen Arten von Motiven zu unterscheiden: solchen, die wie beispielsweise eine Landschaft oder eine Straßensicht das ganze Bild füllen, und solchen, die wie ein Bildnis oder eine Gruppenaufnahme nur einen Teil des Bildformates beanspruchen, während der Rest aus »Hintergrund« besteht. Im letzteren Falle spielt die Anordnung des Objektes innerhalb des Bildrahmens eine große Rolle in der Komposition: Je nachdem, ob die Objektmasse mehr in der Mitte oder mehr nach den Rändern oder Ecken des Bildes zu eingesetzt wird, ist die Komposition im wesentlichen statisch oder dynamisch.
Die Anordnung des Objektes innerhalb des Bildrahmens beeinflußt natürlich auch das grafische Gleichgewicht eines Fotos. Hochliegende Anordnung des Objektes im Rahmen des Bildes ist ein wirkungsvolles Mittel, um Spannung zu erzeugen, da dann die Komposition kopflastig erscheint: Das Objekt ist vom Boden gelöst und damit sozusagen im Raum balanciert, und der daraus entstehende Eindruck von Leichtigkeit und Erregung unterstützt mit grafischen Mitteln die Erregung, die vom Objekt selbst ausgeht. Genau das Gegenteil ereignet sich natürlich, wenn man diese Anordnung umkehrt und das Objekt tief plaziert. Dann scheint es fast auf sicherem Boden zu stehen. Ein Gefühl von Sicherheit und Festigkeit stellt sich an Stelle der vorherigen gehobenen Stimmung ein, und das Bild vermittelt einen Eindruck von Schwere, Schwerfälligkeit oder Selbstzufriedenheit.
Auch der Tiefeneindruck eines Fotos wird durch die Lage des Objektes innerhalb des Bildrahmens beeinflußt. Wird zum Beispiel das maßstäblich kleine Abbild einer menschlichen Figur in eine Landschaft *hoch* eingesetzt, scheint es von der Kamera weiter weg zu sein und ergibt damit einen stärkeren Tiefeneindruck, als wenn dieselbe Figur in derselben Abbildungsgröße näher an den *unteren* Rand des Bildes gesetzt wird.

Vordergrundkulisse. Von der Komposition her gesehen, spielt die Vordergrundkulisse eine Doppelrolle: Durch Gegenüberstellung von ei-

nem nahen Objekt, das wie ein Rahmen wirkt, und einem weiter entfernten erzielt der Fotograf durch den Gegensatz zwischen Nähe und Ferne Tiefenwirkung. Und wenn er die Vordergrundkulisse als organische Begrenzung des eigentlichen Bildes benutzt, hat er damit ein wirkungsvolles Mittel zur Verfügung, um das Interesse des Betrachters durch »Einrahmung« zu konzentrieren und das Objekt als in sich abgeschlossene Einheit zu zeigen.
Dinge, die als solche Rahmen dienen können, finden sich meist überall: Bogen und Torwege, Baumäste und Zweige, schmiedeeiserne Gitter, Verkehrsschilder, Reklameplakate, Gerüste und Konstruktionen, abstrakte Skulpturen, Öffnungen in den verschiedensten Dingen, durch die man fotografieren kann. Trotzdem scheint hier ein Wort der Warnung angebracht: Gerade weil die einrahmende Vordergrundkulisse ein derartig wirkungsvolles Mittel ist, um die Komposition zusammenzuhalten, wurde sie übermäßig angewendet; damit wurde jedoch das durch Vordergrund »gerahmte« Bild zum Klischee. Die von Birken eingerahmte Kirche im Tal; der durch das Tor der Pferdekoppel gemachte Schnappschuß vom Rodeo mit einem Paar gestiefelter und gespornter Cowboybeine, die vom Geländer herunterbaumeln; die im Gegenlicht durch den Tunnel einer gedeckten Brücke gesehene Landstraße: Diese und andere stereotype Aufnahmen haben der einrahmenden Vordergrundkulisse und dem Durchblick einen schlechten Ruf verschafft. Um den Anschein von Nachahmung und Abgeschmacktheit zu vermeiden, muß daher ein Fotograf neue Möglichkeiten finden, diese »Rahmung« zu verwenden.

Kontrast und Überraschung. Eines der wirkungsvollsten Mittel, um die Aufmerksamkeit zu erregen, ist Kontrast, der auf Überraschung beruht, also das Unerwartete innerhalb von Gemeinplätzen: Eine einzelne weiße Blüte in einem Strauß blauer Blumen; ein kleiner Fleck leuchtender Farbe in einem Meer von grauen und weißen Tönen; ein kleines Kind in einem Gewimmel von Erwachsenen. Aber noch kräftiger als diese verhältnismäßig bekannten Beispiele wirken die widersinnigen Gegenüberstellungen, wie sie in gewissen Arten der »experimentellen« Fotografie so effektvoll angewendet werden: der liebliche Akt in der verfallenden Hütte, die zarte Haut von rissigen und abblätternden Farben überlagert – eine Mahnung an die Vergänglichkeit allen Fleisches. Oder die unerhört wirksame Art, in der Bill Brandt menschliche Formen der Natur gegenüberstellt und dabei den weiblichen Körper monumental wie Felsen aussehen läßt und die Felsen so abgerundet wie die Formen einer Frau. Damit zeigt er uns neue Perspektiven, im wörtlichen wie auch im übertragenen Sinn, und erschließt uns neue Sichten. Um solche außergewöhnlichen Mittel erfolgreich zu benutzen, muß allerdings Gefühl vom Verstand geleitet und Mut durch Disziplin gezügelt werden. Denn in diesen Grenzgebieten der Komposition trennt nur eine Haaresbreite das Großartige vom Albernen.

Der Horizont. Falls der Horizont überhaupt im Foto erscheint, gehört er zu den wichtigsten Elementen des Bildes. Von der Komposition her teilt er das Foto in zwei Teile ein – Erde und Himmel –, und die Verhältnisse dieser beiden Teile zueinander sind von größter Bedeutung für den Bildeindruck.
Symbolisch gesehen, suggeriert der Boden Nähe, Vertrautheit und erdgebundene Eigenschaften, der Himmel hingegen Weite und geistige Vorstellungen. Folglich kann ein Fotograf, indem er mehr Boden oder mehr Himmel in die Komposition des Bildes einbezieht, sein Foto schwerer oder leichter erscheinen lassen, in Übereinstimmung mit dem Wesen seines Motivs und der Gefühle, die er ausdrücken will, mehr erdgebunden oder mehr geistig.
Teilt der Horizont das Bild in zwei gleiche Teile, kann ein Gefühl von Konflikt entstehen, denn keiner von beiden dominiert über den anderen. Allerdings – und das hängt von den Umständen ab – kann ein solcher Gleichgewichtszustand auch Eindrücke von Ruhe oder Monotonie hervorrufen. Falls diese Eigenschaften bildlich dargestellt werden sollen, ist eine solche Aufteilung ein legitimes und wertvolles Mittel der Komposition, ungeachtet der überholten akademischen Regel, die sagt, daß es ein »Fehler« sei.
Was nun die trennende Linie selbst betrifft, so suggeriert ein *gerader und waagerechter Horizont* Gleichgewicht, Ruhe und Dauer – also typisch statische Eigenschaften. Ein *geneigter Horizont* führt ein Element der Unbeständigkeit in die Komposition ein, macht damit das Bild mehr dynamisch und suggeriert Bewegung und Wechsel. Ein *welliger oder gezackter Horizont* erweckt Gefühle von dynamischem Fließen, Aktion oder Drama.

Symmetrie und Unsymmetrie. Symmetrie ist eine der höchsten Formen von Ordnung, wie die Beispiele klassischer Tempel zeigen, die Gleichheit der korrespondierenden Flügel eines Schmetterlings und die regelmäßige Anordnung der Blütenblätter vieler Blumen. Aber gerade aus dieser Vollkommenheit heraus kann Symmetrie auch Gefühle von Langeweile und Monotonie hervorrufen, wie das gewöhnlich der Fall ist, wenn der Horizont ein Foto in zwei gleiche Teile teilt.

Allerdings gibt es außer diesem statischen Typ noch eine andere Form von Symmetrie, die man vielleicht mit dem Gleichgewichtszustand vergleichen kann, der zwischen den beiden Schalen einer Waage besteht, die gleichartig beladen sind, aber mit Dingen von verschiedenen Formen: In der linken Schale vielleicht ein Einpfundgewicht, in der rechten dagegen ein Halbpfundgewicht und zwei Viertelpfundgewichte. Das grafische Äquivalent zu einer solchen Anordnung, die mit »dynamische Symmetrie« bezeichnet werden kann, existiert auch in der Komposition, wo verschiedene Bildelemente miteinander auch dann im »Gleichgewicht« sein können, wenn sie zu beiden Seiten einer gedachten Achse angeordnet sind, ohne daß sie Spiegelbilder voneinander darstellen. Als Beispiel stelle man sich ein Foto vor, das einen Bauernhof zeigt. Auf der einen Seite sieht man das Haus im Schatten einer Gruppe alter Bäume, auf der anderen Seite die Scheune und Silos. Man kann sagen, daß eine solche Fotografie in dynamischem Gleichgewicht ist und daher einen Eindruck von Beständigkeit, Dauerhaftigkeit und Frieden macht, obwohl die Komposition strenggenommen unsymmetrisch ist. Andrerseits ist regelrechte Unsymmetrie stets dynamisch, spannungsgeladen, dramatisch. Die weitaus größere Mehrheit von Fotos ist unsymmetrisch komponiert, was zweifellos vielfach zu dem verwirrenden Eindruck vieler Bilder beiträgt. Besonders wenn sich Unsymmetrie mit Kompliziertheit und Verwirrung verbindet, ist die Wirkung oft chaotisch, also kaum anziehend. Dagegen kann Unsymmetrie in Verbindung mit Einfachheit in der Motivwahl und Komposition ungewöhnlich schöne und zwingende Effekte ergeben.

»Muster« und Wiederholung. Zur bevorzugten Liebhaberei vieler malerisch arbeitender Fotografen sind Aufnahmen von »Mustern« geworden, also Fotos, in denen dieselbe Art von Objekt oder Bildelement mehr oder weniger regelmäßig so wiederkehrt, daß sich eine Art geometrisch aufgebauter Anordnung ergibt. Obgleich solche Fotos einen hohen Grad von Ordnung enthalten, sind sie doch gewöhnlich außerordentlich langweilig. Eine bis zur mechanischen Perfektion getriebene Ordnung kann sehr stumpfsinnig wirken. Typische Beispiele für diese Art von Aufnahmen sind Bilder, die eine große Anzahl gleichartiger Maschinenteile zeigen, die wie in einem Warenhaus reihenweise aufgestapelt sind. Aber im Augenblick, wo diese maschinenmäßige Gleichförmigkeit durchbrochen ist, wirkt die Aufnahme von Mustern »lebendig«. So ist beispielsweise eine Luftaufnahme von einer modernen Siedlung, in der gleiche Häuser in geraden Straßen angeordnet sind, von tödlicher Langeweile. Verlaufen aber einige Straßen etwas unregelmäßig und sind die Häuser in ihren Formen etwas

verschieden, wird die Bildwirkung beträchtlich interessanter und kann sogar zu einer Art von abstrakter Schönheit führen, ohne ihren Mustereffekt zu verlieren. In ähnlicher Weise ist der Parkplatz einer Autofabrik, der mit gleichen Wagen gefüllt ist, die auf das Verschiffen warten, objektmäßig langweilig. Im Gegensatz dazu bildet der Parkplatz eines Supermarktes, auf dem in unregelmäßigen Abständen Wagen stehen, die in Form und Farbe verschieden sind, ein »Muster«, das in der Aufnahme mit einem langbrennweitigen Objektiv durch die Ausschaltung der perspektivischen Verkürzungen Schönheit mit Interesse verknüpfen kann.
Dabei fällt mir ein Vergleich zwischen Fotografie und mechanischer Perfektion ein: Viele Objekte des täglichen Lebens, wie Textilien, hölzerne Salatschüsseln, keramische Vasen, Decken, Teppiche usw., sind entweder in maschineller oder in handwerklicher Herstellung erhältlich. Aber ein kritischer Käufer wird gewöhnlich, soweit er wählen kann, den handgemachten Artikel vorziehen und auch willens sein, einen oft beträchtlichen höheren Preis dafür anzulegen, weil kleine Unregelmäßigkeiten und Unvollkommenheiten in Material und Ausführung die »Gleichförmigkeit unterbrechen« und damit das Objekt interessanter machen, ihm Charakter und Individualität geben, kurz gesagt, es als Unikat erscheinen lassen und damit begehrenswerter machen. Fotografen, die solche Muster als Kompositionselemente verwenden, sollten sich das zu Herzen nehmen.

Fehler und Irrtümer

Wie aus dem Vorhergehenden klar geworden sein dürfte, ist es praktisch unmöglich, bestimmte Fallgruben und »Fehler«, die der Fotograf bei der Komposition vermeiden muß, aufzuzählen. Und ebenso unmöglich ist es, bestimmte »Regeln« für »gute« Komposition zu formulieren, abgesehen von Gemeinplätzen. Der Grund für dieses Versagen liegt darin, daß jede Regel ihre Ausnahme hat. Objekte, Situationen und Techniken, die bei dem Stümper zu völligem Versagen führen, können sich in der Hand des Erfahrenen in Mittel verwandeln, die zu eindrucksvollen Bildern führen.
Da nun aber niemand mit Allgemeinplätzen geholfen ist, möchte ich trotzdem im folgenden einige »Fehler« der Komposition aufzählen, die meiner Erfahrung nach mit größter Wahrscheinlichkeit zu unzulänglichen Bildern führen: Unordnung; Überfüllung des Bildes mit mehreren Motiven, die besser jedes für sich allein dargestellt worden wären; mangelhafte Trennung von Tonwerten, Farben und Formen;

unglückliche Überschneidungen und Gegenüberstellungen von Bildelementen; kompositorische Unausgeglichenheit (was nicht dasselbe wie Unsymmetrie ist); Farbdissonanzen; grelle, schreiende und zu viele Farben; überflüssige Bildelemente, die nur stören; Geschmacklosigkeit, Abgeschmacktheit; Langeweile; »Künstlichkeit« – »Neues um den Neuen willen«; »trickartige« Auffassung von Komposition.

Andrerseits sind die oft gepriesenen akademischen »Gesetze« der Komposition auch keine wirkliche Hilfe. All dieses Gewäsch von »Leitlinien«, die dazu da sind, »das Auge des Beschauers zum Mittelpunkt des Interesses« zu führen, wurde längst von qualifizierten Fotografen widerlegt: Das Auge schweift in einer völlig unvorherzusehenden Weise über das ganze Foto und geht dabei direkt zu dem, was im Augenblick für den Beschauer interessant ist, schweift von da zu anderen anziehenden Bildteilen und kümmert sich nicht im geringsten um die so sorgfältig vorbereiteten »Leitlinien«. Die berühmte »S-Kurve« – die einzige Rechtfertigung von unzähligen akademischen Kompositionen – ist längst durch übermäßige Verwendung zum abgedroschenen Symbol und fotografischen Klischee geworden. Eine »Dreiecks-Komposition« existiert gewöhnlich nur in den Köpfen gewisser nach akademischen Regeln arbeitenden Fotografen, wird aber höchst selten vom Durchschnitts-Betrachter des Bildes als solche aufgefaßt. Gewöhnlich erkennt er sie nur dann, wenn er ausdrücklich darauf hingewiesen wird, und auch dann beachtet er sie kaum. Meiner Meinung nach sind alle diese hübsch gezeichneten Diagramme, wie man sie in vielen Fotobüchern findet, die die kompositionellen Anordnungen »erklären« sollen, nichts anderes als Schaufensterdekorationen oder Seitenfüllung, um den Käufer zum Kauf zu bringen. Sie verwirren eher den fotografischen Anfänger, als daß sie ihm helfen. Sie sind also überflüssig. Der Zweck eines Fotolehrbuches liegt nicht darin, als Lehrer für kindische Experimente zu dienen. Wenn man ein Foto nur lange genug anschaut oder hier und da ein bißchen beschneidet, kann jedes Bild so wirken, als besäße es in sich so etwas wie eine vorgefaßte »Kompositionsidee«. Aber damit greift man das Problem vom falschen Ende her an. Komposition ist ein Mittel, nicht ein Ende, und die vollkommenste Komposition rechtfertigt nicht ein belangloses Bild. Komposition ist ein Werkzeug, um den Eindruck des Bildes zu steigern. Vorausgesetzt, daß Bildinhalt und fototechnische Behandlung gleichwertig sind, macht ein gut komponiertes Foto einen stärkeren Eindruck als eines mit schwacher Komposition. Das ist das ganze Geheimnis.

Nochmals: Ihre Einstellung zur Fotografie

Wenn es einen einzigen Faktor gibt, der entscheidet, ob Ihre Anstrengungen in Mittelmäßigkeit enden oder mit Erfolg gekrönt werden, dann ist es Ihre Einstellung zur Fotografie. Diese Einstellung macht sich besonders bemerkbar in drei unterschiedlichen Aspekten des Bildermachens:

Beweggrund
Ausrüstung
Technik

Beweggrund

Fotografie ist Bildsprache – eine Art der Mitteilung. Selten nimmt einer Bilder auf, um allein Freude daran zu haben. Im allgemeinen möchten wir, daß unsere Fotos von anderen gesehen werden. Wir wünschen – oder sind gezwungen –, andere an unseren Erlebnissen teilhaben zu lassen, zu unterhalten, aufzuzeichnen, zu informieren oder reformieren oder auch nur einfach von unseren Zeitgenossen bewundert zu werden. In jedem Fall machen wir Bilder, um sie anderen Menschen zu zeigen. Wir wollen uns mitteilen, weil wir glauben, wir hätten etwas zu sagen, und wir wünschen verstanden zu werden. Und da wir nun einmal keine Schreiber, sondern Fotografen sind, benutzen wir Bilder an Stelle von Worten, um unsere Botschaft zu verkünden.

Kein vernünftiger Mensch würde daran denken, Worte zu Papier zu bringen, ohne daß er glaubt, er habe etwas zu sagen, was seinen Leser interessiert. Leider ist aber unter Fotografen und besonders unter Amateuren diese Einstellung eher zur Ausnahme als zur Regel geworden, eine Tatsache, die leicht bewiesen werden kann: Die überwältigende Mehrzahl aller Fotos ist ohne jedes Interesse für irgend jemand, den Fotografen selbst eingeschlossen, der solche Bilder nur deshalb aufnimmt, weil er ähnliche in Zeitschriften oder auf Ausstellungen gesehen hat. Aber die Tatsache, daß eine Fotografie veröffentlicht oder ausgestellt worden ist, besagt nicht unbedingt, daß sie anregend oder gut ist.

Ein Foto, das niemand interessiert oder gefällt, hat seinen Zweck verfehlt und ist wertlos, gleichgültig, wie vollendet es als technische Leistung auch sein mag. Daher ist der beste Rat, den ich Ihnen geben kann, um die Güte Ihrer Arbeiten zu steigern, *nicht mehr nach Motiven auszuschauen, die bereits erfolgreich von anderen Fotografen erledigt wurden, sondern sich auf solche zu konzentrieren, die Sie persönlich interessieren.*

Interesse von seiten des Fotografen am Motiv seiner Aufnahme ist erste Voraussetzung für jeden Erfolg. Sie ist die Grundlage für jede Art schöpferischer Tätigkeit. Nur wenn ein Fotograf von dem, was er fotografiert, innerlich bewegt ist, kann er jenen Zauber in seine Darstellung legen, der allein Interesse und Vorstellungskraft des Betrachters erregen kann. Ohne sinkt der ganze Vorgang der Bildherstellung auf das geistlose Niveau mechanischer Routinearbeit herab.
Eine Fotografie ist dann anregend, wenn sie etwas zu sagen hat. Natürlich sind nicht alle Menschen an allen Motiven interessiert, und ein Bild, das dem einen etwas zu sagen hat, kann sehr wohl dem anderen gar nichts mitteilen. Aber niemand ist so einzigartig, daß alles, was Sie zum Fotografieren anregt, wert ist, fotografiert zu werden, einfach weil es allen denen etwas sagen wird, die Ihre Ansicht teilen. Wenn das Ihre Einstellung zur Fotografie ist, ist es gleichgültig, was Sie fotografieren und wie Sie fotografieren, vorausgesetzt, daß Sie mit Ihrer eigenen Ausdrucksweise die Eigenschaften Ihres Motivs schildern, die Ihr Interesse erregt haben. Wenn Interesse, Gefühl, Meinung und eine persönliche Art, die Dinge zu sehen, aus Ihren Fotos sprechen, kann niemand Ihre Ehrlichkeit als Fotograf anzweifeln, und Ihre Bilder werden wertvoll sein, mag auch noch nicht alle Welt Ihre Auffassung teilen.

Ausrüstung

Kameras, Objektive, Belichtungsmesser usw. sind Werkzeuge. Sie sind Instrumente, dazu bestimmt, gewisse Funktionen zu erfüllen, deren Zusammenwirken schließlich das Foto ergibt. Sie sind die Mittel, ohne die wir unser Ziel nicht erreichen können. Leider bedeuten sie jedoch vielen Fotografen mehr, die in ihnen beinahe etwas Verehrungswürdiges sehen. Ich denke, ich gehe nicht zu weit, wenn ich sage, daß solche Fotografen in ihre Ausrüstung geradezu verliebt sind. Ihre Einstellung zu einer guten Kamera ähnelt sehr derjenigen eines Auto-Narren, der in sein Fahrzeug verliebt ist, des Mannes also, der seine Freude darin findet, alle mechanischen Einrichtungen seines Autos zu pflegen, es zu polieren, bis es glänzt, es mit einer endlosen Reihe von Zubehörteilen auszuschmücken, anstatt es für seinen eigentlichen Zweck zu benutzen: als Transportmittel, das ihm die Möglichkeit gibt, sich beliebig fortzubewegen, zu verreisen, Orte und Dinge zu sehen, Menschen zu besuchen und ganz einfach allgemein sein Leben dadurch zu bereichern, daß er seinen Horizont physisch und geistig gesehen erweitert.

Fotografen, die in ihre Ausrüstung verliebt sind, kommen nie dazu, ernsthaft Bilder zu schaffen, weil sich ihr Hauptinteresse auf die Mittel konzentriert anstatt auf das Ziel. Sie sind Experten auf dem Gebiet der Zubehörteile, wissen alles über die verschiedenen Kamera-Modelle, testen endlos ihre Ausrüstung und sind stolze Besitzer der am schärfsten zeichnenden, sorgfältig ausgewählten Objektive. Sie tauschen dauernd ihre Ausrüstung um, damit sie stets auf dem letzten Stand ist, verbringen zahllose Stunden in Diskussionen mit Gleichgesinnten über die Vorzüge ihrer Kameras, sind mit allen feinen Unterschieden vertraut, die das eine Modell einem anderen voraus hat, aber sie bringen nie eine Fotografie zustande, die der Mühe wert ist. Wollen Sie als Fotograf weiterkommen, ist daher der zweite meiner Ratschläge: *Behandeln Sie Ihre Kamera so wie ein Schriftsteller seine Schreibmaschine:* NICHT mit »Liebe«, sondern mit vernünftiger handwerklicher Rücksicht. Pflegen Sie sie nicht wie ein kleines Kind, putzen Sie sie nicht zu sehr, sehen Sie vor allem nicht ein Symbol darin, um Ihr Ansehen als Fotograf oder als Bürger zu heben. Eine etwas verkratzte Oberfläche des Gehäuses beeinflußt keineswegs die Güte Ihrer Fotos. Daß ihr Leder etwas abgeschabt ist, ist kein Grund, daß man sich deshalb eine neue Kamera kauft. Nein, was in der Fotografie zählt, ist weder das Aussehen der Ausrüstung noch das Markenzeichen der Kamera noch der Preis, den man dafür bezahlt hat, sondern ihre Eignung für die Aufgaben, die zu lösen sind, die mechanische Beschaffenheit der Kamera und die Geschicklichkeit, mit der ein Fotograf sie benützt.

Im Grunde genommen ist eine Kamera ebensowenig schöpferisch wie ein Klumpen Ton. Aber ein Tonklumpen wie auch eine Kamera kann in der Hand des Künstlers zu einem Mittel schöpferischer Offenbarung werden. »Kameras, die Preise gewinnen« und »Systeme, die alles können« existieren nur in der Vorstellung von Werbeleuten, die Anzeigen texten. Es sind die Fotografen, die Preise gewinnen. Sprechende Bilder können mit jedem Typ und Fabrikat von Kameras gemacht werden. Bezeichnend dafür ist, daß ich einen weltberühmten Fotografen kenne, der nur mit zwei Kleinbildkameras arbeitet; aber ich kenne auch einen Amateur, dessen Ausrüstung 4000 Dollar wert ist, der aber noch nie eine Fotografie gemacht hat, die auch wirklich der Mühe wert war.

Nun mögen Sie mit Recht fragen, warum dann Berufsfotografen, die beispielsweise die großartigen Bilder machten, die man in *Life* oder *Paris Match* bewunderte, durchweg mit teuren Ausrüstungen arbeiten, während die kleinen Moritze ihre schrecklichen Schnappschüsse von Klein Mimi und Base Annie, von Babys, Katzen und Hunden meist mit billigen Kameras machen. Ist das der Grund dafür, daß ihre Fotos meist so langweilig sind? Die Antwort darauf ist natürlich ein kategorisches NEIN. Ihre Fotos sind deshalb schlecht, weil sie selbst schlechte Fotografen sind. Man gebe ihnen die Ausrüstung eines Life-Fotografen, und ihre Bilder werden immer noch abscheulich sein. Andererseits: Man gebe einem guten Fotografen eine billige Kamera, und er wird Ihnen Arbeiten bringen, die Sie in Staunen versetzen. Obgleich es eine Tatsache ist, daß viel mehr *gute* Aufnahmen mit teuren als mit billigen Kameras gemacht werden, steht andererseits auch fest, daß jene Bilder *nicht* deshalb gut sind, weil sie mit guten Kameras gemacht wurden, sondern weil sie von *guten Fotografen* aufgenommen worden sind. In den meisten Fällen wäre dasselbe Bild genausogut mit einer Kamera gelungen, die nur halb soviel oder noch weniger kostet. Der Unterschied, der in einem solchen Fall nur in der technischen, aber nicht in der bildmäßigen Qualität liegt, fällt, falls er überhaupt existiert, nur dem geschulten, scharfen Auge des Fachmannes auf, und wenn dann diese Bilder in Zeitschriften oder Büchern veröffentlicht werden, verschwindet er überhaupt völlig. Warum aber verwenden gute Fotografen teure Kameras, wenn auch billigere dasselbe leisten würden? Aus zwei Gründen: Erstens, weil teure Kameras durch eine lange Reihe von Zubehörteilen vielseitiger verwendbar sind als billigere Kameras, deren Arbeitsbereiche wesentlich beschränkter sind. Diese Tatsache ist im allgemeinen von geringer Wichtigkeit für den Amateur, der seltener solchen schwierigen Problemen gegenübersteht, die der Fachmann bereit sein muß zu lösen. Zweitens, und das ist der Hauptgrund, weil teuere Kameras besser konstruiert und sorgfältiger sind als billigere, sie sind mit besserem Material hergestellt, haben geringere Toleranzen, stehen eine harte Benutzung besser durch, ihre Einrichtungen, ihr Einstellungsmechanismus, ihr Verschluß halten länger, sie sind im ganzen zuverlässiger. Gute Fotografen – Fachleute wie Amateure – kaufen teure Kameras, weil sie es sich nicht leisten können, eine Aufnahme zu verderben, weil die Ausrüstung zu einem

Mißerfolg führte. Sie zahlen gewissermaßen diesen höheren Preis, um ihr Gewissen zu beruhigen.

Ich hoffe, daß der Leser einsieht, daß das Arbeiten mit einer billigen fotografischen Ausrüstung keine Entschuldigung für bedeutungslose Aufnahmen ist. Fotografen, die der Meinung sind, ihre Bilder würden besser, wenn sie nur eine Hasselblad, eine Leica oder eine Linhof verwenden würden, machen nur sich selbst etwas vor. Sehen wir von bestimmten Aufgaben ab, die spezielles Zubehör erfordern – extreme Fern-, Nah- und Weitwinkelfotografie –, so wird einer, der mit einer billigen Kamera keine interessanten Bilder aufnehmen kann, auch keine besseren mit der Kamera seiner Träume zustande bringen. Wenn Ihre Bilder langweilig sind, dann tadeln Sie nicht Ihre Kamera, tadeln Sie sich selbst. Und wenn dieses hart klingt, sei ein Trost gespendet: Falls Sie nicht in der Lage sind, Ihre Traumkamera zu erwerben, können Sie doch erreichen, daß Sie selbst sich verbessern: Ihr fotografisches Sehen, Ihren Geschmack, Ihre Geschicklichkeit, indem Sie die Arbeiten bedeutender Fotografen studieren, wie sie in Zeitschriften und Büchern veröffentlicht werden, indem Sie fotografische Bücher lesen und schließlich durch Praxis und Versuche. Haben Sie nur den festen Willen, vorwärtszukommen – Sie werden überrascht sein, wie schnell es nach oben geht und wie wenig es kostet.

Technik

Die Fotografie umschließt wie jede Art von Ausdruck oder Mitteilung zwei unterschiedliche Gebiete:

Das Gebiet des Schöpferischen
Das Gebiet der Ausführung

Das Schöpferische – das »Warum« und »Was« eines Fotos – beginnt mit einem Blitz der Inspiration oder einer Gedankenreihe, mit einer Idee und einem Plan. Das verbindet sich im Innern mit Erfindungsgabe und Vorstellung, Gefühl, Empfindung. Diese Gaben sind dem Künstler angeboren, gleichgültig, ob er nun Maler, Bildhauer, Schriftsteller, Komponist oder Fotograf ist. Talent ist schwer zu fassen, schwierig zu erklären. Die verschiedenen Menschen sind in sehr unterschiedlicher Weise talentiert. Entweder besitzen sie schöpferische Fähigkeiten oder nicht. Talent kann nicht erlernt werden.

Im Gegensatz dazu beruht die Ausführung jedes schöpferischen Werkes – das »Wie« der Fotografie – auf konkreten Techniken, die Mittel und Plan umschließen. Wer den Willen hat, sich anzustrengen, kann lernen, wie man sie meistert.

Hier mag ein Vergleich mit der Musik am Platz sein. Ein guter Komponist ist ein Künstler, der aus seiner persönlichen Vorstellung heraus neue Tonfolgen schafft. Um aber anderen mitzuteilen, was er komponiert hat, muß es erst jemand spielen. Instrumente – mechanische Vorrichtungen – müssen dazu von technisch geübten Virtuosen benutzt werden. Dabei braucht ein Komponist weder ein guter Techniker zu sein, noch muß er seine Musik selbst spielen. Andererseits muß ein Musik ausübender Virtuose nicht unbedingt schöpferische Gaben haben, denn er braucht die Musik, die er spielt, nicht selbst zu schreiben. Aber nur wenn schöpferische und technische Fähigkeiten zusammenkommen, kann ein Kunstwerk konkrete Formen annehmen und sein Sinn anderen mitgeteilt werden.
Dieser Dualismus von schöpferischen und technischen Fähigkeiten findet sich auch in der Fotografie. Ich kenne persönlich mehrere ungewöhnlich schöpferische Fotografen, die nur ein sehr primitives Verständnis für die fotografische Technik aufweisen und denen es nie einfallen würde, ihre Filme zu entwickeln oder ihre Vergrößerungen selbst herzustellen. Andererseits habe ich viele außerordentlich tüchtige Fotografen gefunden, denen jede schöpferische Regung fehlt.
Mit anderen Worten: Wenn Sie dieses Buch studieren, können Sie durch Arbeit ein fototechnischer Experte werden, aber nicht notwendigerweise ein Künstler. Ob Sie schöpferische Arbeit leisten können oder nicht, hängt völlig von Ihren angeborenen Eigenschaften ab. Immerhin schläft ein Talent mitunter, bis es durch irgendeinen Einfluß von außen her geweckt wird. Vielleicht übt dieses Buch diesen Einfluß auf Sie aus. Aus diesen Gründen habe ich Unterweisung und Bilder von einer Art beigefügt, wie man sie in üblichen Lehrbüchern für Fotografie gewöhnlich nicht findet, und zwar in der Hoffnung, daß diese auf Sie anregend wirken und Sie veranlassen, aus sich herauszugehen. Wenn Sie erst einmal die richtige Richtung eingeschlagen haben, wird Sie die Befriedigung, die Sie durch eigenwillige Arbeit erfahren, bis an die Grenzen Ihrer Fähigkeiten führen.
Die Tatsache, daß die »Technik« ein notwendiger Bestandteil jeder Fotografie ist, darf jedoch nicht dazu führen, daß man ihre Bedeutung überschätzt. Leider machen nicht nur Fotografen, sondern auch Laien im allgemeinen den Fehler, ein Foto in erster Linie von seiner techni-

schen Ausführung her zu beurteilen: Ein Bild, das scharf durchgezeichnet und richtig belichtet ist, wird leicht höher eingeschätzt als eines, das in fototechnischer Hinsicht zu wünschen übrigläßt, das vielleicht unscharf, grau oder farblos ist, *selbst wenn das erste jedes subjektiven Interesses entbehrt, während das zweite ein wichtiges, interessantes oder erschütterndes Ereignis schildert.*

Hand aufs Herz: Wenn Sie zwischen einem Foto, das etwas zeigt, was Sie interessiert, wenn es das auch nur schlecht schildert, und einem Bild, das Sie völlig kalt läßt, obwohl es technisch unantastbar ist, zu wählen hätten: Welches Bild würden Sie bevorzugen? Ich persönlich sehe nicht ein, wie jemand dabei zögern könnte, das Foto zu wählen, das anregend wirkt, wenn es auch technisch nicht befriedigt, wogegen mir das Betrachten eines ausdruckslosen Bildes als vergeudete Zeit erscheint. Ein guter Fotograf zeigt sich natürlich darin, daß er das interessante Motiv mit fototechnisch angemessener Wiedergabe verbindet. Das ist das Ideal, nach dem jeder Fotograf streben sollte. Wenn aber eine Wahl zwischen Motivart und fototechnischer Wiedergabe – eine Entscheidung zwischen Inhalt und Form – unvermeidlich ist, muß der Inhalt der Form vorgezogen werden. Ein Bild, das etwas aussagt, ist letzten Endes auch dann anregend, wenn wir finden, daß es in technischer Hinsicht fehlerhaft ist: Ein Bild, das nichts sagt, ist, gleichgültig, wie vervollkommnet seine technische Wiedergabe ist, nur visuelles Geschwätz.

Ich messe diesen Ausführungen deshalb eine besondere Bedeutung bei, weil ich den Eindruck habe, die nur *relative* Wichtigkeit der technischen Seite der Fotografie wird dadurch, daß sich Fotozeitschriften und Fotolehrbücher besonders ausführlich damit beschäftigen, so übertrieben betont, als ob das ganze Werden, Wachsen und Vorwärtskommen des fotografischen Studenten nur von seiner technischen Fertigkeit abhinge. Das ist, wie ich glaube, ein Irrtum. Nur durch sich selbst, vorausgesetzt, daß ihn seine persönlichen Interessen unterstützen, aber nicht durch glänzende, hochentwickelte Technik wird einer zum guten Fotografen. Es ist eine Tatsache, daß übertriebene Beschäftigung mit der Technik die schöpferischen Kräfte lähmt. Fotografen, die zu viel Zeit damit vergeuden, daß sie das Licht genauestens messen, die Belichtung berechnen und ihre Kamera auf das sorgfältigste einstellen, um technisch vollendete Fotos zu schaffen, versagen häufig völlig. Während der Zeit, die sie brauchen, um zur Belichtung bereit zu sein, ist der kritische Moment verpaßt, der lebendige Ausdruck ist vorbei, die Situation ist unterdessen langweilig geworden. Dann wieder haben technische Fanatiker oft so viel Angst, ob ihnen ein beab-

sichtigter Schnappschuß auch gelingt oder nicht, daß sie eher auf die Chance, eine interessante Aufnahme zu machen, verzichten, als sich der Möglichkeit des Mißlingens ihrer Aufnahme auszusetzen. Das trifft besonders dann zu, wenn sie etwas im Gegenlicht vor sich haben, etwas mit extremen Kontrasten, oder ein Aufnahmeobjekt, das sich schnell bewegt, also bei zugegeben schwierigen Aufnahmebedingungen, die trotzdem oft gerade zu den interessantesten Bildern führen. Vielfach habe ich Fotos gesehen, die tatsächlich gerade deshalb außerordentlich wirksam waren, weil sie unorthodox aufgefaßt waren. Es handelt sich um jene Art von Bildern, die von Perfektionisten als Versager angesehen werden, weil sie Schleier, Lichthöfe, Unschärfe oder Körnigkeit aufweisen. Eigenschaften, die zwar gewöhnlich als Fehler zu werten sind, aber in diesen speziellen Fällen den Bildern ihren besonderen Schwung geben und durch Unmittelbarkeit und grafische Ausdruckskraft die Darstellung des Motivs unterstützen. Ängstliche Fotografen, die sich zu stark auf die »Technik« verlassen und zu wenig auf das »Sehen«, werden nie großartige Bilder schaffen.
Nun verstehen Sie mich bitte nicht falsch: Es liegt nicht in meiner Absicht, unorthodoxe und »schlechte« Technik als Geheimmittel zur Herstellung interessanter Fotos zu empfehlen, obgleich gelegentlich derartige sonst als »Fehler« angesehene Darstellungsmittel – wie Lichthof, Unschärfe, Körnigkeit usw. – zweifellos in den Händen eines selbstkritischen und schöpferischen Fotografen die Wirkung der Darstellung erheblich steigern können. Grundsätzlich glaube ich, daß das Beherrschen der Fototechnik für einen Fotografen etwa die Rolle spielt wie das Beherrschen der Grammatik und der Rechtschreibung für einen Schriftsteller: eine unbedingt notwendige Voraussetzung für die Herstellung von Bildern oder von guter Prosa, welche Fähigkeit, einmal erworben, zur zweiten Natur werden sollte, so daß man sie weder der Erwähnung wert findet, noch stolz darauf ist.
Und noch eine andere Sache: In den Bildseiten dieses Buches werden keine »technischen Daten« den fotografischen Illustrationen als Ergänzung beigegeben. Wenn man sie auch in jeder Fachzeitschrift findet, sind doch solche Angaben – Kamera, Blende, Belichtungszeit usw. – wertlos und irreführend. Ich sehe einfach nicht ein, warum man darin einen Unterschied machen soll, ob ein Bild mit, sagen wir, einer Leica an Stelle einer Pentax, einer Rolleiflex an Stelle einer Rolleicord aufgenommen worden ist, oder was es dem Fotografen helfen kann, wenn er erfährt, daß das veröffentlichte Bild eines Motivs, das ihn interessiert, beispielsweise mit 1/60 Sekunde bei Blende 11 fotografiert wurde, solange er nicht gesagt bekommt, wie hell das Licht war oder

welche Art von Beleuchtung vorherrschte. Solche Angaben werden selten, wenn überhaupt jemals, in diese Daten eingeschlossen, die dem Leser mitteilen sollen, wie er eine ähnliche Aufnahme machen kann. Dazu gehören auch Filmart und Filmempfindlichkeit, zusätzliche Hilfsmittel oder Zusatzbeleuchtung, Filter, Art der fototechnischen Prozesse oder Korrektionsmittel, die mitunter in der Bildherstellung eine große Rolle spielen können. Nein – nur engste Vertrautheit mit seiner Ausrüstung und seinem Material, Erfahrung und richtige Ermittlung der Belichtungsdaten für ein spezielles Motiv mittels eines zuverlässigen Belichtungsmessers geben dem Fotografen die Gewißheit, daß die beabsichtigte Aufnahme technisch gelingt. Technische Daten der Aufnahmen anderer, selbst wenn sie ganz ehrlich und vollständig sein sollten, was meistens jedoch nicht der Fall ist, sind wertlos.

Wodurch wird einen Fotografie »gut«?

Ziel jedes ehrgeizigen Fotografen ist, gute Fotos zu machen. Deshalb studiert er Fotolehrbücher, abonniert eine oder mehrere Fotozeitschriften, macht Fotokurse mit, arbeitet praktisch und experimentiert, kritisiert seine eigenen Arbeiten und vergleicht sie mit den Bildern, die andere, bereits arrivierte Fotografen gemacht haben. Alle diese Anstrengungen mögen natürlich sehr lobenswert sein, nützen sie aber etwas? Nur, wenn der angehende Fotograf seinen Bemühungen gewisse bestimmte Ziele setzt. Und was sind nun jene besonderen fotografischen Eigenschaften, nach denen er streben sollte, diese Eigenschaften, die dazu führen, gute Fotografien zu machen? Offensichtlich werden doch bestimmte Fotografien von verschiedenen Leuten sehr unterschiedlich beurteilt, und es ist nicht nur möglich, sondern todsicher, daß ein Bild, das bei einem Zeitschriften-Wettbewerb den ersten Preis bekam, von einem *advantgardistischen* Fotografen als »reaktionärer Abklatsch« bezeichnet wird, während dessen Arbeiten nun wieder umgekehrt von einer akademisch eingestellten Jury verächtlich als »völlig ungenügend« zurückgewiesen werden. Da es also keine Normen für die Beurteilung gibt, ist es natürlich unmöglich, die Eigenschaften unzweideutig festzulegen, die eine »gute« Fotografie aufweisen muß. Wenn ich nun im folgenden trotzdem diesen Versuch mache, rechne ich auf Ihr Verständnis dafür, daß ich innerhalb der Grenzen meiner eigenen Erfahrungen versuche, dem Leser eine Art Grundlage zu geben, von der er ausgehen kann.

Bevor ich aber fortfahre, muß ich zur Vorsicht einige Worte einfügen. Meiner Meinung nach ist es ungerecht, eine Fotografie ohne Kenntnis des Zusammenhangs mit den Absichten ihres Herstellers zu beurteilen. Mit anderen Worten: Nur wenn wir wissen, was ein Fotograf erstrebte, was er in seiner Arbeit auszudrücken versuchte, was er mitzuteilen wünschte, können wir mit Rücksicht auf die wesentlichen Punkte des Bildes gültige Schlüsse ziehen: War er imstande, seine Absichten zu verwirklichen? Hat er mit Erfolg ausgedrückt, was er fühlte? Hat er sein Motiv richtig erfaßt und überzeugend zum Ausdruck gebracht?
Die Wichtigkeit dieser Art der Einstellung wurde mir vor einigen Jahren deutlich, als ich in einer Ausstellung ein Landschaftsfoto von Kap Cod sah, das alle konventionellen Regeln der Fotografie zu verletzen schien: Es war sehr grau und sehr körnig, der Horizont teilte das Bild in zwei gleiche Hälften, und es zeigte tatsächlich nichts anderes als weit ausgedehnte Dünen, die spärlich mit Strandhafer bewachsen waren, und einen gleichmäßig bedeckten Himmel. Die Wirkung dieses Bildes war unglaublich trüb und einförmig.
Und dann, als ich ihm gerade den Rücken zukehren wollte, wobei ich mich noch wunderte, wie irgend jemand überhaupt ein derartig langweiliges Bild ausstellen kann, ergriff es mich: Das war ja genau das, was der Fotograf im Sinne hatte, er *wollte* Trübheit und Eintönigkeit ausdrücken, die niederdrückende Einsamkeit dieser weiten Sandflächen an einem regnerischen Märztag, das Gefühl von Nässe und der feuchten Kälte unter einem harten Nordostwind, diese Stimmung von Trostlosigkeit und Eintönigkeit, wenn alles grau in grau ist, von Schleiern ziehenden Nebels überdeckt, *und er hatte das großartig ausgedrückt.* Plötzlich fühlte ich mich so, als ob ich dort wäre, ich fühlte die Kälte, die Einsamkeit, ich glaubte schon, ich könnte den verlorenen Schrei einer Seemöwe hören, die sich mit flatternden Flügeln gegen die steife Brise behauptet ... Ich glaube nicht, daß ich dieses »unglaublich trübe« Bild je vergessen werde.

Beim Analysieren von Fotos, die ich instinktmäßig als »gut« empfand, fand ich, daß diese Bilder ausnahmslos, obwohl in verschiedenem Maße, vier besondere Eigenschaften hatten:

Aufmerksamkeit zu erregen,
Absicht und Sinn zu offenbaren,
gefühlsmäßig zu wirken,
grafische Gestaltung zu besitzen.

Andererseits fehlten den Fotos, die mich kalt ließen, eine oder mehrere dieser Eigenschaften, und je größer diese Mängel in dieser Hinsicht waren, um so weniger gefiel mir das Bild. Daher glaube ich, ein Fotograf muß sich darum bemühen, diese Eigenschaften in seinem Bilde zu vereinigen, wenn er gute Fotos machen will.

Aufmerksamkeit erregen

Um überhaupt irgendeine Wirkung ausüben zu können, muß ein Foto zunächst einmal beachtet werden. Leider sind wir heute mit Fotos so übersättigt, daß ein Foto schon ziemlich ungewöhnliche Eigenschaften haben muß, um unsere Aufmerksamkeit auf sich zu lenken. Um das zu erreichen, muß das Bild eine gewisse Ausstrahlung besitzen.
Diese Ausstrahlung macht das Foto vom Visuellen her ungewöhnlich, insofern, als es unter den anderen weniger ungewöhnlichen Bilder hervorragt. Sein Wesentliches ist dabei Überraschung oder schockierende Wirkung, aber wie viele Motive besitzen diese Eigenschaften? Die meisten Fotos stellen gewöhnliche Menschen oder Alltagserlebnisse dar, Motive, an die der Betrachter nur zu sehr gewöhnt ist. Ohne die zusätzliche Kraft, die Aufmerksamkeit erregt, bleiben Aufnahmen solcher Motive leicht unbeachtet, und ein unbeachtetes Foto hat seinen Sinn verfehlt.
Die Ausstrahlung, die Aufmerksamkeit erregt, kann auf drei verschiedene Arten dem Foto mitgegeben werden: indem man nur ungewöhnliche Motive aufnimmt; indem man ein gewöhnliches Motiv ungewöhnlich auffaßt und dadurch seine visuelle Wirkung steigert; indem man beide Möglichkeiten kombiniert. Mit anderen Worten: Der Fotograf muß nach dem Unerwarteten, Ungewöhnlichen, Neuen, Eindrucksvollen oder Kühnen suchen, nach irgend etwas, was Neugierde erregt und was wahrscheinlich andere Fotografen ausrufen läßt: Warum habe ich nicht an so etwas gedacht!
Natürlich soll das nicht bedeuten, ein Bild müßte vulgär oder laut sein, um Aufmerksamkeit auf sich zu lenken. Das Gegenteil ist eher der Fall. Da in unserer modernen Gesellschaft Feinheit ziemlich selten ist, kann sie besonders wirksam sein. So erregt beispielsweise die Verwendung von Pastellfarben oft größere Aufmerksamkeit als grelle und schreiende Farben.

Hier ist nun eine Liste mit einigen Ratschlägen, die, zielbewußt verwendet, dem Bild die Ausstrahlung geben können, die das Interesse des Betrachters auf sich zieht: Farbaufnahmen, die viel Weiß (oder Schwarz) und sehr wenig Farbe enthalten; ungewöhnlich satte und kräftige Farben oder ungewöhnlich blasse und »farblose«; »ungewöhnliche« und »unnatürliche« Farben sinnvoll zu verwenden ist wirkungsvoll und trägt dazu bei, Aufnahmeobjekt oder Stimmung zu charakterisieren; außergewöhnlich niedriger oder besonders hoher Kontrast; Benutzung von Objektiven extrem langer Brennweite oder von Weitwinkelobjektiven an Stelle des normalbrennweitigen Objektivs; Nahaufnahmen und Darstellungen im vergrößerten Maßstab; zylindrische oder kugelförmige Verzeichnungen (Fish-eye-Objektiv!); Aufnahmen mit sehr geringer Schärfentiefe; ungewöhnliche Lichteinwirkungen, wie man sie vielleicht mit Reflexen, Schleiern, Lichthöfen usw. erreicht; Aufnahmen unter ungewöhnlichen atmosphärischen oder beleuchtungstechnischen Bedingungen; Verwenden der Struktur des Filmkorns, Bewegen der Kamera während der Aufnahme, Kombination mehrerer Belichtungen, Verzeichnung, Filterwirkung; betonte Vereinfachung oder halb-abstrakte Wiedergabe; ungewöhnliche und kühne Ausschnitte (bei Dias durch Masken). Ehe aber ein Fotograf sich im Streben nach Ausstrahlung alle diese Möglichkeiten überlegt, möchte ich eine kleine Warnung einfügen: Wird eine bestimmte Wirkung nur als Selbstzweck verwendet und gehört sie nicht als Bestandteil zum Bild, verliert das Bild den Zusammenhang mit dem Sinn des Motivs oder mit dem Charakter der Stimmung. Erregt es dann auch anfänglich Aufmerksamkeit, ist die unangebrachte Wirkung doch gleichzeitig die Ursache dafür, daß man das Bild als »billig« und »unecht« zurückwies, und damit wird natürlich die eigentliche Absicht vereitelt. Sinnlose Verzeichnungen, vulgäre Farben (Postkarten-Wirkung), kritiklose Verwendung von Filtern oder von farbigem Licht, Aufnahmen durch Trickeinrichtungen, wie Prismen, strukturiertes Glas oder Zerstreuungsgitter, sind Beispiele dafür.

Absicht und Sinn

Um das Prädikat »gut« zu verdienen, muß ein Foto mehr bieten, als nur das Interesse des Betrachters zu erzwingen. Was wir »grafischen Blickfang« nennen, könnte vielleicht am besten mit einem Blinklicht verglichen werden, einer Einrichtung, um Aufmerksamkeit zu erregen. Hat ein Bild das Auge des Betrachters auf sich gelenkt, muß es etwas haben, um das erregte Interesse wachzuhalten. Es muß etwas aussagen, etwas geben, den Betrachter nachdenklich machen und irgendwie für ihn zu einem Erlebnis werden. Es muß eben Absicht und Sinn haben. Zwar werden die Worte Absicht und Sinn oft miteinander verwechselt, aber sie bedeuten doch etwas Verschiedenes, und ich glaube, daß diese feine Unterscheidung eine Hilfe für den angehenden Fotografen sein kann. Wie ich es sehe, ist in der Fotografie »Absicht« das gleiche wie der Zweck des Bildes, das »Warum« der Aufnahme, dagegen ist »Sinn« gleichbedeutend mit dem Inhalt des Bildes – dem »Was« der Aufnahme.

Wenn es auch symbolisch aufgefaßte Fotos gibt, deren Sinn dunkel bleibt, obgleich das kaum die Absicht des Fotografen war, liegt der Sinn der meisten Fotos doch klar zutage. Selten muß ein Betrachter fragen: Was ist das? Was meint er damit? Aber Sinn allein genügt auch noch nicht für ein gutes Foto, es muß mit Absicht geschaffen worden sein. Die Absicht ist nicht nur die wichtigste der vier Grundeigenschaften, die jedes gute Foto aufweisen muß, sondern auch die vielfältigste. Die Absicht, die einer Fotografie zugrundeliegt, kann das Gewissen des Betrachters ansprechen (wie im Fall von Lewis W. Hines berühmten Aufnahmen von Ausbeutung und Kinderarbeit in New York um die Jahrhundertwende) – ein bewußter Versuch eines Fotografen mit sozialer Denkungsart, um seine Mitmenschen über unhaltbare Zustände aufzuklären und dadurch eine Änderung zu erzwingen. So kann die Absicht bestehen, zu erziehen, zu unterhalten, mitzuteilen oder irgend etwas zu verkaufen. Es kann sich auch um Sex handeln. Oder es kann ganz einfach ein Versuch sein, Erlebnisse im Bilde festzuhalten, etwa in Gestalt glücklicher Augenblicke aus dem Familienleben, wie das bei Schnappschüssen der Fall ist. Lassen Sie mich dieses letzte Beispiel zum Ausgangspunkt für weitere Klarstellung des Unterschiedes zwischen Absicht und Sinn und deren Bedeutung nehmen, wie ich es sehe: Anfänger beginnen ihre fotografische Laufbahn meist mit Schnappschüssen ihrer Kinder, Frauen, Freundinnen, Wohnungen, Tiere usw. Wenn auch solche Bilder in der Regel weder »künstlerischen Wert« aufweisen noch für Außenstehende interessant sind: vom Hersteller aus gesehen besitzen sie beides, Absicht und Sinn, weil sie der bleibenden Erinnerung an Familie und Freunde, fröhliche Stunden und wichtige Ereignisse dienen.

Aber früher oder später kommt der ehemalige Anfänger in seiner Entwicklung als Fotograf an einem Wendepunkt an, von dem an er sich selbst als Amateur bezeichnen kann, also als einen Menschen, in dessen Leben die Fotografie eine bezeichnende Rolle spielt, ein nichtberufsmäßiger Fotograf, der die Technik seines Handwerks so weit gemeistert hat, daß er fähig ist, fototechnisch einwandfreie Bilder zu liefern. Leider ist das auch oft der Augenblick, in dem sich seine Auffassung von Absicht und Sinn der Fotografie grundsätzlich ändert. Er ist nicht länger damit zufrieden, Bilder von seiner Familie zu machen oder Bildberichte von seinen Ferien; nun fühlt er sich berufen, Fotos einer höheren Ordnung herzustellen. Bilder, die »Klasse« haben. Stolz auf sein technisches Können und im Einklang mit seinem neuen Standpunkt, muß er »schöpferisch« werden – und wenn auch nicht nach dem Wahlspruch «l'art pour l'art«, so doch nach dem Motto »Fotos um der Fotografie willen« arbeiten. Und so geht er hin und beginnt solche langweiligen Bilder zu machen, wie man sie Jahr für Jahr in den Foto-Jahrbüchern und auf den Ausstellungen der Foto-Vereine sieht: Rollen von Tauen, die auf einem Kai liegen; eingeölte Akte in gekünstelten Verdrehungen, weil das Gesicht oder ein anderer Teil des Körpers, der nicht im Bild gezeigt werden darf, verborgen werden soll; alte Männer mit Bart; alte Frauen, die Kruzifixe in knorrigen Händen halten; Stilleben mit einem offenen Buch oder einer Bibel, vorzugsweise mit einer daneben stehenden brennenden Kerze; in grobe Leinwand gekleidete Mönche; sommersprossige Jungen, die Äpfel essen; und Stilleben mit Aluminiumschalen und Vasen – alles Bilder ohne jedes Interesse, sinnlos hergestellte fotografische Massenware.

In Wahrheit handelt es sich hier um so etwas wie falsch geleitete Absichten: um den Wunsch, »Kunstwerke« zu schaffen – eine Taurolle kann eine attraktive Darstellung ergeben. Aber wen geht das etwas an? Wird ein Fotograf von Anmaßung getrieben, entbehren aber seine Arbeiten jedes Interesse, sind seine Leistungen wertlos.
Ich habe manchmal Fotografen gefragt, warum sie diese kümmerlichen Bilder herstellen. Was sie antworteten, war etwa: Warum nicht? Andere machen solche Aufnahmen und fahren gut dabei! Sie werden in fotografischen Zeitschriften und Büchern veröffentlicht und hängen in den fotografischen Galerien. »Warum sollte ich nicht?«
Das scheint mir doch eine hoffnungslos unzulängliche Einstellung zur Fotografie zu sein, eine Haltung, die in ihrer Enge den Mangel individuellen Denkens, wie es heute existiert, reflektiert. Heutzutage beziehen die meisten Menschen ihre Meinung fertig von den Zeitungsartikeln und von den Radio- und Fernseh-Kommentatoren, die das Neueste bieten und vorkauen. Sie zeigen es einseitig gesehen, um bestimmte Interessen zu fördern, und servieren es autoritativ dem Leser oder Hörer, der seinerseits, überzeugt von seiner eigenen Unzulänglichkeit, nicht wagt, eine eigene Meinung zu haben, es also als wahr hinnimmt

und schließlich die Meinung eines anderen in der Überzeugung weitergibt, es wäre seine eigene.
Es ist mir unverständlich, daß immer noch so viele Amateure ihre Energie und Zeit an dieselben abgedroschenen Motive verschwenden, die von Millionen anderer Amateure fotografiert worden sind. Ich muß dabei immer wieder auf meine These zurückkommen, daß *persönliches Engagement* die wichtigste Voraussetzung für gute Bilder ist. Hand aufs Herz – sind Sie wirklich an den Motiven interessiert, die auf den obenerwähnten fotografischen Abklatsch hinauslaufen? Finden Sie wirklich gedrehte Aluminiumplatten oder Taurollen unwiderstehlich? Oder ziehen Sie gestelltes Leben dem echten Leben vor? Amateuren, die Fotografie lieben, aber sich noch nicht dafür entscheiden konnten, was sie fotografieren sollten, sei geraten, sich erst einmal darüber klarzuwerden, wo eigentlich ihre Interessen liegen. Fragen Sie sich selbst: Was möchte ich am liebsten tun? Reisen? Jagen? Fischen? Skifahren? Segeln? Oder interessieren Sie sich vielleicht für alte oder neue Autos? Gärten und Blumen? Briefmarken sammeln? Tiere in freier Wildbahn? Oder vielleicht für Menschen, ihre Tätigkeiten, die Art, wie sie leben, arbeiten, beten, sich vergnügen? Ich meine dabei natürlich *echtes* Interesse mit Verstehen und Sympathie und nicht, »weil Menschen so gute Fotomotive sind« und »Charakterstudien« immer von Fotoausstellungen angenommen werden. Und wenn Sie wirklich an Menschen interessiert sind, dann gehen Sie hinaus und fotografieren Sie die Menschen, *nicht* aber, um in einer sadistischen Art das Komische in ihnen abzubilden, sondern mit der Absicht, zu zeigen, wie Menschen wirklich leben. Und je mehr Sie in Ihre Aufnahmen an Ihren Gefühlen, Ihren Gesichtspunkten, Ihrem Selbst investieren, je bewußter Sie an Ihr Motiv herangehen und je ausdrucksvoller Sie Ihre Bilder gestalten, um so besser werden Ihre Fotos sein.

Gefühlsmäßige Wirkungen

In ähnlicher Weise, wie Absicht und Sinn eines Fotos auf die intellektuellen Fähigkeiten des Betrachters zielen, wendet sich das Gefühlsmäßige des Fotos dierekt an sein Herz. Emotionale Wirkung ist eine Eigenschaft, die schwierig zu definieren ist, obwohl ihre Gegenwart oder Abwesenheit in einem bestimmten Bild leicht festzustellen ist: Wenn Ihr Bild den Betrachter nachdenklich stimmt, wenn es ihm etwas über die unmittelbare Wirkung des Motivs hinaus sagt, wenn es ihn dazu bewegt, daß er sich gut oder stolz vorkommt, ärgerlich oder

traurig, wenn es seine Gefühle anregt, ihn zum Lachen oder zum Weinen bringt, dann können Sie sicher sein, Ihr Bild wirkt auf das Gefühl. Wenn ferner die Reaktion des Betrachters etwa der entspricht, die Sie hervorrufen wollten, können Sie auch überzeugt sein, daß Ihr Foto wertvoll ist, selbst wenn es in mancher Hinsicht Mängel aufweisen sollte, etwa in der Komposition, in der technischen Durchführung oder in der Art der Wiedergabe.
Um Bilder zu schaffen, die sich an das Gefühl des Betrachters wenden, ist es natürlich notwendig, daß der Fotograf selbst diese Bewegung spürt, die er in anderen erwecken möchte.

Aus diesem Grunde sehe ich echtes Interesse am Aufnahmeobjekt als erste Vorbedingung für gute Fotos an. Wenn ein Fotograf unfähig ist, gefühlsmäßig auf sein Motiv zu reagieren, kann er natürlich keine Bilder schaffen, die gefühlsmäßig wirken, genauso wie Fotos, denen solche Eigenschaften fehlen, keine Gefühle bei denen erregen können, die sie anschauen.
Die gefühlsmäßige Reaktion eines Fotografen auf sein Motiv kann z. B. Mitleid für Kinder sein, die nirgends anders spielen können aus auf den müllüberladenen Hinterhöfen einer Großstadt; es kann sich um die Ehrfurcht gebietende mystische Stille in den großen Wäldern Kaliforniens handeln oder auch um das Staunen über die wunderbare Konstruktion einer Schnecke. Die Reaktion kann von der Bewunderung für das Talent einer Künstlers stammen, vom Sex-Appeal eines Mädchens, vom Redetalent eines Politikers oder vom Haß auf den Krieg. Was den Unterschied zwischen Bildern mit und ohne gefühlsmäßige Wirkung ausmacht, ist, ob der Fotograf auf sein Motiv emotional reagierte oder ob er ungerührt blieb und das Bild nur zum Zeitvertreib aufnahm. Im ersten Falle wird es ihm wahrscheinlich gelingen, etwas von dem, was er selbst vor dem Motiv gefühlt hat, zu übertragen. Im zweiten Falle macht er eben nur ein Bild, das genausogut hätte unfotografiert bleiben können.

Wie es unmöglich ist, Regeln für das Schaffen eines Kunstwerkes aufzustellen, so ist es auch nicht möglich, ein Rezept zu geben, das dafür garantiert, daß die hergestellten Fotos auf das Gefühl wirken. Ich persönlich glaube, daß die Arbeiten von Fotografen wie W. Eugene Smith, Leonard McCombe, Gordon Parks oder Ed van der Elsken das Gefühl nicht deshalb ansprechen, weil sich diese Fotografen an bestimmte Regeln halten, sondern weil sie zu der seltenen Art von Fotografen gehören, die auf gleiche Weise in den beiden Teilen ihres Handwerks daheim sind: im Schöpferischen wie auch im Technischen. Als sensitive Künstler fotografieren sie nur Motive, die sie emotional bewegen, und ihre Reaktionen darauf sind streng und wahr. Da sie Meister im Ausspielen ihrer Mittel sind, können sie auch unfaßbare Gefühle in verständliche Ausdrucksformen ihres Handwerks übertragen: in Licht und Schatten, Farbe, Kontraste, Formen ... Um noch mehr hilfreiche Schlüsse ziehen zu können, habe ich eine Anzahl Fotos analysiert, und zwar solche, die, was mich betrifft, emotional wirken. Und ich fand dabei, daß *alle diese Fotos einen gemeinsamen Faktor besaßen: Sie waren ehrliche Berichte.* Damit meine ich, daß an ihnen nichts unecht, nichts hinzugefügt, nichts vorgetäuscht und nichts posiert war. Für mich ist daher *Ehrlichkeit* die erste Voraussetzung, um Fotos zu schaffen, die gefühlsmäßig ansprechen.

Und im Laufe dieser Analyse stieß ich auf eine bemerkenswerte Tatsache: Viele dieser Fotos waren technisch unvollkommen, grau, unscharf, verschleiert. Aber weit entfernt davon, daß diese Eigenschaften vom Foto ablenkten, erhöhten sie den Eindruck von Echtheit und Wirklichkeit im Bild und wurden so geradezu zum Mittel des schöpferischen Ausdrucks. Besonders in Fotos, die Gewalttätigkeit, Elend, Krieg, Demonstration, Aufruhr, Slum-Verhältnisse und unterdrücktes Menschentum betreffen, ergab sich daraus ein Gefühl der Unmittelbarkeit, das in anderen ähnlichen, aber technisch besseren Bildern fehlte. Diese technischen Unzulänglichkeiten gaben ihnen den Stempel echter Wirklichkeit, ein Gefühl von Erregung, das den Ausbruch dieses Ereignisses und die Schwierigkeit oder Gefahr der Lage noch unterstreicht. In gewissem Sinn erinnerten mich diese technisch etwas mangelhaften Fotos an handgefertigte Dinge mit ihren interessanten und individuellen Unregelmäßigkeiten – Gegenstände, die gerade wegen dieser »Fehler« ausdrucksvoll wirken und deshalb oft bevorzugt und höhergeschätzt werden als ihre mit der Maschine hergestellten, technisch vollkommenen Gegenstücke. Die Tatsache, daß eine (im konventionellen Sinn) technisch fehlerhafte Fotografie gefühlsmäßig wirksamer sein kann als ein technisch fehlerloses Bild, wird wahrscheinlich auf jene schockierend wirken, die naiv genug sind, zu glauben, daß technische Perfektion den wahren Wert eines Fotos ausmachte.

Um sich mitzuteilen, muß der Fotograf seine Absichten mit grafischen Mitteln ausdrücken – mit Linien, Tonwerten, Formen, Farben usw. –, den Werkzeugen der visuellen Darstellung, die notwendig sind, um Ideen, Begriffe und Bilder durch das Medium der Fotografie auszudrücken, den Mitteln, die im Zusammenspiel dem Foto seine grafische Wirkung verleihen.
Nun, auch die billigste Kamera, die von einem Kind auf ein Motiv gerichtet wird, ergibt so etwas wie ein Bild, das aus grafischen Elementen besteht, das also eine gewisse grafische Wirkung ausübt. In Hinblick auf Schönheit und Kraft steht es aber normalerweise auf einer weit niedrigeren Stufe grafischer Eigenschaften als das Werk eines gestalterisch und technisch vollendeten Fotografen. Zu einem beträchtlichen Teil sind es gerade diese Unterschiede der grafischen Wirkung, die gute Fotos von schlechten trennen. Meisterschaft der Fototechnik – der Mittel, die notwendig sind, um Gedanken und Eindrücke in Linien, Tonwerte, Farben und andere Formen grafischen Ausdrucks zu übersetzen – ist deshalb unbedingt Voraussetzung, um gute Fotos zu machen.
Das ist auch die Erklärung dafür, weshalb ein Fotograf, der nicht weiß, wie man Gefühle und Gedanken in eine grafisch zufriedenstellende Form übersetzen kann, nur wirkungslose Fotos machen wird, *gleichgültig, wie idealistisch, leidenschaftlich, feinfühlig oder phantasievoll er auch sein mag.* Damit eine Fotografie als gut anerkannt wird, muß sie nämlich nicht nur irgend etwas mitteilen, sondern sie muß es auch eindringlich sagen. Ein Bild kann sinnvoll sein, vom Motiv her interessant wirken oder gefühlsmäßig aufregen; falls es aber sein Motiv nicht auch in einer ästhetisch befriedigenden Form präsentiert, falls es nicht einen hohen Grad grafischer Qualität erreicht, kann es nicht seine volle Wirkung als Mittel des Ausdrucks und der Mitteilung entfalten. Das ist eben eine Tatsache, eine Forderung menschlicher Natur, die der weiterstrebende Fotograf nicht früh genug erkennen kann. Wenn verschiedene Dinge der gleichen Absicht und Funktion gleich gut dienen – mögen das nun Autos, Wohnungen, Armbanduhren oder Fotografien sein –, wird das Publikum unzweifelhaft stets das wählen, das seinem Schönheitssinn am stärksten entspricht.
Unter einer Anzahl von Fotos, die alle dasselbe Motiv schildern, wird normalerweise das Bild, das die stärkste ästhetische Wirkung ausübt, dessen Ausdrucksformen am stärksten befriedigen, das in bezug auf grafische Qualitäten an der Spitze steht, am höchsten geschätzt und

oftmals sogar von Fotos den Vorrang haben, die sinnvoller sind, aber grafisch weniger wirksam.

Grafische Qualität entsteht aus dem Zusammenwirken der verschiedenen Bildkomponenten, wie Schärfe, Unschärfe, Verwischung, Kontrast, Farbe, Tonwerte, Perspektive, Körnigkeit usw., kurz gesagt, aller visuellen Darstellungsmöglichkeiten der ausgereiften fototechnischen Arbeit. Da viele dieser Möglichkeiten in größerem oder kleinerem Maße abgewandelt und kontrolliert werden können, kann ein ausgefuchster Fotograf die grafische Wirkung seiner Bilder in vielfältiger Weise beeinflussen.

Um die Überlegungen besser zu verstehen, die solchen fototechnischen Entscheidungen voranzugehen haben, ist es ratsam, zwischen zwei verschiedenen Niveaus der Fototechnik zu unterscheiden: einem niedrigen Niveau, das die Fragen umfaßt, die man als *technische Grundlagen* bezeichnet, und einem höheren Niveau, das die *selektiven Techniken* umfaßt. Lassen Sie mich dieses an treffenden Beispielen erklären. Um scharfe Bilder zu erhalten, muß der Fotograf sein Objekt genau einstellen und die Kamera während der Belichtung völlig ruhig halten. Da dieses nun für alle Fälle gilt, bei denen Schärfe der Darstellung verlangt wird, gleichgültig, welche Art von Motiv fotografiert wird oder welcher Kameratyp, welches Objektiv, Film, Filter usw. verwendet wird, gehören Einstellen und die Methoden, Bewegung der Kamera zu verhindern, zu den *technischen Grundlagen.* Mit anderen Worten: *Wenn* ein Fotograf wünscht, daß sein Bild *scharf* ist, gleichgültig, unter welchen Umständen er fotografiert, *muß* er sein Objektiv genau einstellen und *muß* er seine Kamera während des Augenblicks der Belichtung absolut ruhig halten. Er hat keine andere Wahl. Dagegen hat der Fotograf, soweit es sich um gewisse andere grafische Eigenschaften handelt, *die Wahl.* So kann er zum Beispiel die Abbildungsgröße seines Motives dadurch beeinflussen, daß er es aus größerem oder kleinerem Abstand aufnimmt oder auch mit einem Objektiv von kürzerer oder längerer Brennweite. Er kann die Perspektive seines Bildes dadurch ändern, daß er zu einem Objektiv mit anderem Bildwinkel greift, er kann die Farbwiedergabe mit Hilfe besonderer Filter beeinflussen oder die Bewegung des Objektes dadurch charakterisieren, daß er eine Belichtungszeit wählt, die im Foto gerade den richtigen Grad von Bewegungsunschärfe entstehen läßt, und so weiter. Bei jedem dieser Beispiele kann er die gewünschte Wirkung mit Hilfe einer selektiven Technik erzielen, die ihm zur Wahl mehrere Möglichkeiten anbietet, von denen jede zu einer anderen Wirkung führt.

Diese Freiheit der Wahl ist bedeutend größer, als die meisten Fotografen annehmen. »Automatische Kameras« zum Beispiel – Kameras, die mit eingebautem Belichtungsmesser ausgerüstet sind, der nach den vorhandenen Lichtverhältnissen automatisch die richtige Belichtung einstellt – liefern automatisch richtig belichtete Negative oder Farbdias. Trotzdem: Eine korrekte Belichtung kann immer auf verschiedene Weise erreicht werden. Grundsätzlich (Ausnahme: ungewöhnlich lange Belichtungszeiten, vgl. Schwarzschildeffekt) gibt eine *kleine* Blendenöffnung kombiniert mit einer *langen* Belichtungszeit – soweit es die Belichtung betrifft, d. h. die Dichte des Negatives oder die Farbwiedergabe des Dias – dasselbe Resultat wie eine *große* Blendenöffnung in Verbindung mit einer *relativ kurzen* Belichtungszeit. Wenn aber auch, soweit es die Farbwiedergabe (oder Dichte) anbetrifft, jede dieser Kombinationen von Blendenöffnung und Belichtungszeit ein einwandfrei belichtetes Farbdia (oder Negativ) ergibt, sehen doch diese beiden Aufnahmen in bezug auf andere grafische Eigenschaften sehr verschieden aus. Im ersten Fall ist die Schärfentiefe ziemlich ausgedehnt, aber ein Objekt, das sich in Bewegung befindet, wird wahrscheinlich unscharf wiedergegeben. Im zweiten Fall ist die Schärfe in der Tiefe relativ begrenzt, aber ein bewegtes Objekt wird wahrscheinlich völlig scharf abgebildet. Auf diese Weise hat der Fotograf vielfach auch in dem anscheinend hoffnungslosen Fall der automatischen Kamera noch die Wahl. Und wenn er die richtige Entscheidung trifft, wird der erreichte grafische Effekt die Wirkung seiner Aufnahme steigern. Ist seine Entscheidung aber falsch, bleibt die Wirkung aus. Die Prinzipien und Elemente der grundlegenden und der selektiven Fototechnik sind bereits besprochen worden. An dieser Stelle ist nur wichtig, daß der angehende Fotograf das ziemlich verwickelte Zusammenwirken gewisser Faktoren erkennt, die an der Herstellung guter Fotos mitwirken: fototechnisches Können, grafische Auffassung und Fähigkeit, die richtige Entscheidung von seiten des Fotografen zu treffen, der, um gute Aufnahmen zu machen, die Eigenschaften eines Künstlers und eines Handwerkers in sich vereinigen muß.

Zusammenfassung

In vieler Hinsicht ist die Fotografie laufend einfacher und leichter geworden. Die meisten Kameras sind heutzutage sehr hoch entwickelt, viele sind automatisiert und mit elektronischer Regelung versehen; die

Filme werden immer höher empfindlich und die Dienste guter Verarbeitungsanstalten stehen jedem – nötigenfalls über den Postversand – zur Verfügung, der sich selbst nicht mit Dunkelkammerarbeit abgeben möchte. Immer mehr ersetzen Belichtungsmesser und Leitzahlen, die von den Herstellern von Filmen und Beleuchtungsgeräten angegeben werden, die Geschicklichkeit und Erfahrung, die früher unumgänglich nötig war, um gute Aufnahmen zu machen. Und mit Polaroid-Kameras kann man heutzutage fertige Farbaufnahmen innerhalb einer Minute ab Belichtung machen. Als Resultat dieser und anderer Fortschritte auf dem Gebiet der Fototechnik kann nun jeder ohne Lernen und ohne Erfahrung nur anhand der Gebrauchsanweisungen, die der Kamera oder dem Film beiliegen, technisch befriedigende Aufnahmen machen.

Aber in anderer Hinsicht ist die Fotografie ständig schwieriger und anspruchsvoller geworden. Genau besehen, ist dank der fotografischen Fortschritte die technische Qualität der Arbeiten von durchschnittlichen Fotografen oft ausgezeichnet, die Konkurrenz zwischen den Fotografen ist sehr hart, die Möglichkeit, interessante Bilder herzustellen, sind fast unbegrenzt, und die Erwartungen des Publikums sind dementsprechend hoch. Die Regeln, nach denen die Bilder eines Fotografen beurteilt werden, sind strenger als je zuvor. Überdies wird der Wert einer Fotografie nicht mehr nur nach ihrer technischen Ausführung beurteilt, sondern vor allem auch nach ihrem Inhalt und den Anregungen, die sie ausstrahlt. Also muß der angehende Fotograf dem Zweck, dem Sinn und der gefühlsmäßigen Wirkung seines Bildes den Vorrang geben und darf dabei nicht vergessen, daß die Kamera nur ein Werkzeug ist, für den Fotograf also dasselbe bedeutet wie die Schreibmaschine oder der Kugelschreiber für den Schriftsteller: ein Mittel, um ein Ziel zu erreichen. Und genau wie die literarische Leistung eines Schriftstellers nicht deshalb an Wert zunimmt, weil sie mit einer modernen elektrischen Schreibmaschine anstatt mit der Hand und einem »altmodischen« Füllfederhalter geschrieben ist, so gewinnen die Bilder eines Fotografen auch nicht automatisch an Wert, weil sie mit der neuesten Ausrüstung gemacht worden sind. Denn obgleich es eine Tatsache ist, daß jedes Ausdrucksmittel – ob Malerei, Dichtung, Bildhauerei, Musik oder Fotografie – mechanischer Hilfsmittel bedarf, um in verständlicher Form abstrakte Begriffe auszudrücken – Gedanken, Ideen, Töne oder Bilder –, ist es letzten Endes doch immer noch der schöpferische Geist, der die Ideen ersinnt, das Motiv wählt, die Einstellung bestimmt, über die endgültige Form der Darstellung entscheidet und Hand und Werkzeug führt, gleichgültig, um welches Medium es sich dabei handelt.

Die Herstellung einer Fotografie stellt ein Problem dar, das in zweierlei Hinsicht gelöst werden muß: mit den Mitteln der Darstellung (gedanklich) und mit den Mitteln der Kamera (mechanisch). Für die Praxis ist es nun nützlich, wenn man die Herstellung einer Fotografie in fünf aufeinanderfolgende Stufen unterteilt:

Erste Stufe: Die Konzeption des künftigen Bildes. Angeregt durch das Interesse an einem bestimmten Motiv oder Thema, nehmen Gedanken, Überlegungen und Bilder im Geiste des Fotografen Form an. Das ist der wirklich schöpferische Augenblick, der über Zweck, Sinn und Wert des künftigen Fotos entscheidet.

Zweite Stufe: Rohes Formen des künftigen Bildes. Hat sich der Fotograf für ein bestimmtes Motiv entschieden, muß er es genauer studieren. Er muß verstehen, darüber mehr zu erfahren, sein Wesen so zu verstehen, daß er charakteristische Eigenschaften betonen und andererseits unwichtige oder ablenkende Einzelheiten unterdrücken oder ausschalten kann. Ohne solche kritisch-analytischen Betrachtungen können keine sinnvollen Fotos entstehen.

Dritte Stufe: Bewertung des Motivs. Wissen und Verständnis für das Motiv bereiten die Grundlage für eine persönliche Auffassung und einem Gesichtspunkt vor. Das wiederum führt zu Überlegungen über die Wiedergabe des Motivs durch Kamerastandpunkt und Blickwinkel, Art der Beleuchtung, Ausschnitt, Komposition usw. Wenn sich eine gültige persönliche Auffassung mit individueller Sehart und schöpferischen Fähigkeiten vereinigt, muß die Arbeit zu einer Aufnahme führen, die das Motiv charakteristisch und anregend erfaßt.

Vierte Stufe: Wirklichkeit fotografisch ausgedrückt. Viele der hervorstechendsten Eigenschaften des Motivs – Leben, Bewegung, Tiefe, Geräusch, fühlbare Sinneseindrücke, Geruch und in Schwarzweißfotografie die Farbe, um nur einige der wichtigsten zu nennen – können in ein Foto nicht direkt übernommen, sondern müssen durch Symbole ausgedrückt werden. Wie das geschehen kann, habe ich bereits gezeigt. Wenn solche »unfotografierbaren« Eigenschaften des Aufnahmeobjektes nicht mit Verständnis und Geschicklichkeit angedeutet werden, muß das Bild mißlingen. So hat mancher Fotograf zu seiner

Enttäuschung festgestellt, daß das Bild eines schönen Mädchens nicht zwangsläufig zu einem schönen Bild wird.

Fünfte Stufe: Technische Durchführung. Hat ein Fotograf sich dafür entschieden, was er sagen will und wie er es sagen will, bleibt ihm schließlich nur noch übrig, die Mittel zum Erreichen seines Zieles einzusetzen – Kamera, Objektiv, Film, Filter, Licht usw. –, und sie so zu handhaben, wie es den praktischen Erfordernissen der Fototechnik entspricht. Dank der Fortschritte in der modernen Foto-Technologie und dem hohen Grad der Standardisierung ihrer Methoden können heute Einstellen, Belichten, Entwickeln und die Positivherstellung auf eine Arbeitsweise gebracht werden, bei der zum großen Teil Tabellen und Meßgeräte die Notwendigkeit, persönliche Erfahrungen in harter Arbeit zu sammeln, ersetzen. Im Zeitalter der narrensicheren automatischen Kameras, der fotoelektronisch geregelten Belichtung und der bei Zeit und Temperatur kontrollierten Entwicklung kann jeder, der lesen und einfachen Gebrauchsanweisungen folgen kann und einen Belichtungsmesser, ein Thermometer und eine Uhr besitzt, technisch vollendete Bilder herstellen.

Schlußfolgerung

Jede der fünf eben beschriebenen Stufen hat gleiche Wichtigkeit. Leider wissen wenige Fotografen um die Bedeutung der ersten Stufen, viele wissen nicht einmal, daß sie existieren. Auf den ersten Blick scheint der schöpferische Moment mit dem Augenblick der Belichtung zusammenzufallen. Der *wirkliche* Schöpfungsprozeß spielt sich aber während der vier ersten Stufen ab. Nur während dieser vorbereitenden Stufen hat der Fotograf die Möglichkeit, sein Bild in Übereinstimmung mit seiner Absicht zu gestalten. Nur *vor* dem unwiderruflichen Schritt der Belichtung hat er noch die Wahl, zu betonen oder zu unterdrükken, die Gelegenheit, seine Darstellung in Übereinstimmung mit seinen Forderungen für den vorliegenden Fall zu verdichten, zu stilisieren und zu dramatisieren. Nur während dieser Stufen steht es ihm frei, den Weg und die Mittel, die Werkzeuge und Techniken zu wählen, die der Verwirklichung seiner Gedanken am besten entgegenkommen. Ist erst einmal belichtet worden, sind die Würfel für gut oder für schlecht gefallen. Und was danach noch übrigbleibt, kann von jedem geschickten Laboranten erledigt werden. Leider widmet jedoch der Durchschnittsfotograf unter Vernachlässigung aller vorhergehenden Stufen der fünften Stufe – der technischen Ausführung des Bildes – alle seine Kräfte. Dies ist natürlich die Erklärung dafür, daß die meisten Fotos so sinnlos und langweilig sind. Wie ich schon am Anfang sagte, entscheidet die Einstellung des Fotografen zu seinem Medium, die sich auch in seiner Stellung zum Motiv reflektiert, darüber, ob er versagen wird oder erfolgreich ist. Denn das Wissen, wie etwas gemacht wird, ist wertlos, solange es nicht von dem, was man machen will, geleitet wird.

Selbstkritik und Analyse

Selbstkritik ist ein wesentlicher Teil des Lernens. Sie befähigt einen Fotografen, sein Werk objektiv zu sehen, Schlüsse zu ziehen und sich darüber eine Meinung zu bilden, wo er steht, ob er Fortschritte gemacht hat und wie er sich weiterhin verbessern kann.

Die Grundlage jeder konstruktiven Selbstkritik ist Ehrlichkeit. Jeder kann andere Menschen täuschen, aber nicht sich selbst, vor allem nicht lange. Andrerseits sind natürlich weinerliche Selbstanklagen wie »Ich kann nichts; ich werde es nie schaffen« völlig sinnlos. Nur eine unsentimentale, klar rechnende Stellungnahme kann zum Ziel führen. Sie sollte mit einer Inventur der eigenen Leistungen und Fehler beginnen.

Leistungen und Fehler eines Fotografen

Meiner Meinung nach ist der größte Aktivposten, den ein werdender Fotograf haben kann, Begeisterung. Falls er nicht das, was er tut, wirklich liebt, sollte er besser etwas anderes tun, wenn möglich, etwas Lohnenderes. Fernerhin halte ich für wichtig, daß er sich wundern kann und ein fast kindliches Verlangen in sich trägt, Dinge zu entdekken – Menschen, Gefühle, Objekte, Bilder. Dieser wache Beobachtungssinn, der nicht durch Voreingenommenheit, vorgefaßte Meinungen und vorbedachte Auffassungen gestört wird, ist das Geheimnis der Jugend und erklärt, warum es in erster Linie junge Fotografen sind, die mit neuen Ideen kommen und Bilder machen, die uns durch ihre Frische und Schlagkraft oft den Atem verschlagen. Da sie noch nicht durch übermäßiges Lernen und Leben abgestumpft oder zynisch geworden sind, gehen sie mit einer kindlichen Unvoreingenommenheit an ihre Arbeit. Da sie noch keinen »guten Ruf« zu verlieren haben,

können sie nur dadurch gewinnen, daß sie unkonventionell arbeiten, keine fotografischen Tabus respektieren und das Unerreichbare zu erreichen versuchen. Solange ein Fotograf in diesem Sinne arbeitet, ist er auf dem rechten Weg, gleichgültig, wieviel er noch in fototechnischer Hinsicht zu lernen hat. Jeder, der sich entsprechend anstrengt, kann sich technische Fertigkeiten aneignen. Aber die Fähigkeit des Sichwunderns und Entdeckens ist eine kostbare Gabe. Hat man sie einmal abgestumpft, ist sie für immer verloren.
Der größte Fehler, den ein Schüler der Fotografie haben kann, ist meiner Meinung nach Mangel an Selbstbewußtsein. Ein Mensch ohne Vertrauen in sich und seine Fähigkeiten sucht unaufhörlich nach Anleitung. Unvermeidlich aber führt dieses Suchen nach Leitung zur Nachahmung, zum bedeutungslosen Klischee, zum enttäuschenden Leben eines Arbeitstieres. Und der größte Fehler, den ein erfolgreicher Fotograf machen kann, ist, sich selbst dauernd zu wiederholen.
Bis zu einem bestimmten Maß ist Nachahmung ein unvermeidlicher Teil des Lernprozesses. Jedes junge Tier und jedes aufwachsende Kind ahmt seine Eltern nach; und fotografische Anfänger sind darin keine Ausnahme. Aber irgendwann muß unbedingt der Augenblick kommen, in dem sich die Wege von Lehrer und Schüler trennen. Will er nicht sein Leben lang die Rolle des »zweiten Mannes« spielen, muß der junge Fotograf geistig wachsen und sich aus seiner eigenen Persönlichkeit heraus entwickeln. Er muß entdecken, wo seine Interessen liegen, und eine eigene Meinung in Übereinstimmung mit seinen Überzeugungen formen. Natürlich wird er weiterhin die Arbeiten anderer Fotografen mit Interesse verfolgen und sich vielleicht von ihnen anregen lassen, aber dann auf eine reifere Art. Er wird nun nicht länger sklavisch das, was ihm gefällt, nachahmen. Statt dessen wird er die attraktive Wirkung analysieren, die ihr zugrunde liegenden Ursachen finden und sie schöpferisch auf seine eigene Weise ausnutzen. So wird die Nachahmung geläutert und in konstruktive Anregung umgesetzt. Hat er einmal diesen Punkt erreicht, hat sich der frühere Schüler so weit entwickelt, daß er sich als selbständiger Fotograf bezeichnen kann.

Die Persönlichkeit eines Fotografen

Persönlichkeit ist die Summe aller Charakterzüge eines Menschen. Diese Züge bestimmen nicht nur die Entwicklungsmöglichkeiten eines Fotografen, sondern auch seine Grenzen. Daher ist Selbstanalyse ein

wichtiger Schritt in der Entwicklung jedes Fotografen: Was für ein Mensch bin ich? Worin liegt mein Interesse? Was möchte ich am liebsten tun?
Aber ebenso wichtig, wie seine guten Seiten zu entdecken, ist es meinen Erfahrungen nach, seine Schwächen und Grenzen zu erkennen. Denn gerade diese Eigenschaften sind es, die nachhaltig die Laufbahn eines Fotografen beeinträchtigen können: Falls er nicht abenteuerlustig ist, sollte er nicht reisen, gleichgültig, wie romantisch ihm das Leben eines Fotojournalisten, der für eine große Bildzeitschrift arbeitet, auch erscheinen mag, da er unter solchen Verhältnissen nicht imstande sein würde, erstklassige Arbeit zu leisten. Ist er nicht methodisch und genau, sollte er nicht versuchen, auf den Gebieten der Industriefotografie, der Architekturfotografie oder der wissenschaftlichen Fotografie zu arbeiten. Ist er besonnen und langsam von Natur, ist Sportfotografie nichts für ihn, und so weiter. Sie werden verstehen, was ich meine.
Sowie sich ein Fotograf darüber im klaren ist, was er *nicht* tun sollte, kann er sich dem Problem zuwenden, darüber nachzudenken, *was* er tun sollte. Im idealen Fall, d. h., wenn weder ökonomische noch andere Erwägungen dem entgegenstehen, trifft er seine Wahl aufgrund seiner Interessen: Welches Arbeitsgebiet der Fotografie, welche Art von fotografischen Motiven interessiert ihn am stärksten? Denn das eigene Interesse wird zum entscheidenden Faktor in der Wahl der Laufbahn, weil ein *gutes* Foto *mehr* ist als lediglich die Reproduktion eines Objektes. Es ist vielmehr eine bildhafte Auswertung durch den Fotografen aufgrund seines eigenen Erlebens, also dessen, was ihn am Objekt interessierte, was es ihm bedeutet, wie er es sah – im wörtlichen wie auch im übertragenen Sinne – und wie er es anderen zeigen möchte. Das setzt also Wissen und Verständnis voraus, die wiederum natürliche Folgen von Interesse sind; beides stellt sich aber nur schwer ein, wenn das Objekt einen kaltläßt. Wissen und Verständnis bereiten ihrerseits die Grundlagen für eine persönliche Meinung, die bildhaft ausgedrückt nicht nur darstellt, was einem am Objekt gefällt, sondern auch durch die Art, wie sie ausgedrückt wird, dem Betrachter durch Wissen und Einfühlung des Fotografen hilft, seine Erkenntnis zu bereichern.

Analyse eines Fotos

Selbstkritik darf nicht nur auf die eigene *Persönlichkeit* beschränkt bleiben, sondern muß sich auch auf das eigene *Werk* erstrecken. Dazu einige der wichtigsten Fragen, die in diesem Zusammenhang beantwortet werden müssen:

Motivierung: Warum machten Sie dieses Foto? Hat Sie das Motiv interessiert ... bewegt ... erregt? Haben Sie die Aufnahme deshalb gemacht, weil jemand anderes ein ähnliches Foto gemacht hat, das Ihnen gefiel ... das Ihnen die Idee gab ... das Sie irgendwo abgedruckt gesehen hatten ... das vielleicht einen Preis erhielt? Oder fotografieren Sie das Motiv nur deshalb, weil es gerade da war und Sie glaubten, damit entstände ein »interessantes Bild«? Interessant für wen? Für Sie selbst ... für Ihre Familie ... für Freunde ... für Mitglieder Ihres Kameraklubs ...für das allgemeine Publikum? War es ein geplantes Bild ... ein Schnappschuß ... ein glücklicher Zufall?

Wert: Glauben Sie immer noch, das Motiv wäre wert gewesen, es zu fotografieren? Warum war es fotografierenswert? Oder fühlen Sie jetzt, daß das Bild nicht besonders schön ... interessant ... aufschlußreich ... bewegend und strenggenommen keineswegs zahllosen anderen Bildern ähnlicher Motive überlegen ist? Sind Sie froh, daß Sie dieses Bild gemacht haben ... oder wünschten Sie jetzt, Sie hätten besser den Film gespart?

Absicht: Was erwarteten Sie davon, als Sie das Foto aufnahmen? (Die Antwort zu dieser Frage ist wichtig, um herauszufinden, wie gut Sie Ihre Absicht erfüllt haben, denn eine ernst zu nehmende Kritik jeder Fotografie ist nur unter Berücksichtigung der Absicht des Fotografen möglich.) Wollten Sie nur ein Erinnerungsbild herstellen – einen Schnappschuß, eine fotografische Skizze? Ist dieses Bild eine Form von persönlichem Ausdruck – eine grafische Darstellung dessen, was Sie vor dem Objekt gefühlt haben ... ist es ein Schritt des Protestes ... ein Aufruf zum Handeln ... zu Reformen ... zur Revolte? Wollten Sie die Schönheit des Objektes ausdrücken ... seinen Sex-Appeal ... oder vielleicht eine bestimmte Eigenschaft wie Monumentalität, Elend, Schmutz, Kälte ... oder ein Gefühl wie Liebe, Haß, Zuversicht, Ekel oder Verzweiflung? Sollte das Foto aufschlußreich ... komisch ... erzieherisch ... überraschend wirken? Ist Ihr Bild eine direkte Wiedergabe oder eine symbolische Darstellung? Sollte es »wörtlich genommen werden«, oder liegt eine versteckte Bedeutung darin? Liegt ihm überhaupt eine Absicht zugrunde, oder machten Sie es, ohne sich dabei etwas zu denken, außer vielleicht: »Das ist ein schönes Motiv; wie kann ich es am besten auf den Film bringen?«

Ausführung: Befriedigt Sie Ihr Bild in bezug auf die fototechnische Leistung ... Schärfe ... Verwischung ... Belichtung ... Perspektive ... Farbe ... Kontrast ... Licht? Wie gut, glauben Sie, gelang es Ihnen, Ihre Absicht zu erfüllen (übrigens: was *war* Ihre Absicht?)? Ist die Ausführung persönlich und originell oder abgedroschen, also ein fotografischer Abklatsch? Unterscheidet sich die Ausführung von der Art der Groschenfotografie ähnlicher Motive, und in welcher Hinsicht ist dies der Fall? Ist sie besser (warum?) ... künstlerischer (oder vielleicht nur künstlicher?)? Trägt dieser Unterschied dazu bei, das Foto schöner zu machen ... aufschlußreicher ... regt es das Gemüt stärker an ... ist es grafisch interessanter ... oder ist es nur ein Trick, um Aufmerksamkeit zu erzielen?

Wirkung: Ehrlich – was ist Ihre eigene Reaktion auf Ihr Bild? Fühlen Sie sich dabei glücklich ... neugierig ... erregt ... ärgerlich ... enttäuscht ... gelangweilt? Enttäuscht – weil es nicht genug aussagt, hätte es besser sein können? Beschämt – weil Sie wissen, daß es nur eine Nachahmung des Werkes eines anderen ist? Stolz – weil Sie wirklich erfolgreich das ausgedrückt haben, was Sie vor Ihrem Motiv empfanden? Wie wirkt das Bild auf andere Leute – auf Ihre Familie ... auf Freunde ... auf andere Fotografen ... auf Fremde? Waren deren Reaktionen mehr oder weniger einmütig ... geteilt ... schmeichelnd ... mißbilligend? Verstanden Sie, was Sie mit Ihrem Foto sagen wollten? Mochten Sie es?

Persönlichkeit und Stil

Keine zwei Fotografen sind in bezug auf Persönlichkeit, Herkommen, Erziehung, Interessen, Geschmack und Art der Entwicklung genau einander gleich. Daraus sollte man schließen, daß sich beim Vergleich bedeutender Werke ihres fotografischen Schaffens diese persönlichen Verschiedenheiten in ihren Bildern als Unterschiede in bezug auf Motivwahl und Ausführung, Komposition, Stil und so weiter zeigen. Leider sind solche bildlichen Unterschiede verhältnismäßig selten, hauptsächlich, weil Unterschiede in der Persönlichkeit oft durch Ähnlichkeiten im Denken wettgemacht werden. Das ist das bedauerliche Ergebnis einer Art »Gehirnwäsche« durch den zersetzenden Einfluß von Gruppentätigkeit in Verbindung mit fehlendem Mut, um eine eigene Richtung einzuschlagen. Diesen negativen Kräften zu widerstehen muß das Hauptbestreben jedes Fotografen sein, der einen eigenen Stil entwickeln will.

Es ist eine Tatsache, daß jeder, der jemals etwas von bleibendem Wert geschaffen hat, ein Individualist war, einer, der keine Angst hatte, neuen Grund zu brechen, seinen eigenen Weg zu gehen und, falls notwendig, für seine Überzeugungen zu kämpfen. Das ist allerdings genau das Gegenteil von der augenblicklichen Tendenz für Zusammenarbeit, wie sie sich in den Fotoklubs ausprägt, in der »Schule«, der »Gruppe« oder irgendeiner »Bewegung«. Fotografen, die sich mit einer solchen Gruppe von Menschen identifizieren, die von einer gemeinsamen Ansicht zusammengehalten wird, also Menschen, die unter sich in den meisten Punkten übereinstimmen und bei denen einer wie der andere denkt, sind nicht dem anregenden Austausch von Ideen ausgesetzt, der für die intellektuelle und künstlerische Entwicklung jedes Menschen unentbehrlich ist. »Eine Idee« zu haben ist nicht dasselbe, wie diese Idee gegen einen intelligenten und schlagkräftigen Gegner zu verteidigen oder sie im Bild zu fixieren. Das erste ist unbestimmt und verträumt, und nur das zweite kann die Durchführbarkeit und den inneren Wert der Idee beweisen oder widerlegen. Fotografen, die nicht den Willen oder Mut haben, sich zu behaupten, verlieren ihre Freiheit als Künstler und verkümmern. Leben heißt kämpfen – sowohl gegen äußere Einflüsse wie auch gegen sein eigenes Inneres. Dieser Kampf bedeutet allerdings mehr als lediglich der Konkurrenzkampf um die physische Existenz. Es ist ein Kampf ums Überleben auf einer höheren Stufe, ein Kampf für die eigene Unversehrtheit und den eigenen Stolz – der stille Kampf des Geistes gegen seine eigene Trägheit (Warum sich so anstrengen? Kein Mensch merkt doch den Unterschied!); gegen seine eigenen Minderwertigkeitsgefühle (Ich wollte, ich wäre dieser oder jener Mensch!); gegen den zersetzenden Einfluß der allgemeinen Meinung (Was werden andere Fotografen sagen? Was wird der Redakteur denken?); gegen den Versuch, schnelle Anerkennung dadurch zu erhaschen, daß man den erfolgreichen Stil andrer nachahmt (Schließlich stehlen doch alle Ideen voneinander!). Nur wer diesen Kampf gewinnt, kann ein Fotograf aus eigener Kraft werden. Und nur wer ein Fotograf aus eigener Kraft geworden ist, kann seinen eigenen Stil entwickeln.

Ein persönlicher Stil – die begehrte Marke der Individualität – unterscheidet das Werk eines Fotografen von dem eines anderen Fotografen. Und ähnlich wie ein Kunstkenner ein Gemälde von Picasso erkennt oder eine Skulptur von Henri Moore, ohne nach der Signierung zu schauen, so kann ein erfahrener Bildredakteur, ohne einen Blick auf den Stempel auf der Rückseite des Bildes zu werfen, ein typisches Bild von beispielsweise Edward Weston, W. Eugene Smith, Richard Avedon, Yousuf Karsh, Erwin Blumenfeld, Ernst Haas oder Art Kane erkennen, um nur einige bekannte Fotografen zu nennen, die ihren eigenen Stil haben. Ich sage bewußt »ein typisches Bild«, weil ein Fotograf nur, wenn er sich frei ausdrücken kann, Bilder macht, die den Stempel seiner Persönlichkeit tragen. Fotos, die für Aufträge von Kunden oder Redaktionen gemacht worden sind, werden selbstverständlich oft von Überlegungen außerhalb der Kontrolle des Fotografen bestimmt.

Voraussetzung für die Entwicklung eines persönlichen Stils ist Selbstkenntnis und Selbstkritik, denn ein Stil entwickelt sich aus der Persönlichkeit des Individuums. Ein Fotograf, der ordentlich in seinen Gewohnheiten und Gedanken ist, drückt selbstverständlich diese Ordnung auch in seinen Bildern aus, die scharf und genau sein werden, in der Ausführung wie auch in ihrem Sinn. Sind diese Charakterzüge mit einer bescheidenen Natur verbunden, tiefer Achtung vor allen Lebewesen und großer Liebe zum freien Leben, wird es klar, warum Edward Weston in der Weise arbeitete, wie es der Fall war. Der Mann, sein Charakter, seine Interessen, seine Gefühle und seine Denkungsart, seine Art, zu sehen und sich auszudrücken, sind alle so verschmolzen und voneinander untrennbar, daß sie in Form eines persönlichen Stils zum Ausdruck kommen.

Werfen Sie einen Blick auf das Werk von W. Eugene Smith, dessen grübelnder Charakter, dauernde Beschäftigung mit menschlichen Problemen und unanfechtbare Lauterkeit, die keine Kompromisse duldet, deutlich von seinen dunklen und bewegenden Fotos widergespiegelt wird. Sein Stil hat sich aus Leiden, Ehrfurcht und Gefühl für Menschlichkeit entwickelt.

Betrachten Sie das Werk von Richard Avedon, dieses modernen Romantikers und Verherrlichers von allem, was elegant und weiblich ist. Seine verbindliche Kultiviertheit, sein Sinn für Farbe und Bewegung, seine unkonventionelle Art, sein Mut und sein Geschmack verbinden sich zu einem Stil, der – gleichgültig, wie verschieden auch die Facetten sind, die er haben mag – seine Individualität unverkennbar ausdrückt.

Im Gegensatz zu Avedon, der selbst nach vielen Jahren an der Spitze uns immer noch mit seiner Erfindungsgabe überraschen kann, scheint sich Karsh auf einen bestimmten Weg festgefahren zu haben. Seine Art, Licht und Struktur zu meistern, ist noch immer bewundernswert, seine Kompositionen sind so gut durchgearbeitet wie je zuvor. Aber seine Gewohnheit, sich selbst dauernd zu wiederholen, macht es, daß er stillzustehen scheint und daß sein Stil, trotzdem er fehlerlos erscheint, allmählich etwas veraltet wirkt, während junge Fotografen aufrücken.

Wo die Farbe wichtigstes Kriterium ist, sind Erwin Blumenfeld, Ernst Haas und Art Kane unter den ersten, die durch ihre Pionierarbeit auf diesem noch verhältnismäßig neuen Gebiet Anerkennung gefunden haben. Trotzdem sind ihre persönlichen Stile sehr verschieden. Blumenfeld ist erfindungsreich, kapriziös, sensibel, ausgesprochen mutig und setzt sich mit seiner kultivierten Verwendung der Farbe über alle Tabus hinweg. Haas fasziniert durch die Art, wie er Bewegung symbolisiert, indem er durch sorgfältig abgestimmte Verwendung von Verwischung im Foto einen Sturm entfacht und ihn durch die Farbe auf unglaubliche Höhe bringt. Kane, der »fotografische Konstrukteur«, verwendet Farbe mit zügelloser Freiheit und schafft Plakateffekte von solcher Kühnheit, daß sie ihm Reichtum und Ruhm gebracht haben.

Um diesen Beispielen nachzueifern, muß ein Fotograf folgendes berücksichtigen: Nur rücksichtslose *Ehrlichkeit* mit sich selbst kann ihn vorwärtsbringen. In dem Moment, in dem er der Versuchung nachgibt, den leichteren Weg zu wählen und Ausdrucksformen zu verwenden, die nicht seiner Natur entsprechen, in dem Augenblick also, in dem er mit Nachahmen beginnt, verleugnet er seine Persönlichkeit und lähmt seine künstlerische Entwicklung, so daß er für längere Zeit aus seiner Bahn geworfen wird, vorausgesetzt, daß der Schaden nicht permanent ist.

Bis zu einem gewissen Grad kann *Spezialisierung* die Entwicklung eines eigenen Stils begünstigen. Jeder der oben genannten Fotografen ist in einem mehr oder weniger scharf begrenzten Feld ein Spezialist. Spezialisierung ist die natürliche Folge besonderen Interesses. Der schöpferische Geist interessiert sich stets mehr für gewisse Dinge als für andere und schenkt denen, die ihn weniger interessieren, entsprechend weniger Beachtung. Daher verbessert gesteigertes Interesse die Leistung auf dem betreffenden Gebiet und führt letzten Endes zu Wissen, Verbesserungen, Entdeckungen und Erfindungen – die Voraussetzungen für einen persönlichen Stil.

Der Irrweg, *originell um der Originalität willen* zu sein, der Fluch übermäßigen Ehrgeizes, muß unbedingt gemieden werden. In unserem trickreichen Zeitalter ist es nur zu leicht, bekannt zu werden etwas als »der Fotograf, der so komische Verzeichnungen macht« oder »der Mann, dessen Arbeit daran zu erkennen ist, wie er Hände fotografiert«. Meiner Meinung nach sind solche Absonderlichkeiten eher Handelsmarken als Zeichen schöpferischer Kraft. Sie sind Furchen auf dem Weg zum Erfolg, in denen ein Fotograf steckenbleiben kann, ehe er sein Ziel erreicht.

Selbstverständlich ist nicht jeder Fotograf dazu befähigt, einen persönlichen Stil zu entwickeln. Ohne daß einer von seiner Überzeugung angetrieben, von Interesse begeistert, von Gefühl angefeuert und durch Schwung gekräftigt wird, kann er nicht über Mittelmäßigkeit hinauswachsen. Und sogar begabte Fotografen machen gelegentlich den Fehler, das Werk anderer, das sie bewundern, nachzuahmen. Statt der Stimme ihres Inneren zu lauschen, blicken sie in einer mißgeleiteten Art von Heldenverehrung auf den Gegenstand ihrer Bewunderung und vergessen darüber, sich selbst eine Chance zu geben. Und erfolgreiche Fotografen versäumen oft über endlosen Wiederholungen des Stils, der sie berühmt gemacht hat, ihre vollen Möglichkeiten zu entwickeln. Nur eins ist sicher: Ein persönlicher Stil kann nicht erzwungen werden. Er muß von innen heraus wachsen und sich organisch entwickeln, denn er ist das Spiegelbild des Selbst.

Gedanken und Beobachtungen

Ich weiß nicht mehr, wo ich hörte oder las, daß »ein Farbfoto so laut und vulgär sein kann wie das Gegröle einer Bierwerbung ... oder so harmonisch wie eine Passage aus einem Mozart-Quartett«. Aber wo es auch immer gewesen sein mag, es scheint mir jedenfalls eine sehr treffende Beobachtung zu sein.

Es ist ein Zeichen des Anfängers, Farbe ihrer Stärke gemäß zu werten; erfahrene Fotografen sehen in der Farbe ihren Ausdruck.

Es ist bedauerlich, daß die Farbfotografie dauernd mit der Malerei verglichen wird und daß die meisten Leute glauben, das größte Kompliment, das sie einem Farbfotografen machen können, sei die Versicherung, daß eine bestimmte Aufnahme »wie gemalt« wirkt. Ungeachtet gewisser oberflächlicher Verwandtschaften meine ich, daß die beiden nichts miteinander zu tun haben. Eine Welt von Unterschieden liegt zwischen Farbfotografie und Malerei. Denn der Maler zeigt in seinem Werk, wie *ihm* die Wirklichkeit erscheint, wie *er* sieht oder fühlt, er betont, was *ihm* wichtig erscheint, vernachlässigt, was *er* als überflüssig ansieht, und offenbart gewöhnlich mehr über sich selbst in seinen Bildern als über die Motive seiner Malerei. Jedes Gemälde ist daher eine subjektiv »gestaltete«, »überlegte« und nötigenfalls »verzeichnete« Darstellung der Wirklichkeit, gesehen durch die Augen *eines Menschen,* von denen nicht zwei gleich sind.

Im Gegensatz dazu ist eine Fotografie, gleichgültig, wie stark dabei Geist und Phantasie des Fotografen beteiligt waren, das Produkt einer Maschine – eine objektiv registrierende Abbildung mittels einer Einrichtung, die Tausenden anderen gleicht oder strengen optischen Grenzen unterliegt. Daher ist das Erzeugnis, also das Foto, im wesentlichen *objektiv, naturgetreu und »unverzeichnet«* insofern, als alles, was darauf zu sehen ist, mag es auch noch so unwahrscheinlich erscheinen, »real« und in dem Augenblick, in dem die Aufnahme gemacht wurde, so vorhanden gewesen ist, wie es abgebildet wird.

Ein Fotograf, der aus diesen Tatsachen Vorteile zu ziehen versteht, kann seine Arbeit auf drei Arten verbessern:

1. Durch geschickte Verwendung der *technischen* Möglichkeiten der Fotografie – durch Ausnutzen der Eigenschaften, die das fotografische Medium dem Auge voraus hat: Tiefenschärfe, praktisch unbegrenzter Blickwinkel, augenblickliches »Einfrieren« von Bewegung – kann ein Fotograf Entdeckungen auf dem Gebiet des Sehens machen, indem er uns Aspekte der Wirklichkeit zeigt, die wir der unseren Augen anhaftenden Beschränkungen wegen in dieser Art nicht direkt beobachten können. So trägt er zur Bereicherung unseres Wissens bei.

2. Durch phantasievolle Verwendung der *schöpferischen* Seiten der Fotografie – durch Ausnützung der Möglichkeiten der überrealistischen Nahaufnahme, durch den sorgfältig gewählten Aufnahmeaugenblick, durch geschicktes Isolieren des Objektes aus dem Zusammenhang mit seiner Umgebung, um es stärker zu betonen, durch Kontrolle der Perspektive, durch Symbolisierung abstrakter Begriffe mittels Farbe und »Stimmung« und auf eine Unzahl anderer Arten – kann ein Fotograf uns bisher unbeachtete Schönheiten und Werte vor Au-

gen rücken und damit zur ästhetischen Bereicherung unseres Lebens beitragen.

3. Durch *Verbindung* der technischen und schöpferischen Möglichkeiten der Fotografie kann ein Fotograf die Wirklichkeit in der Form von eindringlichen und bedeutungsvollen Fotos dokumentieren, die uns helfen können, unsere Umwelt und unsere Mitmenschen besser zu verstehen, und damit uns in unserem ewigen Suchen nach Verständigung und Frieden helfen.

Dieses hohe Ziel ist selbstverständlich weit entfernt von dem einfachen Schnappschuß, mit dem wir begannen, von dem Slogan, der so viel dazu beigetragen hat, daß aus der Fotografie die umfassende Liebhaberei wurde, die sie heute ist: »Sie drücken auf den Knopf, wir besorgen das übrige«, und von der Vorstellung, daß Fotografie »leicht« sei.

Ja – ich möchte wiederholen, was ich zu Beginn dieses Buches gesagt habe –, Fotografie kann leicht sein. Nichts ist nämlich leichter, als ein einfaches Motiv zu knipsen und einige Tage später in der Fotohandlung, in der man seinen Film abgegeben hat, eine Reihe netter Bilder abzuholen. Andrerseits verlangen wenige Dinge mehr Geduld und Geschicklichkeit, mehr Gefühl und Hingabe, als gute Aufnahmen zu machen. Das alles hängt von den Anforderungen ab, die Sie an sich und Ihre Bilder stellen.

Mir scheint, es gehört zu den Verhängnissen unserer Zeit, daß die meisten Menschen nur an dem interessiert sind, was »leicht« ist. Der grundlegende Tenor aller Anzeigen, die sich an Leute wenden, die selbst etwas nach dem Motto »Do it yourself« machen wollen, lautet: »Es ist leicht! – Auch Sie können malen ... schreiben ... großartige Farbaufnahmen machen und eine Menge Geld damit verdienen ... Alles, was Sie dabei tun müssen, ist, sich in unseren Fernlehrgang einzuschreiben ... diese preiswerte Ausrüstung zu kaufen ... diese einfachen Anleitungen zu befolgen ... ES IST LEICHT!«

Wenn Sie von mir nur ein Rezept erwarten, das Ihnen zeigt, wie Sie leicht zu guten Resultaten kommen können, dann haben Sie mit dem Kauf dieses Buches Ihr Geld verschleudert. Denn alles, was Sie brauchen, ist schon nett in den einfachen Gebrauchsanweisungen zusammengefaßt, die Ihrem neuen Fotoapparat, Belichtungsmesser und Film beiliegen, und zwar kostenlos. Wenn Sie aber zu den Fotografen gehören, die noch an Qualität glauben, an ehrliche Arbeit, an sinnvolle Resultate, dann werden Sie alle notwendige Führung auf den Seiten und in den Bildern dieses Buches finden. Mehr zu geben ist unmöglich – alles übrige liegt bei Ihnen. Dieses letzte Notwendige für den Erfolg, das schöpferische Gestalten, kann nicht gelehrt werden.

Aus seiner Umwelt gewinnt der Fotograf Eindrücke, die er im Lichte seiner eigenen Erfahrungen, seiner Interessen und seiner Persönlichkeit auswertet. Unterscheidungsvermögen, Auswahl und Ablehnung gehen der Bildherstellung voraus. Ordnung, Klärung und technisches Geschick verwandeln sein Rohmaterial in eine Form, die durch Intensität des Sehens, suggestive Symbolisierung und grafische Wirkung bei weitem das Erlebnis des aktuellen Augenblicks übertreffen kann. Ist das erreicht, ist das Foto gut – Wirklichkeit ist zur Kunst geworden.

Stichwörterverzeichnis